HEYNE <

Das Buch

Die zwanzigjährige Evangeline de Beauchamps, Tochter einer Engländerin und eines Franzosen, begibt sich nach Chesleigh Castle, um dort eine Stelle als Gouvernante anzutreten. Herzog Richard ist von der schlagfertigen jungen Witwe sehr angetan, und auch sein Sohn freundet sich bald mit ihr an. Doch Evangeline ist nicht die, die sie zu sein vorgibt. Zwar erwidert sie die Gefühle des Herzogs und lässt sich auf eine leidenschaftliche Affäre mit ihm ein, doch sie wird brutal erpresst. Als ein Mord geschieht, beauftragt der Herzog einen Agenten mit Nachforschungen, die das Netz politischer Intrigen zu enthüllen drohen. Nun gerät Evangeline in höchste Gefahr.

Die Autorin

Die Amerikanerin Catherine Coulter gehört mittlerweile zu den Top-Autorinnen historischer Liebesromane. Ihre mehr als dreißig Romane wurden weltweit in knapp 20 Millionen Exemplaren verkauft. Einige erschienen sogar als Hardcover, was nur wenigen Autorinnen ihres Genres gelingt. Catherine Coulter lebt mit Mann und Katze in Nordkalifornien. Von Catherine Coulter erscheinen im Heyne Verlag: *Die schöne Fremde* (01/13074), *Tanz in die Liebe* (01/13158), *Scharade der Liebe* (01/13301), *Schloß der Liebe* (01/13202), *Wirrnis des Herzens* (01/13420) und *Im Feuer der Gefühle* (01/13545).

Catherine Coulter

Geliebte Verräterin

Roman

Aus dem Amerikanischen
von Christine Roth

WILHELM HEYNE VERLAG
MÜNCHEN

HEYNE ALLGEMEINE REIHE
Band-Nr. 01/13694

Die Originalausgabe
THE DECEPTION
erschien bei Signet, a division of Penguin Putnam Inc.

Umwelthinweis:
Dieses Buch wurde auf
chlor- und säurefreiem Papier gedruckt.

Deutsche Erstausgabe 04/2003

Der Wilhelm Heyne Verlag ist ein Verlag der
Ullstein Heyne List GmbH & Co. KG
Printed in Germany 2003
Umschlagillustration: Elaine Duillo/Agentur Schlück
Umschlaggestaltung: Nele Schütz Design, München
Satz: Gesetzt aus der Cochin
Druck und Bindung: Elsnerdruck, Berlin

ISBN: 3-453-86497-2
http://www.heyne.de

Für Catherine Lyons-Labate,
die Schokolade und Gardenien über alles schätzt,
die gerne und oft lacht,
und, was ich am meisten an ihr liebe,
sich köstlich über meine Scherze amüsieren kann.

1

London
2. Dezember 1814

Er glühte vor unstillbarem Verlangen, konnte es kaum erwarten, sich tief in sie zu vergraben und zumindest für eine kurze Weile zu vergessen, dass da draußen Ungeheuer ihr Unwesen trieben, die einen Mann um den Verstand bringen konnten. Er keuchte vor Anstrengung, als es ihm schließlich gelungen war, sich auf sie zu legen. »Verzeih mir«, sagte er mit einer Stimme so rau und nackt wie seine Seele. »Verzeih mir.« Er wusste, dass er ihr in diesem Augenblick einfach nichts geben konnte. Und er fragte sich, ob er in solchen Momenten, wenn er in ihr explodierte und jegliches Gefühl für sich, jegliches Gefühl, wer er war und was er war, zu wem oder was er gehörte, verlor, ob er da überhaupt sich selbst etwas geben konnte. Er war bis in sein tiefstes Inneres aufgewühlt und erschüttert und genoss den kurzen Moment des Vergessens. Doch kaum war seine Leidenschaft abgeklungen, war er wieder allein, entsetzlich allein. Und dann kehrte auch wieder die Erinnerung zurück, dass da draußen in der Nacht das Böse lauerte.

Langsam wälzte er sich von ihr herunter, spürte, wie die Wirklichkeit um ihn herum wieder Gestalt annahm, sah die Schatten, die das Feuer an die Wand hinter ihrem Bett warf, folgte ihnen in die Ecken des Schlafzimmers, wo sie noch dunkler wurden und alles in eine graue Leere tauchten. Nein, diese Leere, die war in ihm, und er war derjenige, der trotzdem noch am Leben war.

Er drehte sich zu ihr um. Sie lag auf dem Rücken, die Beine noch immer gespreizt. Eine zierliche Hand ruhte, zur Faust geballt, auf ihrem weißen Bauch. Er umfasste die Hand und hob sie hoch. »Verzeih mir«, sagte er noch einmal. »Ich werde mich bessern.«

Sie hatte nicht die Absicht, ihm zu versichern, dass es ihr nichts ausmachte, wenn er sie wie ein Gefäß behandelte, in das er seine Lust ergoss – denn es machte ihr etwas aus. Sie kannte ihn seit zwei Jahren, keine lange Zeitspanne für einen Mann, der so stolz, so vielschichtig und leidenschaftlich war wie Richard Clarendon, aber lange genug für eine Frau, die ihm an Selbstbewusstsein und Stolz in nichts nachstand und daran gewöhnt war, Befriedigung zu schenken. So fiel es ihr jetzt leicht, zu entgegnen: »Ihr seid alles andere als ein oberflächlicher oder selbstsüchtiger Liebhaber und könnt mir daher ruhig anvertrauen, was Euch auf dem Gemüt liegt.«

Er hauchte ihr einen Kuss auf den Handrücken, ließ ihre Hand sinken, streichelte über ihre Finger und breitete sie wie einen Fächer auf der weißen Haut ihres Bauches aus. »Du bist wunderschön«, murmelte er, und seine Stimme verriet die Abwesenheit und Leere seiner Gedanken.

»Ja, ich weiß, aber das ist nicht wichtig. Auch Ihr seid schön. Aber nun sagt mir, Richard, was Euch Sorgen macht.«

Langsam stieg er aus dem Bett, trat vor den Kamin, in dem das Feuer nicht mehr hellauf loderte, sondern leise knisternd vor sich hin glomm, und streckte die Glieder. Der flackernde Schein der Glut tauchte seinen Körper in goldenes Licht. Sie bewunderte seinen Verstand ebenso wie seinen Körper – die Schnelligkeit, die Eleganz und die Kraft, die beiden innewohnten.

»Ihr seid müde«, sagte sie in sein Schweigen hinein.

»Ja, todmüde.« Er war nicht nur völlig erschöpft, sondern zudem ein Idiot. Hatte er doch gehofft, dass das Zusammensein mit ihr ihn aufbauen und ihm helfen würde, das Leben wieder schätzen und genießen zu lernen, was natürlich nicht der Fall war. Er fühlte sich nur noch elender als vor einer Stunde. »Ja«, wiederholte er. »Todmüde. Es tut mir Leid«, entschuldigte er sich abermals.

Sie stand auf, ging zu ihm und schmiegte sich sanft an seine Seite. »Es ist wegen dieser jungen Frau, nicht wahr? Die Phillip Mercerault geheiratet hat. Die Euch abgewiesen hat. Und die der Mann in Euch immer noch begehrt, habe ich Recht?«

Er lächelte. Die Dinge wären so viel einfacher, wenn Sabrina die Ursache für den Schmerz wäre, der sich so tief in ihn hineingefressen hatte, dass er sich fragte, ob er jemals nachlassen würde. »Der Mann in mir? Fühlt ein Mann denn so anders als eine Frau?«

»Die Gefühle der Männer unterscheiden sich sehr wesentlich von denen einer Frau. Und das Denken ebenfalls. Euer Denken nährt den Glauben an Euch selbst. Wenn eine Frau einen Mann abweist, so verletzt sie damit sein Selbstwertgefühl, nicht sein Herz. Die Gefühlswelt der Frau gleicht dagegen einer Wüste, die von der Zuwendung und Aufmerksamkeit eines Mannes lebt. Und sie wird oft verletzt, weil Männer sich gemeinhin nicht dadurch auszeichnen, einer Frau ihre volle Aufmerksamkeit zu schenken; das liegt nicht in ihrer Natur. Beide, Männer wie Frauen, leiden daher; nur ist die Art des Schmerzes unterschiedlich.«

»Darüber ließe sich wahrscheinlich endlos debattieren. Nein, was mich bedrückt, hat nichts mit Sabrina und Phillip zu tun. Sie und er, die beiden leben ihr Leben, wie es sein sollte. Sabrina ist schwanger, und Phillip ist so glücklich, wie ich ihn noch nie erlebt habe.«

Sie nickte in dem Bewusstsein, dass er ihr die Wahrheit gesagt hatte. »Was ist dann? Geht es Eurer Mutter nicht gut?«

»Oh, meiner Mutter geht es blendend.«

»Vermisst Ihr Euren Vater?«

»Ja, bestimmt. Er war ein wunderbarer Mann. Ich werde ihn vermissen, bis ich selbst vor dem Herrgott stehe.« Er schwieg einen Augenblick nachdenklich und blickte dann in ihr hübsches Gesicht. »Du wirst nicht sterben, nicht wahr, Morgana?«

»Nein.« Ihre Hand lag auf seinem Arm. Es war nichts Verführerisches an dieser Geste, doch sein Körper reagierte sofort. Sie bemerkte sein wiedererwachtes Verlangen, spürte die Kraft und die Energie, die auf sie einströmten, und wich rasch zurück. »Bevor Ihr Euch wieder auf mich stürzt, beantwortet bitte meine Frage.«

»Du nervst mich. Eine Frau sollte einen Mann nicht so quälen. Verdammt, es geht um Mord, Morgana. Um den sinnlosen Mord an einem Menschen, der sich nicht hätte umbringen lassen dürfen, ein Mensch, der mir sehr nahe stand.«

»Habt Ihr den Mörder zur Strecke gebracht?« Die Frage war so eindringlich, dass er unwillkürlich zu reden begann. »Nein, ich weiß nicht mit Sicherheit, wer ihn umgebracht hat«, gab er zurück und fuhr sich so ungestüm mit den langen Fingern durchs Haar, dass Büschel davon senkrecht zu Berge standen. »Natürlich würde ich den Kerl am liebsten in die Hölle befördern, wo er hingehört, aber die eigentliche Ursache für meine unsägliche Wut ist das Motiv, das hinter diesem Mord steckt. Und ich beginne mich allmählich zu fragen, ob heutzutage überhaupt noch einer von uns sicher ist.« Als er sich umdrehte und mit gesenktem Kopf ins Feuer starrte, wusste sie, dass er alles gesagt hatte. Er litt schreckliche Seelenqualen, und sie konnte ihm nur helfen, indem sie ihn davon ablenkte. Er bezahlte sie zwar dafür, ihm auf Abruf zur Verfügung zu stehen, aber in diesem Augenblick hätte sie ihn auch völlig unentgeltlich in die Arme genommen und getröstet.

»Das tut mir Leid«, sagte sie leise und schmiegte sich an ihn. Sie spürte seine harte Männlichkeit an ihrem Bauch, küsste seine Schulter und legte den Kopf an seine Brust. »Lasst mich Euch helfen zu vergessen, zumindest für eine kleine Weile.«

Er führte sie nicht zurück zum Bett. Er packte sie an den Hüften, hob sie hoch und drang dort, wo er stand, tief in sie ein. Ganz kurz kam ihm der Gedanke, ob er ihr weh tat, doch dann hörte er das Stöhnen, das tief aus ihrer Kehle kam und ihm sagte, dass sie sich bereits dem Höhepunkt näherte. Diesmal enttäuschte er sie nicht, doch als er sie eine Dreiviertelstunde später verließ, wusste sie, dass seine Seele noch immer so hart und kalt wie ein Stein war.

2

Romilly-sur-Seine, Frankreich
10. Februar 1815

Es war spät. Evangeline legte die Bürste mit dem Silbergriff neben den Kamm auf die Frisiertoilette und seufzte. Sie war viel zu müde, um sich noch das Haar zu flechten. Margueritte, ihre Zofe, strich derweilen, leise vor sich hin summend, die Falten des blauen Samtkleids glatt, das Evangeline an diesem Abend getragen hatte.

Kritisch betrachtete sie ihr Gesicht im Spiegel. Ihre

Blässe war nicht mehr vornehm zu nennen, und weder ihre Augen noch die Lippen brachten ein Lächeln zustande. Sie war müde, unendlich müde, und diese Müdigkeit reichte bis tief in ihr Herz.

Sie kannte dieses Gefühl, das ihre Seele quälte. Und sie wusste auch, wovon es herrührte. Sie wollte nach Hause, nach England.

Sie hasste Frankreich.

Das konnte sie ihrem Vater jedoch nicht sagen; es hätte ihn zutiefst verletzt. Und sie liebte ihren Vater über alles. Als sie die Nachricht erreicht hatte, dass Napoleon besiegt worden war und die Engländer Louis wieder auf den französischen Thron setzten wollten, war er so glücklich gewesen, dass er sie gepackt und im Kreis herumgewirbelt hatte.

Vor sechs Monaten waren sie nach Romilly-sur-Seine zurückgekehrt, aber nicht auf ihren angestammten Familiensitz; sie hatten ein eher bescheidenes Herrenhaus etwa zwei Meilen vom Schloss entfernt bezogen. In ihrem ehemaligen Zuhause residierte jetzt ein reicher Kaufmann mit seiner feisten Gattin und sechs Kindern.

Ihren Vater hatte das nicht weiter gestört. Er war glücklich, wieder in Frankreich zu sein, seine eigene Sprache sprechen und über Dinge lachen zu können, die einen Franzosen amüsierten. Den englischen Humor hatte er nie wirklich verstanden. Evangeline hatte den Eindruck, dass er im Grunde seines Herzens allem Englischen abgeneigt war, eine Einstellung, die er auch konsequent zum Ausdruck gebracht hatte. Er sprach zwar ein sehr gewähltes Englisch, dachte jedoch ausschließlich in Französisch. Evangeline hatte sich oft gefragt, wie ihre Mutter, eine sehr englische Lady, mit der Gewissheit leben konnte, dass ihr Gemahl sie an seinen Gedanken und Träumen niemals würde teilhaben lassen.

Er hatte fünfundzwanzig Jahre lang in Kent gelebt und die Tochter eines Barons aus der Umgebung geheiratet, der später bei ihnen im Haus wohnte, nachdem er sein gesamtes Vermögen beim Glücksspiel verloren hatte. Als Kind hatte Evangeline ihren englischen Großvater heiß und innig geliebt. Jetzt, als Erwachsene, bezweifelte sie, dass sie ihm noch die gleichen Sympathien entgegenbringen würde, aber Kinder legen eben andere Maßstäbe an. Er starb, ehe sie das Erwachsenenalter erreichte, und war daher in ihrer Erinnerung bis heute eine romantische Figur geblieben.

Evangeline war das Ebenbild ihres Vaters. Sie sprach Französisch wie eine geborene Französin, aber im Grunde ihres Herzens war sie Engländerin. Wie sollte sie ihrem Vater nur begreiflich machen, dass sie unglücklich war und eher sterben würde, als einen Franzosen wie Henri Moreau, Comte de Pouilly, zu heiraten, einen wohlhabenden, gut aussehenden Adligen, der sie völlig kalt und unbeeindruckt ließ und weder ihr Herz, ja, nicht einmal ihre Lippen zu einem Lachen animieren konnte?

Der Abend war schrecklich langweilig und ermüdend gewesen, in erster Linie wegen Henri, der aus einem ihr völlig unverständlichen Grund zu der Entscheidung gelangt war, dass sie die ideale Ehefrau für ihn abgäbe. Dabei hatte sie ihm, und das konnte der liebe Herrgott bezeugen, niemals auch nur andeutungsweise irgendeinen Anlass geboten, sich diesbezüglich Hoffnungen zu machen. Doch Henris Fell war anscheinend dicker als die Rinde einer Eiche. Er begehrte sie mit inbrünstiger Leidenschaft und ließ keine Gelegenheit aus, sie an eine Wand oder einen Baum zu drängen bei dem Versuch, sie zu küssen. Einmal war es ihm tatsächlich gelungen, und sie hatte sich mit einem kräftigen Biss in seine Zunge revanchiert.

Ein leises Klopfen an der Schlafzimmertür unterbrach ihre trüben Gedanken. Sofort erhellte ein Lächeln ihr Gesicht. Das war ihr Vater. Er kam jeden Abend, ehe sie zu Bett ging, zu ihr, um ihr Gutenacht zu sagen. Das war mit der schönste Moment des Tages.

»*Entrez!*«, rief sie auf Französisch, weil sie wusste, dass er das von ihr hören wollte.

Ihr Vater, Guillaume de Beauchamps, mit Abstand der attraktivste Mann, dem sie bisher begegnet war, kam durch die Schlafzimmertür geschritten, aufrecht und stolz wie ein Krieger. Doch er war kein Krieger, dachte sie immer noch lächelnd, als er mit ausgestreckten Händen auf sie zuging, sondern ein begnadeter Philosoph. Die Frauen beteten ihn an. Selbst wenn er ihnen endlose Verträge über die metaphysische Untermauerung der Lehre von Descartes hielt, lauschten sie ihm hingebungsvoll und rückten unauffällig ein Stückchen näher.

»Papa!«, rief sie und warf sich in seine Arme. Ihr Vater war das sprichwörtliche Bild von einem Mann, gesegnet mit einem markanten Gesicht und einem schlanken, kräftigen Körper. Nur wenige Eingeweihte wussten, dass sein Herz nicht ganz regelmäßig schlug, dass sie sich die größten Sorgen um ihn machte. Immerhin war er fünfundfünfzig geworden, und der Arzt in England hatte ihr gesagt, dass er nichts für ihn tun könne. Er müsse eben langsam treten und sich schonen. Wie gut, hatte er hinzugefügt, dass ihr Vater ein Philosoph aus Leidenschaft sei; als solcher fiele es ihm leichter als anderen, seine Tage sitzend und seinen Gedanken nachhängend zu verbringen. Das einzige Problem war nur, dass ihr Vater sich jedes Mal fürchterlich aufregte, wenn er Montaigne las.

»*Tut es fatigué, ma fille?*«

»Ja, Papa, ein bisschen«, antwortete sie auf Französisch. Und im Stillen setzte sie hinzu: Ich bin müde, aber nicht nur ein bisschen. Ich bin todmüde, niedergeschlagen und völlig mutlos.

Sie wandte sich an ihre Zofe: »*Margueritte, c'est assez. Laissez-nous maintenant.*« Und wie immer, wenn sie französisch sprach, dachte sie auf Englisch: *Das reicht jetzt. Lass uns allein.*

Marguerittes plumpe Finger strichen ein letztes Mal über den samtenen Stoff, ehe sie Monsieur de Beauchamps einen lüsternen Blick zuwarf, in ihrem singenden Tonfall gute Nacht wünschte und die Tür hinter sich schloss.

Die beiden tauschten ein verschmitztes Lächeln, als sie Margueritte summend den schmalen Korridor entlanggehen hörten, hinauf in ihr Zimmer unter dem Dach.

»Bitte, Papa, *assieds-toi.*« Sie warf ihm einen gespielt tadelnden Blick zu, als er ihr gegenüber Platz nahm. Dann holte sie zischend Luft durch die Nase und meinte auf Englisch: »Genügt es dir denn nicht, dass dir den ganzen Abend über die Damen zu Füßen lagen?«

Er seufzte. Den Wechsel ins Englische schien er nicht bemerkt zu haben und er antwortete wie gewohnt auf Französisch: »Selbst am Arm ihrer jeweiligen Gatten fühlen sich diese Ladies bemüßigt, mit mir zu flirten. Das empfinde ich als sehr bedrückend. Ich begreife das nicht, Evangeline. Denn ich forciere es nicht im Geringsten, dass sie mich derart umschwärmen.«

Evangeline musste hellauf lachen. »Erzähl mir doch keine Märchen, Papa. Du genießt doch die Aufmerksamkeit der Damen. Und du weißt sehr wohl, dass du nichts weiter tun musst, um dich der Zuneigung der Damenwelt zu versichern, als einfach geradeaus zu schauen und ein ausdrucksloses Gesicht aufzusetzen. Du könntest dich wahrscheinlich in stundenlangen Monologen ergehen, und sie würden immer noch in Scharen herbeiströmen.

Jetzt sag doch mal ehrlich, hast du wirklich nur über deine beliebten Philosophen gesprochen, als die Ladies übereinkamen, dass du sündhaft gut aussiehst?«

Mit größter Ernsthaftigkeit bestätigte er: »Selbstverständlich. Heute abend sprach ich über Rousseau. Ein Dummkopf, fürwahr, aber seine Ideen geben einem zu denken. Nicht allzu viel, zugegeben, aber er ist immerhin Franzose. Und als solchem gebührt es ihm, dass man ihm gelegentlich etwas Aufmerksamkeit zukommen lässt.«

Evangeline konnte nicht aufhören zu lachen. Ihr Vater sah an ihr vorbei, den Kopf ein wenig zur Seite geneigt, eine Angewohnheit, die sie beide teilten. Als sie sich schließlich die Tränen abtupfte, sagte sie: »Du bist der beste Papa auf der ganzen Welt. Ich liebe dich. Bitte, bleib immer so, wie du bist.«

»Deine Mutter, der Herr sei ihrer Seele gnädig, war der einzige Mensch, der versucht hat, mich zu ändern.«

Immer noch kichernd entgegnete Evangeline: »Meine Mutter hat einfach nur versucht, noch etwas anderes aus ihrem Ehemann herauszukitzeln als seine Erkenntnisse über die Metaphysik der Natur. Und ich bin ebenfalls der Meinung, dass es die Pflicht einer Ehefrau ist, die Aufmerksamkeit ihres Gatten auf sich zu lenken und ihm nicht allzu oft zu gestatten, sich in philosophische Fragen zu verstricken, auf die es keine Antwort gibt.«

»Du verspottest mich, mein Kind, aber weil ich dich so lieb habe, verzeihe ich dir.« Er lehnte sich in seinem Stuhl zurück, legte die Hände auf die Knie und fuhr nach einer kurzen Pause fort: »Du hast dich heute abend offenbar nicht amüsiert, *ma fille,* obwohl du umgeben warst von netten Leuten deines Alters. Die jungen Gentlemen haben dich bewundert, und du hast keinen Tanz ausgelassen. Ich konnte dich gerade zu einem einzigen Walzer entführen. Und Henri war erfreulich aufmerksam.«

»An Henri gibt es nichts Erfreuliches. Er ist hartnäckiger als eine hungrige Möwe und sturer als unsere Ziegenböcke in Kent, und er hat schwitzige Hände. Wenn er nur zu der Einsicht gelangte, dass es auf dieser großen weiten Welt noch etwas anderes gibt als seine Rösser, meinen Po, den er ständig zu tätscheln versucht, seine monatlichen Pachteinnahmen und die Aussicht, mich seinen Besitztümern hinzuzufügen, dann könnte ich es vielleicht fünf Minuten in seiner Gegenwart aushalten ohne das dringende Bedürfnis zu verspüren, ihm eine Ohrfeige zu geben.«

»Aus deinen vielen Worten, Evangeline, höre ich als Vater nur heraus, dass er versucht, dich zu verführen. Auf deinen Po hat er es abgesehen? Oh, oh, ich glaube, ich muss den lieben Jungen einmal tüchtig ins Gebet nehmen.«

»Er ist kein Junge mehr, er ist sechsundzwanzig.«

»*Qui*, aber für einen Mann ist das noch jung. Es ist eine Tatsache, dass Mädchen schneller heranreifen als Jungen. Was selbstverständlich bedauerlich ist, aber anscheinend Gottes Wille. Henri mag ja etwas tölpelhaft sein, aber das wird sich mit den Jahren auswachsen. Seine Familie hält große Stücke auf ihn. Gegenwärtig kümmert er sich um den gesamten Familienbesitz, während sein Onkel seine Zeit mit König Louis in Paris verbringt. Das wird Henri zum Mann machen, versicherte mir sein Onkel. Und du, mein liebes Kind, bist auch nicht mehr die Jüngste. Du wirst demnächst zwanzig. Allerhöchste Zeit also, dass du dir einen Ehemann suchst. Das heiratsfähige Alter beginnt gewöhnlich mit achtzehn. Ja, was du brauchst, ist ein Ehemann. Weißt du, ich glaube, ich war zu eigennützig.«

»Nein, eigennützig war ich. Warum sollte ich heiraten wollen, Papa, wenn ich dich habe?«

»Anscheinend bist du noch nie verliebt gewesen«, entgegnete er. Mit einem hinreißenden Lächeln hob er seine Brauen und ließ die grauen Augen humorvoll aufblitzen. »Sonst wäre dir eine so törichte Bemerkung nicht über die Lippen gekommen.«

Evangeline wurde plötzlich todernst. Als sie sich näher zu ihrem Vater hinbeugte, fiel ihr das wunderschöne Haar duftig über die Schultern. »Ehrlich gesagt kann ich die Ehe nicht als etwas so Wundervolles ansehen. Wenn ich an all diese Ladies denke, die dich anhimmeln, muss ich mich unwillkürlich fragen, was mit ihren Ehemännern ist. Lieben sie sie? Mir scheint, die Ehe bedeutet für eine Frau nichts anderes, als das Elternhaus zu verlassen und in das des Ehemannes zu ziehen; der einzige Unterschied ist nur, dass man von ihr als verheirateter Frau erwartet – ja, regelrecht fordert – Kinder zu gebären und ihrem Ehemann zu gehorchen. Nein, das ist nichts für mich, Papa.«

Monsieur de Beauchamps schüttelte bedächtig den Kopf. Evangeline war genauso eigensinnig wie ihre liebe Mutter, Claudia, die öfter versucht hatte, ihren hübschen englischen Kopf durchzusetzen, als ihm lieb gewesen war. Möglicherweise war seine Tochter sogar noch eigensinniger als ihre schöne Mutter, überlegte er und hoffte inständig, dass sie nicht nach ihrer Großtante Marthe geriet, die es an Sturheit mit jedem Esel aufnehmen konnte. Er musste sie härter anfassen, beschloss er. Das behagte ihm zwar nicht, war jedoch seine Pflicht als Vater. Was er jetzt sagte, musste sehr ernst klingen: »Meine liebe Tochter«, begann er, »du musst lernen, in vernünftigen Bahnen zu denken. Für eine erfolgreiche Ehe ist Liebe nicht unbedingt erforderlich.«

»Dann hast du Mutter nicht geliebt?«

»O doch. Aber wie ich schon sagte, die Liebe ist nicht

das Essentielle. Eine gewisse Übereinstimmung im Denken, im Anerkennen philosophischer Werte, das sind die wichtigen Voraussetzungen für eine Ehe. Und ein gewisses Maß an Respekt für den anderen. Mehr nicht.«

»Ich kann mich nicht erinnern, dass Mutter jemals mit dir einer Meinung gewesen wäre, aber ich hörte euch beide immer wieder im Schlafzimmer miteinander lachen. Als Kind habe ich oft genug an eurer Tür gelauscht, bis mich Bessie, eines unserer Dienstmädchen, eines Tages dabei erwischte und mir einbläute, so etwas ja nie wieder zu tun. Und dabei war sie feuerrot angelaufen.« Evangeline musste lächeln, als sie sah, dass ihr Vater ebenfalls errötete. »Keine Sorge, Papa, wie du schon richtig bemerktest, bin ich beinahe zwanzig und damit alt genug, um ein wenig darüber Bescheid zu wissen, was sich im Schlafzimmer zwischen Ehegatten abspielt. Aber um nochmals auf das Einverständnis zurückzukommen: Soweit ich mich erinnere, wart ihr beiden euch so gut wie nie einig, nicht einmal darüber, was zum Abendessen auf den Tisch kommen sollte. Mama verabscheute Saucen, wohingegen du den Anblick eines nackten Stücks Fleisch auf deinem Teller nicht ertragen konntest. Und dann wäre da noch der gegenseitige Respekt. Nein, so eine Ehe will ich nicht führen, Papa. Außerdem ist Henri so schrecklich uneng…« Sie verstummte abrupt.

»Ah«, machte ihr Vater.

Sie schenkte ihm ein Lächeln, das ein wenig verlegen wirkte, und wedelte abwiegend mit den Händen. »Die Wahrheit ist, dass mir oft die Worte fehlen, wenn ich über Henri spreche.«

»Wolltest du vielleicht sagen, dass der arme Henri so schrecklich unenglisch ist?« Monsieur de Beauchamps ließ seine dunkelgrauen Augen auf seiner Tochter ruhen und spürte einen Anflug ernster Besorgnis in sich aufkeimen. In diesem Augenblick war ihm absolut klar geworden, dass seine Tochter in diesem Land niemals glücklich werden könnte. Ihm zuliebe würde sie jedoch so tun, als ob. Nein, gewiss irrte er sich. Er war müde. Sie würde sich hier schon eingewöhnen. Hatte er schließlich nicht auch nachgegeben und sich mit dem Leben in England arrangiert? Er hatte dort mehr Jahre verbracht, als Evangeline heute zählte.

»Papa, es tut mir schrecklich Leid, aber ich möchte lieber als alte grauhaarige Jungfer sterben, als Henri Moreau heiraten. Oder Etienne Dedardes oder diesen André Laffay – die sind aalglatt, Papa, ja, genau das sind sie. Die können mir nicht einmal in die Augen schauen, wenn sie mit mir reden. Na ja, wer weiß, vielleicht sind sie ja sonst ganz nett, aber ich mag sie einfach nicht. Und ihre politischen Ansichten ... Ich denke, so sollten sie nicht von König Louis sprechen.« Dann zuckte sie auf eine sehr gallische Art die Schultern, so ganz anders als ihre englische Mutter, wie er mit einem flüchtigen Lächeln feststellte.

»Es hat so viele Veränderungen gegeben, Evangeline. König Louis hat sich seit seiner Rückkehr nach Frankreich nicht so benommen, wie man es von ihm hätte erwarten dürfen. So sehr ich es auch bedauere, aber ich kann verstehen, dass viele Franzosen sich von seiner Dummheit, seinen Exzessen und seinem mangelnden Verständnis für die hiesige Situation abgestoßen fühlen.«

»Ich bin nicht der Meinung, dass das gemeine Volk ein Recht hat, an der Obrigkeit Kritik zu üben. Die Menschen sind hier doch selbst so verflucht kleinlich im Umgang miteinander. Und dann haben sie die Stirn, sich über die Engländer, die sie retteten, lustig zu machen? Ich muss dir sagen, dass mich das sehr in Rage bringt.«

Sie unterbrach sich und rieb sich die Stirn. »Verzeih

mir, Papa. Ich bin müde. Und wenn ich müde bin, verweigert meine Zunge bisweilen meinem Verstand den Gehorsam. Ich bin eine böse Hexe. Vergib mir.«

Monsieur de Beauchamps stand auf. Er trat vor Evangeline hin, half ihr aus dem Stuhl und sah ihr tief in die braunen Augen – Claudias Augen, groß und rund und so tiefgründig, dass ein Philosoph in ihnen etliche Wahrheiten zu finden vermochte. Beruhigend klopfte er ihr auf die Schulter und küsste sie, wie es seine Gewohnheit war, auf beide Wangen.

»Du bist wunderschön, Evangeline. Und deine Seele ist sogar noch schöner als dein Äußeres.«

»Ich bin eine Pfauhenne, und das weißt du. Nein, verglichen mit dir bin ich nicht einmal das.«

Er lächelte nur und strich ihr mit den Fingerknöcheln übers Kinn. »Außerdem bist du viel zu sehr an die unerschütterlichen Engländer gewöhnt. Sie mögen ja ein ganz umgängliches Volk sein, wenn man sich nichts daraus macht, ständig von den schweren Mahlzeiten und den langweiligen Konversationen geplagt zu werden.«

»Demnach liebst du an mir nur meine französische Seite, wie? Mama hat mit Sicherheit niemals jemanden gelangweilt.«

»Das stimmt. Ich liebe sogar deine Fingernägel, *ma fille*. Und was deine liebe Mutter anbelangt, so bin ich felsenfest davon überzeugt, dass sie eine französische Seele hatte. Sie vergötterte mich. Aber ich schweife ab, mein liebes Kind. Vielleicht sollte ein alter Mann wie ich die Tatsache akzeptieren, dass du, entgegen meinen Wünschen, dem englischen Charakter mehr zugeneigt bist als dem französischen. Möchtest du nach England zurückkehren, Evangeline? Ich bin nicht blind, musst du wissen, und ich habe sehr wohl bemerkt, dass du hier nicht glücklich bist.«

Evangeline umarmte ihn. Ihre Wange berührte die seine, denn sie war für eine Frau sehr groß. »Nein, Papa, mein Platz ist hier bei dir. Ich werde mich schon noch eingewöhnen. Aber Henri Moreau heirate ich nicht.«

Plötzlich vernahmen sie ein lautes Hämmern unten an der Eingangstür und das Poltern von Stiefeln, die gegen Holz traten. Dann einen Schrei. Es war Margueritte. Und gleich darauf Josephs Stimme, laut und verängstigt. Dann war noch ein Schrei zu hören, gefolgt von einem dumpfen Geräusch, als habe man jemandem einen harten Schlag versetzt, und der herrischen Stimme eines Mannes.

»Rühr dich nicht vom Fleck!«, rief Monsieur de Beauchamps seiner Tochter zu. Er war schon an der Schlafzimmertür und riss sie auf. Schwere Männerstiefel trampelten über den Holzboden des Korridors. Es hörte sich an wie eine kleine Armee.

Monsieur de Beauchamps wich zurück. Evangeline stürzte an seine Seite. Zwei Männer in langen Umhängen standen in der Tür. Beide hielten Gewehre auf sie gerichtet.

Der eine, ein pockennarbiger Bursche mit dunklem Stoppelbart, trat einen Schritt ins Zimmer, den Blick auf Evangeline geheftet. Er sagte kein Wort, starrte sie nur an, zuerst ihr Gesicht, dann ihre Brüste und den Bauch. Evangeline hatte solche Angst, dass sie glaubte, sich übergeben zu müssen.

»Schau sie dir an«, sagte der Pockennarbige zu dem anderen. »Genau, wie man sie uns beschrieben hat. Houchard wird sehr erfreut sein.«

Der andere Kerl, fett und mit teigigem, aufgedunsenem Gesicht, fixierte Evangeline jetzt ebenfalls. Guillaume de Beauchamps stieß einen Schrei aus, machte einen Satz nach vorn, riss dem Dicken mit einer blitzschnellen

Bewegung das Gewehr aus der Hand und rammte es ihm in den fetten Wanst. »Fass sie bloß nicht an, du widerliches Schwein!«

Im selben Augenblick sauste das Gewehr des anderen auf seinen Schädel nieder. Evangeline sprang ihrem Vater zu Hilfe und versuchte ihn aufzufangen, als er ohnmächtig zusammensackte. Halb auf ihm liegend, stürzte sie mit zu Boden. Als der Mann mit dem Pockengesicht abermals das Gewehr hob, warf sich Evangeline schützend über den Kopf ihres Vaters.

Der Dicke hielt sich vor Schmerzen stöhnend den Wanst. »Lass es gut sein. Tot nützt er uns nichts.«

»Aber der Kerl hat dich verletzt.«

»Ich werd's überleben.«

»Dafür wird der Alte bezahlen«, knurrte er und drehte sich zu Evangeline um. Houchard hatte ihm beigebracht, wie lähmend Panik und Schock auf Menschen wirkten, besonders mitten in der Nacht. Er starrte auf ihre Brüste und herrschte sie an: »Zieh das Nachthemd aus. Und beeil dich, sonst helfe ich dir dabei.«

3

Chesleigh Castle
Dover, England

Es hatte endlich aufgehört zu regnen, und in der späten Nachmittagssonne lösten sich die letzten Regenwolken auf. Seemöwen zogen kreischend ihre Runden über dem Land und flogen wieder auf das keine fünfzig Meter entfernte Meer hinaus. Der Wind roch intensiv nach Fisch und Salz. Es war doch noch ein herrlicher Tag geworden.

Richard Chesleigh St. John Clarendon, der achte Herzog von Portmouth, dirigierte seine beiden Braunen die gekieste Auffahrt entlang, die zu seinem Familienbesitz führte, Chesleigh Castle, ein betagter Koloss aus grauen Quadersteinen, der seit vierhundertzweiundzwanzig Jahren über diesen Teil der südenglischen Küste wachte. Vor dem imposanten Steinportal brachte er die Pferde zum Stehen. Eine Möwe flog knapp über den Kopf seines Leitpferds Jonah hinweg, und er musste laut lachen, als er den wütend-empörten Ausdruck in den schönen Augen des Tiers gewahrte.

»Ist ja gut!«, rief er ihm zu und sprang aus seiner offenen Kutsche auf den Kiesweg. Sein erster Stallbursche, McComber, stand vor dem Portal und betrachtete die beiden Braunen mit einem so liebevollen Blick, als gehörten sie ihm. Er rieb die knochigen Hände aneinander und griff dann nach den Zügeln. »Ihr wart doch brav, nicht wahr?«, sagte er, streichelte erst Jonah, dann Benjamin und fütterte sie mit Apfelstücken, während er ihnen ihren Stammbaum herunterbetete, der absolut reinrassig war und über fünfhundert Jahre zurückreichte. Der Herzog verdrehte nur die Augen.

»Reib sie gut trocken, McComber. Sie haben heute harte Arbeit geleistet. Warum sind die Möwen plötzlich so aggressiv?«

»'n Sturm is' im Anmarsch, hab ich gehört«, erwiderte McComber.

»Wir hatten doch gerade erst einen Sturm. Jede Woche tobt hier einer, manchmal sogar zwei.«

»Tja, es is' Winter und wir sin' in England, Euer Gnad'n. Zählt zwei und zwei zusammen, dann habt Ihr die Antwort. Ah, jetzt weiß ich, wahrscheinlich treiben sich Schmuggler in der Gegend rum, und die Möwen mögen ihren Gestank nicht.«

»Hier hat man seit fünfzig Jahren keinen Schmuggler mehr gesehen«, entgegnete der Herzog. »Aber du hörst dich an, als ob du eine Krankheit ausbrütest. Pass besser auf dich auf. Ich wette, du hast dich bei Juniper angesteckt, der eigentlich ins Bett gesteckt gehört, wenn du mich fragst.«

»Dem Kerl komm ich nie so nahe, dass ich mir von dem was einfangen könnte.«

Juniper, der Bursche des Herzogs, und McComber hassten sich wie die Pest. Dem Grund dafür war er nie auf die Spur gekommen. Offensichtlich war es ein tiefer, lang anhaltender Hass, hartnäckig und unerbittlich, ein Hass, den man einfach nur bewundern konnte.

»Auch wenn dir die Blutwurst der Köchin den Magen verdreht hat, kann ich dir nur raten, auf dich zu achten.«

»Sehr wohl, Euer Gnad'n«, nuschelte McComber in seinem schwerfälligen Dialekt. »Aber es is' die Wahrheit, ich hab mir von diesem kleinen Schwächling noch nie auch nur 'nen Furz eingefangen, auch wenna noch so schlecht über meine Mutter redet.« Während er den beiden Braunen unaufhörlich irgendwelchen Unsinn in die Ohren plapperte, führte er sie in den prächtigen Stall, den der Vater des Herzogs vor dreißig Jahren vergrößert hatte.

Im Westen ging langsam die Sonne unter. Der Wind frischte auf, und es wurde merklich kühler. Der Herzog holte tief Atem, füllte seine Lungen mit der würzigen Meerluft und betrachtete noch einmal die tief stehende Sonne, die sich seit drei Tagen zum ersten Mal wieder zeigte.

Dann sah er Juniper, der eigentlich im Bett hätte liegen sollen, mit wehenden Rockschößen auf sich zueilen. »Euer Gnaden! Ich bin schon da. Mein Gott, ich habe Bassick eigens gebeten, mir Bescheid zu geben, wenn Ihr kommt. Aber er hat einen Narren an McComber gefressen, und deshalb bin ich zu spät dran und noch nicht einmal ordentlich angezogen. Du meine Güte, er hat die Braunen genommen, nicht wahr? Er hat meine Jungs in den Stall geführt.«

»Ja. Und er wird sie weder zu Tode martern noch ihnen sonst ein Leid zufügen. Geh wieder ins Bett, Juniper. Mach dir keine Sorgen, ich werde mich um die Pferde kümmern. Du legst dich jetzt hin, und zwar so lange, bis du dir nicht mehr die Seele aus dem Leib hustest.«

Juniper schluckte hart, hustete und schluckte noch einmal. »Es ist nur eine Kleinigkeit mit der Galle, Euer Gnaden«, sagte er und spähte hinüber zum Stall, wo seine beiden Lieblinge fröhlich hinter dem verhassten McComber hertrotteten.

»Ich will dich noch nicht begraben müssen, Juniper. Marsch, ab ins Bett.«

Juniper sah noch einmal hoffnungsvoll zu seinem Herrn hoch, einem sehr großen, sehr gut aussehenden jungen Mann, der in all den Jahren, seit er ihn kannte, keinen Tag krank gewesen war, abgesehen von gelegentlichen Katern nach einer durchzechten Nacht. Dem Herzog konnte es nichts anhaben, im größten Unwetter in seiner offenen Kutsche durch die Gegend zu fahren, wenn der Regen ihm ins Gesicht peitschte und der Wind durch seine dichten Haare fegte. Würde er, Juniper, sich das erlauben, läge er kurz darauf zwei Meter tief unter der Erde, einen Grabstein auf dem Kopf und eine Schale mit Gänseblümchen auf dem Bauch. Die Luft war geschwängert vom endlosen Regen und der kalten Meeresbrise, die vom Kanal herüberwehte. Juniper durchfuhr ein Schauder. »Ab mit dir«, verlangte der Herzog abermals.

»Sehr wohl, Euer Gnaden«, erwiderte Juniper kleinlaut. »Ach, Euer Gnaden, das hätte ich beinahe vergessen, Euch zu geben. Einer der Männer, die für Euren Freund, Lord Pettigrew arbeiten, hat es vor einer Stunde gebracht.« Er händigte dem Herzog einen zerknitterten Briefumschlag aus.

Der Herzog verlor keine Zeit. Das musste es sein, dachte er. Jetzt musste es vorbei sein. Er riss den Umschlag auf und las:

»Wir dachten, wir hätten ihn geschnappt, aber er ist uns entwischt. Verzeiht, Richard. Aber gebt die Hoffnung nicht auf. Wir werden diesen Mörderhund noch zu fassen kriegen. DH.«

Von einer Minute zur nächsten wurde es stockdunkel. Er blickte hinauf zum Himmel, über den sich dunkle Wolkenmassen schoben, die ein hässliches Gelbbraun zeigten. Wütend zerknüllte er den Brief in seiner Hand. Sie waren alle so sicher gewesen, dass sie diesen hinterhältigen Mörder aufspüren würden, der Robbie Faraday Anfang Dezember in einer kleinen Gasse in der Nähe von Westminster erdrosselt hatte.

Am liebsten hätte er seine Faust in irgendetwas gerammt. Er drehte sich um und sah, dass Juniper ihn fasziniert und entsetzt anstarrte.

»Verschwinde, Juniper. Auf der Stelle.«

Juniper rannte die beiden Treppenstufen hinauf und fragte sich, welch schreckliche Nachrichten dieser Brief enthalten mochte, den er dem Boten abgenommen hatte, während Bassick gerade in der Küche weilte und einem der Lakaien eine Gardinenpredigt hielt.

Nun, dem jungen Herzog ging in letzter Zeit so vieles durch den Kopf, obwohl Juniper keine Ahnung hatte, worum es sich dabei im Einzelnen handelte. Vielleicht ging es um eine Frau. Er wusste schließlich, wie jedermann hier, dass der Herzog ein heißblütiger junger Mann war, so heißblütig, dass sich in diesem Teil Englands bereits Legenden um ihn zu bilden begannen. Dieser Gedanke brachte ihn auf Polly, das Hausmädchen. Vielleicht konnte er sie beschwatzen, ihm eine Schüssel von Mrs. Darts heißer Wachtelsuppe zu bringen. Vielleicht konnte er sie sogar dazu überreden, ihn zu füttern. Und mit etwas Glück würde es ihm vielleicht gelingen, sie davon zu überzeugen, dass er nicht zu krank war, um seine Finger in ihrem wunderschönen dichten Haar zu vergraben.

Der finstere Ausdruck verschwand aus dem Gesicht des Herzogs. Einen Moment lang betrachtete er Juniper mit gerunzelter Stirn und zusammengekniffenen Augen, ehe er ihm hinterherbrüllte, kaum dass sein Fuß die letzte Treppenstufe erreicht hatte. »Du wirst die Finger von Polly lassen, hast du mich verstanden? Ich will nicht, dass sie auch noch krank wird! Verschwinde und hör auf zu träumen.«

In dem Augenblick schwangen die Flügel der schweren Eichentür auf, und heraus trat der alte Butler, um dessen imposante weiße Haarmähne ihn jeder Mann seines Alters glühend beneidete. Als kleiner Junge war der Herzog der Überzeugung gewesen, dass der liebe Gott wie Bassick aussehen müsse. Sein Vater hatte ihn daraufhin angelächelt und gemeint, dass Bassick eher Moses gleiche.

»Schickt bitte Murdock heraus, Bassick.«

Keine Sekunde später stand ein großer rothaariger Lakai, der in seiner rot-goldenen Uniform einen eindrucksvollen Anblick bot, neben dem Herzog.

»Begleite Juniper in seine Kammer und steck ihn ins Bett. Und wenn er Mätzchen macht, dann binde ihn fest. Sag der Köchin, sie soll ihm einen Teller herzhafte Suppe bringen. Und der lieben Polly richte aus, dass sie ihm kein Wort glauben darf. Sag ihr einfach, sie soll sich von ihm fern halten.«

Murdock bedachte Juniper mit einem bedauernden Blick und verschwand mit ihm im Haus.

»Seine Gnaden sollten solche Dinge gar nicht wissen«, hörte er Juniper leise zu Murdock sagen.

»Hm, das ist wahr, aber er tut es leider doch. Er hat sogar mitgekriegt, dass ich einmal mein Hemd ausgezogen habe, um Betsy meine Narbe an der rechten Schulter zu zeigen.« Er seufzte tief. »Sie war sehr beeindruckt.«

»Und warum hat sie dann den Sohn des Metzgers von Eastborne geheiratet?«

Diese Frage wird wohl auf immer unbeantwortet bleiben, dachte der Herzog und lächelte. Doch das Lächeln verschwand sofort wieder aus seinem Gesicht, als er den zerknüllten Brief in seiner Hand betrachtete. Verdammt! Sie waren so nahe dran gewesen. Seit zwei Tagen schon wartete er auf die Nachricht, dass sie schließlich doch gesiegt hatten. Seine Stimmung war jetzt noch finsterer als noch vor einer Minute. »Juniper, Bassick wird Mrs. Needle bitten, nach dir zu sehen. Und du wirst ihren Anordnungen Folge leisten. Das ist ein Befehl.«

Er hörte seinen Stallburschen stöhnen und sah, dass Murdock ihm kameradschaftlich den Rücken klopfte.

In seiner langsamen, bedächtigen Art sagte Bassick: »Er hat Angst vor Mrs. Needle, Euer Gnaden. Was auch verständlich ist, meine ich. Sie hat etwas von einer Hexe an sich, mit ihren dünnen grauen Haarsträhnen, durch die man die rosa Kopfhaut sehen kann. Und dazu der Topf, der auf einem Dreibein in ihrem Kamin steht. Wäre er ein bisschen größer, könnte man ihn glatt für einen Hexenkessel halten. Diese merkwürdigen Gebräue, die sie darin köchelt, riechen höchst eigenartig. Außerdem führt sie ständig Selbstgespräche. Die etwas weniger Gebildeten unter uns haben einen Heidenbammel vor ihr.«

»Seine Männlichkeit wird sie ihm schon nicht abschneiden«, meinte der Herzog trocken. »Und glaubt mir, Bassick, das ist das Einzige, was für Juniper zählt. Und was Mrs. Needles betrifft, so war meine Mutter immer der Ansicht gewesen, dass sie mehr Leuten zur Genesung verholfen hat, als Gott es wahrscheinlich recht war.«

Bassick räusperte sich geräuschvoll. »Soweit mir zu Ohren gekommen ist, lobt sie die belebende Wirkung einer Mixtur aus französischem Senf, Glühwein und einem Stängel Seegras. Und ich bin mir nicht sicher, ob dies eingenommen oder auf den betroffenen Körperteil aufgetragen werden muss.«

»Hoffentlich kommt keiner von uns jemals in die Verlegenheit, das herausfinden zu müssen«, meinte der Herzog.

Bassick murmelte etwas Zustimmendes und warf dabei einen raschen Blick hinauf zu einem der Fenster im zweiten Stock des Nordflügels. Er bildete sich ein, den widerlichen Gestank riechen zu können, der aus Mrs. Needles' Kräuterküche entwich.

Der Herzog drehte sich um und stieg die ausgetretenen Steinstufen zum Haus empor. Er wartete nicht auf Bassick, damit er ihm den Mantel und die Handschuhe abnahm, sondern stapfte geräuschvoll mit seinen schweren Lederstiefeln über den Marmorboden der Eingangshalle. Er wollte allein sein. Er wollte nachdenken und neue Pläne schmieden. Diesmal war er entschlossen, seine Person in die Strategie miteinzubeziehen. Sollte ein Köder benötigt werden, so wollte er dieser Köder sein. Drew Halsey hatte seine Chance, Robbies Mörder zu fangen, gehabt. Und er hatte sie vertan.

»Euer Gnaden! Bitte wartet einen Augenblick. Ich vergaß, Euch etwas Wichtiges mitzuteilen.«

Die schwarzen Augenbrauen des Herzogs hoben sich genervt. Ohne sich umzudrehen, rief er Bassick über die Schulter zu: »Ich kann nicht warten! Meine Laune ist mörderisch, um die Wahrheit zu sagen. Über meinem Kopf hängt eine tiefschwarze Wolke, und jeden Augenblick wird der Regen auf mein Haupt niederprasseln. Lasst mich also zufrieden und seht zu, dass mich in den nächsten Stunden niemand stört.«

»Aber Euer Gnaden, es ist etwas, das Ihr unbedingt wissen müsst.«

Der Herzog bemerkte Bassicks dringlichen Tonfall. Wenn er jetzt schwach wurde, würde er ihn bestimmt vor Mitternacht nicht wieder loswerden, wenn überhaupt.

»Lasst mich in Ruhe!«, brüllte er. »Ich werde Euch rufen, wenn ich diese wichtigen Neuigkeiten hören möchte. Falls Ihr zwei neue Stubenmädchen engagiert habt, so geht das in Ordnung. Vergrößert die Dienerschaft! Stellt jeden ein, der zwei gesunde Hände hat.« Er machte eine halbe Drehung und entließ den alten Kammerdiener, der schon auf Chesleigh Castle gedient hatte, als der junge Herzog noch gar nicht geboren war, mit einer unwirschen Handbewegung. »Haltet jeden von der Bibliothek fern. Wenn Ihr ein Herz für mich habt und mich glücklich machen wollt, dann tut mir diesen Gefallen.«

»Aber, Euer Gnaden …«

Der Herzog hatte plötzlich so eine Ahnung. »Ist mit Lord Edmund alles in Ordnung?«

»Gewiss, Euer Gnaden. Seine Lordschaft verbrachte den Nachmittag auf seinem Pony. Im Augenblick speist er mit Ellen im Kinderzimmer zu Abend.«

»Ausgezeichnet. Aber nun kein Wort mehr. Wenn

Mrs. Dent wieder das Küchenmädchen verprügelt, dann kümmert Euch bitte darum.«

Er drehte sich so abrupt auf dem Absatz um, dass sein tannengrüner Umhang um seine Knöchel wirbelte, und stapfte mit großen Schritten durch die Eingangshalle, vorbei an den mittelalterlichen Wandbehängen, die wie dicke Vorhänge die uralten Steinmauern verhüllten. Er ließ Bassick mit ungeziemlich offenem Mund stehen, unausgesprochenen Worten auf den Lippen und einem verstörten Ausdruck in den wässrig blauen Augen.

Der Herzog war fürs Erste restlos bedient. Er hatte zwei Stunden in Gesellschaft von Baron Wisslex verbracht, einem alten Freund seines Vaters, der tapfer seinem nahenden Tod ins Auge blickte, während sein Sohn um ihn herumschwirrte und es kaum erwarten konnte, seinen Titel zu erben. Und dann war er nach Hause gekommen, um mit der verdammten Nachricht von Drew Halsey, Lord Pettigrew, konfrontiert zu werden. Er spürte einen stechenden Schmerz an der Fußsohle und blieb stehen.

Jetzt hatte er zu allem Überfluss auch noch einen Stein im Schuh. Er ließ sich auf den schweren Tudor-Sessel fallen, der unter dem Porträt eines perücketragenden Vorfahren stand, irgendeines Urgroßonkels aus dem letzten Jahrhundert, und zog fluchend den Stiefel aus. Nachdem er einen kleinen spitzen Stein herausgeschüttelt hatte, rieb er sich die Fußsohle und stand auf, ohne sich die Mühe zu machen, den Stiefel wieder anzuziehen. Er ignorierte den livrierten Diener, der keine drei Meter von ihm entfernt auf wundersame Weise aus dem Nichts aufgetaucht war, um zu sehen, ob seine Dienste benötigt wurden.

Den Stiefel unter den Arm geklemmt, öffnete er die Tür zur Bibliothek.

Die Chesleigh-Bibliothek war der Raum im Schloss, in dem er sich am liebsten aufhielt. Es war ein großes, düsteres Gemach, in dem es beruhigend nach Zitronenwachs und alten Büchern roch. Im Vorbeigehen ließ er den Blick kurz über die Wände mit den eingebauten Bücherregalen schweifen, die sich über zehn Meter Länge ausdehnten, unterbrochen von hohen, schmalen Fenstern mit dicken, dunkelbraunen Samtvorhängen, die sein Vater noch vor zwei Jahren dort hatte aufhängen lassen. In dem riesigen Kamin brannte ein flackerndes Feuer, und auf einem der Leuchter waren angesichts der heranbrechenden Dämmerung die Kerzen angezündet worden. Bassick hatte gewusst, dass er bald heimkommen würde, und die Bibliothek entsprechend für ihn vorbereitet.

Es war ein sehr männlicher, behaglicher Raum, in dem der Herzog sich sofort zu entspannen begann. Er spürte, wie der ohnmächtige Zorn, der sein ganzes Denken umfangen hielt, allmählich von ihm abfiel, zog Mantel und Handschuhe aus und warf sie über die Lehne eines dunkelbraunen Brokatsessels. Dann setzte er sich, schob den Fuß in den Stiefel und zerrte am Schaft. Gewöhnlich half ihm sein Bursche beim Anziehen der Stiefel, dachte er grimmig und fluchte über seine eigene Ungeschicklichkeit.

In der düsteren Stille erklang plötzlich ein leises, melodisches Lachen. Der Herzog fuhr erschrocken herum. Im Schatten neben dem Kamin sah er eine Frau stehen, von Kopf bis Fuß in einen schwarzen Umhang gehüllt.

»Ein Edelmann und seine Stiefel«, bemerkte sie und schüttelte den Kopf. »Ich frage mich nur, wie das gemeine Volk mit diesem unbequemen Schuhwerk zurechtkommt. Ich nehme an, es wäre nicht verfehlt, Euch meine Hilfe anzubieten«, fügte sie in amüsiertem Tonfall hinzu, rührte sich jedoch nicht von der Stelle.

4

Der Herzog sprang aus dem Stuhl auf, den zweiten Stiefel zum Glück dort, wo er hingehörte. Vor Überraschung und Eile wäre er beinahe über seine Füße gestolpert.

»Seid Ihr noch bei Sinnen? Ich hätte Euch umbringen können«, herrschte er sie vorwurfsvoll an. »Sich hier im Schatten zu verstecken, war keine sehr kluge Idee.«

»Oh? Wie hättet Ihr mich denn ins Jenseits befördert? Hättet Ihr vielleicht mit Eurem Stiefel nach mir geworfen?«

»Wäre mir eine Pistole zur Hand gewesen, würdet Ihr jetzt möglicherweise mit einem Loch im Bauch auf dem Teppich liegen. Mitunter trage ich nämlich eine Pistole bei mir. Heute zufällig nicht. Aber ich besitze zwei kräftige Hände, die sich zweifellos prächtig um Euren Hals schmiegen könnten.«

»Ich glaube nicht, dass ich mich in Todesgefahr befinde. Euer überaus freundlicher Kammerdiener würde es nicht dulden, dass vor seiner Nase ein Mord geschieht.«

»Darauf würde ich meinen Kopf nicht verwetten.«

»Eine faszinierende Erscheinung. Steckte man ihn in eine weiße Robe, sähe er aus wie ein biblischer Prophet.«

»Er ist kein Prophet. Hingegen gehört es zu seinen Pflichten, die Portale zu meinem Reich zu bewachen. Also, wer zum Teufel, seid Ihr? Und wie seid Ihr hier hereingekommen?«

Sie antwortete nicht, sondern stand schweigend da wie ein schwarzgewandeter Geist. Seine anfängliche Überraschung wandelte sich zu einem unbändigen Zorn. Verdammt, er hatte allein sein wollen, und jetzt hatte dieses Weib sich Zugang zu seinem Haus und in seine Bibliothek verschafft.

Wenn er genau darüber nachdachte, war er tatsächlich bereit, einen Mord zu begehen. Doch dann dämmerte ihm etwas. »Oh, dafür wird Bassicks Kopf rollen. Verdammt, der Dienstboteneingang befindet sich im Nordflügel des Schlosses. Wenn du deine Anstellung hier auf Chesleigh behalten willst, dann rate ich dir, in Zukunft diesen Eingang zu benutzen. In dem Teil des Schlosses hier hast du nichts verloren. Und sag Bassick, es ist nicht nötig, dass ich mit dir ein Einstellungsgespräch führe. Und jetzt geh. Ich möchte allein sein.«

»Ihr habt eine Menge Worte gemacht, und ich habe auch jedes einzelne vernommen, aber trotzdem verstehe ich nicht recht. Könntet Ihr mir das Ganze vielleicht noch einmal erklären? Und dabei so freundlich sein, Eure vielen Gedanken zu einem einzigen, wichtigen zusammenzufassen?« Die Frau besaß die Frechheit, amüsiert und zugleich indigniert zu klingen. Und ihr Amüsement ging fraglos allein auf seine Kosten. Es juckte ihn in den Fingern, ihr den Hals umzudrehen.

Er richtete sich zu voller Größe auf, den Kopf etwas schräg gelegt, die Schultern gestrafft – der allseits gefürchtete, mittelalterliche Feudalherr, eine Haltung, die er bei seinem Großvater gesehen hatte und die sein Vater besser als jeder andere beherrschte, und sagte mit unnachahmlicher Arroganz: »Du langweilst mich, Mädchen. Verschwinde jetzt. Ich möchte nicht weiter gestört werden, ganz gleich, was mir ein Frauenzimmer anbietet. Schick meinen Diener zu mir. Der Bursche ist mir ein paar Antworten schuldig.«

»Das ist das erste Mal, dass mich jemand ein Frauenzimmer nennt. Seid Ihr immer so unverschämt, Euer Gnaden? Oder liegt es daran, dass heute Mittwoch ist und dieser mittlere Tag der Woche Euch nicht genehm ist? Oder drückt das Wetter Euch aufs Gemüt? Ich persönlich war heilfroh, dass der Regen endlich aufgehört hat. Ich fing schon an, Schimmel anzusetzen.«

»Halt den Mund, verdammt nochmal!«

Sie tat, wie geheißen, und begnügte sich damit, ihr Gegenüber anzustarren und zu hoffen, dass sie ihn nicht falsch eingeschätzt hatte.

Tief in seinem Inneren klang ein unstimmiger Ton an. Er war in seiner eigenen schwarzen Seele gefangen. Verdammt, dieses Frauenzimmer war kein Dienstmädchen, das sich hier in der Bibliothek ihrem zukünftigen Herrn vorstellen wollte. Dafür drückte sie sich viel zu gewählt aus. Und hatte er nicht hie und da einen französischen Akzent anklingen hören? Aber wer oder was sie war, tat im Grunde nichts zur Sache. Sie störte seine Ruhe, und das passte ihm nicht. Das hier war sein ganz privates Refugium, wo diese Person durchaus nichts verloren hatte. In ihm kochte eine ohnmächtige Wut. Plötzlich hatte er das Bild einer jungen Ziege vor Augen, die vor ihm stand, reif zum Schlachten sozusagen, eine Vision, die ihn animierte, seinem Zorn freien Lauf zu lassen.

Er ging ein paar Schritte auf sie zu. Sie rührte sich nicht vom Fleck, wich nicht einmal einen Millimeter zurück. Andererseits, hätte sie es getan, wäre sie rückwärts in den Kamin gestolpert.

»Du nennst mich unverschämt?« Er war jetzt ganz nahe an ihrem umschatteten Gesicht. »Unverschämt? Du besitzt die Stirn, mich als *unverschämt* zu bezeichnen? Wie würde es dir gefallen, Weib, wenn ich dir mit einer Weidenrute den Hintern versohle?«

»Ich vermute, Euer Gnaden«, begann sie langsam, indem sie einen Schritt zur Seite machte und die Kordel am Kragen ihres Umhangs löste, »dass Ihr die Situation völlig falsch einschätzt. Ich bin kein Frauenzimmer, wirklich nicht.« Sie drehte sich jetzt ganz zu ihm um, das Licht des

Kerzenleuchters auf dem Kaminsims im Rücken, und schob die Kapuze zurück. Erschrocken hielt der Herzog die Luft an. Ihm war zumute, als habe ihm gerade jemand eine riesengroße Faust in den Bauch gerammt. Das war in der Tat kein Dienstmädchen. Und auch alles andere als ein loses Frauenzimmer.

Er war sich nicht sicher, was er erwartet hatte, aber die junge Frau, die hier mit stolz erhobenem Kinn vor ihm stand, passte in keines der Bilder, die er im Augenblick parat hatte. Verwirrt betrachtete er ihre weiße Haut, die hoch angesetzten Wangenknochen, die von der Hitze des Kaminfeuers leicht gerötet waren, und ihre stolze, gerade Nase. Ihr Haar war weder braun noch blond, dennoch von einem intensiv leuchtenden Farbton irgendwo dazwischen, es war, wie alles an ihr, prächtig und üppig und so weich wie das Fell eines Lämmchens. Sie hatte es zu einem unordentlichen Knoten im Nacken zusammengefasst, aus dem sich etliche Strähnen gelöst hatten, die ihr ins Gesicht fielen. Sie war schön. Nicht so schön freilich wie manche der Frauen, die er gesehen, bewundert und verführt hatte. Nein, wegen diesem Gesicht würde man keine Kriege führen, aber dennoch, und seltsam genug, war sie mehr als nur die Summe ihrer Vorzüge. Aber was? Dieses Gesicht war geheimnisvoll und barg eine Fülle von Ausdrücken und Schatten, die geradezu danach schrien, erforscht zu werden. Ihre Augen waren von einem dunklen Braun, was ziemlich langweilig und völlig uninteressant anmuten mochte, aber nicht der ganzen Wahrheit entsprach. Auch diese Augen strahlten eine seltsame Intensität aus, eine geheimnisvolle Tiefe. Der mandelförmige Schnitt und die leicht schräge Stellung kamen ihm irgendwie bekannt vor.

Die ganze Situation war absurd. Er stand da und starrte sie an wie ein Verhungernder eine üppig gedeckte

Tafel. Dabei hatte er erst vor vier Tagen in London einen wahren Festschmaus genossen. Morgana war eine Frau, die jeden Mann satt machte, auch wenn er ein ganzes Jahr gedarbt hatte. Ohne es zu wollen, wanderte sein Blick abermals zu ihrem Gesicht, und er konnte beobachten, wie sich ihre üppigen Lippen zu einem Lächeln öffneten. Dabei ließ sie eine Reihe perlweißer, regelmäßiger Zähne sehen.

»Ich hoffe, Ihr habt Eure Taxierung demnächst beendet, Euer Gnaden. Ich komme mir nämlich allmählich vor wie eine Sklavin auf dem Markt. Soll ich weiterlächeln?«

»Ja, du hast ein hinreißendes Lächeln. Fragst du dich, ob ich mich entschließen würde, dich zu kaufen?«

Damit hatte er ins Schwarze getroffen. Er sah, wie ihre faszinierenden Augen sich eine winzige Spur weiteten. Aber sie war weder feige, noch schien sie auch nur die geringste Angst vor ihm zu haben. Ohne zu zögern, konterte sie: »Nein, ehrlich gesagt frage ich mich, ob Ihr womöglich die Ansicht Eurer herzöglichen Vorfahren übernommen habt, dass jede Frau, die Eure Felder betritt, Euch zu Diensten sein muss.«

»Selbstverständlich«, entgegnete er herablassend.

»Selbstverständlich was?«

»Natürlich schließe ich mich dieser Ansicht an. Sie mag vielleicht etwas antiquiert sein, aber ich muss mich dennoch fragen, warum eine Frau sich Zutritt zu meinen privaten Gemächern verschafft, wenn sie mich nicht als ihren potentiellen Liebhaber betrachtet.« Ihm war sehr wohl bewusst, dass er sich nicht gerade wie ein Gentleman benahm, sondern eher wie ein ausgemachter Halunke, was aber nicht notwendigerweise unvereinbar sein musste. Doch wenn sein abschätzender Blick und seine Grobheiten sie beleidigten, so ließ sie sich das nicht anmerken. Sie rührte sich nicht, stand einfach da und sah ihn an, und er fragte sich, was sie verdammt nochmal dabei dachte.

Als sie weiterhin keine Anstalten machte zu sprechen, fuhr er, jetzt in etwas gemäßigterem Tonfall, fort: »Ich glaube, es ist an der Zeit, dass du mir sagst, wer du bist und was du hier in meiner Bibliothek zu suchen hast.«

Diese Augen, und diese Form ... warum kamen die ihm nur so bekannt vor?

Sie stellte fest, dass sie ihn genauso eindringlich musterte wie er sie. Er hatte sich keinen Deut verändert, wirkte noch genauso groß und überwältigend auf sie wie damals vor sechs Jahren. Seine dunklen Züge hatten sich etwas abgeschliffen, sein Gesicht war schmal und hart, aber nicht weniger attraktiv als seinerzeit. Nein, da waren doch Unterschiede. Diese Augen hatten inzwischen viel mehr gesehen als die des jungen Mannes von damals; da hatte er nur Vergnügungen gekannt und die Wildheit und Eigensinnigkeit der Jugend genossen. Dieser Mann jedoch hatte viel erlebt. Er hatte gelernt und gelitten, und das sprach aus seinen Augen und seinem Gesicht.

»Willst du mir nicht antworten?«

»Doch, ich nehme an, das muss ich wohl.«

Als er in den Raum gestürmt kam, den einen Stiefel unter den Arm geklemmt, hatte Evangeline sich gefragt, wie sie die Sache angehen sollte. Er war schlechter Stimmung – das war nicht zu übersehen –, aber das war nicht das eigentliche Problem. Was ihr zu denken gab, war die Tatsache, dass er keine Ahnung hatte, wer sie war. Das kränkte sie, obgleich es ein Wunder gewesen wäre, wenn er sie erkannt hätte. Schließlich sagte sie: »Erinnert Ihr Euch nicht an mich?«

Er hatte sie bereits zu lange angestarrt und zuckte nur die Schultern. »Warum regst du dich so auf? Bist du vielleicht eine frühere Mätresse? Lang kann das noch nicht her sein, denn du bist noch sehr jung. Nun ja, falls ich mich wirklich einmal mit dir beschäftigt habe, kann ich mir vorstellen, dass es dich nicht gerade erfreut, aus meiner Erinnerung verschwunden zu sein.«

Mit einer Stimme, kalt wie ein Eisblock, erwiderte sie: »Ich war niemals Eure Mätresse.«

»Nein? Das hoffe ich auch nicht, denn das würde mich zu der Annahme verleiten, dass du mein Kind geboren hast und jetzt gekommen bist, um abzukassieren. Das wäre in der Tat sehr ärgerlich, da stimmst du mir doch zu, oder?«

Sie stand stocksteif da und starrte ihn sprachlos an wie eine Idiotin. »Ich habe kein Kind von Euch«, brachte sie schließlich heraus.

»Gott sei Dank, da bin ich aber erleichtert. Ein Gentleman sollte nämlich nicht im ganzen County Bastarde in die Welt setzen. Das würde kein gutes Licht auf ihn oder seine Familie werfen. So, demnach haben wir also nicht miteinander geschlafen. Wer bist du?«

»Wenn Ihr mich verführt hättet, als wir uns zum letzten Mal begegnet sind, dann hättet Ihr Euch der Verführung Minderjähriger schuldig gemacht.«

Er sah sie immer noch auf diese merkwürdige Art an. Jetzt legte er den Kopf auf die Seite. Sie war impertinent. Er hatte den Eindruck, als wollte sie ihn prüfen. Das war mehr als seltsam. Aber er würde sie schon ausmanövrieren; zumindest könnte er es versuchen. Er schnippte einen nicht vorhandenen Fussel von seinem Rockärmel. »Da mir so etwas zutiefst zuwider ist, bin ich heilfroh, dass dem nicht so war. Wie alt bist du denn? Immer noch schweigsam? Ach ja, eine Frau und ihr Alter. Offenbar könnt ihr nicht früh genug mit euren affektierten Protesten anfangen. Aber du kannst es mir zeigen. Ich stehe in dem Ruf, das Alter einer Frau auf den Monat und das Jahr genau bestimmen zu können. Ich brauche mir nur ihre Brüste, ihren Bauch und die Schenkel anzuschauen. Ist dir nicht warm in diesem dicken Umhang?«

Er sah, wie sie schluckte. Und er war davon überzeugt, dass ihr Mund inzwischen staubtrocken war. Niemand konnte ihn übertrumpfen, schon gar nicht dieses unbekannte Mädchen hier, das sich in seine Bibliothek verirrt hatte.

Evangeline wusste jetzt, dass sie einen Gentleman erster Güte vor sich hatte. Sie öffnete den Mund, doch in diesem Augenblick machte er eine ungeduldige Handbewegung und sagte: »Schluss mit diesen albernen Spielchen. Wer, zum Teufel, bist du?«

»Ja«, sagte sie, »mir ist warm.«

»Dann lass mich dir aus dem Umhang helfen. Und keine Angst, ich tue dir nichts. Hilflose Frauen zu vergewaltigen ist nicht mein Stil. Was immer an Jungfräulichkeit du noch besitzt, ist bei mir in besten Händen.«

»Ich kann mir auch nicht vorstellen, dass Ihr so etwas nötig habt. Außerdem würde es Eurem Ruf schaden.«

»Sollte das ein verstecktes Kompliment sein? Nein, du brauchst mir die Frage nicht zu beantworten.« Er beobachtete, wie sie die Bänder ihres schweren Wollumhangs löste und ihn von den Schultern streifte.

»Ehe Ihr Euch dazu entschließt, meinen Körper zu examinieren, solltet Ihr wissen, dass es höchst verwerflich wäre, Eure Cousine solchermaßen zu behandeln.«

»Cousine? Teufel auch! Du sagst, du bist meine Cousine? Das ist ein Ding der Unmöglichkeit.«

»Ihr habt Recht. Cousine ist nicht die ganz korrekte Bezeichnung. Genau genommen bin ich Eure Cousine zweiten Grades. Marissa war meine Cousine, die Nichte meines Vaters.«

Er starrte sie völlig verblüfft an. Offensichtlich fühlte sie sich besser, nachdem es ihr schließlich doch noch gelungen war, ihn zu überrumpeln. Eine Meisterleistung, fürwahr, dachte er und begann, ihr Gesicht nach Ähnlichkeiten mit Marissa zu durchforschen.

Sie deutete mit dem Zeigefinger auf ihn, krümmte den Mittelfinger, dass ihre Hand aussah wie eine Pistole, und zog den imaginären Abzug. »Ihr erinnert Euch an Marissa, nicht wahr?«

»Werd nicht frech«, brummte er abwesend, während sein Blick über ihr Gesicht wanderte. »Richtig«, meinte er dann, »es ist der Schnitt deiner Augen, ein bißchen schräg, der mich an Marissa erinnert.« Genau das war es, was ihm bekannt vorgekommen war. Marissas Cousine. »Euer Name, Mademoiselle? Ab jetzt muss ich mich wohl der korrekten Anrede befleißigen?«

»De la Valette, Euer Gnaden.«

»Die Familie meiner Frau hieß Beauchamps.«

»Ja, so heißt auch mein Vater. De la Valette ist der Name meines Gatten.«

»Du ... äh, Ihr seid verheiratet? Das ist doch lächerlich. Ihr seht überhaupt nicht so aus.«

»Weshalb nicht? Ihr habt Euch doch gefragt, ob Ihr schon mit mir geschlafen habt. Das ist doch alles, was eine Ehe ausmacht, oder?«

»Nun, nicht alles. Ganz und gar nicht. Und wo steckt Euer wunderbarer Gatte? Versteckt er sich in der Küche? Oder hinter meinem Schreibtisch?«

»Nein.«

»Bestimmt begreift Ihr mein Dilemma. Ich bin es nicht gewohnt, Damen ohne Begleitung in meiner Bibliothek vorzufinden, die sich mir sehr selbstbewusst nähern, sobald ich durch die Tür trete. Aha, es gibt also einen Ehemann? Steckt er vielleicht hinter der Wandverkleidung?«

Das war nun wirklich genug. »Darf ich mich setzen? Ich habe einen anstrengenden Tag hinter mir.«

»Während Ihr Euch ausruht, könnte ich doch einmal hinter dem Ohrensessel nachsehen, ob ich vielleicht dort diesen ominösen Ehegatten entdecke.«

Ohne auf seine zynische Bemerkung zu reagieren, ließ sie sich in einem ausladenden Ledersessel neben dem Kamin nieder. Das Feuer war inzwischen bis auf die Glut niedergebrannt. Sie strich das etwas aus der Mode gekommene taubenblaue Kleid zurecht, das vor vier Jahren einmal sehr teuer gewesen war. Es war ein Kleid, dem man ansah, dass sie eine Lady war, die schwere Zeiten durchgemacht hatte. Houchard hatte gelacht, sehr zufrieden mit sich, als sie es das erste Mal für ihn getragen hatte. Er hatte ihr erzählt, dass seine Mätresse es für sie ausgesucht habe. Und dass der Herzog, ein Mann von großer Erfahrung trotz seiner jungen Jahre, gleich erkennen würde, aus welchen Kreisen sie stammte.

Nach einer Weile sagte der Herzog: »Also schön. Kein Ehemann. Wenn ich recht verstehe, hat er Euch sitzenlassen. Ach, ich bin umringt von treuen Gefolgsmännern, Madame – ja, das ist wohl die Eurem Status entsprechende Anrede. Würdet Ihr die Güte haben und mir erklären, wie Ihr in meine Bibliothek gelangt seid, ohne dass man mir Eure Anwesenheit gemeldet hat?«

»Ich bin nur wenige Minuten vor Euch angekommen, Euer Gnaden. Euer Butler war so freundlich, mich nicht in der Halle warten zu lassen. Mir war nämlich sehr kalt, und er nicht damit einverstanden, dass ich friere.«

»Das war es also, was Bassick mir erzählen wollte. Ich höre ihn förmlich sagen: ›Euer Gnaden, ich habe ein hübsches junges Ding in Eurer Bibliothek deponiert, das darauf wartet, sich mit Euch zu verlustieren.‹ Ja, das wäre genau Bassicks Stil, obwohl er natürlich nie vorschlagen würde, dass ich … Ach, vergesst es. Ich darf doch davon ausgehen, dass Euch jetzt nicht mehr kalt ist. Möchtet Ihr eine Tasse Tee? Oder ein Glas Brandy? Einen Happen zu essen? Selbstverständlich auf meinem besten Porzellan serviert.«

Er war schwer fassbar, schnell wie Quecksilber, ganz und gar nicht wie ein lauer Sommerregen, der durch ihre Finger rann, sondern eher wie ein Orkan, der über sie hinwegfegte, sie niederwarf, gleichzeitig aber ihre Bewunderung auf sich zog. Er war charmant, ohne Zweifel skrupellos, und seine freizügigen Wortspiele waren höchst unpassend für die Ohren einer Lady. Was dachte er wirklich?

»Nein, danke, Euer Gnaden.«

Er ließ sich auf einem kleinen Sofa ihr gegenüber nieder und streckte die langen Beine aus. Der Saum seines schweren Mantels fiel zu beiden Seiten auf den Boden. Seine schwarzen Stiefel waren riesig und auf Hochglanz poliert. Er faltete die Hände über dem Bauch. »So, und wann wird uns Euer werter Gatte mit seiner Anwesenheit beehren?«

»Er ist nicht hier. Aber wo genau er weilt, das weiß ich nicht. Er ist nämlich tot. Ich bin Witwe.«

Er lehnte sich bequem zurück. »Seid Ihr nicht ein bisschen jung für diesen bedauerlichen Status?«

»Nicht viel jünger als Ihr, Euer Gnaden. Ihr seid selbst sehr jung Witwer geworden.« Die Worte kamen ihr locker über die Lippen und hörten sich für ihre Ohren völlig unbefangen an.

»Ich war älter als Ihr, als ich geheiratet habe, und auch älter, als ich Witwer wurde«, gab er nach einer kurzen Pause zurück. »Jetzt bin ich achtundzwanzig und wage zu behaupten, dass Ihr Euren zwanzigsten Geburtstag noch vor Euch habt.«

»Ich bin letzte Woche zwanzig geworden.« Sie senkte den Blick, aber das half nichts. Jetzt verabscheute sie die Situation noch viel mehr, als sie gedacht hatte. »Ich habe mit siebzehn geheiratet. Und Ihr wart einundzwanzig, als Ihr Marissa geehelicht habt, nicht wahr? Marissa war damals gerade achtzehn geworden.«

»Ihr wisst ja sehr gut über uns Bescheid.«

»Ich besitze ein ausgezeichnetes Erinnerungsvermögen. Außerdem war ich Gast auf Eurer Hochzeit, Euer Gnaden.«

»Verstehe. Ah, jetzt entsinne ich mich – entfernt jedenfalls. Habt Ihr Kinder?«

Sie schüttelte den Kopf. »Habt Ihr noch mehr Fragen an mich? Ich bin nämlich sehr durstig.«

»Ja, gewiss habe ich das, aber lasst mich kurz rekapitulieren. Ich habe Marissa vor sechseinhalb Jahren geheiratet. Damals müsst Ihr dreizehn gewesen sein.«

»Richtig. Nach der Hochzeit habe ich weder Euch noch Marissa wiedergesehen.«

»Euer Gemahl ist also tot. Lebt Euer Vater in England?«

Sicheres Terrain, dachte sie erleichtert, und obwohl es ihr zuwider war, die Worte glaubhaft klingen zu lassen, gab sie ihnen, indem sie sie laut aussprach, mehr Bedeutung, als ihr lieb war. Es war merkwürdig und sogar ein wenig beängstigend, dass sie es fertig brachte, ohne Zögern zu antworten: »Nein, er ist vor kurzem gestorben. Meine Mutter, sie war Engländerin, starb bereits vor drei Jahren. Nachdem Napoleon gefallen und der Bourbonenkönig wieder den Thron bestiegen hatte, sind Papa und ich nach Frankreich zurückgekehrt. Damals war Vater bereits gesundheitlich schwer angeschlagen. Doch er ist Gottlob leicht gestorben.« In Wirklichkeit befand sich ihr Vater gegenwärtig in Paris, in einem Zimmer, das ihm ausreichend Bequemlichkeit bot, davon hatte sie sich überzeugt, ehe sie nach England abgereist war. Er hatte einen Diener, der sich um sein Wohl kümmerte, und eine Frau, die für ihn kochte. Sie hatte darauf bestanden, dass er auch alle Bücher um sich hatte, die er liebte. Houchard hatte ihren Forderungen zugestimmt, der verdammte Schweinehund. Weshalb auch nicht? Schließlich tat sie genau das, was er von ihr verlangte. Und es war ein Arzt in erreichbarer Nähe; das war ihre Bedingung gewesen. Sie hatte ihren Vater beschworen, sich ruhig zu verhalten, hatte ihm immer wieder versichert, dass er sich keine Sorgen um sie zu machen brauchte. Aber, hatte sie gedacht, wie könnte ihr Vater sich ruhig zurücklehnen, solange sie sich gegen ihren Willen in England aufhielt? Was, wenn ihm irgendetwas zustieß?

»Das tut mir sehr Leid. Die Eltern zu verlieren ist ein schwerer Schlag. Mein eigener Vater starb im letzten Jahr. Ich habe ihn sehr geliebt. Es tut mir Leid.«

»Vielen Dank«, sagte sie und schlug die Augen nieder, damit er die Lüge darin nicht sah. Sie erinnerte sich jetzt wieder an seinen Vater, ein sehr gut aussehender Mann mit charmanten Manieren, groß und aufrecht wie ein Baum, und vom Typ her noch dunkler als sein Sohn. »Es tut mir Leid um Euren Vater. Ich erinnere mich an ihn. Er war sehr freundlich zu mir.«

Er nickte. Dann lehnte er sich zurück und betrachtete sie ungeniert. Er wünschte, sie wäre nicht so blass und hätte ihren Vater nicht so früh verloren, denn er wusste, wie schwer man an so einem Verlust trug. »Ja, jetzt ergibt das alles einen Sinn«, befand er, die Ellbogen auf die gepolsterten Armlehnen stützend und nachdenklich die Fingerspitzen aneinander legend. »Marissas Vater war Emigrant, wie Ihr wisst. Und er hat Napoleon ebenso gehasst wie Euer Vater, nehme ich an. Er wäre nie zurückgekehrt, solange Napoleon noch an der Macht war. Er lebt noch immer in London, recht zufrieden mit seiner neuen Heimat. Weiß Euer Onkel, dass Ihr hier seid?«

»Nein. Er weiß nicht einmal, dass Papa und ich nach Frankreich zurückgekehrt sind. Wir haben keine Verbindung mehr zu seiner Familie oder der Euren.«

»Ist Euer Gatte in England gestorben, Madame? War er auch ein Emigrant?«

Auf diese Frage war sie vorbereitet. Houchard hatte dieses Thema vorausgesehen und ihr Frage nach Frage gestellt, bis ihre Antworten klar und flüssig gekommen waren. Dennoch verspürte sie ein Gefühl der Übelkeit in sich aufsteigen. Das Lügengebäude würde unaufhaltsam in die Höhe wachsen, bis sie nicht mehr in der Lage war, es zu überblicken. »Ja, das war er, Euer Gnaden. Wie mein Vater. Aber jetzt bin ich wirklich kurz vorm Verdursten. Dürfte ich um eine Tasse Tee bitten, ehe ich mich verabschiede?«

Er erhob sich vom Sofa, trat an die gegenüberliegende Wand und betätigte den samtenen Klingelzug. Anschließend verließ er ohne ein weiteres Wort die Bibliothek.

Das ist nun wirklich merkwürdig, dachte sie und hob die Hände vors Feuer, um sie zu wärmen. Wo ist er hingegangen?

5

Zehn Minuten später kehrte er mit einem großen Tablett in der Hand zurück, allein. Kein Diener begleitete ihn.

»Bin ich eine so verrufene Besucherin, dass Ihr mich nicht einmal Eurer Dienerschaft präsentieren wollt? Habt Ihr Angst, dass es Gerede gibt, weil Ihr mit einer jungen Frau, die eigentlich überhaupt nicht hier sein sollte, alleine Tee trinkt?«

Er grinste sie an. Und das war verheerend. In diesem Augenblick wusste sie, dass er nicht nur ein unverschämt gut aussehender Mann war; er besaß auch einen umwerfenden Charme, wenn er sich einmal entschlossen hatte, diesen auszuspielen, was gerade der Fall zu sein schien. Das ganze Ausmaß seines Charmes lag in diesem Grinsen, das selbst für die tugendhafteste Frau eine tödliche Waffe darstellen konnte.

»Wie kommt Ihr denn darauf? Ach, wahrscheinlich habt Ihr meine Dienstboten bereits klatschen hören. Ja, es ist tatsächlich meine Gewohnheit, hübsche junge Damen in meine Lasterhöhle zu locken.« Er stellte das Tablett ab und schenkte dann mit routinierten Bewegungen zwei Tassen Tee ein. »Na, darauf fällt Euch wohl keine schlagfertige Antwort ein, wie? Aber das nehme ich Euch nicht übel. Diese Bemerkung war ziemlich idiotisch, muss ich zugeben. Aber bitte, Madame, probiert doch die berühmten Zitronentörtchen meiner Köchin. Nein, im Augenblick will ich Euch tatsächlich noch nicht auf meine Dienerschaft loslassen. Sie sollen erst mit Euch konfrontiert werden, wenn ich weiß, welches Anliegen Ihr an mich habt. Ich glaube nämlich nicht, dass Ihr Euch nur auf einen Nachmittagsplausch nach Chesleigh Castle bemüht habt. – Bitte, so greift doch zu. Ihr könnt es vertragen, obgleich die Natur Euch recht großzügig ausgestattet hat, zumindest von meiner Perspektive aus. So, nachdem Ihr jetzt den Mund voll habt, erzählt mir doch ein bisschen von Eurem Ehemann. War er Emigrant? Habt Ihr ihn hier in England kennen gelernt?«

»Ja, das habe ich«, sagte sie, an einem dieser Zitronentörtchen kauend, das so herrlich säuerlich schmeckte, dass es ihr fast die Tränen in die Augen trieb. Es war das beste Zitronentörtchen, das sie je im Leben gekostet hatte. Unverzüglich griff sie nach einem zweiten. Zu ihrer Überraschung legte er seine Hand auf die ihre. »Nein, Ihr werdet Euch doch nicht an einer Sorte Kuchen satt essen wollen. Hier, versucht mal diese Apfelschnitte. Sie zergeht einem geradezu auf der Zunge.«

Sie vertilgte die Apfelschnitte mit zwei Bissen und wollte schon die Hand abermals nach dem Kuchenteller ausstrecken, zog sie aber im letzten Moment wieder zurück. Es kostete sie ungeheure Überwindung, dieses appetitliche Teilchen liegen zu lassen, das wie eine mit Rosinen und Birnen gefüllte Pastete aussah.

»Wie ich sehe, versteht Ihr es, Euch zu beherrschen. Ich bewundere Menschen mit einem starken Willen. Ein Freund von mir, Phillip Mercerault, ist ebenfalls mit einer begnadeten Köchin gesegnet. Wir haben schon überlegt, unsere beiden Küchenfeen zu einem Wettstreit antreten zu lassen, das Vorhaben aber bisher noch nicht ausgeführt. Wie Phillip befleißige auch ich mich größter Selbstbeherrschung, solange ich mich im Wirkungsbereich meiner Köchin aufhalte, was mein Vater übrigens auch getan hat.« Er machte eine Pause und bedachte sie wieder mit diesem atemberaubenden Grinsen. »Mein Vater hat mir immer wieder ans Herz gelegt, dass Frauen dickbäuchige Männer nicht sonderlich schätzen.«

»Ihr habt doch keinen Bauch.«

»Freut mich, dass Ihr das bemerkt habt.«

»Nun, das war eher eine Vermutung, sicher bin ich mir nicht. Schließlich habt Ihr Euren Mantel noch nicht abgelegt.«

Ein Punkt für sie, dachte er, ehe er aufstand, den Mantel aufknöpfte und ihn über die Sofalehne warf. Er blieb noch einen Moment stehen, damit sie ihn ausführlich in Augenschein nehmen konnte.

»Soweit ich feststellen kann, habt Ihr tatsächlich kein Gramm Fett am Leib.«

»Selbstverständlich nicht. Ich war stets ein gehorsamer Sohn, der die Ermahnungen seines Vaters streng befolgte.« Er setzte sich wieder und verschränkte die Arme vor der Brust. »Aber nun zurück zu Eurem Ehemann.«

»Ich habe meinen Mann hier in Kent kennen gelernt, wo wir uns niedergelassen hatten. Wir haben auch hier geheiratet.«

»Wie lautet sein vollständiger Name?«

»André de la Valette. Sein Vater war der Graf de la Valette. Das Geschlecht ist mit ihm ausgestorben. Schade.« Mehr erzählt ihm nicht, hatte ihr Houchard eingeschärft. Lasst ihn raten. Das wird ihm Spaß machen. Er ist ein Mann, der sich schnell langweilt.

»Verstehe. Jetzt muss ich wohl die Frage stellen, warum Ihr hier seid.«

Sie rutschte bis an die Stuhlkante vor. »Wie Ihr wisst, Euer Gnaden, habe ich meinen Cousin Edmund noch nicht kennen gelernt. Mama war in diesen Jahren sehr leidend, und ich konnte sie nicht allein lassen. Außerdem glaube ich, dass es damals Zwistigkeiten mit Eurer Familie gegeben hat, weshalb Besuche, wären sie möglich gewesen, nicht unterstützt wurden.«

Sie bemerkte ein plötzliches Aufflackern von Verstimmung in den Augen des Herzogs. »Ich nehme nicht an, dass Euer Vater oder Euer verehrter Onkel Euch über den Grund dieser Entfremdung aufgeklärt haben. Einen solchen gibt es nämlich, aber er liegt schon etliche Jahre zurück.«

Sie schüttelte den Kopf. »Ich würde ihn gern erfahren, Euer Gnaden, denn ich habe Marissa sehr gemocht. Ich vermisse sie, und es liegt mir wirklich am Herzen, ihren Sohn kennen zu lernen.«

Der Herzog lachte. Es war kein freundliches Lachen, sondern ein kaltes, das jeglichen Humors entbehrte. Dann zuckte er die Schultern und trank einen Schluck Tee. »Vielleicht werdet Ihr den Grund eines Tages erfahren. Wenn Euer Vater nicht mit Euch darüber gesprochen hat, sehe ich hierfür ebenfalls keine Veranlassung. Und was Euren Cousin und meinen Sohn betrifft, kann ich Euch versichern, dass er ein prächtiger Bursche ist. Er ist jetzt fünf.«

Sie hörte, wie seine Stimme weicher wurde und sah den Stolz in seinen dunklen Augen. Er liebte seinen Sohn. Sie wartete. Er stellte seine leere Teetasse ab. »So, genug jetzt mit dem Geplänkel, Madame. Ich nehme nicht an, dass Ihr Euch wegen der fantastischen Aussicht in meine Bibliothek bemüht habt, obwohl diese tatsächlich spektakulär ist, wenn der verfluchte Regen nicht gerade alles in ein graues Einerlei taucht. Also, was kann ich für Euch tun?«

Sie sah ihm direkt ins Gesicht und sagte schlicht: »Ich habe kein Geld. Nach dem Tod meines Vaters haben die Franzosen alles mitgenommen, nicht dass noch viel übrig gewesen wäre. Sie behaupteten, dass mein Vater und ich uns gegenüber unserem Geburtsland nicht sehr loyal gezeigt hätten und dass ich deshalb keinerlei Anspruch auf seine Hinterlassenschaft anmelden könne.«

»Warum habt Ihr mir nicht geschrieben und mir davon erzählt?«

»Dazu war keine Zeit. Außerdem hättet Ihr meinen Brief vielleicht einfach ignoriert. Mich hingegen könnt Ihr nicht ignorieren, zumindest jetzt nicht mehr, da ich Euch gegenübersitze.«

Er sagte nichts, sah sie nur an.

»Ich wusste nicht, an wen ich mich sonst hätte wenden sollen. Ich habe lange darüber nachgedacht, Euer Gnaden. Ich möchte nicht als arme Verwandte dastehen, die Euch am Rockschoß hängt. Nein, ich möchte nicht abhängig sein. Um es kurz zu machen, Euer Gnaden, ich möchte hier auf Chesleigh Castle bleiben und Edmunds Kindermädchen werden.« So, jetzt war es endlich heraus, viel spontaner, als es angebracht gewesen wäre, aber sie hätte die Ungewissheit nicht länger ertragen können. »Bitte, Euer Gnaden«, setzte sie hinzu. »Ich bin kein einfältiges junges Ding. Ich habe eine gute Erziehung und Bildung genossen, dafür hat mein Vater Sorge getragen. Er war ein brillanter Philosoph. Ich kenne meine Klassiker. Und ich liebe Kinder über alles.«

»Das erleichtert mich ungemein.«

Sie wirkte plötzlich sehr einsam und verletzbar. »Ich habe meine letzten Franc für ein Billet von Calais nach Dover ausgegeben. Ein Schmied fuhr zufällig in diese Gegend. Er hat mich auf seinem Karren mitgenommen.«

Er wusste nicht, wer ihm diese verfluchten Worte eingegeben hatte, die ihm jetzt so gedankenlos über die Lippen sprudelten. »Hat es geregnet?«

»Nein, es hat kurz hinter Dover aufgehört.«

»Habt Ihr gewusst, dass Ihr mich hier antrefft?«

Sie schüttelte den Kopf und nahm einen Schluck Tee. »Nein, gewusst habe ich es nicht. Aber ich habe gebetet, dass dem so sein möge.« Natürlich hatte sie gewusst, dass er hier residierte, aber das konnte sie ihm nicht sagen.

»Hat Euer Vater schlecht von mir gesprochen?«

»Nein, überhaupt nicht. Ich glaube, er hat Euch akzeptiert. Es bestand nicht nur zwischen Eurer Familie und der meines Onkels eine Kluft, mein Vater hat ebenfalls nicht mit seinem Bruder gesprochen. Die Ursachen für diese Unstimmigkeiten sind mir leider nicht bekannt, aber ich wünschte, ich wüsste Bescheid.« Wenn es überhaupt Unstimmigkeiten gab. Sie hatte nicht die geringste

Ahnung von diesen Dingen. Vor ein paar Jahren hatte sie die Dienstboten klatschen hören, dass ihr Onkel angeblich in ihre Mutter verliebt gewesen sei, hatte aber weder ihre Mutter noch ihren Onkel jemals daraufhin angesprochen. Und nachdem ihre Mutter gestorben war, wäre es grausam gewesen, ihren Vater danach zu fragen. Freilich könnte der Grund auch ein völlig anderer gewesen sein.

Und bevor man sie aus Paris weggebracht hatte, war sie nicht auf die Idee gekommen, ihren Vater mit so unwichtigen Dingen zu belästigen.

»Was hättet Ihr getan, wenn ich nicht zu Hause gewesen wäre?«

Sie brachte ein schiefes Grinsen zustande. »Dann hätte ich mir wahrscheinlich am Rande des Grampstone Forest einen Unterschlupf aus Weidenzweigen gebaut und auf Euch gewartet.«

»Es ist tiefster Winter. Und es regnet ohne Unterlass. Ihr hättet Euch eine Lungenentzündung geholt.«

»Aber zum Glück wart Ihr ja da.« Sie holte tief Luft und beugte sich vor. »Darf ich Edmund kennen lernen? Und wenn wir uns gut verstehen, darf ich dann hier als seine Nanny wohnen bleiben?«

»Bis vor einer Stunde hatte ich noch keine Ahnung von Eurer Existenz, und jetzt sitzt Ihr hier und bietet mir Eure Dienste als Kindermädchen an. Das kommt alles ein wenig plötzlich.«

»Ich weiß, und das tut mir auch Leid. Aber ich hatte keine andere Wahl. Ich wollte nicht Monsieur Dumornays Mätresse werden. Das wäre meine einzige Alternative gewesen.«

»Wer ist dieser Dumornay?«

»Einer der angeblichen Freunde meines Vaters. Ich bin sicher, seine Gemahlin hatte keine Ahnung, dass er mich nur zu gern irgendwo einquartiert und ausgehalten hätte. Sie ist eine sehr nette Frau. Er hingegen ein lüsterner Schwachkopf.«

»Die meisten Männer seines Schlags sind Schwachköpfe. Habt Ihr ein Mädchen mitgebracht?«

Sie schüttelte verneinend den Kopf und beäugte sehnsüchtig eines der Rosinenteilchen auf dem Teller. Es sah köstlich aus. »Ich hatte kein Geld, um eines zu bezahlen. Margueritte habe ich in Frankreich zurückgelassen.«

»Verstehe.« Jetzt kehrte er wieder den blasierten Aristokraten heraus. Sein Blick hatte sich an den kleinen Flämmchen festgemacht, die aus den verglühenden Holzscheiten im Kamin emporzüngelten. Er machte den Eindruck, als wollte er einnicken.

Wenn sie einen Stein zur Hand gehabt hätte, wäre sie fähig gewesen, ihm den an den Schädel zu werfen. Sie sprang von ihrem Sessel auf und griff nach ihrem Cape. Er hatte nicht das geringste Interesse an ihr. Es war ihm völlig gleichgültig, ob sie am Wegesrand verhungerte oder sich die Schwindsucht holte.

Sie störte seine heilige Ruhe. Blasierter Mistkerl, fluchte sie im Stillen. Am liebsten wäre sie aus dieser verdammten Bibliothek gestürmt, raus aus diesem verdammten Schloss, ohne einen Blick zurückzuwerfen.

Aber das ging leider nicht.

Sie holte tief Luft und riss sich zusammen. »Ich bin hungrig. Gewiss werdet Ihr mir gestatten, etwas zu essen, bevor Ihr mich wegschickt. Vielleicht in der Küche, zusammen mit dieser begnadeten Köchin?«

»Esst das Törtchen, das Ihr schon die ganze Zeit anvisiert.« Er erhob sich vom Sofa und stellte sich vor sie hin. Ihr Blick traf auf seine blütenweiße Krawatte. Evangeline war sehr groß für eine Frau. Maibaum hatte sie Tommy Barkly genannt, als sie zwölf war und er dreizehn. Doch als sie jetzt die Augen zum Gesicht des Herzogs hob, kam sie sich auf einmal sehr klein vor. Ein merkwürdiges Gefühl. Er betrachtete sie mit einem finsteren Blick, den sie nicht zu deuten wusste.

Und er schwieg beharrlich. Es war vorbei. Sie hatte versagt.

Wut wallte in ihr auf. Es war eiskalt. Und er war kein Gentleman. Stolz richtete sie sich auf, den Rücken so gerade wie der Schürhaken neben dem Kamin. »Verbindlichsten Dank, so hungrig bin ich nun auch wieder nicht. Ich möchte dieses Teilchen nicht. Ich werde jetzt gehen.«

Er lächelte milde, als er ihren Arm mit seiner großen Hand umfasste. »Aber, aber, selbstverständlich werde ich Euch etwas zu essen kredenzen, obwohl ich glaube, dass Ihr nicht mehr allzu viel Hunger verspüren werdet, nachdem Ihr Eure Naschsucht mit diesen köstlichen Teilchen befriedigt habt. Ah, jetzt verstehe ich. Euch verlangt nach Fleisch und herzhaften Gemüsen.«

Er machte wieder eine Pause, bevor er fortfuhr: »Ich kann noch immer nicht glauben, dass eine junge Lady wie Ihr ohne jede Begleitung den weiten Weg von Frankreich nach England unternommen hat.«

»Womit hätte ich denn eine Eskorte bezahlen sollen? Etwa mit einem meiner Stiefel?«

»Wenn Ihr von mir eskortiert worden wärt, hätte ich beide Stiefel verlangt und zudem die Gelegenheit ergriffen, Hand an Euch zu legen.«

Er konnte es nicht fassen, dass er sie derart beleidigte, aber gesagt war gesagt. Er beobachtete, wie ihre Augen die Farbe wechselten, von einem kräftigen Dunkelbraun zu dem lichten Honiggelb eines guten Whiskys. Ein faszinierender Anblick.

Kaum hörbar antwortete sie: »Ich bin Witwe, Euer Gnaden, und kein leichtes Mädchen.«

»Verdammt, das weiß ich.« Doch anstatt sich zu entschuldigen, erklärte er in geschäftsmäßigem Tonfall: »Zunächst einmal werde ich Mrs. Raleigh, meine Haushälterin, bitten, Euch ein Zimmer anzuweisen. Und spätestens morgen früh werde ich Euch Edmund vorstellen. Habt Ihr Gepäck?«

Er hatte sich noch nicht entschieden. Nun, an seiner Stelle hätte sie sich auch Zeit gelassen. Schließlich ging es um seinen Sohn und Erben, den er von ganzem Herzen liebte. Verständlich, dass er sehr genau überlegte, wen er in seiner Nähe duldete. »Ich habe einen Koffer. Bassick hat ihn an sich genommen.« Dann fügte sie hinzu, weil sie den Gedanken nicht ertrug, als Bittstellerin dazustehen: »Ich bin nicht gekommen, um mich von Euch durchfüttern zu lassen, sondern um Euch meine Dienste als Kindermädchen anzubieten. Ehrliche Arbeit, das ist alles, worum ich bitte, Euer Gnaden. Und ich werde mich auch nicht an Eurem Familiensilber vergreifen. Meine Erziehung und mein Anstand verbieten mir das. Ich werde Euch nicht enttäuschen.«

Sie gab sich defensiv. Und sie sah überhaupt nicht aus wie ein Kindermädchen. Zumindest nicht wie seine Mrs. Tucker, die ihm den Hintern versohlt, ihn an ihren gewaltigen Busen gedrückt, ihm Schlaflieder vorgesungen und ihn abgöttisch geliebt hatte, bis zu ihrem Tod vor zehn Jahren.

Er dachte über den verbleibenden Abend nach, den er einsam in seiner Bibliothek verbringen würde, mit einer siedenden Wut und dem Gefühl der Hilflosigkeit im Bauch, weil dieser Schweinehund, der Robbie Faraday ermordet hatte, immer noch frei herumlief und sich wahrscheinlich ins Fäustchen lachte, dass er mit heiler Haut davongekommen war. Nein, auch eine Flasche Brandy konnte ihn jetzt nicht reizen.

In seinem Schlafgemach mit ihr zu Abend zu essen, war völlig ausgeschlossen. Das ginge denn doch zu weit. Nein, das musste er sich aus dem Kopf schlagen.

»Ich weiß«, brummte er schließlich, obwohl er sich nicht genau erinnerte, was sie gesagt hatte, nur dass es erbärmlich geklungen hatte. Nervös fuhr er sich mit den Fingern durch das dichte Haar. »Verflucht.«

»Du meine Güte, ich ahnte ja nicht, dass Euch meine Bemerkung derart ärgern würde, Euer Gnaden.«

Sie besaß fraglos Esprit, wenn sie nicht gerade befürchtete, dass er sie hinauswerfen würde. Nein, das war so nicht ganz richtig. Sie benutzte ihre schlagfertige Zunge, um ihn zu übertrumpfen, und zwar vom ersten Augenblick an. »Die Anstandsregeln, Madame. Meine Mutter befindet sich derzeit in London. Es ist niemand im Haus, um als Eure Anstandsdame zu fungieren und Euren guten Ruf zu wahren.«

Darüber musste sie lächeln. »Oh, das ist nicht notwendig. Ich bin Witwe, kein junges Mädchen, rein und unschuldig, das sich Hoffnungen auf einen reichen Ehemann macht. Zudem bin ich in gewissem Sinne Eure Verwandte. Nein, niemand würde auf die Idee kommen, dass Ihr mir in irgendeiner Weise zu nahe treten könntet.«

»Ihr habt anscheinend keine Ahnung, welcher Ruf mir anhaftet, Madame.«

»O doch, ich habe eine Menge garstiger Geschichten über Euch gehört. Aber nochmals, ich bin Witwe und eine reife Frau, für die sich sicher niemand interessiert und hinsichtlich der man es mit den Benimmregeln nicht ganz so genau nehmen muss.«

»Ihr seid nicht nur erschreckend naiv, sondern auch noch unglaublich begriffsstutzig.«

»Ich bin Eure Cousine. Mit Verwandten ist das eine völlig andere Geschichte.«

Sie kannte seinen Ruf offenbar wirklich nicht, denn sonst würde sie diese Angelegenheit nicht so lässig abtun. Aber Tatsache blieb, dass sie völlig mittellos war. Wo sollte sie hin? Nein, er hatte keine Wahl. Sie musste hier bleiben. Er würde zu verhindern versuchen, dass irgendjemand den wirklichen Grund ihres Hierseins erfuhr. Der Umstand, dass sie nur eine angeheiratete Verwandte war, machte die Sache nur noch diffiziler. Ihr war nicht klar, dass nur eine einfache Dienstmagd keinen Ruf zu verlieren hatte. Doch darüber würde er sie im Ungewissen lassen.

»Zweifellos habt Ihr Recht, Madame. Außerdem vergaßt Ihr, Euer fortgeschrittenes Alter zu erwähnen.«

»Mitnichten. Ich sagte doch, ich bin eine reife Frau. Und das ist gleichbedeutend mit fortgeschrittenem Alter.«

»Dieses Wort habe ich schon immer gehasst. Und meine wunderschöne Mutter ebenfalls.«

Keine Minute später kam Mrs. Raleigh in die Bibliothek geschwebt, begleitet vom Rascheln ihrer karminroten Röcke, die bei jedem ihrer elfengleichen Schritte um ihre Fesseln schlangen. Sie war sehr klein und trug das schneeweiße Haar, das ihr altersloses Gesicht umrahmte, zu einem Knoten hochgesteckt. An einem Ledergürtel um ihre schmale Taille baumelte ein großer Schlüsselbund. Die Mutter des Herzogs hatte ihn ihr vor einigen Jahren geschenkt, und sie achtete peinlich darauf, dass er stets auf Hochglanz poliert war.

»Mrs. Raleigh«, sagte der Herzog und lächelte zu ihr herab. An guten Tagen, wenn sie Schuhe mit Absätzen trug, reichte sie ihm bis an die Schulter. Heute hätte sie unter seiner Achsel hindurchspazieren können. »Das ist Madame de la Valette, meine Cousine. Genauer gesagt war sie die Cousine ihrer Ladyschaft. Sie ist gekommen, um uns einen Besuch abzustatten und Lord Edmund kennen zu lernen. Vielleicht, wenn ich sie dazu überreden kann, bleibt sie bei uns und wird Lord Edmunds Nanny. Unglücklicherweise ist ihr gesamtes Gepäck, bis auf einen Koffer, bei einem Sturm im Kanal verloren gegangen. Ihre Reisebegleiterin erkrankte auf der Überfahrt und bestand darauf, nach Frankreich zurückzukehren. Daher werden wir sie für eine Weile ganz allein für uns haben.«

Evangeline hätte ihm gern für dieses Lügenmärchen ihren Applaus gezollt. Das war ein wirklich edler Zug von ihm gewesen, die Geschichte zudem einleuchtend und sehr gut vorgebracht.

»Mrs. Raleigh«, sagte sie und nickte der kleinen Frau mit dem großen Schlüsselring freundlich zu.

Mrs. Raleigh knickste elegant. »Aha, Ihr seid auch so hoch gewachsen wie die verehrte Mutter Seiner Gnaden. Wir freuen uns sehr über Euren Besuch, Madame. Lord Edmund wird begeistert sein. Wenn es Euch recht ist, werde ich Euch Euer Schlafgemach zeigen. Wünscht Ihr um sechs Uhr zu Abend zu speisen, Euer Gnaden?«

»Ja, Mrs. Raleigh. Und richtet bitte Mrs. Dent aus, dass sie eine neue Konvertitin hat, eine, die ohne Zweifel jeden Teller leer isst, den man ihr hinstellt, und die ohne zu zögern den Fleischer umbringt, wenn er sie schlecht bedient.«

»Mrs. Dent wird hocherfreut sein. Ich werde ihr außerdem noch ans Herz legen, dass Madame zu mager ist und dringend zunehmen muss. Sie wird es als Mission betrachten, die unbedingt zu erfüllen ist.«

»Warum quartiert Ihr Madame nicht in das Schlafgemach der Herzogin ein? Vielleicht empfindet sie es als Trost, die Räume ihrer Cousine zu bewohnen.«

An Evangeline gewandt, meinte Mrs. Raleigh: »Wir

halten diesen Raum stets makellos sauber, aber seit Ihre Gnaden uns vor zwei Jahren verließ, hat niemand mehr dort genächtigt. Ach, meine Liebe, so eine traurige Zeit. Ich hoffe, Ihr werdet Euch wohl fühlen, Madame.«

»Ganz gewiss«, entgegnete Evangeline, nickte dem Herzog kurz zu und folgte der jugendlich voranschreitenden Mrs. Raleigh aus der Bibliothek.

Draußen im Korridor hörte der Herzog Mrs. Raleigh mit ihrer hohen, melodischen Stimme sagen: »Wie schrecklich für Euch, Madame, nicht nur Euer Gepäck zu verlieren, sondern obendrein auch Eure Zofe. Seht nur all die vielen Knöpfe an Eurem Kleid. Ein Wunder, dass es Euch gelungen ist, sie selbst zuzuknöpfen. Ich werde Dorrie zu Euch schicken, damit sie Euch behilflich ist. Wenn Ihr mit ihr zurechtkommt, kann sie für die Dauer Eures Aufenthaltes hier auf Chesley Castle die Stelle Eurer Zofe bekleiden.«

Vor einer Stunde noch war er ganz allein gewesen. jetzt hatte er eine Cousine, die unter seinem Dach wohnte. Eine junge Cousine, die, falls er sich nicht irrte – und in Dingen, die die holde Weiblichkeit betrafen, irrte er sich nie –, herrliche Brüste besaß.

Das Leben war unberechenbar. Er beugte sich vor, um den zerknitterten Brief von Drew Halsey aufzuheben, legte ihn in die oberste Schublade seines Schreibsekretärs und schloss diese ab.

Anschließend trat er vor den Kamin und starrte nachdenklich in die Glut. Er erinnerte sich jetzt an das dreizehnjährige Mädchen, das damals schon größer gewesen war als ihre Cousine Marissa, die ihre volle Größe schon erreicht hatte. Dunkel erinnerte er sich auch, dass er sie damals als merkwürdig reif für ihr Alter empfunden hatte, mit den zwar mageren, aber stolz gestrafften Schultern und den tiefbraunen Augen, die ihn offen und ernsthaft angeblickt hatten. Heute, sieben Jahre später, musste er zugeben, dass diese Augen eine Ausstrahlung besaßen, die er auch als ihr Verwandter nicht ignorieren konnte.

»Worauf«, fragte er in den großen, leeren Raum hinein, »habe ich mich da nur eingelassen?«

6

»Euer Gnaden.«

Der Herzog hielt auf der untersten Stufe der breiten, wuchtigen Eichentreppe inne. »Oh, Bassick. Bitte nehmt es nicht persönlich. Es war nicht Eure Schuld, dass ich Euch nicht habe zu Wort kommen lassen. Vielen Dank, dass Ihr meine Cousine so freundlich empfangen habt.«

Bassick trat näher zu seinem Herrn heran und senkte die Stimme zu einem Flüstern. »Das war mir ein Vergnügen, Euer Gnaden. Eure Cousine scheint eine sehr nette junge Dame zu sein. Sie wird ein Weilchen bei uns bleiben?«

»Das ist noch die Frage. Wenn die Sache entschieden ist, werde ich es Euch umgehend wissen lassen.«

»Sehr wohl, Euer Gnaden. Ach, ich habe Juniper schlussendlich die Mitteilung aus der Nase ziehen können, dass Lord Pettigrew Euch eine Nachricht hat zukommen lassen. War es wirklich so?«

»Ja, eine verheerende. Der Attentäter befindet sich immer noch auf freiem Fuß. Drew wollte mich nicht in die Angelegenheit involvieren, aber davon kann jetzt nicht mehr die Rede sein. Robbies Tod wird nicht ungesühnt bleiben. Das habe ich seiner Frau geschworen. Verdammt, er hinterlässt zwei Buben, Zwillinge, die nicht viel älter sind als Lord Edmund.« Der Herzog zitterte beinahe vor ohnmächtiger Wut. Doch dann bekam er sich wieder in die Gewalt. »Verzeiht, Bassick. Wenn ich recht verstanden habe, ist Madame de la Valette auf dem Karren des Schmieds angereist?«

Bassick nickte. »Sie hat es nicht bemerkt, aber ich habe den Schmied bezahlt. Er hat natürlich eine Entlohnung erwartet, weiß Gott, aber sie hat wohl nicht daran gedacht. Eine junge Lady, die allein reist! Bei dem Gedanken daran hat es mir ehrlich gesagt die Nackenhaare aufgestellt. Und eine Lady ist sie ganz offensichtlich. Das sieht man auf den ersten Blick.«

»Gewiss«, stimmte ihm der Herzog zu. »Mir war auch nicht wohl bei dem Gedanken. Aber zum Glück ist sie ja heil angekommen und jetzt bei uns in Sicherheit.«

Er nickte Bassick zu und begann die Stufen emporzusteigen. Doch dann drehte er sich abrupt um und lachte. »Wie Ihr ganz richtig vermutet habt, ist uns die junge Lady tatsächlich ohne einen Penny in der Tasche ins Haus geschneit. Und ich will Euch auch nicht verschweigen, dass sie die Absicht hat, Lord Edmunds Nanny zu werden. Noch ist nichts entschieden. Aber was ist Eure Meinung dazu?«

»Bei der Vorstellung kriege ich graue Haare, Euer Gnaden.«

»Euer Haar ist bereits eisgrau, Bassick.«

»Gut, ich werde mir ein anderes Bild einfallen lassen, das der Situation besser entspricht. Im Augenblick kann ich nur meiner Hoffnung Ausdruck geben, dass sie einen starken Charakter besitzt. Besser noch, einen eisernen Willen.«

»Das wird sich erweisen«, erwiderte der Herzog seufzend und setzte seinen Weg fort, hinauf in das erste Geschoss, wo sich das Kinderzimmer seines Sohnes befand.

Am oberen Treppenabsatz angekommen, durchquerte er den Korridor, der zum Ostflügel des Schlosses führte. Gemächlich schritt er an den Dutzenden Porträts vorüber, die die Wände des endlosen Ganges zierten. Gang – das war ein Scherz. Er war gut drei Meter breit, dieser Gang. Das ganze Gebäude war ein einziges Labyrinth, dachte er, als er die letzten dreißig Meter zum Kinderzimmer zurücklegte. Die Hand bereits am Türknauf, verharrte er kurz vor der Tür, um dem fröhlichen Lachen seines Sohnes zu lauschen. Ganz gleich, in welcher Stimmung er sich gerade befand – wenn er Edmund lachen hörte, musste er unwillkürlich selbst lächeln.

Er war kaum durch die Tür, da kam Edmund schon wie ein Pfeil auf ihn zugeschossen und machte einen Satz in die Höhe. Der Herzog, an diese stürmische Art der Begrüßung gewöhnt, fing ihn auf, stemmte ihn hoch in die Luft und drückte dann den kleinen kräftigen Körper an seine Brust.

Edmund beugte sich in den Armen seines Vaters zurück. »Papa, sieh nur, Ellen hat meinen Tisch genauso gedeckt wie Bassick den deinen immer herrichtet. Ich bin gerade beim dritten Gang. Es ist ein Fischgericht.« Er wand sich wie ein Aal, um Ellen anzusehen. »Das stimmt doch, Ellen, oder? Hast du nicht gesagt, dass wir so tun, als ob du mir gebackenen Seehecht servieren würdest?«

»Aber selbstverständlich, Lord Edmund. Das Rezept stammt aus Mrs. Dents Kochbuch. Ihr werdet sehen, der Fisch schmeckt vorzüglich.«

»Ellen ist mein Kammerdiener«, erklärte Lord Edmund.

Erst jetzt fiel dem Herzog auf, dass die sonst eher scheue Ellen, die neunzehnjährige Tochter einer Näherin aus dem Dorf, eine schwarze Frackjacke trug, die sie sich wahrscheinlich von Bassick ausgeborgt und die Ärmel hochgekrempelt hatte. Eine um den Hals geknotete Serviette diente als Krawatte.

»Benutzt er schon das korrekte Essbesteck, Ellen?«

»Seine Tischmanieren sind brillant, Euer Gnaden.«

»Papa, was hast du denn?«

»Ich hadere noch mit mir, ob ich Ellen der Lüge bezichtigen soll oder nicht. Du und brillante Manieren, Edmund? Auf diesen Gedanken wäre ich nie und nimmer gekommen.«

»Aber, Euer Gnaden, das ist die reine Wahrheit«, bekräftigte Ellen spontan und machte dann rasch drei Schritte zurück. Er jagte ihr Angst ein, das wusste er, obgleich er sich alle Mühe gab, sie nicht zu verschrecken. Bis gerade eben hatte sie sich ganz gut gehalten. Der Herzog lächelte sie aufmunternd an, als er seinen Sohn noch einmal ans Herz drückte. »Wenn du glaubst, dass das der Wahrheit entspricht, Ellen, so will ich nicht widersprechen.«

Jedes Mal, wenn der Herzog das Chesleigh-Kinderzimmer betrat, strömte eine Flut von Erinnerungen auf ihn ein. Es war der wichtigste Raum im ganzen Schloss, nicht die große Empfangshalle unten. Nein, hier in diesem Kinderzimmer waren die Jungen und Mädchen jeder einzelnen Chesleigh-Generation herangewachsen. Als Edmunds Erziehung im Jahr zuvor begonnen hatte, war es dem Herzog eingefallen, den großzügigen Raum neu tünchen und tapezieren zu lassen, und zwar in den Farben, die Edmund selbst aus einem Musterkatalog wählen durfte. Jeder Bewohner und jede Bewohnerin hatte sich in diesen Räumen auf seine Weise verewigt. Dem Herzog zum Beispiel war ein prächtiges handgeschnitztes Bücherregal zu verdanken, das auf der Unterseite des oberen Regalbretts seine Initialen trug. Beinahe ein Jahr hatte er an diesem Bücherbord gearbeitet und es anschließend mühevoll gebeizt, bis es den von ihm gewünschten matten Braunton zeigte. Sein Vater und seine Mutter waren unendlich stolz auf ihn gewesen.

Mit Edmund auf dem Arm schlenderte er durch den mit großen Teppichen ausgelegten Raum und blieb vor dem Esstisch seines Sohnes stehen, den Ellen an den Ehrenplatz vor dem Kamin geschoben hatte. Dort stellte er ihn auf die Beine und beobachtete, wie der kleine Knirps zu seinem Stuhl am Kopf der Tafel ging und daneben stehenblieb, damit Ellen ihm den Stuhl zurechtrückte. Seine Miene war ernst, aber irgendwie zerstreut. Ob sein Sohn ihn nachzuahmen versuchte? fragte er sich unwillkürlich. Und dabei wurde ihm klar, dass es seinem Vater ganz genauso gegangen war, und dessem Vater wahrscheinlich ebenfalls. Edmunds geschliffene Manieren ließen deutlich Bassicks Handschrift erkennen. Als Edmund die richtige Gabel auswählte, sah er zu seinem Vater hoch, und seine dunklen Augen glitzerten vor Aufregung.

Lächelnd wandte sich der Herzog an Ellen. »Er macht seine Sache in der Tat brillant. Du hattest absolut Recht, Ellen.«

Ganz auf sein Tun konzentriert, begann sein fünfjähriger Sohn mit der Gabel ein Stück von dem süßen Gebäck abzuteilen, das die Köchin wie ein Fischfilet geformt hatte. Er nahm einen Bissen, kaute sorgfältig und nickte dann nachdenklich. »Exzellent, mein guter Mann. Gebt mein Kompliment bitte an die Köchin weiter.«

Er hatte sogar den Tonfall des Herzogs genau getroffen, was diesen im ersten Moment ein wenig ängstigte, ihm gleichzeitig aber auch schmeichelte. *Mein guter Mann?* Wo zum Teufel hatte sein Sohn das nur aufgeschnappt? Beständigkeit, schoss es ihm durch den Kopf; das war wieder so ein Beispiel für die kontinuierliche Entwicklung einer Familie. Ellen erlaubte es sich, ihre Rolle als

Edmunds Kammerdiener kurz zu unterbrechen, um ihn rasch einmal zu drücken. Offenbar liebte sie seinen Sohn mehr als seine eigene Mutter es getan hatte, dachte der Herzog und verscheuchte sogleich jeden weiteren Gedanken an Marissa. Das führte zu nichts.

»Während du dir deinen Seehecht einverleibst, möchte ich dich wissen lassen, dass Bassick mir erzählt hat, dass du heute nachmittag Pansy geritten hast.«

Lord Edmund bot seinem Vater ein Glas imaginären Weins an und tat dann so, als nehme er selbst einen Schluck aus seinem eigenen goldverzierten Weinkelch. »Ja, Sir. Und nachdem wir Pansy in den Stall gebracht hatten, sind wir an den Strand gegangen und haben eine große Sandburg gebaut, mit Türmen und einem richtigen Burggraben. Grimms sagte, wir tun jetzt so, als ob die Flut William der Eroberer mit seinen Soldaten wäre. Vom Klippenpfad aus haben wir dann zugesehen, wie die Burg langsam zerfiel. Nichts war mehr davon übrig, nachdem William über sie hergefallen war.«

Der Herzog kniete sich vor den Stuhl seines Sohnes. »Die Flut hat nicht den Verstand eines Menschen, Edmund. Sie zerstört nur, mehr nicht. Würdest du oder ich eine Burg angreifen, dann würden wir sie nicht zerstören. Wir würden sie erobern. Und anschließend wieder aufbauen, damit unsere Leute dort leben und arbeiten können und es zu Wohlstand bringen. Aber jetzt habe ich eine Überraschung für dich. Wir haben Besuch.«

»Ist Phillip zu Gast?«

»Nein, nicht Phillip Mercerault. Der weilt mit seiner jungen Frau auf Dinwitty Manor. Ihr Name ist Sabrina. Du wirst sie mögen. Sie könnte ein Kavallerieregiment anführen.«

»Ich dachte immer, Frauen dürfen keine Soldaten sein.«

»Ich hab das auch nicht so wörtlich gemeint, sondern wollte damit nur sagen, dass sie sehr mutig ist und Köpfchen hat. Du kennst doch Phillip. Als seine Ehefrau muss man mit allen Wassern gewaschen sein.«

»Ist es Drew?«

»Nein, Drew ist es auch nicht. Aber bevor wir die nächsten drei Stunden mit Rätselraten verbringen, sage ich dir lieber, dass es eine Lady ist, die du bisher noch nicht kennen gelernt hast. Sie ist die Cousine deiner Mama. Ihr Name ist …« Er brach ab und kam sich wie ein Idiot vor. Er hatte nicht den geringsten Schimmer, wie sie mit Vornamen hieß. »Du wirst sie vorerst mit Madame de la Valette anreden. Wenn du nett zu ihr bist, wird sie dir vielleicht ihren Vornamen verraten.«

»De la Valette hört sich ausländisch an, Papa.«

»Ihr Vater war Ausländer. Aber sie ist sehr englisch. Du wirst ja sehen. So, jetzt muss ich mich fürs Abendessen umziehen. Morgen früh werde ich sie dir vorstellen. Ellen, sieh bitte zu, dass Edmund präsentabel gekleidet ist, wenn er seine Cousine kennen lernt.«

»Sehr wohl, Euer Gnaden.«

»Ich hab wohl keine Wahl, Papa, oder?«

»Nein, Edmund, das hast du nicht.«

Edmund machte ein zerknirschtes Gesicht. »Sie wird mir den Kopf tätscheln und so tun, als sei sie an mir interessiert. Nein, schlimmer noch, wahrscheinlich wird sie mich abküssen und mir irgendwelche Koseworte ins Ohr flüstern.«

»Wenn du dich als interessant erweist, wird sie sich mit dir befassen. Wenn nicht, wird sie nur höflich zu dir sein. So, und jetzt will ich keine weiteren Einwände mehr hören.«

»Ist sie so hübsch wie Ellen oder Großmutter?«

Ellen stieß geräuschvoll die Luft aus. »Möglich«, erwiderte der Herzog ausweichend. »Aber das kannst du morgen selbst entscheiden.«

»So hübsch wie Rohans Mutter kann sie gar nicht sein. Sie ist die schönste Frau auf der ganzen Welt.«

Damit hatte er wahrscheinlich Recht, dachte der Herzog, das Bild von Charlotte Carrington, Rohan Carringtons Mutter, vor Augen. Diese Frau war eine Göttin, eine wunderschöne Erscheinung, eine Venus im englischen Gewand. Er hatte gehört, dass Charlotte ihrer Schwiegertochter Unterricht im vorteilhaften Gebrauch ihrer Augen gegeben hatte, damit sie mit ihrem Ehemann flirten könne. »So, jetzt mach dich über den vierten Gang her, Edmund. Guten Appetit.«

Er klopfte seinem Sohn auf die Schulter, nickte Ellen zu und verließ das Kinderzimmer.

Genau genommen war Evangeline tatsächlich nicht mehr hungrig gewesen, nachdem sie sich die köstlichen Törtchen einverleibt hatte, doch die Happen, von denen sie dann beim Abendessen kosten durfte, waren das Delikateste, das ihr jemals kredenzt worden war. »Das Abendessen war ein Traum, Euer Gnaden. Eure Köchin ist eine wahre Zauberin, was die Zubereitung von Kalbfleisch anbelangt. Nein, ich glaube, sie versteht es, aus allem Essbaren einen Gaumenschmaus zu machen.« Evangeline lehnte sich mit einem zufriedenen Seufzer zurück und wischte sich die Finger an ihrer Serviette ab.

»Vielen Dank. Bassick, gebt das Kompliment von Madame bitte an die Köchin weiter. Wie wäre es zum Abschluss mit einem kleinen Sherry?« Beinahe die gleichen Worte waren vorhin aus dem kleinen Mund seines Sohnes gekommen. Er lächelte sie über den Tisch hinweg an.

Evangeline schluckte. Dieses Lächeln gehörte verboten, dachte sie verwirrt. Keinem Mann sollte es erlaubt sein, eine arglose Frau auf diese Weise anzulächeln. Angelegentlich beobachtete sie Bassick dabei, wie dieser zwei hauchdünne Kristallgläser mit Sherry füllte.

Der Herzog entließ Bassick mit den Worten: »Ich brauche Euch heute abend nicht mehr, Bassick. Ich weiß, dass Ihr dienstags mit Mrs. Raleigh immer Twist spielt. Ihr müsst die männliche Ehre verteidigen. Ich erwarte selbstverständlich, dass Ihr gewinnt.«

»Ich werde mein Möglichstes versuchen, Euer Gnaden. Mrs. Raleigh ist keine leichte Gegnerin.«

Nachdem Bassick die beiden Diener aus dem Esszimmer gescheucht hatte, lehnte sich der Herzog in seinem hohen, mit herrlichen Schnitzereien verzierten Sessel, der eines Königs würdig gewesen wäre, zurück und fixierte seine angeheiratete Cousine über die lange Tafel hinweg. »Die Entfernung ist einfach zu groß«, stellte er fest. »Das ist mir bisher nicht aufgefallen. Ich werde Bassick bitten, die Ausziehplatten des Tischs herauszunehmen. Damit dürfte seine Länge auf angenehme drei Meter schrumpfen.« Er hob sein Glas und prostete ihr zu. »Willkommen auf Chesleigh, Madame. Gestattet Ihr mir die Ungehörigkeit, auf Eure Gesundheit zu trinken?«

»Das ist sehr freundlich von Euch, Euer Gnaden«, erwiderte sie höflich, stieß mit ihm an und kostete einen winzigen Schluck. Der Sherry schmeckte vorzüglich; er besaß ein kräftiges, vollmundiges Aroma und hinterließ ein angenehmes Brennen in ihrer Kehle. »Das ist ein sehr eindrucksvoller Raum. Ich schätze, dieser Tisch bietet voll ausgezogen mindestens vierzig Personen Platz.«

»Ungefähr, ja. Bassick liebt es, den Tisch in seiner ganzen Pracht zu präsentieren. Zumindest war er so gütig, die drei Tafelaufsätze zu entfernen, damit wir uns gegenseitig überhaupt sehen können. Ach, übrigens, vorhin, als ich mit meinem Sohn sprach, fiel mir auf, dass ich Euren Namen noch gar nicht kenne.«

»De la Valette.«

»Nein, Euren Vornamen.«

»Evangeline, Euer Gnaden.«

»Ein sehr hübscher Name.« Sie hatte sich während des Abendessens, bei dem Bassick und zwei Lakaien servierten, überaus korrekt verhalten, artig Konversation gemacht und über Dinge geplaudert, die weder sie noch ihr Gegenüber im Geringsten interessierten. Der Herzog hatte es ihr gleichgetan, das Gespräch keine Sekunde verstummen zu lassen, ganz der distanziert-freundliche Gastgeber, der weder der Speisenfolge noch seinem Gast größeres Interesse entgegenbrachte.

»Meine Mutter hat ihn ausgewählt, wie sie mir später erzählte. Sie war bei meiner Geburt nicht mehr die Jüngste und empfand es als Wunder, in ihrem Alter noch mit einem Kind gesegnet zu werden. Sie sagte, mit dem Namen Evangeline habe sie ihre Dankbarkeit ausdrücken wollen.« Sie brach abrupt ab, als ihr klar wurde, dass sie das, was sie eben gesagt hatte, noch keinem Menschen erzählt hatte, und starrte ihn verwirrt an.

»Als ich zur Welt kam, so hat mir mein Vater erzählt, hat meine Mutter mich angesehen und ausgerufen: ›Dem Himmel sei Dank. Endlich habe ich einen Erben geboren.‹ Sie hatte vor meiner Geburt drei Fehlgeburten erlitten.«

»Demnach wart Ihr ebenfalls ein Wunder.«

»Das müsst Ihr meine Mutter fragen, wenn Ihr sie kennen lernt.«

»Ich bezweifle, dass es dazu kommen wird«, entgegnete sie spontan und hielt entsetzt die Luft an. Sie hatte sich den Ärmel ihres Kleides mit der exzellenten Bratensauce bekleckert, des einzigen Kleides wohlgemerkt, das sie am

Abend tragen konnte. Rasch tauchte sie ihre Serviette in die Fingerschale mit Wasser, tupfte den Flecken ab und rieb ihn anschließend trocken. Sie besaß nur dieses eine Kleid. Es war ein graues Musselinkleid mit hoch angesetzter Taille, ohne Spitzen, ohne Volants und ohne Unterröcke. Zumindest war es ihr eigenes Kleid und nicht eines, das Houchard oder seine verdammte Mätresse für sie ausgesucht hatten. Sie hob den Blick und sah den Herzog an, dessen schwarzes Haar im sanften Kerzenlicht wie Kohle schimmerte, bewunderte seinen eleganten schwarzen Abendanzug und das gestärkte weiße Leinenhemd. Ihre Kindheitserinnerung, die sie sich sieben Jahre bewahrt hatte, wurde dem wirklichen Herzog nicht gerecht. Er war ein Bild von einem Mann, was ihm selbstverständlich auch bewusst war.

Dieser Gedanke zauberte ein Lächeln auf ihr Gesicht, und damit entsprach sie genau dem Eindruck, den sie ihm von sich vermitteln wollte. Tatsächlich entsprachen sie beide dem Bild, das sie der Welt von sich präsentieren wollten.

»Ihr lächelt Euer Sherryglas an.«

»O nein, dieses Lächeln hat nichts mit diesem köstlichen Getränk zu tun.«

»Womit hat es dann zu tun?«

»Ich will Euch die Wahrheit verraten, Euer Gnaden. Ich dachte gerade darüber nach, dass wir beide genau das darstellen, was wir sind.«

»Ich bin ein Gentleman und Ihr seid eine Lady. Darin sehe ich nichts, was ein Lächeln rechtfertigen würde. Mich jedenfalls bringt das nicht zum Lächeln. Was mir allerdings ein Lächeln entlocken könnte, wäre, wenn jetzt eine wunderschöne Frau durch die Tür träte, nur in durchsichtige Schleier gehüllt, um mich zu verführen.«

»Ich bezweifle, dass so eine Bemerkung einem wahren

Gentleman über die Lippen käme. Er würde es vielleicht denken, aber niemals laut aussprechen. Habe ich da nicht Recht? Überhaupt – warum Schleier?«

»Sagen wir so, meine Mutter würde es wahrscheinlich vorziehen, wenn ich solche Dinge nur dächte. Dann bräuchte sie nicht die Empörte spielen. Obwohl, wenn ich jetzt darüber nachdenke, fällt mir ein, dass ich meine Eltern oft habe lachen hören, wenn sie mich nicht in ihrer Nähe wähnten.«

»Lachen ist eine wunderbare Sache. Mein Vater und meine Mutter lachten viel zusammen, zu den unmöglichsten Tageszeiten.«

»Ich weiß genau, was Ihr meint. Ich kann mich erinnern, dass ich sogar gesehen habe, wie mein Vater meine Mutter küsste. Er drängte sie gegen eine Wand und umarmte sie stürmisch. Diesen Anblick habe ich nie vergessen. Natürlich verstand ich damals noch nichts von diesen Dingen.« Er machte eine Pause und fuhr dann mit leiser Stimme fort: »Der Tod meines Vaters hat sie schwer getroffen.«

»Und Euch ebenfalls.«

»Ja. Meine Freunde haben mich immer gern besucht, weil mein Vater der beste Vater der Welt war. Er mochte alle meine Freunde, hat sie stets freundlich behandelt und in ihnen den Wunsch geweckt, stark, mutig und ehrenhaft zu sein.« Der Herzog hatte plötzlich einen Kloß im Hals. Er hasste es, konnte sich aber nicht dagegen wehren. Ebenso wenig konnte er sich gegen das Bedürfnis wehren, von seinem Vater zu erzählen, den er über alles geliebt hatte. Er dachte an Edmund und was dem Kleinen entging, da sein Großvater so früh gestorben war, und schüttelte den Kopf. »Fühlt Ihr Euch in dem Schlafgemach wohl?«

»Sehr. Ich erinnere mich, dass Marissa einen ausgezeichneten Geschmack besaß. Der Raum ist ganz in ihren Lieblingsfarben gehalten, Hellblau und Elfenbein.«

»Marissas Geschmack kann ich nicht beurteilen. Ich habe nie einen Fuß in ihr Schlafgemach gesetzt.«

7

Er hatte ihr Schlafgemach niemals betreten?

Ihre Lippen öffneten sich zu der ganz unverblümten Frage, wie es ihm möglich gewesen war, einen Sohn zu produzieren, wenn er sich nie in das Schlafgemach seiner Gemahlin begeben hatte.

Der Herzog wusste genau, was Evangeline in diesem Augenblick dachte. Ihre Gedanken standen ihr klar und deutlich im Gesicht geschrieben. Sie war völlig arglos. Das musste sich ändern, wenn sie je ein Mitglied der Gesellschaft werden wollte.

»Ich habe sehr wohl mit meiner Frau ehelichen Verkehr gepflegt. Nur nie in ihrem eigenen Bett. Tatsache ist, dass sie die übrigen Räume des Schlosses nie aufgesucht hat. Sie wollte nicht auf Chesleigh Castle leben. Sie zog London vor. Nur in der Zeit, als sie mit Edmund schwanger war, weilte sie hier.« Er griff nach einer Gabel und trommelte damit abwesend auf die weiße Tischdecke. »Sie hasste das Meer und die Feuchtigkeit und konnte Edmunds Geburt kaum erwarten, um so schnell wie möglich wieder nach London zurückzukehren. Sie ist in der Familiengruft der Chesleighs begraben, auf dem Kirchhof in Chesleigh. Ihr könnt ihr Grab besuchen, wenn Ihr möchtet.«

Als er von seinem Vater gesprochen hatte, war seine Stimme voller Wärme gewesen. Jetzt hingegen blieb sie völlig ausdruckslos. Sie sagte: »Verbringt Ihr viel Zeit auf Chesleigh Castle, Euer Gnaden?«

»Ich versuche, drei Monate im Jahr hier zu sein. Neben dem Londoner Stadthaus, in dem meine Mutter gegenwärtig weilt, besitzen wir noch drei weitere Anwesen in England. Ich bin für die Besitzungen der Chesleighs verantwortlich und verbringe daher in allen Häusern einen gewissen Teil des Jahres.«

Er hatte wie ein Herzog gesprochen, dachte sie, wie ein Mann, der seine Pflichten kannte und diese akzeptierte. Nun, sie würde auf Chesleigh bleiben. Houchard bestand darauf, zumindest so lange, bis sie weitere Instruktionen erhielt.

»Um die Wahrheit zu sagen«, fuhr er nach einer kurzen Unterbrechung fort, »ziehe ich, wie Marissa und meine Mutter, das Leben in London vor. Ich habe zahlreiche Freunde dort. Und es gibt so vielerlei Zerstreuungen.«

»Falls Ihr mir gestattet, als Lord Edmunds Nanny hier auf Chesleigh zu bleiben«, begann sie, »wird es Euch vielleicht beruhigen zu erfahren, dass ich im Gegensatz zu Euch das Leben auf dem Lande und das Meer vorziehe. Große Städte waren mir schon immer ein Gräuel. Sie sind so schmutzig und laut. Wenn Ihr mir erlaubt zu bleiben, Euer Gnaden, so könnt Ihr sicher sein, dass ich mich hier auf Chesleigh sehr wohl fühlen werde. Chesleigh Castle wird in allen Reiseführern als eine der vornehmsten und stattlichsten Residenzen von ganz England beschrieben. Nicht Blenheim.«

»Blenheim ist ein geschmackloser Steinhaufen, der weder Stil noch ein entsprechendes Alter vorweisen kann. Die Gärten sind schäbig, die Wälder dürr und licht. Innerhalb seiner Mauern herrscht kein Stolz, kein Traditionsbewusstsein und kein Sinn für Dauerhaftigkeit. Bei Warwick Castle hingegen liegt der Fall ganz anders. In diesem Schloss spürt man die Jahrhunderte menschlichen Elends und Triumphes. Unglücklicherweise besaßen meine Vorfahren nicht die finanziellen Mittel der Warwicks.« Der Herzog hob eine schwarze Braue. »Ich bin kein nutzloser Parasit, der in den Tag hineinlebt, Madame. Seht mich nicht so überrascht an. Bisweilen widme ich meine Aufmerksamkeit sogar der Politik.«

Evangeline blieb beinahe das Herz stehen. Was zum Teufel meinte er mit Politik? Oh, das musste sie genauer wissen. Houchard hatte ihr erzählt, dass sich der Herzog keinen Deut um die Politik kümmerte. »Was meint Ihr damit, Euer Gnaden? Sitzt Ihr im House of Lords? Bringt Ihr neue Gesetze ein?«

»Nein, nicht direkt. Überhaupt nicht, eigentlich. Aber das ist nicht so wichtig. Ich hätte es anders formulieren sollen. Was ich meinte, ist, dass ich versuche, immer genau das zu tun, wonach mir im Augenblick der Sinn steht. Doch vieles, wonach mir der Sinn steht, gilt für die Ohren einer Lady als unschicklich.«

Er hatte ganz geschickt etwas Wichtiges ausgelassen, und sie fragte sich unverzüglich, was das gewesen sein mochte. »Ein Gebot, das Euch heute nachmittag oder noch vor einer halben Stunde offenbar keinen Einhalt hatte bieten können.«

Was sollte er dazu sagen? Er lachte. »*Touché,* Madame. Vielleicht möchtet Ihr Euch jetzt in den Salon begeben? Ich schätze, dass Bassick uns in Kürze den Tee servieren wird.«

»Aber wir haben doch eben erst das Abendessen beendet.«

»Bassick ist der Ansicht, dass Tee die Grundlage für Frohsinn, Gesundheit und Wohlbefinden ist. Wenn wir uns in den Salon begeben, wird er binnen der nächsten Stunde das Teetablett bringen.«

Der Herzog bot ihr einen hübschen, mit hellblauer Seide bezogenen Sessel neben dem Kamin an. Er selbst zog es vor, stehen zu bleiben, den Rücken an den Kaminsims gelehnt, die Arme vor der Brust gekreuzt.

»Habt Ihr Euch Gedanken über mein Hierbleiben gemacht, Euer Gnaden?«

»Ihr seid doch erst vor vier Stunden hier eingetroffen, Madame.«

Sie sah auf ihre Hände hinab und erwiderte wahrheitsgemäß: »Ich habe Angst, Euer Gnaden.«

»Ich werde Euch nicht in hohem Bogen aus dem Schloss werfen lassen, Madame, falls Ihr das befürchtet.«

»Nein, aber vielleicht würdet Ihr mir einfach erlauben zu bleiben, ohne eine Aufgabe zu erfüllen, ohne irgendeine Bedeutung zu haben. Das würde ich nicht wollen. Nein, das könnte ich nicht ertragen.«

»Warum, zum Teufel, seid Ihr so nervös?«

»Weil Ihr mir noch nicht gesagt habt, ob ich als Edmunds Nanny hier bleiben darf.«

»Ihr seid eine junge Frau, Madame. Ich könnte mir vorstellen, dass Ihr Euch viel lieber in Gesellschaftskreisen bewegen würdet. Ich bin Euer Verwandter, und als solcher ist es meine Pflicht, dafür zu sorgen, dass Ihr gut untergebracht seid und nichts entbehrt. Meine Mutter würde entzückt sein, Euch in die *beau monde* einzuführen. Mit Eurem französischen Blut und Eurer unbestreitbar anmutigen Erscheinung kann ich Euch größten Erfolg garantieren. Außerdem bin ich alles andere als geizig, Madame, und werde Euch mit einer ansehnlichen Mitgift ausstatten, um eine zweite eheliche Verbindung zu unterstützen.«

Es war ihr bisher nicht in den Sinn gekommen, dass er sich als so großzügig erweisen könnte. Sie musste jedoch unter allen Umständen auf Chesleigh bleiben. Nach einer kurzen Pause erklärte sie: »Obwohl mein Vater französischer Abstammung war, bin ich mit Leib und Seele Engländerin. Ich mag die Franzosen nicht besonders.«

»Nun, ich bringe ihnen die gleichen Gefühle entgegen. Vor allem Napoleon. Aber was sagtet Ihr soeben?«

»Ich möchte nicht in London leben.«

»Verzeihung?«

»Ich hege nicht den geringsten Wunsch, Chesleigh zu verlassen. Das sagte ich doch bereits. Ich möchte bei Edmund bleiben. Und obgleich ich noch nicht das Vergnügen hatte, ihn kennen zu lernen, bin ich davon überzeugt, dass wir uns gut vertragen werden.«

Der Herzog setzte plötzlich eine Miene auf, die gelangweilt und ein wenig zynisch wirkte. Offenbar wollte er etwas bemerken, zog es jedoch vor, sich mit einem resignierten Schulterzucken zu begnügen.

Evangeline sprang so ungestüm von ihrem Stuhl hoch, dass dieser rückwärts umkippte und auf den kostbaren Axminster-Teppich polterte. Mit einem »Ach, du meine Güte« stellte sie ihn wieder auf.

»Gehe ich recht in der Annahme, dass Euch etwas beunruhigt?«

»Ich begreife Eure Skepsis nicht, Euer Gnaden. Ich habe Euch meinen Wunsch genau dargelegt, und doch tut Ihr so, als glaubt Ihr mir nicht.«

»Seid Ihr erst so kürzlich Witwe geworden, dass der Anstand Euch Vergnügungen jedweder Art nicht gestattet? Wenn das der Grund für Euren Wunsch nach Abgeschiedenheit ist, so werde ich ihn selbstverständlich akzeptieren.«

»Ich bin seit etwas mehr als einem Jahr Witwe. Mein Vater verstarb kurz nach meinem Gemahl. Ich habe meine gesellschaftlichen Verpflichtungen erfüllt und sehne mich jetzt nur noch nach Ruhe und Frieden.«

Mit einer Stimme, die auf einmal sehr distanziert klang, bemerkte er: »Ihr müsst Euren Gemahl sehr geliebt haben.«

»Nein – ja, ich meine, natürlich war ich ihm sehr verbunden. André war ein großartiger Mann.«

»Und offenbar ein armer.«

»Ich bin mittellos zurückgeblieben, weil ich ihm keinen Erben geboren habe. Das ist der Lauf der Welt, überall, auch hier in England. Sein jüngerer Bruder ist jetzt der Herr. Aber mit ihm habe ich mich nie sehr gut verstanden. Nach Andrés Tod bin ich in das Haus meines Vaters zurückgekehrt.«

»Hat der junge Narr versucht, Euch zu verführen?«

Wieder troff seine Stimme vor Sarkasmus.

»Nun ja, ich nehme an, er hat es versucht. Ich konnte ihn nicht ausstehen. Sein Atem roch immer nach Knoblauch.«

»Verstehe«, murmelte der Herzog und inspizierte seinen Daumennagel. Er war ein wenig eingerissen. »Wer genau war Euer Gemahl?«

»Der älteste Sohn des Comte de la Valette, André Neignon.«

»Ich kann Euch ja zukünftig nicht immer mit Madame oder Cousine ansprechen. Darf ich Euch Evangeline nennen?« Sie nickte und dachte unwillkürlich, dass ihr Name, wenn er ihn aussprach, sehr angenehm in ihrem Ohr klang. Und irgendwie verführerisch und provokant. Der Herzog war ein seltsamer Mensch. Abgesehen davon, dass er der bestaussehende Mann war, der ihr je im Leben begegnet war, schien er eine grüblerische, tiefgründige Natur zu besitzen, die wahrscheinlich niemand verstand. Nun, ihr Vater vielleicht schon.

»Gewiss, Euer Gnaden.«

»Ihr könnt mich Richard nennen.«

Sie nickte, obgleich sie ihm nicht zu nahe treten wollte; bestimmt würde ihr sein Vorname nicht leicht und flüssig über die Lippen kommen. Sie wollte ihn auf Abstand halten. Eigentlich hätte sie froh darüber sein sollen, dass er sie so rasch akzeptiert hatte, doch stattdessen fühlte sie sich so beschämt, dass sie sich am liebsten irgendwo verkrochen hätte.

»Wenn Ihr wirklich den Wunsch habt, in der Gesellschaft meines Sohnes auf Chesleigh zu leben, so wäre es unhöflich und unvernünftig von mir, Euch diesen Wunsch abzuschlagen. Ihr werdet jedoch nicht den Status einer Nanny innehaben. Vielmehr erwarte ich von Euch, in meiner Abwesenheit die Rolle der Herrin von Chesleigh zu bekleiden.«

Von einer Unbekannten zur Schlossherrin! Evangeline starrte ihn nur an, vage Worte der Erwiderung im Sinn, aber nicht auf der Zunge. Verwirrt begann sie vor ihm auf und ab zu gehen, mit großen Schritten, die nur von der Weite ihrer Röcke beschränkt wurden. »Das ist doch lächerlich. Ihr kennt mich doch überhaupt nicht. Ich bin eine völlig Unbekannte für Euch. Auf so etwas kann ich mich nicht einlassen. Ich werde Eure Angestellte sein, wie all die anderen hundert Leute auch, die in Euren Diensten stehen.«

»Woher wisst Ihr, wie viele Dienstboten ich habe? Habt Ihr den ganzen Nachmittag über Köpfe gezählt?«

»Nein, aber dieses Anwesen ist riesig. Jedes Mal, wenn ich aufblicke, steht ein anderer Lakai oder ein anderes Dienstmädchen neben mir.«

»Es bleibt jedoch die Tatsache bestehen, dass Ihr die direkte Cousine meiner verstorbenen Gemahlin seid. Abgesehen von Eurem Onkel, der nicht einmal weiß, dass Ihr Euch momentan in England aufhaltet, habt Ihr keine weiteren Angehörigen. Daher bin ich jetzt das Oberhaupt Eurer Familie, oder, wenn Ihr so wollt, seid Ihr ein Teil meiner Familie geworden. Ich bin jetzt für Euch verantwortlich. Und somit kann ich Euch nicht guten Gewissens in einer fensterlosen Dachkammer einquartieren.«

»So habe ich das auch nicht gemeint. Aber trotzdem geht das nicht. Bitte, verzeiht mir.«

Er distanzierte sich auf einmal so unmissverständlich von ihr, als sei er aus dem Raum gegangen und habe sie allein zurückgelassen. Mit ausdrucksloser Miene meinte er: »Meine liebreizende Cousine auf Chesleigh zu beherbergen, wird allen meinen Freunden die giftige Röte des Neids ins Gesicht treiben. Außerdem würde meine Mutter darauf bestehen, dass ich Euch hier aufnehme. Auch wenn es nicht Eurem Wunsch entspricht, so wird also genau dies geschehen. Sobald Ihr Euch hier eingerichtet habt, werde ich meine Mutter herbringen, damit sie Euch kennen lernt. Die Angemessenheit Eurer Unterbringung, ohne eine Anstandsdame, Cousine hin oder her, ist eine Angelegenheit, in der meine liebe Mutter bestens versiert ist. Wir können Euren Ruf nicht gefährden, indem Ihr hier allein mit mir unter einem Dach lebt. Vielleicht sollte meine Mutter jetzt schon nach Chesleigh kommen, obgleich ihre Gesundheit beträchtlich unter der kühlen Seeluft leidet.«

»Ich war verheiratet, Euer Gnaden, weshalb mein Ruf wohl schwerlich gefährdet sein kann. Aber ich sehe, dass ich und unsere Konversation Euch zu langweilen beginnen und werde mich daher zurückziehen.«

»Ich soll mich langweilen? Nein, das glaube ich nicht. Und ich kann Euren Ruf nicht gefährden. Angesichts Eurer halb französischen Herkunft empfinde ich diese Annahme als ausgesprochen naiv. Wo, Madame, bleibt Euer gesunder Menschenverstand, auf den die Franzosen so stolz sind? Sicherlich tragt Ihr Euch mit der Absicht, früher oder später noch einmal zu heiraten. Daher lasst mich Euch versichern, dass der Gentleman Eurer Wahl sehr wohl auf Euren Ruf bedacht sein wird.«

»Ich habe keineswegs die Absicht, mich wieder zu verheiraten. Und den Gedanken, Eure arme Mutter nur wegen irgendwelcher lächerlichen Anstandsregeln hierherzubeordern, finde ich absolut unsinnig. Tatsache ist, dass ich nichts weiter bin als eine mittellose Verwandte. Niemand wird sich einen Pfifferling um meinen guten Ruf oder den Verlust desselben scheren.«

Er sah sie nicht einmal an, sondern betrachtete stirnrunzelnd seine blank polierten Stiefel. »Also gut«, erwiderte er. »In einem Monat oder so, wenn Edmund Euch schier zum Wahnsinn getrieben hat und Ihr nahe daran seid, ihn zu erwürgen, werdet Ihr London einen Besuch abstatten. Und keine Sorge, Ihr müsst dort nicht den erstbesten Mann heiraten, der Euren Weg kreuzt, das verspreche ich Euch.«

»Ich werde niemals das Bedürfnis verspüren, Chesleigh zu verlassen.«

»Das wird man ja sehen«, meinte er, während er seine Uhr aus der Westentasche zog und konsultierte. »Es ist schon spät. Vielleicht sind Eure unlogischen Argumente Eurer Müdigkeit zuzuschreiben.«

»Nur weil ich Eurer Lebensweise nichts abgewinnen kann, haltet Ihr mich für dumm, Euer Gnaden? Oh, jetzt habe ich Euch beleidigt, nicht wahr? Das tut mir Leid. Werdet Ihr mich trotzdem als Edmunds Nanny aufnehmen?«

»Wisst Ihr«, gab er nach einer kurzen Weile zurück, »dass ich noch nie einer Frau wie Euch begegnet bin? Ihr beschreitet scheinbar gelassen einen Weg, um dann urplötzlich auf einen anderen Pfad abzuschwenken, der genau in die entgegengesetzte Richtung führt. Ihr seid mir ein Rätsel. Und im Rätsellösen war ich bisher immer recht geschickt. Warum sagt Ihr nicht einfach gute Nacht? Nein, sagt am besten überhaupt nichts mehr. Ich gebe Euch Gelegenheit, diesen Salon zu verlassen, ohne Euren Gastgeber noch weiter zu beleidigen.«

Er machte einen Schritt auf sie zu, blieb stehen und rieb sich mit seinen langen Fingern das Kinn. »Aber bevor Ihr Euch zurückzieht, hätte ich gern noch gewusst, wie ihr meinen Lebensstil beurteilt.«

Sie sah ihm direkt in die Augen. »Ich glaube, dass Ihr ein Mann von Welt seid, ein Mann, der nur mit den Fingern schnippen muss, um zu bekommen, was er sich wünscht. Kurz gesagt, ein Mann, der aufgrund seines Vermögens, seiner Stellung und seiner persönlichen Eigenschaften jedes Ziel erreichen kann, das er sich steckt.«

»Folglich ein nicht sehr achtenswerter Mann.«

Ohne Zögern versetzte sie: »Ich werde Euch stets als achtenswert ansehen, Euer Gnaden. Ich glaube, Ihr seid sehr freundlich. Wie sollte ich auch das Gegenteil annehmen?« Sie drehte sich um und ging auf die Salontür zu. Dort blieb sie stehen, die Hand auf dem Türknauf, und sagte über die Schulter hinweg: »Immerhin habt Ihr einer armen angeheirateten Cousine gestattet, in Eure Festung einzudringen.«

»Das ist wieder ein Beispiel für Eure Sichtweise der Dinge«, entgegnete er betont ruhig. »Ihr werdet es nicht bedauern, dass Ihr hierher gekommen seid.«

»Ich habe ohnehin keine andere Wahl, Euer Gnaden«, gab sie zurück und verließ rasch den Salon.

Ihre letzten Worte stimmten ihn nachdenklich. Er zog sich in seine Bibliothek zurück und beschloss dort ungefähr eine Stunde später, ehe er sich zu Bett begab, seine

Rückkehr nach London um mindestens eine Woche zu verschieben. Er wollte sichergehen, dass Evangeline und Edmund gut miteinander auskamen.

8

Es regnete in Strömen. Das Gebäude, in dem sie sich befand, war ein alter Sandsteinbau, an dessen Vorderseite sich ein offener Wassergraben entlangzog. Dumpf hallte das Echo ihrer Schritte, als sie über den Steinboden ging, von den Wänden wider. Nie zuvor im Leben hatte sie sich so gefürchtet. Einer der beiden Männer schob sie durch eine Tür in einen schmalen, engen Raum. Es gab nur ein einziges hohes Fenster, vor dem ein junger Mann saß, der unglaublich dürr, ja regelrecht ausgezehrt wirkte. Er sah aus wie ein Mönch in seiner Zelle, wie er so hinter einem uralten, wackligen Schreibtisch saß, auf dem nichts lag, nicht einmal ein Blatt Papier. Ganz langsam erhob er sich, ohne sie auch nur einen Moment aus den Augen zu lassen. Er starrte ihr unverwandt ins Gesicht. Bekleidet war er mit einer schwarzen, fadenscheinigen Wolljacke und einer dunklen Hose.

Dann trat er vor sie hin, legte seine langen, dürren Finger unter ihr Kinn und hob es an. Als sie versuchte, das Gesicht abzuwenden, drehte ihr einer der beiden Männer blitzschnell den Arm auf den Rücken und zischte ihr ins Ohr: »Verhaltet Euch mucksmäuschenstill, Mademoiselle, oder ich breche Euch diesen hübschen Arm.«

Seine krallenartigen Finger schlossen sich fester um ihr Kinn, um sie gleich darauf loszulassen. Er deutete auf einen Stuhl. »Setzt Euch.«

Sie setzte sich. Ihr blieb keine andere Wahl. Sie wollte

nach ihrem Vater fragen, doch die Worte blieben ihr in der Kehle stecken. Warum hatte man sie und ihren Vater hierher gebracht? Nach Paris? Vor lauter Angst brachte sie keinen Ton heraus. Der Mann sagte: »Mein Name ist Houchard. Ich brauche Euch. Ihr werdet genau das tun, was ich von Euch verlange oder ich bringe Euren Vater um.«

Wo waren die Worte, um ihn anzuschreien, zu fragen, warum er das tat, was immer das sein mochte?

»Ich bin froh, dass Ihr wenigstens ganz annehmbar ausseht. Der Herzog mag nur schöne Frauen. Falls notwendig, werdet Ihr mit ihm schlafen.«

Sie sprang von dem kratzigen Stuhl auf und schrie: »Wovon redet Ihr eigentlich? Welcher Herzog? Ich kenne keinen Herzog! Was habt Ihr mit meinem Vater angestellt?«

»O doch, Ihr kennt den Herzog. Und bald werdet Ihr ihn noch näher kennen lernen. Ihr seid eine halbe Engländerin. Umso mehr amüsiert es mich, dass Ihr mir in diesem Fall zur Hand gehen müsst. Ihr verfluchten Engländer, ihr seid immer so überzeugt, dass ihr – und nur ihr – im Recht seid. Ich frage mich, ob ich Euch nicht zuerst in mein Bett nehmen soll, um festzustellen, ob Ihr überhaupt wisst, wie man den Herzog verführt – gesetzt den Fall natürlich, dass dies vonnöten sein sollte.« Er wandte sich an einen der Männer. »Hast du sie ausgezogen und genauer unter die Lupe genommen?«

Der Mann schüttelte den Kopf. »Das kleine Hühnchen war viel zu verschreckt, und ihr Herr Papa viel zu wütend. Ich wollte ihn deswegen aber nicht gleich umbringen. Soll ich sie jetzt ausziehen?« Houchard überlegte kurz und schüttelte verneinend den Kopf.

Dann warf er den Kopf in den Nacken und lachte wie ein Irrer, um anschließend ein Lied anzustimmen, in lateinischer Sprache, mit einer tiefen, monotonen Stimme, wie ein Priester, der ein Dankgebet singt.

Die beiden Männer, die hinter ihm standen, fielen in den Gesang ein. Ihre schönen, volltönenden Stimmen und die lateinischen Worte hallten sanft in dem mönchszellenähnlichen Raum wider.

Evangeline fuhr aus dem Schlaf hoch. Ihr Herz raste, der Schweiß stand ihr auf der Stirn, und ihr Atem kam so stoßweise, dass sie glaubte, ersticken zu müssen.

Ein Traum.

Es war nur ein Traum gewesen. Aber das meiste davon hatte sich in Wirklichkeit genauso ereignet. Sie wunderte sich nur, dass Houchard und seine Gefolgsleute lateinisch gesungen hatten. Ihr war unverständlich geblieben, was sie gesungen hatten, und das war wahrscheinlich der springende Punkt. Sie hatte keinen Schimmer gehabt, wie das weitergehen sollte.

Ein Traum.

O Gott, er war so real gewesen. Sie schüttelte die letzten Erinnerungen an diesen Albtraum ab und schlug die Laken zurück. Sie musste sich damit abfinden. Wenn nicht, würde ihr Vater sterben. Dem Himmel sei Dank, dass sie die wichtigste Bedingung zumindest schon erreicht hatte. Der Herzog hatte sie, im Augenblick jedenfalls, akzeptiert und sie als Mitglied des Chesleigh-Haushaltes willkommen geheißen. Sie würde Lord Edmunds Nanny werden, wenn Edmund sie als solche annahm. Houchards Drama nahm unwiderruflich seinen Lauf, und sie konnte nichts dagegen unternehmen, dass Houchards Schauspieler, sie eingeschlossen, ihre vorgesehenen Rollen spielten.

Durch die hohen Fenster schien die helle Morgensonne in ihr Schlafgemach. Im Kamin brannte kein Feuer, was angesichts der beinahe sommerlichen Temperaturen draußen auch gar nicht nötig war. Das englische Wetter zeigte sich bisweilen sonderbar, eine Tatsache, die ihr aus den Jugendjahren, die sie in England verbracht hatte, in Erinnerung geblieben war. Es gab stürmische Regenfälle, eiskalte Winde und heftige Schneefälle, gefolgt von einigen so sonnigen und warmen Tagen, dass man bereits vom Sommer zu träumen begann, duftend und heiß und herrlich grün. Ihr Blick fiel auf die kahlen Äste der Bäume. Nein, Sommer war es noch lange nicht.

Der Winter würde noch einmal mit aller Härte zurückkehren. Es gab so vieles zu tun, und das Wichtigste davon war, sich mit dem Sohn des Herzogs anzufreunden. Wenn er sie nicht auf Anhieb mochte, war sie ruiniert. Sie erinnerte sich, dass sie Houchard auf diese Möglichkeit hingewiesen hatte. Doch der hatte ihr nur mit dem Zeigefinger gedroht und gemeint: »Wenn dies geschieht, meine Liebe, schlage ich vor, dass Ihr Euch schon mal auf die Beerdigung Eures Vaters vorbereitet. Das Problem wird nur sein, dass Ihr seinen Leichnam niemals finden werdet.« Sie hatte ihm geglaubt. Und sie glaubte ihm immer noch.

Sie war bereits angekleidet und dabei, ihr Schlafgemach zu verlassen, als sie hörte, wie sich schwere, schleppende Schritte ihrer Tür näherten.

Augenblicklich erfasste sie ein Gefühl der Panik. Die Gestalten und Stimmen der beiden Männer, die ihren Vater und sie aus ihrem Haus gezerrt hatten, waren tief in ihr Gedächtnis eingebrannt. Der schlanke, jüngere hieß Biron. An das Gesicht des anderen konnte sie sich nicht mehr erinnern, nur an seine Stimme. Er hatte den gedrungenen Körper eines Frettchens und sah aus, als habe er in seinem ganzen Leben niemals auch nur ein freundliches Wort zu jemandem gesagt. Zum Glück hatten sie ihren Dienstboten, Margueritte und Joseph, nichts zuleide getan. Die beiden hatten hinter den Fenstern des Salons gestanden, auf die Kutschen herabgestarrt, die Gesichter leichenblass vor Angst, und sich gewundert, was da vor sich ging. Man hatte sie in die eine und Vater in die andere Kutsche gestoßen. Bei Anbruch der Morgendämmerung waren sie in Paris angekommen. Anschließend wurden sie in die kleine Kammer zu Houchard geführt.

Ihr Leben hatte sich so unversehens verändert, und so unwiderruflich. Jetzt befand sie sich in England, in ihrem Schlafgemach auf Schloss Chesleigh. Nein, draußen vor ihrer Tür warteten keine Männer, um sie irgendwohin zu zerren. Rasch kniff sie sich in die Wangen, damit sie wieder Farbe bekamen, und befühlte ihren strengen Haarknoten, den sie tief im Nacken trug. Dann rief sie in ihrem schönsten, klarsten Französisch: »*Entrez!*«

Sie hörte draußen vor der Tür jemanden murmeln und rief noch einmal, diesmal auf Englisch: »Herein!«

Das Gemurmel verstummte nicht. Evangeline zog verwundert die Stirn in Falten und öffnete die Tür.

Eine alte Frau kam ins Zimmer geschlurft, angetan mit einem dunkelblauen Kleid, das im Stil des vorigen Jahrhunderts ihre magere Taille umschnürte, und unter dem winzige Füße hervorlugten. Ihre Gesichtshaut war dünn und durchsichtig wie Pergamentpapier, und ihr Rücken krümmte sich unter einem Altersbuckel. Das schüttere schlohweiße Haar, unter dem die Kopfhaut rosa hindurchschimmerte, hatte sie zu einem winzigen Knoten zusammengefasst. Die alte Frau, die Evangeline gerade bis unters Kinn reichte, sah aus, als würde sie jeden Moment vornüberfallen; ja, ihre Zerbrechlichkeit hatte etwas Beängstigendes an sich – bis sie den Kopf hob und in

Evangelinas Gesicht blickte. Ihre Augen waren wunderschön, aufmerksam, blitzgescheit und so blau wie ein Sommerhimmel – die Augen eines jungen Mädchens.

War sie eine verrückte Großtante des Herzogs, die dieser in einem Dachstübchen versteckte?, überlegte Evangeline, eine Hand griffbereit ausgestreckt für den Fall, dass die alte Dame beschließen sollte, hier vor ihr zusammenzubrechen. »Mein Name ist Evangeline«, sagte sie. »Und wer seid Ihr?«

Die Alte blieb stumm, beäugte Evangeline nur aufmerksam, den Kopf zur Seite geneigt wie ein neugieriger Spatz.

»Kann ich irgendetwas für Euch tun, Ma'am? Falls Ihr Euch verlaufen habt, kann ich Euch leider nicht weiterhelfen. Ich bin erst gestern nachmittag hier auf Chesleigh angekommen.«

»Oh, ich weiß, wo ich bin, und ich weiß auch, wer Ihr seid, meine Kleine. Ihr seid die Cousine der verstorbenen Gnädigen und inzwischen erwachsen.« Sie hatte eine sehr zarte, leise Stimme und sprach mit einem schottischen Akzent, der wie ein Singsang klang.

»So klein bin ich nun auch nicht mehr«, erwiderte Evangeline mit einem nachsichtigen Lächeln. »Mein Vater nannte mich sein großes Mädchen, und das bin ich auch. Möchtet Ihr Euch setzen, Ma'am? Ich könnte klingeln und Euch eine Tasse Tee bringen lassen, wenn Ihr möchtet.«

»O nein, dieses scheußliche Gebräu trink' ich nich'. Nay, ich trink' nur einen Sud aus der destillierten Rinde von Kiefern. Ha ja, Ihr seid wirklich schon 'n großes Mädchen, hoch gewachsen und rank und schlank wie 'ne Tanne. Ihr glaubt wohl, ich segne jeden Moment das Zeitliche, wie? Gleich hier vor Euch auf dem Teppich. Ja, das glaubt Ihr, meine Kleine, hab ich Recht?«

»Das möchte ich wirklich nicht hoffen. Bitte, so nehmt doch Platz. Erzählt mir, wer Ihr seid und was ich für Euch tun kann.«

»Ich bin Mrs. Needle«, erklärte sie und hielt vielsagend inne in der Erwartung, dass Evangeline selbstverständlich genau wusste, mit wem sie es zu tun hatte.

»Guten Tag, Mrs. Needle. Ich freue mich sehr, Eure Bekanntschaft zu machen.« Und was weiter?

»Ihr seid nich' ganz so hübsch wie sie war – die verstorbene Gnädigste –, habt aber mehr Charakter als diese eitle kleine Pute, die nich' mehr davon besaß, als in 'nen Fingerhut passt. Außerdem habt Ihr Feuer in den Augen. Ja, kluge, wache Augen habt Ihr, keine naiven Kleinmädchenaugen, nein, nich' die Augen der Gnädigsten. Die hatte Gewitteraugen, die vor Wut glitzerten, wenn ihr was geg'n den Strich ging. Was für ein ungezogener Fratz sie war: verwöhnt, ungeduldig, anspruchsvoll, und im nächsten Moment schmeichlerisch, aye, ein einnehmendes Wesen, das meinem Jungen total den Kopf verdrehte. Aber zum Glück ging das nich' lange. Eine Schande, wie sie sich meinen Jungen entzogen und ihn beschwindelt hat, und alles nur, weil sie Angst vor einer weiteren Totgeburt hatte. Doch dann starb sie trotzdem. Ach, sieh sich einer nur das Kinn an, kräftig und stolz. Ihr lasst Euch kein X für ein U vormachen. Na, was sagt Ihr dazu, meine Kleine?«

Ohne zu zögern fragte Evangeline: »Was meint Ihr damit, ich hätte Feuer in den Augen?«

Die alte Frau lachte, ein trockenes, krächzendes Lachen, das die Kraft zu besitzen schien, ihre spröden alten Knochen zu zerbrechen. »Ach, meine Kleine, das werdet Ihr erst verstehen, wenn Ihr mal seine Hände gespürt habt. Und wenn das geschehen ist, werdet Ihr nie mehr dieselbe sein. Ihr werdet verstört und selig sein, alles zugleich, genau wie es sein soll, wie es aber mein armer Junge bisher noch nich' erlebt hat.«

»Mrs. Needle!«

Es war Mrs. Raleigh, die in der Tür stand, die Hände in die Hüften gestemmt und mit einem Gesichtsausdruck, als wollte sie in Ohnmacht fallen und gleichzeitig Gift und Galle spucken. Heute war sie in ein lavendelfarbenes Kleid gewandet, mit Spitzenbesätzen an Kragen und Ärmeln, die einen Ton dunkler waren als das Kleid. Das weiße Haar hatte sie zu einem bauschigen Dutt oben auf dem Haupt zusammengesteckt. Ihr Schlüsselring glänzte sogar noch mehr als am Tag zuvor.

»Mrs. Needle, was, um Himmels willen, habt Ihr hier zu suchen? Das ist die Cousine Seiner Gnaden, Madame de la Valette. Es ist noch früher Morgen. Weshalb seid Ihr schon auf den Beinen?«

Evangeline wollte nicht, dass die alte Dame sich wieder verabschiedete. Sie wollte mehr von ihr über dieses Feuer in ihren Augen erfahren, fürchtete aber, dass sie die Gelegenheit dazu verpasst hatte.

»Oh, du bist es, Clorinda. Musst wohl immer deine Nase in Angelegenheiten steck'n, die dich nichts angehen. Ich brauch' noch 'n bisschen Zeit mit der Kleinen hier. Sie is' genau die Richtige, glaubst du nich' auch? Ich hab gewartet und gewartet, und das hab ich Ihrer Gnaden auch gesagt. Aber sie hat nur den Kopf geschüttelt. Sie wollte mir nich' glauben, aber jetzt ist sie gekommen, genau wie ich's vorausgesehen hab.«

»Mrs. Needle, Madame muss jetzt ihr Frühstück einnehmen. Vielleicht kann sie Euch später aufsuchen.«

»Eigentlich ist mir ihr Besuch im Augenblick sehr angenehm. Ich bin nämlich überhaupt nicht hungrig, und wir haben gerade ...«, warf Evangeline ein.

»Nein, meine Kleine, geht nur mit Clorrie. Sie ärgert

sich sonst schwarz. Alles wird gut, Ihr werdet schon sehen. Ich weiß, dass Ihr Angst habt, aber alles wird sich zum Guten wenden. Das versprech' ich Euch. Ich hab's schon gesehen. Ja, ich kann Euch und meinen lieben Jungen zusammen lachen seh'n. Schön wird das.«

Evangeline starrte sie wie hynotisiert an. Diese verrückte Alte wusste, dass sie Angst hatte? Wie, um alles in der Welt, konnte sie das ahnen? Und woher wusste sie, dass alles gut ausgehen würde? Nein, das war alles Unsinn, das waren nur die Hirngespinste einer verrückten alten Frau. Nichts würde gut werden. Das Einzige, worauf sie hoffen konnte, war, das Leben ihres Vaters zu retten, falls Houchard ihr das erlaubte.

Alles andere war Augenwischerei. Widerstrebend wandte sie sich zu Mrs. Raleigh um. »Ja, ich komme«, sagte sie, und an Mrs. Needle gewandt: »Darf ich Euch zu Eurem Zimmer zurückbegleiten?«

Die alte Dame lachte wieder ihr krächzendes Lachen und wedelte mit ihrer knochigen, von blauen Adern überzogenen Hand durch die Luft. »Nay, nay, meine Kleine, ich find' meinen Weg zurück zum Nordturm schon allein. Zerbrecht Euch mal nich' Euren hübschen Kopf. Es wird sich alles finden.«

»Bitte, Mrs. Needle«, versetzte Mrs. Raleigh tadelnd, nachdem sie Evangelines blasses Gesicht bemerkt hatte. »Bringt Madame nicht in Verlegenheit. Sie versteht Euch noch nicht. Gebt ihr ein bisschen Zeit.«

»Die Zeit wird knapp«, beharrte Mrs. Needle. »Ich musste jetzt gleich kommen. Kümmre dich um deine eigenen Angelegenheiten, Clorrie. So, jetzt kannst du die Kleine meinetwegen ins Frühstückszimmer entführen.«

Brummelnd schlurfte die alte Frau aus Evangelines Schlafgemach. An der Tür drehte sie sich noch einmal um, musterte Evangeline eindringlich und sagte schließlich: »Ihr werdet zum Nordturm kommen, Madame. Ich schätze, Eure einzigen Erinnerungen an Euren Cousin stammen noch aus den Kindertagen. Aber jetzt seid Ihr nach Hause gekommen, genau wie ich mir das erhofft hatte. Wir werden miteinander reden, meine Kleine. Ja, es gibt so vieles, worüber wir sprechen müssen, aber das muss bald geschehen. Die Zeit drängt.«

»Ich werde kommen«, versprach Evangeline. Fasziniert und merkwürdig berührt starrte sie der sonderbaren Greisin hinterher, die schwerfällig und schmerzgebeugt den langen Korridor entlangschlurfte; sie spürte, wie ihr eine Gänsehaut über die Arme kroch.

Mrs. Raleigh seufzte und tätschelte mütterlich Evangelines Hand. »Mrs. Needle war die Kinderfrau des alten Herzogs. Sie ist schon seit Urzeiten hier im Haus; manche sagen, sie sei mit Wilhelm dem Eroberer hierher gekommen. Der junge Herzog lässt ihr völlige Freiheit; sie darf tun und lassen, was immer sie will. Aber keine Sorge, sie ist völlig harmlos. Solltet Ihr Euch in den Nordturm begeben wollen, so seid jedoch gewarnt. Mrs. Needle ist eine Hexe, so sagt man, aber eine gute, eine Kräuterhexe. Ihr werdet Ihre seltsamen Gebräue schon riechen, ehe sie Euch noch in ihr Allerheiligstes eintreten lässt. Aber, Madame, Ihr seid schrecklich blass. Hat sie etwas gesagt, das Euch durcheinander gebracht hat? Bestimmt hat sie das. Sie spricht immer in Rätseln und brüstet sich damit, in den Köpfen der Leute heillose Verwirrung zu stiften. Das macht ihr unheimlichen Spaß. Aber jetzt kommt, meine Liebe. Sobald Ihr eines der köstlichen Himbeertörtchen unserer Köchin gekostet habt, werdet Ihr das alles vergessen.«

»Sie muss wirklich sehr alt sein«, bemerkte Evangeline nachdenklich.

»Ja, so alt wie Methusalem«, bestätigte Mrs. Raleigh.

»Seine Gnaden will jedoch nichts davon hören, dass man sie von Chesleigh fortbringt. Nicht, dass jemals jemand von uns etwas Derartiges vorzuschlagen gewagt hätte, selbst dann nicht, als der Wind aus der falschen Richtung wehte und der Gestank ihrer Zaubertränke wieder einmal das ganze Schloss verpestete. Einmal sind wir alle hier zwei Tage lang mit tränenden Augen herumgelaufen. Grauenvoll. Ich kann mich noch gut an die verbrannten Zimtstangen erinnern. Und Seine Gnaden hat nur gelacht. Er lässt ihr sämtliche Marotten durchgehen. Der Wahrheit halber muss ich jedoch zugeben, dass ihre Kräuterküche etwas Besonderes ist. Die Leute bringen ihr alle Arten von Schösslingen und Wurzeln. Hochinteressant. Normalerweise verlässt sie den Nordturm so gut wie nie. Aber Euch hat sie gleich bei der erstbesten Gelegenheit aufgesucht. Wahrscheinlich hat sie von Eurer Ankunft erfahren und war neugierig, wer Ihr seid. Ich glaube nicht, dass sie Euch noch einmal belästigen wird.«

Evangeline schauderte. Sie wusste, dass sie Mrs. Needle wiedersehen würde. Tatsächlich war sie entschlossen, sich so bald als möglich in den Nordturm zu begeben und sie dort aufzusuchen.

»Es ist noch sehr früh, Madame. Ich war überrascht, Euch bereits wach und angekleidet anzutreffen.« Mrs. Raleigh beäugte das graue Wollkleid, das Evangeline bereits am Vortag getragen hatte. »Ach, so ein Pech mit Eurem Gepäck. Mal sehen, was der Herzog bezüglich Eurer Garderobe zu unternehmen wünscht.«

»Ich versichere Euch, dass der Herzog überhaupt nichts unternehmen wird.«

»Immerhin hat er Euch bereits Dorrie als Zofe geschickt.«

Evangeline überlegte einen Moment. »Ja, Ihr habt Recht. Er agiert ziemlich schnell.«

»Wenn Seine Gnaden etwas beschließt, so ist es bereits erledigt, ehe Lambert, der Stallkater, noch eine zweite Maus gefangen hat. Wart Ihr mit Dorries Diensten gestern abend zufrieden?«

»Dorrie war sehr nett.«

»Da Ihr heute morgen nicht nach ihr geläutet habt, kam ich selbst, um zu sehen, ob Ihr etwas wünscht. Das arme Mädchen war besorgt, dass Ihr mit ihr nicht zufrieden wart.«

Evangeline dachte an ihre liebe Margueritte, die immer gesungen, gelacht oder vor sich hin geplappert hatte, selbst wenn niemand in ihrer Nähe war, und die ihrem Vater ständig lüsterne Blicke zuwarf. »Mit Dorrie komme ich bestens zurecht. Ich verspreche, heute abend nach ihr zu läuten, damit sie mir beim Entkleiden hilft.«

Evangeline dachte, dass sie bestimmt die erste Nanny war, die eine Zofe hatte, sagte aber nichts weiter zu diesem Thema. Mrs. Raleigh, und wahrscheinlich das gesamte Personal, waren zweifellos der Ansicht, dass ihre Stellung als Lord Edmunds Nanny nichts weiter war als ein Vorwand, eine Geste, um den Stolz der verarmten Verwandten zu beschwichtigen. Arm oder nicht, immerhin war sie mit dem Herzog verwandt, und daher gebührte ihr eine Zofe.

»Seine Gnaden befindet sich bereits im Frühstückszimmer. Er steht immer sehr zeitig auf. Bassick hat es wissen lassen, dass er heute nicht nach London aufbrechen wird.« Sie rieb sich die hübschen, zierlichen Hände. »Jetzt werden wir ihn mindestens noch eine Woche bei uns haben, meinte Mr. Bassick, der sich bisher noch nie geirrt hat, und das freut jeden hier auf Chesleigh, Madame. Wir alle sind Euch sehr dankbar, dass Ihr den Herzog im Schloss festhaltet.«

Sie hielt ihn hier fest? Nein, ganz bestimmt nicht.

Sicherlich hatte er andere Gründe, seine Reise nach London zu verschieben. Vielleicht wollte er auch nur sicherstellen, dass sie Lord Edmund nicht in seinem Bett erwürgte. Es wäre viel einfacher gewesen, wenn er sich nach London auf den Weg gemacht hätte. Aber die Dinge tendierten eben nicht dazu, sich auf wohlgefällige Art und Weise zu entwickeln, dachte sie bei sich.

Und dann befand sie sich plötzlich wieder in Paris, in dieser kleinen, engen Kammer. Und er war ebenfalls dort, fixierte sie mit seinem Blick und sagte: »Wisst Ihr, wie man einen Mann verführt?«

Sie schaute ihn nur an, innerlich zitternd und so weiß im Gesicht wie ihr Spitzenkragen.

»Ihr seid immerhin bald zwanzig und kein junges Ding mehr mit Sternchen vor den Augen und dem Verstand eines Schafs. Habt Ihr je mit einem Mann geschlafen?«

Sie schüttelte den Kopf und starrte ihn aus großen, furchtsamen Augen an, wie das Kaninchen die sprichwörtliche Schlange, als er langsam auf sie zukam, vor ihr stehen blieb und sie von oben herab anlächelte. Dann streckte er beide Hände aus und umfasste ihre Brüste. »Sehr hübsch«, raunte er mokant. »Er wird ganz vernarrt sein in Eure Brüste. Und Ihr, Ihr müsst selbstverständlich alles Nötige zulassen, um Eure Mission erfolgreich abschließen zu können.« Sie machte einen Satz zurück, aber er folgte ihr und hielt immer noch ihre Brüste umklammert. Es tat schrecklich weh, und sie schrie auf …

»O Gott«, stöhnte sie leise und stolperte.

9

»Madame, um Himmels willen, fühlt Ihr Euch nicht wohl?«

Mrs. Raleigh griff nach ihrem Arm und hielt sie fest.

Evangeline schüttelte den Kopf, aber Houchard ließ sich nicht verscheuchen. Verflucht, er war ihr immer gegenwärtig, manchmal so nah, dass sie glaubte, ihn mit der Hand berühren und seine klare, harte Stimme an ihrem Ohr hören zu können. Sie glaubte zu spüren, wie er sie streichelte, mit ebenso viel Gefühl, als strichen seine Hände über die Armlehne seines Sessels.

Mühsam brachte sie ein zerknirschtes Lächeln zustande. »Verzeiht, Mrs. Raleigh. Ich war mit meinen Gedanken gerade ganz woanders; bei einem Erlebnis, das ich in Frankreich hatte. Entschuldigt bitte meine Unaufmerksamkeit. Wer ist dieser Gentleman mit der weißen Perücke?« Sie deutete auf ein imposantes Porträt in einem schweren Goldrahmen, das aus den Anfängen des vergangenen Jahrhunderts zu stammen schien.

»Oh, das war der vierte Herzog von Portsmouth, Everett Arysdale Chesleigh. Wie man hört, muss er ein rechter Schürzenjäger gewesen sein, dieser Herzog. Viel zu gut aussehend, wenn Ihr mich fragt. Die Damen haben ihn umschwärmt wie die Mücken das Licht. Zum Glück sind die meisten seiner Bastarde inzwischen gestorben.«

Evangelines Gedanken weilten nicht bei dem vierten Herzog von Portsmouth. Sie konzentrierten sich auf den gegenwärtigen Herzog, einen Mann, der ebenfalls viel zu gut aussehend war, für sein eigenes Wohl ebenso wie für den Seelenfrieden einer jeden Frau. Keine Sekunde hatte sie ihre Aufmerksamkeit von ihm abgewendet, nicht nur, weil sie fürchtete, an der Aufgabe zu scheitern, ihn dazu zu bringen, sie in seinem Haus aufzunehmen, sondern auch weil er sie auf die gleiche Art und Weise angesehen hatte wie etliche andere Männer zuvor, allen voran der Comte de Pouilly. Nur hatte sie seine Blicke nicht als abstoßend empfunden. Im Gegenteil, seine Blicke hatten an gewissen Stellen ihres Körpers ein seltsames Gefühl der Hitze ausgelöst, Stellen, die sie bislang nicht einmal wahrgenommen hatte. Sie hatten ihr einen leichten Schwindel verursacht, aber nachdem dieses Gefühl seit einer Woche ihr ständiger Begleiter war, maß sie dem keine große Bedeutung zu. Doch diese Hitze, die war in der Tat merkwürdig, ein Gefühl, für das sie keine Erklärung hatte. Sie wusste nur, dass sie sie als angenehm empfand.

Natürlich hatte sie ihm etwas vorgespielt. Sie hatte seine Fragen mit den eingeübten Antworten pariert, dabei aber ständig überlegt, was er wohl dachte, wie er reagieren würde, wenn sie eine Bemerkung machte, die nur ein klein wenig von der vorschriftsmäßigen Konversation abwich.

Seine Stimmungen wechselten so unvermittelt wie das englische Wetter, reichten von arroganter Blasiertheit, die einen Teil seines innersten Wesens auszumachen schien, bis zu unbeteiligter Höflichkeit, wenn er sich zurückzog und seinen eigenen Gedanken nachhing. Nun, dagegen konnte sie nichts ausrichten.

Sie musste ihr Ziel erreichen. Sie hatte keine andere Wahl, nicht die geringste.

Mrs. Raleigh, die elegant wie ein Vogel neben ihr dahinschwebte, schwatzte unaufhörlich, während sie Evangeline durch den langen, mit dicken Läufern ausgelegten Flur im Westflügel zu der geschwungenen Eichentreppe geleitete, die in altehrwürdiger Eleganz in die oberen Stockwerke hinaufführte. Sie folgte Mrs. Raleigh durch eine weitläufige, italienisch anmutende Empfangshalle mit schweren Kristalllüstern, die an Silberketten so dick wie ihr Oberarm von der Decke herabhingen, in die Bibliothek und weiter in den formellen Speisesaal. Von dort gelangten sie in einen kleinen achteckigen Raum, durch dessen niedrige, breite Fenster die Sonne hereinschien. Hier gab es keine wuchtigen Möbel, keine dunklen Holzvertäfelungen. Der Raum mit den hellgelb gestrichenen Wänden strahlte eine lichte, luftige Atmosphäre aus. Einige der Fenster standen weit offen, die zarten Batistvorhänge bauschten sich in der lauen Brise, die vom Meer herüberwehte.

In der Mitte des Raumes blieb Evangeline stehen. »Was für ein herrliches Zimmer!«, rief sie aus.

»Ich danke Euch, auch im Namen meiner Mutter. Sie hat dieses Frühstückszimmer nämlich vor zwanzig Jahren so einrichten lassen.«

Evangeline musterte den Herzog, der am Kopfende eines kleinen Tisches saß und seine Zeitung sinken ließ, mit einem verwirrten Blick. Er trug eine Büffellederjacke und hellbraune Reithosen, denen man den exklusiven Schneider auf den ersten Blick ansah. Seine dunklen Haare waren zerzaust, sein Teint frisch und leicht gebräunt. Er war wohl bereits draußen gewesen, wahrscheinlich an den Klippen entlanggeritten.

Der Herzog war tatsächlich der attraktivste Mann, den sie je gesehen hatte. Wobei sie freilich einschränken musste, dass sie noch nicht allzu vielen Männern begegnet war. Möglich, dass er einigen der Londoner Gentlemen nicht das Wasser reichen konnte, aber eigentlich bezweifelte sie das.

Als ihr bewusst wurde, dass sie ihn ungeniert anstarrte, senkte sie rasch den Blick auf ihre Schuhe.

»Stimmt etwas nicht, Madame?«

Ganz recht, hätte sie am liebsten geantwortet. Mit Euch stimmt etwas nicht. Es tut mir weh, Euch anzusehen. Das Bild, das ich bisher von Euch in Erinnerung hatte, stammte noch aus meiner Kindheit. Und ich hatte gehofft, Ihr hättet Euch inzwischen verändert, aber das ist leider nicht der Fall. Ich bin völlig kopflos.

Kühl und überlegen antwortete sie, nachdem sie sich gefasst hatte: »Nein, es ist alles in Ordnung, Euer Gnaden. Ich war momentan nur etwas überwältigt.« Sie glaubte, ihn leise lachen zu hören. Und plötzlich erinnerte sie sich, dass sie Marissa vor vielen Jahren glühend beneidet hatte, die glückliche Marissa, der es gelungen war, diesen Mann mit einem Ehering an sich zu binden. Andererseits war Marissa nicht viel Glück beschieden gewesen. Sie starb mit zwanzig, bei einem Unfall, wie sie gehört hatte.

Sie bedachte den Herzog mit einem koketten Blick, was ihr ganz natürlich vorkam, denn es war ein Blick, der in ihr geschlummert zu haben schien. Und sie wusste auch instinktiv, dass er diese Art von Blick liebte, der alles versprach, aber eben nicht mehr. Resigniert zuckte sie die Schultern, als sie sein mildes, wissendes Lächeln bemerkte, als ob er ihre Gedanken hätte lesen können. Nun, seine Vermutungen waren ja richtig. Warum sagte sie ihm nicht gleich die Wahrheit, fragte sie sich und schürzte die Lippen zu einem schelmischen Grinsen. »Tatsächlich dachte ich gerade darüber nach, warum Ihr so blendend ausseht.«

Er lehnte sich in seinem Stuhl zurück und verschränkte die Arme vor der Brust. »Ein Hoch auf die französische Freimütigkeit. Ich danke Euch für das Kompliment. Wäre ich eine Frau, könnte ich mich zieren und Euch bitten, Euer Kompliment etwas mehr zu präzisieren, aber leider bin ich ein Mann und muss mich als solcher mit diesem allgemein gehaltenen Kompliment zufrieden geben. Aber, ehrlich gesagt, wüsste ich doch gern, worauf Euer Kompliment sich im Einzelnen bezieht.« Ihr Grinsen verblasste. »Oh, habe ich Euch in Verlegenheit gebracht? Ja, ich vermute, diese zarte Röte, die sich auf Eurem Dekolleté ausbreitet, ließe sich als diskretes Zeichen von Verlegenheit deuten. Aber setzt Euch doch bitte. Mrs. Dent hat ein Frühstück gezaubert, das seinesgleichen suchen kann.«

Sie vermied es, ihn noch einmal anzusehen, als sie sich auf den Stuhl zu seiner Rechten gleiten ließ. Bestimmt war er daran gewöhnt, dass man ihm schamlos irgendwelche Schmeicheleien zuflüsterte, ihn unendlich bewunderte und ihn sogar mit einem Gott verglich.

Nein, er war kein Gott. Sie erinnerte sich an Houchards präzise Beschreibung der Vorlieben und Abneigungen des Herzogs, speziell was die Frauen anbelangte, und wäre am liebsten in den Erdboden versunken.

Unsinn, in dieser Richtung hatte sie von ihm nichts zu befürchten. Der Herzog würde sie niemals als etwas anderes als eine anständige, mittellose Witwe betrachten, die sich um seinen Sohn kümmerte; gesetzt den Fall, sein Sohn zeigte sich einverstanden und konnte sie auf Anhieb gut leiden. Er durfte sie niemals als eine Frau sehen, die ihn mehr bewunderte, als angemessen wäre. Bassick schenkte ihr mit einem freundlichen Lächeln eine Tasse starken schwarzen Kaffee ein und verließ, nachdem der Herzog ihm zugenickt hatte, das Frühstückszimmer.

Sie fühlte sich als Engländerin, das hatte sie stets freimütig erklärt, und wünschte sich nichts lieber, als ihren französischen Anteil aus ihrer Existenz verbannen zu können. Das Verrückte war nur, dass sie schon als Kind das schwere englische Frühstück verabscheut hatte, aber nachdem sie über ihn, ihre missliche Situation und über

Houchards Anweisungen nachgedacht hatte, häufte sie sich artig den Teller mit gebratenen Nieren, Rührei, geräuchertem Lachs und Schinkenspeck voll. Langsam, um seine Aufmerksamkeit nicht auf sich zu lenken, schob sie den Teller von sich weg und nahm eine Scheibe Toast. Die begann sie dick mit Butter zu bestreichen.

»Ihr habt nicht gut geschlafen.«

Evangeline verschluckte sich um ein Haar an dem großen Bissen Toast, den sie gerade im Mund hatte, und zwang sich, ihn gründlich zu kauen. Sie schluckte und nippte an ihrem Kaffee, ehe sie ihm ein kühles Lächeln zeigte. »Ihr irrt Euch, Euer Gnaden. Wie könnte man nicht hervorragend ruhen in einem so wunderschönen Zimmer und in einem so bequemen Bett?«

»Ich vermute, dass niemand besonders gut schläft an einem neuen, unbekannten Ort. Habt Ihr merkwürdige Geräusche gehört? Das ganze Schloss knarrt und ächzt in allen Fugen. Wenn ein Sturm über dem Kanal wütet, glaubt man zuweilen, unter einem riesigen Steinhaufen begraben zu werden. Aber daran werdet Ihr Euch gewöhnen.«

»Ja, gewiss, das denke ich auch. Aber jetzt, wo Ihr es ansprecht, erinnere ich mich tatsächlich, heute nacht ein unheimliches Ächzen und Rasseln von Eisenketten gehört zu haben.«

Er beantwortete diesen Scherz mit keinem Lächeln, sondern drehte nur die Gabel andächtig zwischen den Fingern. »Seid Ihr immer sofort zu erbitterten Wortgefechten bereit?«

»Nein, normalerweise nicht. Also schön, wenn Ihr auf einer Antwort besteht: Ich habe nicht gut geschlafen, weil ich fürchtete, dass Ihr an mir etwas auszusetzen findet und mich rauswerft. Ich möchte nämlich nicht im Straßengraben verhungern, Euer Gnaden.«

»Oh, ich habe meine Meinung nicht geändert. Ihr könnt getrost aufhören, Euch Sorgen zu machen – falls Ihr mir die Wahrheit gesagt habt und Euch tatsächlich darum sorgt.«

»Ich hatte heute schon früh am Morgen Besuch von Mrs. Needle.«

Er hatte gerade eine Scheibe hauchdünn geschnittenen Schinken aufgespießt und wollte die Gabel zum Mund führen, hielt jedoch auf halbem Wege inne. »Mrs. Needle hat Euch aufgesucht? Wie merkwürdig. Normalerweise verlässt sie ihre Gemächer im Nordturm nur noch höchst selten. Was wollte sie?«

»Mich einfach nur kennen lernen, weil ich Marissas Cousine bin. Sie machte zwar ein paar seltsame Bemerkungen, war aber ansonsten sehr freundlich zu mir.«

»Sie ist eine Hexe.«

»Das hat mir Mrs. Raleigh auch erzählt, aber eine gute, wie sie sagte. Sie heilt Kranke.«

»Sie versucht es. Gestern abend hat sie ihre Zauberkünste an Juniper, meinem Burschen, ausprobiert. Nachdem ich nichts Gegenteiliges gehört habe, nehme ich an, dass er noch am Leben ist. Ihr habt nur eine Scheibe Toast gegessen. Mrs. Dent wird zutiefst gekränkt sein, wenn Ihr nicht spätestens im Frühling wie ein Fass durch die Gegend rollt. Probiert doch mal die Nieren, sie sind einfach köstlich.«

Sie warf einen Blick auf ihren Teller und schüttelte sich.

»Ihr seid sehr groß, Madame, und im Augenblick viel zu mager, abgesehen von …« Er musterte ihre Brüste, betrachtete sie ungeniert und ausgiebig. Zumindest hatte er den Rest des Satzes nicht laut ausgesprochen; das ließ auf seine Selbstbeherrschung schließen.

Na schön, dachte sie und fragte sich im Stillen, wie

weit er wohl gehen würde. »Abgesehen wovon?«, erkundigte sie sich mit gekonnter Unschuldsmiene.

»Ich habe Euch beobachtet, wie Ihr Euren Toast mit Butter bestrichen habt. Und dabei sind mir Eure Finger aufgefallen, Madame. Sie sind kurz und dick. Verzeiht, dass ich so offen bin, aber Ihr habt mich schließlich danach gefragt. Ja, Ihr seid leider mit diesen sprichwörtlichen Wurstfingern geschlagen. Könnte es sein, dass Ihr dies Eurem französischen Blut zu verdanken habt?«

Evangeline wäre am liebsten von ihrem Stuhl aufgesprungen, hätte diesen gepackt und ihn auf seinem Schädel zertrümmert. »Wurstfinger? Pah, das ist doch absolut lächerlich. Ihr wisst sehr genau, dass Ihr auf etwas ganz anderes geschaut habt, nämlich auf meine … nein, das sage ich besser nicht. Das schickt sich nicht. Außerdem würdet Ihr dann bloß so laut lachen, dass ich mich am liebsten hinter der Wandvertäfelung verstecken würde. Nur gibt es hier leider keine, und ich wäre gezwungen, hier sitzen zu bleiben, während Ihr mich anstarrt und Euch über mich kaputtlacht.«

Er lachte nicht, aber sie wusste, dass er das gern getan hätte.

Schließlich senkte sie den Blick auf ihre langen, schlanken Finger. »Das habt Ihr gut gemacht, aber das wisst Ihr natürlich. Sagt, glaubt Ihr, dass Mrs. Needle einen Zaubertrank brauen kann, der diese armseligen Stummelfinger zum Wachsen anregt?«

»Ich werde sie mir noch einmal aus nächster Nähe betrachten und anschließend meine Meinung kundtun. Als schweren körperlichen Makel würde ich die Finger jedoch nicht bezeichnen. Ich bin nämlich ein toleranter Mensch. Das ist allgemein bekannt und wird sehr an mir geschätzt. Aber was rede ich, diese Erfahrung habt Ihr ja eben selbst gemacht.«

Sie öffnete den Mund, um etwas zu erwidern, brachte aber kein Wort über die Lippen.

Er lehnte sich vor, die Ellbogen auf den Tisch gestützt. »Habt Ihr etwa Spaß an solchen Wortgefechten, Madame?«

»O ja«, erklärte sie ohne Umschweife. »Genau wie Ihr, Euer Gnaden. Ich glaube, Ihr seid dazu geboren, euren Spott mit den Menschen zu treiben und Euch über sie lustig zu machen. Darin scheint Ihr ein wahrer Meister zu sein. Aber gebt mir ein Jahr Zeit. Dann werde ich Euch übertrumpfen, und dann wird man sehen, wer von uns beiden in diesem Spiel den Kürzeren zieht, seine Zehenspitzen anstarrt und nach Worten sucht.«

»In dieser Reihenfolge, Madame? Ach, ich muss daran denken, Euch Evangeline zu nennen. Allerdings klingt Madame so ehrwürdig. Wie bei einer Äbtissin.«

»Ich bin nie sehr religiös gewesen.«

Er stutzte, schaute sie verwirrt an, legte die Stirn in Falten und fuhr dann fort: »Wie auch immer – ab jetzt werde ich mich bemühen, Euch mit Evangeline anzusprechen. Gibt es eigentlich eine Kurzform dafür?«

»Meine Mutter nannte mich Eve.«

»Interessant. Ich kann mir nicht helfen, aber bei Eve muss ich immer an die Eva aus der Bibel denken. Nein, nein, was sie mit dem armen Adam alles angestellt hat. Sie hat es sogar geschafft, dass man ihn aus dem Paradies wirft, und alles wegen ihrer tückischen Machenschaften, die wahrscheinlich mit einem tückischen Grinsen ihren Anfang nahmen. Wenn ich mich recht entsinne, trug sie niemals auch nur einen Faden am Leib, auch nicht nach ihrer Vertreibung. Sie genoss die Art, wie er sie ansah, genoss es, wenn ihm schier die Augen übergingen, was sie ohne Zweifel getan haben.«

»Darüber weiß ich nichts. Das heißt, natürlich kenne

ich die Bibel, aber Eure Gedanken schweifen auf Pfade ab, die unbeschritten bleiben sollten.«

Seine Lippen verzogen sich zu einem Grinsen. »Ich habe nie einen Pfad gefunden, den ich nicht betreten wollte«, konterte er, machte eine kurze Pause und fuhr dann in einem philosophischen Tonfall fort: »Allerdings habe ich mich oft gefragt, wo dieses viel gepriesene Paradies eigentlich liegt, kann mir aber nicht vorstellen, dass es hier irgendwo an der englischen Küste zu finden ist. Denn im Paradies gäbe es bestimmt keine ächzenden, knarrenden Schlosstüren und keine Winterstürme, die der nackten Haut zusetzen, nur wohlige Wärme und Schönheit. Nein, das ist albern. Natürlich gäbe es Geächze und Gestöhne. Ich wundere mich, was Euer armer Gemahl wohl zu Eurem mangelhaften Wissen über das Paradies gesagt hätte.«

Ihr Gemahl. Ihr armer, verstorbener, betrauerter Gemahl. Das Stück Toast entglitt ihren Fingern und landete auf der Tischdecke. Auf diese Bemerkung fiel ihr so schnell keine Erwiderung ein.

Verdammt, er hatte sie völlig missverstanden. »Es tut mir Leid, Evangeline. Ich hatte nicht die Absicht, Erinnerungen heraufzubeschwören, die Euch verletzen.«

Ihre Stimme klirrte wie Eis. »Ich sagte doch bereits, dass mein Gemahl, André, ein großartiger und sehr gefühlvoller Mann war. Ich habe ihn angebetet. Ihn verehrt. Er hat mir alles beigebracht, was ich über dieses Paradies, von dem Ihr sprecht, wissen muss.«

»Verzeiht, mir ist entfallen, dass er so ein Musterbeispiel an Vollkommenheit war. Es tut mir aufrichtig Leid. Lassen wir den armen André in seinen ewigen Gefilden ruhen.« Sie war so weiß wie das Tischtuch. Er hatte sie wieder an einem wunden Punkt getroffen. »Nun, Evangeline, wenn Ihr fürs Erste gesättigt seid, würde ich Euch jetzt gern Edmund vorstellen. Als er erfuhr, dass wir einen Gast haben, hoffte er, es sei Phillip Mercerault, ein guter Freund von mir, der ihm immer Geschenke mitbringt und ihn auf seinem Pferd reiten lässt. Oder Rohan Carrington, ein anderer alter Freund von mir, der Rennkatzen hält, die bei den Rennen auf dem McCulty-Parcours bei Eastbourne immer unter den Siegern sind. Er erzählt Edmund stundenlang Geschichten über die Wettbewerbsteilnehmer und die verschiedenen Trainingsmethoden. Rohan ist der Besitzer von Gilly, einer berühmten Rennkatze. Armer Phillip, er wollte immer ein Katzenjunges haben, um es zu trainieren. Na ja, jetzt, wo er verheiratet ist, werden ihn die Harker-Brüder – die erfolgreichsten Trainer des Landes – vielleicht als würdig genug für die Aufzucht einer jungen Katze erachten. Die Rennen finden von April bis Oktober statt. Wart Ihr schon mal bei einem Katzenrennen?«

»Nein, aber ich habe davon gehört. Hattet Ihr früher eine Rennkatze?«

Er schüttelte den Kopf. »Vielleicht werde ich eines Tages eine besitzen. Wie meinen Freund Phillip erachten die Harker-Brüder auch mich nicht als würdig genug. Ich sei zu flatterhaft, sagen sie, und eine Rennkatze bräuchte eine feste Hand und einen Besitzer, der immer für sie da ist. Aber jetzt wollen wir zu meinem Sohn gehen.«

10

Lord Edmund stand vor dem Waschtisch und ließ sich von einer lächelnden Ellen Hände und Gesicht abwaschen, wobei sie ihn abwechselnd küsste und schrubbte. Er hatte noch nicht das Alter erreicht, das war dem Herzog klar, wo er sich entrüstet gegen solche aufdringlichen Zärtlichkeiten gewehrt hätte.

Als Edmund seinen Vater erblickte, stieß er einen Jubelschrei aus, raste zu ihm hin und machte vor ihm einen Satz in die Höhe, um sich auffangen, liebkosen und in die Luft werfen zu lassen, all das begleitet von so fröhlichem Gelächter, dass es dem Herzog richtig warm ums Herz wurde.

»Na, mein Junge, das meiste von deinem Frühstücksei hat dir Ellen ja schon vom Mund gewaschen. Guten Morgen, Ellen. Hat er brav aufgegessen?«

»Ja, er hat gut gefrühstück, Euer Gnaden«, antwortete Ellen, machte, wie es ihre Gewohnheit war, einen Schritt zurück und knickste höflich.

»Wo ist meine Cousine, Papa? Hat sie mir ein Geschenk mitgebracht? Aber du verbietest ihr, dass sie mich abküsst, versprochen?« Er verstummte in dem Augenblick, als er den Kopf über die Schulter seines Vaters reckte. Dann senkte er die Stimme zu einem ängstlichen, aber gut hörbaren Flüstern. »Ist das die Lady, die gekommen ist, um mich zu besuchen?«, fragte er seinen Vater.

Ein Lachen unterdrückend, erwiderte der Herzog: »Hat sie honigblonde Haare? Und braune Augen, die fast die Farbe von Schlamm haben? Ist sie beinahe so groß wie ich?«

»Ja, Papa. Sie ist groß. Aber Schlamm in ihren Augen – ich weiß nicht.«

»Ich wollte eigentlich alleine kommen, um dich vorzubereiten, aber sie muss mir heimlich gefolgt sein«, meinte der Herzog verschmitzt und drehte sich zu Evangeline um.

»Evangeline, das ist mein Sohn Edmund. Edmund, sag deiner Cousine guten Tag.«

Edmund nahm sie genauer in Augenschein. »Ich finde

nicht, dass deine Augen wie Schlamm aussehen. Lass mich runter, Papa, damit ich einen richtigen Diener machen kann.«

Die Augenbrauen des Herzogs hoben sich verwundert, als er seinen Sohn auf den Boden stellte. Edmund machte einen tiefen Diener, legte einen perfekten Kratzfuß hin, wie sein Großvater gesagt hätte, und sagte mit heller Stimme: »Willkommen, Cousine Evalin. Ellen hat gesagt, und das weiß sie von Mrs. Raleigh, dass du eine halbe Ausländerin bist. Aus Frankreich, hat sie gesagt.«

»Ganz recht«, erklärte Evangeline freundlich, »ich bin zur Hälfte Ausländerin.« Sie kniete sich neben Edmund auf den Boden.

»Willkommen in meinem Haus. Das ist Chesleigh Castle.«

»Ich weiß, und ich danke dir.«

»Das hast du großartig gemacht, Edmund. Ich bin sehr zufrieden mit dir«, lobte der Herzog seinen kleinen Sohn, ehe er sich an Ellen wandte. »Gute Arbeit, Ellen.«

Ellen, die den Herzog nie ansehen konnte, ohne dabei vor Verlegenheit zu erröten, erwiderte unterwürfig: »Lord Edmund hat darauf bestanden, dass wir die Begrüßung üben, Euer Gnaden. Seine Ehre hänge davon ab, hat er mir erklärt.«

»Und damit hat er vollkommen Recht. Edmund, warum nennst du deine Cousine nicht Eve? Das ist viel einfacher als all die Abwandlungen ihres halb französischen Namens. Ist Euch das genehm, Madame?«

»Aber gewiss. Ich bin die Cousine deiner Mutter, Edmund, und wollte dich schon lange einmal kennen lernen.«

Edmund legte zutraulich seine Fingerspitzen auf ihre Hand. »Siehst du meiner Mutter ähnlich? Ich erinnere mich nicht sehr gut an sie.«

»Nein, eigentlich nicht. Deine Mama war eine wunderschöne Frau, so schön wie ein Engel. Sie hatte schneeweiße Haut, Haare, die glänzten wie gesponnenes Gold, und Augen so blau wie der Himmel im Sommer. Du bist zwar ein dunkler Typ, siehst ihr aber doch ähnlich.« Evangeline bemerkte mit einem Blick, dass sie etwas gesagt hatte, das dem kleinen Lord Edmund gegen den Strich ging, und fügte deshalb eilig hinzu. »Doch wenn ich dich so anschaue, dann bin ich überzeugt, dass du eines Tages genau so ein gut aussehender, starker Mann wirst wie dein Vater. Du hast seine dunklen Haare und auch dieses schelmische Funkeln in den Augen. Und Humor, Edmund. Es ist eine ganz wichtige Sache im Leben, von Herzen lachen zu können. Nachdem ich gehört habe, wie sich dein Papa schier ausgeschüttet hat vor Lachen, weiß ich, dass auch du einmal so eine Frohnatur wirst.«

»Genau das möchte ich auch«, erklärte Edmund bestimmt. »War Mama klein? Ich möchte nämlich nicht klein sein, wenn ich erwachsen bin.«

»Nun, sagen wir, sie war nicht außergewöhnlich groß, aber du darfst nicht vergessen, dass sie eine Lady war, eine Märchenprinzessin. Und Märchenprinzessinnen sind immer klein und zart und dabei ungeheuer elegant und schön. Und was dich betrifft, so bist du der Sohn eines Prinzen, und die sind nie klein und zart. Ja, du wirst einmal das Ebenbild deines Papas sein. Du hast keinen Grund, dich zu sorgen. Schau nur deine Füße an, Edmund. Die sind ja jetzt schon so riesig. Jetzt muss nur noch dein Körper nachwachsen. Und du hast lange Finger, keine kurzen Stummelfinger wie manch andere unglücklichen Geschöpfe. O ja, ich sehe, aus dir wird einmal ein Riese von einem Mann. Vielleicht überflügelst du sogar deinen Papa. Eigentlich ist er nämlich gar nicht so außergewöhnlich groß oder außergewöhnlich gut aussehend und eindrucksvoll.«

Die Bemerkung, die der Herzog daraufhin machte, richtete sich an niemanden direkt. »Ich dachte immer, nur Hunde müssen in ihre Pfoten hineinwachsen.«

»Die auch«, meinte Evangeline, ohne sich zu ihm umzuwenden.

»Ich bin ein Prinz, nicht wahr?«

»Das war eine Metapher, Euer Gnaden«, erklärte sie über die Schulter hinweg, »mehr nicht. Eigentlich nur ein Beispiel, das Edmund Eure Bemerkung verständlich machen soll.«

»Schade, ich wäre gern ein Prinz unter den Männern. Bin ich wirklich nicht beeindruckend? Habt Ihr mir nicht vor einer Stunde noch erzählt, ich sei großartig?«

»Daran erinnere ich mich nicht.«

»Werde ich wirklich größer als Papa?«

»Meiner Meinung nach besteht daran nicht der geringste Zweifel.«

Edmund strahlte über das ganze Gesicht. »Ich finde es prima, dass du gekommen bist und nicht Phillip oder Rohan. Kennst du irgendwelche Geschichten über Gilly, die Rennkatze?«

»Noch nicht, Edmund, aber du kannst sicher sein, dass ich welche in Erfahrung bringen werde.«

»Hast du mir vielleicht ein Geschenk mitgebracht?«

»Nein, was für ein gieriger kleiner Bettelfritze du doch bist, Edmund«, rügte ihn der Herzog. »Deine Cousine wird denken, dass ich dich aufs Schändlichste vernachlässige.«

»Du hast Glück, Edmund, ich habe dir tatsächlich etwas mitgebracht. Ich hoffe, es gefällt dir.« Evangeline zog ein kleines, hübsch verpacktes Kästchen aus der Tasche ihres Kleides und überreichte es Edmund.

Sie hatte an Edmund gedacht. Das beeindruckte den Herzog. Er sah zu, wie sein Sohn ungeduldig das Geschenkpapier aufriss und den Deckel des kleinen Kästchens aufklappte. Mit einem überraschten Jauchzen nahm er die handgeschnitzte Modellpistole heraus, die so fein gearbeitet war, dass man den Hahn spannen und den Abzug betätigen konnte. Wie hatte sie sich das nur leisten können? Hatte sie ihre letzten Pennies für ein Geschenk für seinen Sohn ausgegeben? Solche Modelle kosteten ein kleines Vermögen.

Edmund konnte sein Glück kaum fassen. Er drückte die Pistole mit beiden Händen an seine Brust, hielt sie dann von sich weg und strich mit einem Finger ehrfurchtsvoll darüber. »Heiliger Himmel, sieh mal, Papa, selbst der Lauf ist hohl. Jetzt kann ich mich duellieren und Ellen dazu zwingen, die grünen Bohnen von meinem Teller zu essen.« Er umfasste die Pistole mit seiner kleinen Hand und zielte damit auf Ellen. »Hab keine Angst wegen der Bohnen, ich übe nur. Und wenn du mir keine Bohnen mehr servierst, wirst du dann so tun, als ob du ein Pirat bist, damit ich mich im Schießen üben kann?«

Ellen richtete sich zu voller Größe auf und erklärte mit ernster Miene: »Gewiss, Lord Edmund, ich stehe Euch jederzeit als Zielscheibe zur Verfügung.«

Na wunderbar, dachte Evangeline, sie hatte in dem kleinen Burschen ja schlimme Instinkte geweckt.

»Papa, wirst du mir beibringen, wie man richtig zielt?«

»Nur wenn du mir versprichst, Ellen nicht zu drangsalieren.«

»Großes Ehrenwort«, sagte er, sah Ellen aber nicht an. Er hatte nur Augen für Evangeline, strahlte sie mit grenzenloser Bewunderung an. »Vielen Dank, Eve. Phillip hat mir nie eine Pistole mitgebracht. Und Rohan auch nicht. Phillip mag Pistolen nämlich nicht.«

Evangeline wusste, dass Houchard über seine wildesten Erwartungen hinaus ins Schwarze getroffen hatte. Wie Phillip, dieser Freund des Herzogs, hätte auch Evangeline einem kleinen Jungen niemals eine Pistole als Geschenk mitgebracht, doch Houchard hatte gemeint, dass der Kleine völlig aus dem Häuschen geraten würde vor Freude, und er hatte Recht behalten.

Zu dritt gingen sie die Treppe hinunter, Evangeline, der Herzog und Edmund, der, wild mit seiner Holzpistole in der Luft herumfuchtelnd, aufgeregt zwischen den beiden hin und her hüpfte. »Sollen wir deine Cousine auf einen Ausritt mitnehmen, was meinst du, Edmund?«, fragte der Herzog unvermittelt. »Wir könnten ihr vielleicht ein oder zwei der Pfade zeigen, auf denen wir immer zu unserem Versteck reiten. Es ist ein wunderschöner Tag heute. Umberto, unser italienischer Gärtner, weissagte mir vorher«, setzte er an Evangeline gewandt hinzu, »dass uns zwei Tage Sommerwetter ins Haus stehen, so heiß, dass wir schwitzen werden wie die Kamele in der Wüste.«

Evangeline blieb stehen und schüttelte den Kopf. »Verzeiht, Euer Gnaden. Ich kann nicht mitkommen. Ich besitze keine Reitkleidung.« Sie blickte an ihrem Musselinkleid hinunter und meinte: »In dem Aufzug kann ich mich nicht auf ein Pferd setzen. Es tut mir Leid.« Dabei sah sie aus, dachte der Herzog, als wolle sie jeden Augenblick in Tränen ausbrechen. Deshalb entgegnete er leichthin: »Ach, ich wünschte, man würde mich gelegentlich – nur ab und zu – mit einem ordentlichen Problem konfrontieren, damit ich meinen Eifer und meinen Erfindungsreichtum auf die Probe stellen kann. Aber das wird diesmal wieder nichts. Hier handelt es sich nur um ein kleines Problemchen, für dessen Lösung ich bereits Vorkehrungen treffen ließ. Aber vielleicht werdet Ihr mich jetzt als Prinz unter den Männern bewundern, Evangeline. Geht schon mal in Euer Schlafgemach; ich werde Mrs. Raleigh gleich nachschicken.«

»Aber wozu denn? Das ist doch sinnlos. Dieses Kleid wird sich nicht wie durch ein Wunder in ein Reitkostüm verwandeln.«

»Ihr kennt mich jetzt seit vierundzwanzig Stunden, Evangeline. Habe ich Euch in dieser Zeit jemals Anlass geboten, an meinem Wort zu zweifeln?«

»Das nicht. Aber Ihr seid ein Mann, und Männer kennen sich gemeinhin nur recht wenig mit Frauenkleidern aus, und ...«

Er legte sacht einen Finger auf ihre Lippen.

»Geht«, sagte er, und sie ging.

»Vertrau Papa nur!«, rief Edmund ihr hinterher, doch er hatte nur Augen für seine Pistole, und Evangeline bezweifelte, dass er überhaupt wusste, worum es ging.

Eine halbe Stunde später stieg Evangeline die breite, kunstvoll geschnitzte Eichentreppe herunter. Sie trug ein elegantes königsblaues Reitkostüm und einen dazu passenden Federhut, der keck auf ihrem zu Zöpfen geflochtenen und hochgesteckten Haar saß.

Als sie die Tür zu ihrem Schlafgemach geöffnet hatte, war sie mit offenem Mund auf der Schwelle stehen geblieben und hatte Mrs. Raleigh angestarrt, die dieses wundervolle Reitkostüm über dem Arm hielt und ihr lächelnd erklärte, dass es Marissa gehört habe. »Selbstverständlich hat es Ihre Gnaden nur einmal getragen. Es stammt von ihrer Lieblingsmodistin in London, Madame Fallier.«

»O Gott, ich kann unmöglich das Reitkostüm meiner Cousine tragen. Außerdem würde es mir gar nicht passen. Ich bin viel größer als meine Cousine. Nein, Mrs.

Raleigh, das geht nicht, ich kann ihre Kleider nicht anziehen.«

Mrs. Raleigh schüttelte milde den Kopf. »Ihr nehmt doch hoffentlich nicht an, dass dies ihr einziges Reitkostüm gewesen ist. Es ist nur das neueste, sie hat es einige Monate vor ihrem Tod anfertigen lassen. Seine Gnaden hat heute morgen angeordnet, es für Euch umzuändern, Madame. Leider blieb mir nur die Zeit, den Saum ein wenig herunterzulassen. Seit dem Tod Ihrer Gnaden beschäftigen wir nämlich keine Schneiderin mehr.«

»Sieben Zentimeter«, verkündete Evangeline, als sie den Herzog und den kleinen Edmund in der Halle traf, der Bassick gerade fachmännisch die Funktionen seiner Pistole erklärte. »Mrs. Raleigh hat den Saum sieben Zentimeter herausgelassen. Seht nur, er bedeckt beinahe meine Knöchel.«

»Ja, zum Glück. Der Anblick von weiblichen Fesseln bringt mich nämlich oftmals etwas aus dem Tritt. Diese Verlängerung erleichtert mich ungemein.«

Sie legte eine Hand auf seinen Arm. »Das war sehr nett von Euch. Ihr habt vorausgesehen, dass ich kein Reitkostüm besitze, und habt daher eigens eines für mich umändern lassen. Nein, wirklich, Ihr seid zu liebenswürdig, Euer Gnaden.«

»Wie ich sehe, sind noch weitere Änderungen vonnöten.« Er musterte ihre Brüste, und als sie sich rasch vornüberbeugte, lachte er nur. »Nein, lasst nur. Ich nehme an, Mrs. Raleigh hat sich schon Gedanken darüber gemacht, wie man das Oberteil um gute zehn Zentimeter, würde ich schätzen, erweitern kann.«

»Ja, sie meinte, man müsste etwas Stoff aus dem Rock nehmen. Die Taille ist ebenfalls ein wenig zu eng.«

»Ich hoffe, der Rock gibt genügend Stoff her, um auch die … äh … anderen Teile zu bedecken.«

Bassick runzelte missbilligend die Stirn und räusperte sich vernehmlich.

»Ihr habt jedenfalls sehr schnell reagiert«, bemerkte sie eifrig.

»Ja, ich neige dazu, schnell zu reagieren, wenn eingehende Überlegungen nicht erforderlich sind.«

Sie merkte, dass er sie verspottete, begriff aber nicht, worin genau der Spott lag, und nickte daher nur verbindlich.

»Na, das war jetzt zu hoch für Euch, wie? Ich bin schockiert, ja, regelrecht verblüfft, dass Ihr meinen sehr deutlichen Hinweis nicht begriffen habt, Evangeline. Der selige André verstand sich gewiss darauf, eine Sache behutsam anzugehen und sich ihr Schritt für Schritt zu nähern, nachdem er sich davon überzeugt hatte, dass sein Vorgehen angemessen war.«

Sie funkelte ihn an. »Ja, er war sehr bedachtsam.«

»Ah«, machte der Herzog und strich die blaue Feder an ihrem Hut glatt. »Ob Ihr wohl die Güte habt, mir zu erläutern, in welcher Beziehung sich diese Bedachtsamkeit zeigte?«

So auf die Schnelle fiel ihr dazu nichts ein. Dann dachte sie an ihren Vater, und mit welcher Akribie er das Haushaltsbuch geführt hatte, und antwortete: »André hat den Fleischer immer erst dann bezahlt, wenn er sicher war, jedes Lendenstück verzehrt zu haben, das aus seinem Laden stammte. Und dazu war es erforderlich, dass die Köchin über die Speisenfolge der einzelnen Tage genau Buch führte. Das beweist doch gewiss ein hohes Maß an akribischer Bedachtsamkeit, oder nicht?«

Er sah sie fasziniert an. »Ein Lendenstück?«

Sie warf ihm einen triumphierenden Blick zu und rief: »Edmund? Bist du fertig? Möchtest du mir jetzt deine Schleichwege zeigen?«

Edmund, die Pistole vorne in den Hosenbund gesteckt, marschierte stolz vor Evangeline durch die Haustür, während Bassick, der hinter ihnen stand, dem Herzog indigniert zuflüsterte: »Euer Gnaden, sie ist eine junge Lady.«

»Ich weiß«, gab der Herzog zurück und blickte mit zerknirschter Miene hinter seinem Sohn her, der Evangeline gerade einen der Chesleigh-Pfauen zeigte. »Ich weiß. Es ist merkwürdig«, meinte er kopfschüttelnd.

Bassick schickte seinem Herrn einen missbilligenden Blick hinterher, als dieser der jungen Lady und seinem aufgeregten Sohn nach draußen folgte. Wie war sie nur auf die Idee gekommen, Lord Edmund eine Pistole mitzubringen? Seiner Erfahrung nach konnten die Ladies nicht einmal den Anblick solcher Waffen ertragen. Sie war in der Tat eine ungewöhnliche junge Frau, soviel stand fest, entschied er und fragte sich im Stillen, was wohl im Kopf seines Herrn vor sich ging.

»Passen die Reitstiefel?«, hörte er den Herzog fragen.

»Nein«, erwiderte sie und wandte sich zu ihm um. »Sie drücken. Alles an mir ist größer als bei Marissa.« Sie blieb stehen und hob den Reitrock ein wenig an, um ihm ihre eigenen kurzen Stiefeletten zu zeigen, die sie angezogen hatte. »Aber das macht nichts; ich kann auch in meinen Stiefeln reiten. Aber ich danke Euch nochmals, dass Ihr mir das Kostüm geborgt habt.«

»Ich borge Euch überhaupt nichts. Das Reitkostüm gehört Euch, und Marissas übrige Garderobe ebenfalls.«

»Das ist sehr freundlich von Euch, aber ich kann doch nicht die Kleider meiner armen Cousine tragen.«

»Warum nicht? Von dem Geld, das ihre Garderobe gekostet hat, kann ein Dorf ein ganzes Jahr leben. Die Kleider hängen doch eh nur nutzlos im Schrank herum. Meine Mutter hat mich gelehrt, jegliche Art von Verschwendung zu vermeiden. Wenn Ihr also Marissas Kleider tragt, helft Ihr mir dabei, mich in der Tugend der Sparsamkeit zu üben. Außerdem wirft es in der Nachbarschaft ein gutes Licht auf mich, wenn Ihr gut angezogen seid.«

»Papa, ich habe gerade Rex erschossen!«

»Kein sauberer Schuss, mein Junge!«, rief der Herzog zurück. »Er torkelt ja noch herum. Der Pfau«, setzte er erklärend hinzu.

»Ach du meine Güte, das wollte ich damit nicht bezwecken«, meinte Evangeline bekümmert. »Der arme Vogel.«

»Was habt Ihr denn erwartet? Dass er diese Modellpistole in einem Schaukasten ausstellt?«

Sie wirkte so verzweifelt, dass er nicht umhin konnte, ihr sanft übers Kinn zu streichen. »Nun, macht Euch keine Gedanken. Die Pistole war ein wundervolles Geschenk. Später werde ich mit ihm ein Gespräch von Mann zu Mann führen, aber ich habe ehrlich gesagt noch keine Ahnung, was ich ihm sagen könnte. Soweit ich mich erinnere, sind Kinder blutrünstige Gesellen, zumindest all die Jungen, die ich kenne. Als Kinder haben wir uns mit Schwertern, Messern, Steinen, Ästen und was weiß ich noch allem gegenseitig umgebracht. Wenn ich's mir recht überlege, hätte ich außerdem gar nichts dagegen, dass Rex in die ewigen Jagdgründe eingeht. Der Schreihals kräht ununterbrochen. Jetzt hält er ausnahmsweise einmal den Schnabel, nachdem Edmund ihn erlegt hat.«

Rex stieß wieder einen durchdringenden Schrei aus, worauf Edmund noch einen imaginären Schuss abfeuerte.

»Edmund«, rief der Herzog, »steck die Pistole in den Gürtel und bitte McComber, Pansy für dich zu satteln!«

Die Chesleigh-Stallungen befanden sich hinter dem Nordflügel des Schlosses. Draußen im Schlosshof mischte sich der würzige Duft von frisch geschnittenem Heu mit der salzigen Meerluft. Rechts neben den Ställen wand sich ein schmaler Pfad auf eine kleine Anhöhe. Evangeline ging den kurzen Weg hinauf, blieb dann stehen und blickte aufs Meer hinaus, das sich unter dem zerklüfteten Felsvorsprung erstreckte, auf dem das Schloss erbaut worden war. Das Meer lag dunkelblau und spiegelglatt vor ihr, nur auf den kleinen Wellen, die sich am Strand brachen, tanzten weiße, quirlige Schaumkronen. Einen kurzen Moment lang fühlte sie sich beinahe sorglos, als ob nichts sie berühren könnte. Aber das war natürlich eine Lüge. Und es war seltsam, mit einer Lüge zu leben.

»Frankreich ist von hier aus nicht zu sehen, nicht einmal an klaren Tagen. Aber wenn Ihr Lust habt, können wir einmal mit meiner Yacht auf die Isle of Whight segeln. Ich besitze dort ein kleines Anwesen, in der Nähe von Ventnor. Edmund liebt die Insel. Es gibt dort eine geschützte Bucht, wo er schwimmen kann, und ein kleines Segelboot, das ich letztes Jahr für ihn gekauft habe.«

»Ja, ich segle für mein Leben gern«, gab sie freudig zurück. »Aber auf dem offenen Meer bin ich noch nie gesegelt. Das ist anders als auf einem See, nicht wahr?«

»O ja. Ihr werdet sehen, dass es viel aufregender ist. Könnt Ihr gut schwimmen?«

Sie nickte und folgte ihm zurück zu den Stallungen. Warum hatte er vorgeschlagen, auf die Isle of Whight zu segeln, und was hatte er wirklich mit Bedachtsamkeit gemeint?

11

»McComber!«, rief der Herzog einem großen, hageren Mann in derber Arbeitskleidung und den schönsten Lederstiefeln zu, die Evangeline je gesehen hatte. Sein Gesicht war so runzlig und verwittert wie die Rinde einer alten Eiche, aber er schien stark zu sein wie Herkules.

»Schön' gut'n Tag, Euer Gnad'n. Emperor schnaubt schon wie 'n Wasserkessel kurz vorm Überkochen, nachdem er Euch hat kommen hören. Er freut sich auf 'nen anständigen Galopp, und Ihr könnt Eure beste Kutsche drauf wett'n, dass er versuchen wird, Euch abzuwerfen. Ich dachte, Biscuit ist genau die Richtige für die junge Lady. Tommy sattelt gerade Lord Edmunds Pony.«

Edmund, der seinen Namen gehört hatte, steckte den Kopf aus der offenen Stalltür. »Ich zeige Tommy gerade meine Pistole, Papa!«, rief er aufgeregt und verschwand gleich wieder im Stall. Kurz darauf hörten sie sein fröhliches »Peng-Peng«.

»Ich weiß nicht, wie gut Ihr reitet«, sagte der Herzog zu Evangeline. »Biscuit ist ein braves altes Mädchen, das in ihren zwölf Jahren noch niemandem Schwierigkeiten gemacht hat. Sie ist ganz verrückt nach McCombers Apfelstücken. Gebt ihr zwei Schnitze, und sie schwimmt mit Euch und drei Gepäckstücken auf dem Buckel über den Kanal. Und wenn Ihr der Stute einen ganzen Apfel gibt, wird sie jedem Hengst in der Gegend den Kopf verdrehen.«

»Hm«, brummte McComber zustimmend, »genauso isses. Is' ein gutes Mädchen, meine Biscuit, 'n bisschen schwerfällig, aber genau das Richtige, wenn Ihr es nich' zu eilig habt. Biscuit ist die einzige Stute, die die selige Herrin geritten hat.« McComber zuckte die kräftigen

Schultern und bedachte Evangeline mit einem Blick, der deutlich sagte: *Ihr seht nicht besonders sattelfest aus, also seid gescheit und nehmt die alte Mähre.*

Ein herrlicher schwarzer Hengst mit einer schneeweißen Blesse kam aufgeregt tänzelnd aus dem Stall gestürmt, geführt von einem nervös dreinblickenden Stallburschen. Der Schwarze war mindestens so groß wie Evangeline, ein prächtiger Bursche, was er offensichtlich ganz genau wusste. Er blinzelte dem Herzog zu, warf den Kopf in den Nacken und schnaubte prustend. Eine klare Aufforderung, wie es Evangeline schien. Der Herzog lachte und näherte sich ihm.

»Ein Prachtkerl«, meinte Evangeline bewundernd.

»Aye«, brummte McComber, den Blick auf den Mann gerichtet, der jetzt Emperors mächtigen Kopf tätschelte. »Der Hengst ist aber auch ein hübscher Kerl. Der hat Feuer, sag ich Euch. Seine Gnaden würde für ihn zum Mörder werden. Der Verstorbene Herzog hat ihn vor vier Jahren gekauft, als Geschenk für seinen Sohn.«

»Der Vater des Herzogs, war er ein freundlicher Mann, ein guter Vater?«

Wenn diese Frage McComber seltsam erschien, zu persönlich, so ließ er sich das nicht anmerken. »Aye, der selige Herr war groß und stark, er liebte das Leben und seine Familie wie kein anderer Mann, den ich kannte. Er hätte nicht sterben brauchen. 'n dummer Unfall hat ihn das Leben gekostet. Er hat versucht, zwei Freunde davon abzuhalten, sich zu duellieren, und am Ende war er derjenige, der erschossen wurde.«

»Das ist ja grauenvoll. Und was passierte mit ihnen?«

»Mein Master« – er nickte in Richtung des Herzogs – »hat sich gleich danach die beiden Herrschaften vorgeknöpft. Und drei Tage später haben die beiden England verlassen. Ließen ihre Familien und alles Hab und Gut zurück und machten sich aus dem Staub. Man hat nie wieder was von ihnen gehört oder gesehn. Ich hörte, wie der Herzog zu Ihrer Gnaden, seiner Mutter, sagte, dass er den beiden am liebsten eine Kugel in den Schädel gejagt und sie dann im Dreck hätte verbluten lassen, aber er wusste, dass er damit nicht davongekommen wäre. Deshalb hat er wenigstens dafür gesorgt, dass sie alles verloren, was ihnen was bedeutete. Ah, da ist ja meine gute alte Biscuit.«

Großer Gott, den eigenen Vater auf so tragische Weise zu verlieren, dachte Evangeline und fragte sich, was sie an seiner Stelle getan hätte. Sie blickte hoch und sah eine schöne schwarze Stute mit glänzender Mähne und schwarzweißem Widerrist, elegant geschwungenem Rücken und sanften Augen, die leise wieherte.

Der Gedanke, mit diesen beiden Pferden Seite an Seite zu reiten, das eine feurig schaubend und sich aufbäumend, das andere mit wedelndem Schwanz gemütlich vor sich hin trottend, war lachhaft. »O nein, McComber, nicht die liebe Bisciut. Das wäre ja der reinste Hohn. Habt Ihr nicht ein anderes Pferd für mich, eines, das ein bisschen schneidiger ist und mit Emperor mithalten kann?«

Der Herzog, den sein übermütiger Hengst gerade in einen Busch drängte, rief McComber zu: »Gib ihr Dorcas! Dann wird sich gleich zeigen, wie sattelfest die junge Lady ist.«

Dorcas entpuppte sich als eine samtbraune Stute mit blitzenden dunklen Augen. Sie war nicht ganz so hoch wie Emperor, hatte aber kräftige Beine, eine breite Brust und trug den Kopf stolz hoch. Evangeline holte tief Luft. Hoffentlich war sie nicht zu voreilig gewesen mit ihren Wünschen, denn seit sie und ihr Vater nach Frankreich zurückgekehrt waren, hatte sie nicht mehr auf einem

Pferd gesessen. Sie warf einen raschen Blick hinauf in den klaren Sommerhimmel, der so blau war wie sonst nur im August. In ihrem Nacken bildeten sich kleine Schweißtropfen. Sie murmelte ein stilles Stoßgebet und sandte es gen Himmel. Wenn ihr Gebet nicht erhört werden sollte, nun, dann war es jedenfalls ein wunderschöner Tag, um aus dem Leben zu scheiden.

Mit Emperor am lockeren Zügel, der zufrieden an einem Apfelschnitz von McComber kauend hinter ihm hertrabte, kam der Herzog auf sie zu. Er legte beide Hände zusammen, bückte sich, damit sie ihren Fuß daraufstellen konnte, und hob sie mit Schwung in den Sattel. Dorcas war zwar nicht so hoch wie Emperor, doch immer noch hoch genug, dass ihr wieder einfiel, wie lange sie schon nicht mehr geritten war. Etwas beklommen starrte sie den gekiesten Weg an, der sich in ungebührlicher Entfernung unter ihr dahinzog. Selbst damals in England hatte sie sich als Reiterin nicht gerade mit Ruhm bekleckert. Na, das würde ja interessant werden. Sie hoffte nur, dass sie sich bei diesem Abenteuer nicht den Hals brach. Evangeline hielt Dorcas straff am Zügel, wohlwissend, dass die Stute ausbrechen würde, wenn sie ihr nur die geringste Chance dazu ließ.

Pansy war ein Shetland-Pony mit zotteligem goldbraunem Fell, für das Edmund in einem Jahr zu groß sein würde. Zumindest versuchte er nicht, auch Pansy niederzuballern. Der Herzog führte die kleine Reitgesellschaft auf einem mit Sandsteinen gesäumten Weg zu einem Wäldchen, das zu dem Chesleigh-Anwesen gehörte und nördlich des Schlosses begann. Sie ritten am Waldrand entlang und weiter in östliche Richtung, parallel zur Küste, wobei der Herzog Evangeline auf die verschiedenen Pachthöfe hinwies, als sie die ordentlich eingezäunten Felder durchquerten.

»Papa, lass uns hinunter zum Strand reiten. Ich möchte Eve mein Boot zeigen. Eve, möchtest du mein Boot sehen? Sag ja, bitte.«

»O ja, gern«, stimmte sie eifrig zu. »Bitte, Euer Gnaden.« Im Stillen überlegte sie, dass sie mit der Bucht und dem Terrain zwischen Küste und Schloss vertraut werden musste. Sie wusste nicht, wann Houchard einen seiner Männer hierher schicken würde, doch lang konnte es nicht mehr dauern. In Gedanken bei Houchard und ihrem Vater, zog sie ungewollt die Zügel zu ruckartig an. Dorcas warf schnaubend den Kopf hoch, stieg und landete dann mit solcher Wucht mit den Vorderläufen wieder auf dem harten Boden, dass Evangeline sich beinahe die Zunge abgebissen hätte. Es dauerte einen Moment, bis sie sich und das Pferd wieder unter Kontrolle gebracht hatte.

»Evangeline, so passt doch auf!«

»Ich hatte soeben denselben Gedanken, Euer Gnaden«, gab sie schroff zurück und beugte sich vor, um Dorcas' Hals zu tätscheln.

Wenn sie sich recht an die Wegbeschreibung erinnerte, die Houchard ihr gegeben hatte, musste die Höhle in dieser Bucht liegen, am südlichen Ende, gleich dort vor der schmalen Landzunge. »Los, komm, Edmund!«, rief sie dem Sohn des Herzogs munter zu.

Der Pfad, der zum Strand hinunterführte, war nicht besonders steil; er schlängelte sich in sanften Kurven entlang der Klippen und war breit und gut ausgetreten. Es schien ein sehr alter Pfad zu sein. Vielleicht hatten in grauer Vorzeit schon irgendwelche Druiden diesen Weg hinunter zum Strand benutzt. Evangeline drehte sich im Sattel um, warf einen Blick zurück zum Schloss und schätzte die Entfernung ab. Sie betrug etwa eine halbe Meile, mehr nicht. Das Gelände war nicht sonderlich gefährlich. Hier würde sie sich auf alle Fälle nicht den Hals brechen.

Der Abschnitt des Strandes, der zum Chesleigh-Besitz gehörte, erstreckte sich über eine geschwungene Bucht, die von dichtem Gebüsch, Bäumen und dreißig Meter hohen messerscharfen Klippen umsäumt war. Es war in der Tat eine sehr abgeschiedene Gegend, wie Evangeline bald feststellte, und zudem von dem Klippenpfad perfekt abgeschirmt.

Verräter operieren im Verborgenen, dachte sie und wäre am liebsten gestorben. Aber ein schlechtes Gewissen konnte sie sich nicht leisten. Gäbe sie dem nach, würde sie das Leben ihres Vaters aufs Spiel setzen. Nein, niemand und nichts auf der Welt war ihr wichtiger als ihr Vater. Und das wusste Houchard sehr genau.

Ehe Evangeline sich noch von Dorcas' Rücken herabschwingen konnte, fasste der Herzog sie schon um die Taille und hob sie herunter. Er ließ sie jedoch nicht sofort los, sondern blieb einfach stehen und blickte auf sie herab, die Hände, deren Griff sich jetzt schon ein bisschen verstärkte, noch immer um ihre Taille. Dann sagte er: »Ihr seid ein großes Mädchen. Mit Euch würde ich gern einmal Walzer tanzen. Wenigstens müsste ich mir dann nicht ständig den Nacken verrenken.«

»Wie gut, dass Ihr ein großer Junge seid«, gab sie lächelnd zurück.

Er warf den Kopf zurück und lachte so laut, dass die Möwen in Schwärmen aufstoben.

»Papa, was hat Eve denn gesagt, dass du so lachst? Kann ich ein paar Möwen abschießen? Da fliegen Dutzende herum. Auf ein paar mehr oder weniger kommt es doch nicht an, oder?«

»Schieß nur, Edmund. Kugeln hast du ja genügend. Und was den Humor deiner Cousine betrifft, mein Junge, die junge Lady ist nicht auf den Mund gefallen, sie gibt mir ordentlich Kontra. Kommt, Eve, wir zeigen Euch Edmunds Boot.«

Eine Schar grauweißer Strandläufer trippelte wieselflink vor ihnen über den grobkörnigen Sand, als der Herzog und Evangeline auf die kleine Schaluppe zusteuerten, die am Ende eines langen hölzernen Piers ankerte. Edmund kam von hinten angesaust und sprang übermütig auf den schmalen Steg. Er fuchtelte mit der Pistole in der Luft herum und brüllte wie ein Pirat beim Entern eines Schiffs.

»Edmund, sei vorsichtig!«, rief ihm der Herzog mahnend zu. An Evangeline gewandt sagte er: »Der Junge kennt das Wort Angst nicht. Vor ein paar Monaten fiel er von einem Baum, landete unsanft in einem Dorngebüsch und kam lachend herausgekrabbelt. Aber das ist nur natürlich, denke ich.« Letzteres murmelte er mehr an sich selbst gewandt als an sie. Dann drehte er sich wieder zu Evangeline um, die scheinbar fasziniert die Bucht und die sie umgebenden Klippen betrachtete. Sie schien mit den Gedanken ganz woanders zu sein. Er berührte sie leicht am Arm. »Ist das nicht ein wunderschönes Plätzchen?«

Nein, wollte sie zurückbrüllen, *es ist schrecklich.* Doch sie hatte keine andere Wahl, nicht die geringste. Er hatte sie in seinem Haus willkommen geheißen, seinen einzigen Sohn ihrer Obhut anvertraut, sie mit Kleidern ausgestattet – und trotz allem würde sie ihn verraten.

Sie senkte den Blick auf ihre Stiefel, an denen dicke Sandklumpen klebten. Sie wollte ihre Seelenqualen laut herausschreien, aber das war natürlich nicht möglich. Außerdem hatte sie ihre Umgebung viel zu auffällig studiert, als ob sie einen Auftrag auszuführen hätte, was leider tatsächlich der Wahrheit entsprach. Deshalb beeilte sie sich zu sagen: »Ja, gewiss. Riecht nur diese würzige

Meerluft, sie ist so anregend. Und das sanfte Rauschen der Brandung, ach, das liebe ich. Sie sind so zeitlos, diese Geräusche. Selbst wenn wir schon lange nicht mehr am Leben sind, wird das Meer immer noch rauschen; und es ist völlig gleichgültig, ob ihm jemand lauscht.«

»Seid Ihr vielleicht ein untergeschobenes Kind?«

»Das glaube ich nicht. Mein Vater sagte immer, ich sei das Ebenbild meiner Mutter in jungen Jahren. Aber jetzt sehe ich eher ihm ähnlich.«

»Nein, Ihr habt mich missverstanden. Euer Onkel und Eure Cousine Marissa, die beiden hassten nämlich das Meer. Marissa wäre niemals hier unten spazieren gegangen; sie sagte immer, der Wind vom Meer sei zu kalt, und sie bekäme davon eine Gänsehaut. Das dumpfe Dröhnen der Brandung verursache ihr Kopfschmerzen, und die salzige Gischt kräusle ihre Haare zu klebrigen Korkenzieherlocken.«

»Mein Onkel, Euer Gnaden, hatte Angst vorm Meer, weil er als kleiner Junge beinahe darin ertrunken wäre. Möglich, dass er seine Angst an Marissa weitervererbt hat. Obwohl mich das wundert. Warum hat sie sich einverstanden erklärt, hier zu leben? Es ist ja nicht so, dass Ihr nicht noch andere Häuser besäßet.«

Das war eine impertinente Bemerkung gewesen, das wusste sie, aber nun war sie schon ausgesprochen. Sie wartete. Sein Gesichtsausdruck zeigte keine Veränderung, er bedeckte nur die Augen mit der Hand gegen die Sonne und spähte zu Edmund hinüber, der bereits in seiner Schaluppe saß und wild schaukelte.

»Mein Vater und meine Mutter waren der Ansicht, dass Chesleigh ein romantisches Ambiente für ein jungverheiratetes Paar böte. Sie sind nach London zurückgekehrt, und wir blieben hier.« Er lachte, aber es war kein angenehmes Lachen. »Diese Romantik, von der mein

Vater sprach, hatte ich mir in dieser verrückten Form nie vorstellen können: Ein junges Paar, das sich immerfort anhimmelt, sich gegenseitig Unsinn ins Ohr flüstert und Stunden um Stunden im Bett verbringt.« Er lachte abermals, und dieses Mal klang es noch hässlicher. »Nun, Letzteres vielleicht, aber das hat nichts mit tieferen Gefühlen zu tun. Und nach der Ehe mit Eurer Cousine kann ich mir so etwas immer noch nicht vorstellen. Eure Cousine hat mir nur ein einziges Mal etwas zugeflüstert, und das war, als sie mir erklärte, dass sie nie wieder von mir angefasst werden wolle.« Er seufzte und fuhr sich mit den Fingern durch die dichten Haare. »Verzeiht mir. Lassen wir das, Evangeline. Marissa war sehr jung. Sie hätte nicht sterben dürfen. Bestimmt hätte sie ihren Sohn geliebt. Vermutlich wäre sie mit ihm in London geblieben.«

»Man hat mir erzählt, dass sie bei einem Unfall ums Leben kam.«

»Ja«, sagte er. »Und Ihr wollt die ganze Geschichte hören, nicht wahr? Also gut. Marissa hatte panische Angst davor, im Kindbett zu sterben. Das geschah zwar nicht, aber ihre Angst wuchs trotzdem. Als sie wieder schwanger wurde, ging sie zu einer Engelmacherin in Portsmouth, um dieses Kind loszuwerden. Und bei diesem Eingriff verblutete sie. Sie war schon nicht mehr am Leben, als die Kutsche hier am Schloss vorfuhr. Ein sinnloser Tod. Ich wusste nichts von ihrer Angst, bis ich nach ihrem Tod ihr Tagebuch fand und es las. Ich hätte sie nie wieder angefasst, wenn ich davon etwas geahnt hätte.«

»Das tut mir Leid«, flüsterte Evangeline betreten.

»Ja, ich weiß.« Er schlenderte gemächlich zum Pier, wo Edmund damit beschäftigt war, das Tau der Schaluppe aus dem schweren Eisenring zu lösen.

»Edmund!«, rief er ihm zu. »Wenn du ins Wasser fällst und ich dich rausfischen muss, dann händige ich dich

Bunyon aus. Der wird dir die Ohren langziehen, wenn meine guten Lederstiefel voll Salzwasser sind.«

Edmund schaffte es nicht, den komplizierten Knoten zu lösen. Er probierte es dreimal. Dann gab er auf.

Evangeline wartete, bis sie Vater und Sohn in ein fachmännisches Gespräch vertieft sah, ehe sie ihre Aufmerksamkeit wieder der Bucht zuwandte. Doch sie sah nur das Gesicht ihrer Cousine vor sich, wie es sich ihr vor vielen Jahren eingeprägt hatte. Arme Marissa. Der Herzog hatte Recht. Es war eine Tragödie.

Ihr Blick schweifte über den Pfad, so breit und leicht begehbar; im Laufe der Jahre, wenn nicht Jahrhunderte, von unzähligen Stiefeln und Pferdehufen ausgetreten. Selbst Edmunds Shetland-Pony hatte sich nicht gescheut, über diesen Klippenpfad zu traben. Die drei Pferde standen im Sand, wieherten sich an und schauten den Möwen nach, die knapp über ihren Köpfen dahinflogen. Evangelines Augen suchten die Felswand nach der Höhle ab, von der Houchard gesprochen hatte. Nichts. Dann glaubte sie eine schattige Einbuchtung entdeckt zu haben und ging darauf zu. Nein, es war nur ein scharfer Felsabbruch. Verdammt, wo war nur diese Höhle?

Sie drehte sich um, als sie lautes Gelächter hörte. Der Herzog hatte Edmund gepackt und schwenkte ihn hoch über seinem Kopf in der Luft herum, als wollte er ihn ins Wasser schmeißen. Dann ließ er ihn herunter und klemmte sich das wild zappelnde Bündel unter einen Arm.

»Ich glaube, er ist ein halber Fisch«, scherzte der Herzog, als er ihn wieder auf die Beine stellte.

»Du meinst, Papa, so wie Eve eine halbe Ausländerin ist?«

»Ja, ganz recht, mein Sohn.« Sein Blick streifte über ihren Körper und blieb an ihren Brüsten haften. Dann öffnete sich sein Mund und klappte wieder zu. Nach einer Weile sagte er zu seinem Sohn: »Hab noch ein bisschen Geduld. Wir werden deine Cousine irgendwo in einer Pfütze absetzen und dann schwimmen gehen. Falls es so heiß bleibt, natürlich. Glaubst du, dass Eve mitkommen möchte?«

»Da wird aber meine Pistole nass.«

»Ganz recht.«

»Aber wir schwimmen ja nicht mit Kleidern«, überlegte Edmund. »Mädchen schon.«

»Er ist noch sehr jung«, bemerkte der Herzog, an Evangeline gewandt.

Houchard hatte ihn sehr genau beschrieben, dachte Evangeline. Dieser Mann war so lebenslustig, so übermütig, so ungeheuer verrucht. Sie war erst kurze Zeit hier auf Chesleigh, bei ihm, und schon spürte sie, wie diese Verruchtheit sie umfing, sich ihrer bemächtigte, und das gefiel ihr. Sie rief zurück: »Ich bin vermutlich eine bessere Schwimmerin als dein Herr Papa, Edmund! Warum gehen wir beide, wenn das Wetter hält, nicht zusammen schwimmen und lassen ihn in einer Pfütze sitzen? Doch vergiss nicht, auch wenn es heute sehr warm ist, wir haben immer noch Februar. Eigentlich ist noch tiefster Winter. Das Wasser muss eiskalt sein.«

»Wirklich?«

»Ja, und das bedeutet«, mischte sich der Herzog ein, »dass gewisse Körperteile einer Frau sich zu sehr abkühlen. Sie wird nicht ertrinken, sie wird erfrieren. Und das ist für einen Mann nun gar nicht amüsant.«

»Ich habe zwar nicht den geringsten Schimmer, Euer Gnaden, wovon Ihr gerade gesprochen habt, aber vermutlich war es etwas sehr Unverschämtes.«

»Seht mal an, eine alte Ehefrau, und Ihr wisst nicht, was Abkühlen bedeutet?«

»Ich bin nicht alt.«

»Du bist älter als ich«, ließ sich jetzt Edmund vernehmen. Und Papa sagt immer, dass ich schon ein richtiger junger Gentleman bin.«

Evangeline blickte vom Vater zum Sohn. Es war Zeit, die Waffen zu strecken. Sie warf die Hände hoch, lachte und erklärte: »Ich gebe mich geschlagen.«

»Gut«, erwiderte der Herzog zufrieden. » Es bekommt einer Frau nicht, siegreich aus einem Kampf hervorzugehen. Präg dir das ein, mein Sohn. Obwohl es manchmal nötig ist, dass man als Gentleman so tut, als habe die Lady gewonnen. Präg dir das ebenfalls ein.«

»Ja, Papa, aber ich verstehe nicht ganz, was das soll.«

»Das lernst du noch früh genug. Und ich fürchte, dass die Lektionen über das geheimnisvolle Wesen der Frauen erst dann ein Ende nehmen, wenn wir Männer den Löffel abgeben.«

»Ihr seid ein Zyniker, Euer Gnaden.«

»Ich bin Realist geworden, Madame.«

Damit ließen sie das Thema sein. Evangeline war sehr erleichtert, als die Pferde ohne Zögern den Heimweg über den Klippenpfad bewältigten.

12

Dorrie, ein zierliches, freundliches Wesen von achtzehn Jahren, Evangelines neue Zofe, strich über ein blassgelbes Seidenkleid und meinte: »Ich erinnere mich an dieses Kleid. Ihre Gnaden trug es an einem Weihnachtsmorgen. Mein Gott, das muss jetzt schon fünf Jahre her sein. Damals war ich noch ein junges Mädchen und ganz neu hier im Haus. Sie hat mir mein Weihnachtsgeschenk selbst überreicht – ein Nähkästchen. Mrs. Raleigh hatte ihr erzählt, dass ich Schneiderin werden möchte. Sie war so liebenswürdig. Wie traurig, dass sie so früh sterben musste.«

»Du hast für sie genäht?«

»Nein, damals nicht. Sie beauftragte mich, die Kleider des Personals auszubessern. Ich verspreche Euch, Madame, ich werde sehr behutsam mit dem Kleid umgehen. In den letzten fünf Jahren habe ich viel dazugelernt. Ich werde es etwas modischer gestalten, wenn Ihr das wünscht, Madame. Ihr seid sehr groß. Die Rüschen passen nicht zu Euch. Eure Kleider müssten vom Stil her schlichter sein.«

»Da stimme ich dir zu, Dorrie. Trenne die Rüschen und alles, was deiner Meinung nach überflüssig ist, einfach ab. Wie du siehst, habe ich ganz andere Maße als Ihre Gnaden hatte. Ich war der Maibaum in der Familie.« Oder, wie es der Herzog ausgedrückt hatte, ein großes Mädchen. Und dabei hatte er ihre Taille mit seinen großen Händen umfasst.

Dorrie inspizierte die Nähte und Säume und erklärte dann zuversichtlich. »Wenn ich damit fertig bin, wird man glauben, die Kleider seien eigens für Euch maßgeschneidert worden. Und keine Sorge, sie werden nicht altmodisch aussehen. Die Mutter Seiner Gnaden hat mir wieder ein Magazin mit den letzten Modeneuheiten geschickt. Sie hält mich immer auf dem Laufenden. Ihr werdet traumhaft darin aussehen, Madame.«

Evangeline ließ Dorrie in ihrem Schlafgemach zurück und fragte sich, ob Houchard, der scheinbar alles über die Familie des Herzogs zu wissen schien, auch geahnt hatte, dass er darauf bestehen würde, dass sie die Kleider seiner verstorbenen Frau trug. Vermutlich hatte er angenommen, dass der Herzog die Kleider mehr oder weniger als Entlohnung für sie ansehen würde; nachdem er ihr gestattet hatte, ihn zu verführen.

Evangeline wusste, dass Edmund seinen Mittagsschlaf hielt und der Herzog bei seinem Gutsverwalter war. Im Schloss herrschte Stille, zumindest war es so still, wie es bei den fünfzig Seelen, die darin herumwirtschafteten, eben sein konnte. Ihr Ziel war der Nordturm. Es war später Nachmittag, und auf dem Weg in diesen abgelegenen Teil des Schlosses begegnete sie nur einem einzigen Diener. Sie roch das Turmzimmer schon von weitem, noch ehe sie es gefunden hatte. Es war ein süßer, aber herber Duft, wie Rosmarin gemischt mit Zimt. Sie war entschlossen, herauszufinden, was Mrs. Needle damit gemeint hatte, als sie sagte, sie habe Feuer in den Augen.

Der Geruch wurde immer intensiver, je weiter sie die hölzerne Wendeltreppe emporstieg. Leise klopfte sie an die alte, verwitterte Eichentür und hörte gleich darauf Mrs. Needle mit ihrer singenden Stimme »herein« rufen.

Die alte Frau stand mitten in einem kreisrunden Raum mit schmalen Fenstern, die tief in das alte Mauerwerk eingelassen waren, mindestens zehn waren es, mit dicken Holzbalken dazwischen. Es war ein sehr ungewöhnlicherRaum, der von dicken Seidenvorhängen in zwei Teile getrennt wurde. Halb runde Tische waren an die Wände angepasst, offenbar eigens für dieses Turmzimmer angefertigt, eigens für Mrs. Needle. Darauf standen Dutzende von Glasgefäßen, alle fein säuberlich beschriftet und ordentlich in Dreierreihen aufgestellt. In dem großen Kamin brannte ein Feuer, und auf dem Einsatz stand ein eiserner Kessel, dem dieser intensive Zimtgeruch entströmte. Selbst an einem so warmen Tag wie diesem war ein loderndes Kaminfeuer in diesem großen Raum kein Luxus.

»Oh, Ihr seid ja früher gekommen, als ich gedacht

habe. Setzt Euch, meine Kleine, ich werde Euch gleich eine Tasse Kräutertee einschenken.«

Evangeline nickte und folgte der zierlichen alten Frau in die Sitzecke vor dem riesigen Kamin. In einem Alkoven stand ihr Bett, der übrige Teil dieses großen Raums diente Mrs. Needle als Kräuterküche. Während sie den Tee kochte, schlenderte Evangeline zu einem der Tische und inspizierte die beschrifteten Gefäße. GETROCKNETER ROSMARIN, las sie. GESTOSSENER INGWER. ROSENBLÄTTER. IRINGO WURZEL. FIEBERRINDE. Und viele andere Namen, die sie noch nie gehört hatte. Sie entdeckte etliche Metallroste, auf denen kleine Tiegel standen. Einem davon entströmte dieser intensive Rosenduft. Evangeline sog ihn tief ein.

»Das ist ein großartiger Raum, Mrs. Needle«, sagte sie, als sie in die Sitzecke zurückkehrte.

»Aye«, raunte Mrs. Needle und wies mit ihrem von Arthritis gekrümmten Zeigefinger auf ein fadenscheiniges weinrotes Brokatsofa. Evangeline nahm dort Platz. »Der Vater Seiner Gnaden, Herzog William, hat mir dieses Turmzimmer eingerichtet. Er war ein guter Kerl, der alte Herzog, stolz und aufrichtig, und er liebte seinen Jungen über alles.«

»Das habe ich schon gehört. Seine Gnaden – der Junge – scheint auch sehr an seinem Vater gehangen zu haben.«

»Aye, das ist wahr. Seine Gnaden war ein rechter Wildfang als Junge, steckte immer in irgendwelchen Schwierigkeiten und stürzte sich Hals über Kopf in jedes Abenteuer. Andere Eltern hätten sich zu Tode gegrämt, aber nicht so Herzog William. Der lachte nur über die Kapriolen seines Sprösslings und legte ihm nur ans Herz, niemanden umzubringen, kein Mädchen zu schwängern und auch Tieren keinen Schmerz zuzufügen. Er hätte sein Leben für seinen Sohn gegeben. Es war tragisch, als Herzog William starb. Lange Zeit lebte er so enthaltsam wie ein Mönch; seine Augen wurden kalt und hart, und niemals kam ein lustiges Wort über seine Lippen. Selbst heute noch stellt er nichts mehr an, worüber seine Mutter graue Haare bekäme. Er ist seriös geworden.« Mrs. Needle lächelte und zeigte dabei ihre einzigen verbliebenen zwei Zähne, die jedoch schneeweiß waren. »Aye, das Haar Ihrer Gnaden ist immer noch so schwarz wie die Träume eines Sünders, und nur von ein paar wenigen silbergrauen Strähnen durchzogen.«

»Ich vermute, Seine Gnaden hat meine Cousine geheiratet, weil sein Vater wollte, dass er sich endlich irgendwo niederließe.«

»Mag sein, dass auch das dazu beigetragen hat. Ich glaube, Herzog William hat Marissa sehr gemocht. Er wollte sie als Tochter und wusste, dass ein anderer Gentleman sie sich schnappen würde, wenn er seinen Sohn nicht umgehend zum Altar schubste. Und, wie ich schon sagte, Seine Gnaden hätte alles für seinen Vater getan, einfach alles, sogar ein Mädchen heiraten, das er nicht liebte. Versteht mich nicht falsch, meine Kleine, der Herzog begehrte sie, und die Ehe war der einzige Weg, sie in sein Bett zu locken.«

Evangeline war entsetzt. Sie rutschte an die Sofakante vor und schüttelte den Kopf. »O nein. Der Herzog hat meine Cousine geheiratet, weil er sie liebte. Das haben mir alle Leute erzählt, die ich kannte und denen ich vertraute.«

»Ach, Liebe, was für ein bizarrer Gedanke für einen jungen Gentleman wie den Herzog, als er Marissa kennen lernte. Er begehrte sie, er wollte sie in seinem Bett haben und sie nicht so schnell wieder rauslassen, und alle wussten das. Er war jung und wild und geiler als ein Ziegenbock. Fleischliche Begierde ist das Leitmotiv schlechthin, der einzige Beweggrund für einen jungen Mann, eine Ehe einzugehen, und nichts anderes! Seine Gnaden bildete da keine Ausnahme. Er sah sie, und er wollte sie. Sein Vater war einverstanden. Die Leidenschaft seines Sohnes passte genau in seine Pläne.«

Sie schenkte den Kräutertee, der ziemlich unappetitlich aussah, in eine sehr hübsche Wedgewood-Tasse, reichte sie Evangeline und nahm ihr gegenüber Platz. Evangeline probierte einen winzigen Schluck des grünlichen Gebräus, das zu ihrer Überraschung ausgesprochen köstlich schmeckte, wie eine Mischung aus Bratäpfeln und etwas Süßem. Mrs. Needle trank ihren eigenen Tee, den sie geräuschvoll durch ihre beiden Zähne schlürfte, und fuhr dann fort: »Alles schien prächtig zu laufen, bis die junge Marissa feststellte, dass sie schwanger war. Von da ab veränderte sie sich. Sie hatte Angst, bei Edmunds Geburt zu sterben, was zum Glück nicht geschah. Aber von da an war sie nicht mehr dieselbe.«

»Marissas Mutter starb im Kindbett. Daher fürchtete sie wahrscheinlich, dass sie das gleiche Schicksal ereilen könne.«

»Ja, das stimmte wohl. Ich sprach oft mit ihr darüber. Sie vertraute mir und wollte, dass ich ihr helfe. Ihre Wehen waren nicht sonderlich schlimm. Ich verabreichte ihr Laudanum, um die Schmerzen ein wenig erträglicher zu machen. Lord Edmunds Geburt dauerte keine sechs Stunden. Zwei Tage später war sie schon wieder auf der Höhe. Ich gab ihr eine Kräutermischung, um den Milchfluss zu unterbinden, da sie Edmund nicht stillen wollte.«

»Marissa hatte Glück, dass Ihr hier wart.«

»Aye, dieser Quacksalber von Doktor, den Seine Gnaden aus London mitbrachte, wollte ihr überhaupt keine schmerzstillenden Mittel verabreichen. Er war der Meinung, dass die Frauen leiden sollten, das sei ihr Los und Gottes Wille. Unsinn, sagte ich und flößte ihr Laudanum ein, sobald er das Zimmer verließ. Nach der Geburt hatte sie sehr starke Blutungen, doch der Kerl schüttelte einfach nur mit dem Kopf und meinte, er hoffe, die würden von selbst nachlassen, da er nichts dagegen tun könne. Ich habe mich dann um sie gekümmert. Und, wie gesagt, nach zwei Tagen war sie wieder auf dem Damm. Aber das schien nichts zu ändern. Doch jetzt möchte ich nicht weiter über Marissa sprechen. Verzeiht meine Freimütigkeit, aber in meinem Alter ist jeder Augenblick ein Geschenk Gottes und sehr kostbar. Ich möchte keinen davon vergeuden. Ich weiß, dass Ihr nicht hier sein wollt. Ihr wehrt Euch jede Sekunde dagegen. Ich frage mich nur, warum? Vielleicht erzählt Ihr mir, warum Ihr gekommen seid – gegen Euren Willen.«

Evangeline erstarrte. »Ihr seid eine Hexe«, flüsterte sie mit erstickter Stimme.

»Ach, das mag vielleicht sein; irgendwie spüre ich eben vieles. Ihr habt Angst. Aber das Merkwürdigste dabei ist … dass Ihr trotz allem hierher gehört. Und das ist doch wirklich seltsam, oder nicht?«

»Ihr wisst, weshalb ich hier bin, Mrs. Needle. Mein Gemahl ist verstorben und hat mich völlig mittellos zurückgelassen. Und jetzt bin ich ganz und gar auf die Freundlichkeit Seiner Gnaden angewiesen. Ich werde Lord Edmunds Kindermädchen sein. Aber merkwürdig kann ich daran nichts finden. Und ich habe auch vor nichts Angst, zumindest vor nichts, was mit Chesleigh zu tun hat.«

»Ihr seid eine erbärmliche Lügnerin, meine Kleine. Eine ganz erbärmliche. Ihre Gnaden hat mir oft von Euch erzählt. Sie mochte Euch sehr. Sie wünschte, sie könnte Euch besuchen, sehen, wie Ihr heranwachst, aber ihr Vater und der selige Herzog sprachen nicht miteinander. Euer Vater hätte sich mit ihm zusammentun müssen, aber das passierte nicht. Traurig war das.«

»Kennt Ihr die Gründe für den Zwist zwischen den beiden Familien? Ich habe meine Cousine nämlich auch vermisst.«

Mrs. Needle schlürfte ihre Tasse leer und stellte sie auf einem kleinen, uralten Beistelltischchen ab.

»Ihr Vater hat die Beziehungen nicht abgebrochen. Old Rolfe war ein Mann, vor dem keine Geldkiste sicher war, wenn er keinen Schilling mehr in der Tasche hatte.«

»Ich verstehe nicht, was Ihr damit meint. Marissas Vater war ein ehrbarer Gentleman, und dazu recht wohlhabend.«

»Rolfe war und ist ein Spieler, meine Kleine. Drei Vermögen hat er bereits auf den Kopf gehauen, und im Augenblick verpulvert er wahrscheinlich gerade ein viertes, das er sich aneignete, indem er seinen Sohn mit einer reichen Erbin verheiratete. Nicht zu beneiden, das arme Mädchen, mit Old Rolfe als Schwiegerpapa.«

»Das hat mir mein Vater nie erzählt«, warf Evangeline ein. »Sicherlich habt Ihr irgendetwas missverstanden.«

»Glaubt, was Ihr glauben wollt. Old Rolfe hat dem seligen Herzog William nie einen einzigen Schilling der Mitgift seiner Tochter ausbezahlt. Nicht mal einen Sou«, setzte die alte Frau mit einem verächtlichen Lachen hinzu.

»Du meine Güte. Das beschwört natürlich Ärger herauf, Mrs. Needle.«

»Aye, sehr großen Ärger. Aber seit Marissas Tod hab ich nichts mehr von Rolfe gehört. So, und nun zu Euch, meine Kleine. Erzählt mir doch, was Euch bedrückt.«

Evangeline schwieg hartnäckig.

»Ihr seid genauso impulsiv wie sie es war, dabei habt

Ihr ein ganz anderes Leben gelebt. Eure englische Mutter hat Euch gerettet, mein Kind. Sie hat Euch eine gewisse Balance mitgegeben und Euren starken Willen geformt. Ihr seid sehr stolz, aber nicht so stolz, dass Ihr den rechten Blick dafür verliert, was gut und was böse ist. Aye, und Euer Vater, das war ein wunderbarer Mann. Ich erinnere mich noch sehr gut an ihn, von der Hochzeit her. Und er besaß so ein offenes, fröhliches Lächeln. Es tut mir Leid zu hören, dass er verstorben ist. Seltsam, das habe ich nicht erwartet. Irgendwie ist das nicht in Ordnung.«

»Er hatte ein schwaches Herz.«

Mrs. Needle legte die Stirn in Falten, musterte sie skeptisch und starrte dann nachdenklich ins Feuer.

Evangelines Blick blieb an Mrs. Needles ungläubigem Gesicht hängen. »Woher wisst Ihr so viel über meine Mutter? Ja, und über meinen Charakter? Ihr habt mich doch gestern zum ersten Mal gesehen!«

»Ich habe ein langes Leben hinter mir, meine Kleine. Und ich sehe manche Dinge deutlicher als andere Menschen, wie Ihr gewiss schon bemerkt habt. Außerdem hat mir Ihre Gnaden oft von Eurer Familie erzählt. Auch ist es eine Tatsache, dass man oftmals den Charakter eines Menschen an seinen Augen ablesen kann. Und bei Euch ist das der Fall, Madame.«

Evangeline befeuchtete sich nervös die Lippen. »Ihr sagtet, ich hätte Feuer in den Augen. Was habt Ihr damit gemeint?«

Der beinahe zahnlose Mund der alten Frau verzog sich zu einem breiten Grinsen. »Das interessiert Euch am meisten, hab ich Recht? Und das verstehe ich gut. Es ist immer von Vorteil, Feuer in den Augen zu haben. Aber das werdet Ihr noch früh genug selbst herausfinden. Ihr steht ja noch am Anfang Eures Lebens. Ich wünschte nur, Ihr würdet mir anvertrauen, was Euch so bedrückt. Ihr habt Angst und … Ihr fühlt Euch entsetzlich schuldig.«

Evangeline sprang vom Sofa auf. »Ich sollte nicht hier sein, deshalb«, stieß sie hervor und stellte klirrend ihre Teetasse auf dem kleinen Tisch neben Mrs. Needle ab. »Ich hätte niemals nach Chesleigh Castle kommen dürfen. Bitte, Ihr dürft mit niemandem darüber sprechen. Es ist nicht wichtig. Vergesst es einfach, Mrs. Needle. Ich flehe Euch an, bitte vergesst, was Ihr gespürt habt, was Ihr glaubt, in mir gesehen zu haben.«

»Ich werde mit niemandem darüber sprechen. Außer mit dem Herzog. Seiner Gnaden erzähle ich alles. Er ist mein guter, stolzer Junge.«

»Er ist viel mehr als das. Er ist ein Mensch ohne jegliche Hemmungen. Er ist unverschämt. Aber auch sehr amüsant.« Sie fuhr sich nervös mit den Fingern übers Haar. »Ich habe ihn mir ganz anders vorgestellt.«

Mrs. Needle legte den Kopf schief, den Blick eindringlich auf Evangelines Gesicht geheftet. »Seine Gnaden hat sein ausschweifendes Leben und seine leidenschaftlichen Begierden gemäßigt. Er ist ein guter und anständiger Mann geworden. Und er erwartet, dass die Gefährtin seines Herzens so glücklich wird, wie es die seines Vaters war.«

»Ihr sprecht von Liebe wie von einem Schicksal.«

»Für manche ist sie das.«

»Ich glaube nicht, dass es auf dieser Welt einen einzigen Menschen gibt, der nur für den Herzog oder nur für mich bestimmt ist. Die Chancen sind viel zu gering, dass dieser Mann oder diese Frau jemals die Wege des Herzogs oder die meinen kreuzt.«

»Aye, natürlich denkt Ihr so. Warum auch nicht? Die Erde ist ein riesiger Spielplatz, auf dem sich mehr Menschen tummeln, als man sich vorstellen kann.« Sie lächelte milde und nickte. Dann fielen ihr langsam die Augen zu. Evangeline stand da und betrachtete die alte Frau, die vor ihrer Nase einzuschlafen schien.

»Ich werde Euch jetzt verlassen, Mrs. Needle. Bleibt ruhig sitzen. Und vielen Dank für den Tee.«

»Denkt daran, was ich Euch gesagt habe. Kommt wieder«, murmelte die Alte.

»Ich werde wiederkommen.«

»Ich möchte mehr Geschichten von diesem Gemahl hören, den Ihr hattet. Nein, nicht jetzt, später.« Mrs. Needles Augen standen wieder weit offen und sahen sie scharf und mit einem wissenden Blick an. »Wisst Ihr, meine Kleine, Loyalität kann mitunter eine schreckliche Bürde sein. Sie zerreißt und grämt uns, sie kann uns sogar blind machen, wenn wir es zulassen.«

»Das ist wohl wahr, hat aber nichts mit mir zu tun. Guten Tag, Mrs. Needle.«

Beim Verlassen des Turmzimmers hörte sie die alte Frau bereits leise schnarchen. War sie so leicht zu durchschauen, dass man sie nur anzusehen brauchte, um zu wissen, dass bei ihr alles im Argen lag? Nein, gewiss nicht. Die alte Frau war eine Hexe, so viel stand für Evangeline fest, obwohl sie bisher nicht an Hexen geglaubt hatte.

Dorrie flocht Evangelines Haar zu zwei dicken Zöpfen und steckte diese anschließend auf ihrem Kopf zu einer Krone zusammen. Dann zupfte sie einzelne Strähnen heraus, drapierte sie um ihr Gesicht und ließ einige sich im Nacken ringeln. Die Frisur stand ihr ausgezeichnet. Evangeline betrachtete sich in dem hohen Spiegel und sah, dass Dorrie hinter ihr stand, offensichtlich auf ihren Kommentar wartend. Sie lächelte ihr Spiegelbild an. Das gelbe Seidenkleid mit der hoch angesetzten Taille und dem tiefen Dekolleté fiel in fließenden Falten bis auf den Boden. Dorrie hatte die Rüschen und Volants entfernt, genau genommen das ganze Kleid auseinander getrennt und neu zugeschnitten, und jetzt saß es, als wäre es für sie gemacht worden.

Sie wussten beide, dass das Kleid ein Traum war. Und sie brauchte den Erfolg. Mrs. Raleigh hatte ihr nämlich erst vor einer Stunde mitgeteilt, dass der Herzog eine Gesellschaft gäbe und wünsche, dass sie daran teilnehme. Offenbar hatte er auch Dorrie verständigt, denn sie hatte das hinreißende Abendkleid bereits für sie herausgelegt.

Evangeline hielt nervös die Luft an, als Bassick sich anschickte, die Tür zum großen Salon zu öffnen. Das helle, perlende Lachen einer Frau drang an ihr Ohr, und schon einen Augenblick später sah sie eine elegante junge Lady, die immer noch lachend neben dem Herzog stand und ihm gerade eine weiße Hand auf den schwarzen Ärmel seines Abendanzugs legte. Neben dem Kamin saß eine sehr viel ältere, auffällig geschminkte Dame, die eine brillantbesetzte Tiara auf ihrem silbergrauen Haupt balancierte und von zwei Gentlemen flankiert wurde.

»Madame de la Valette«, wurde sie von Bassick mit seiner tiefen, wohltönenden Stimme avisiert.

Jedermann im Raum drehte sich nach ihr um. Worauf, zum Teufel, hatte sie sich da nur wieder eingelassen? Wer waren all diese Leute? Mein Gott, sie hatte doch nur den einen Wunsch, ihren Vater retten zu können. Für einen kurzen Moment schloss sie die Augen, öffnete sie dann wieder weit, setzte ein Lächeln auf und trat in den Salon.

Die junge Lady, die Hand noch immer Besitz ergreifend auf dem Arm des Herzogs, sah hoch und lächelte sie an. Ihr Haar war so blond, dass es im Schein der Kerzen wie Engelshaar schimmerte. Sie hatte hellblaue, fröhliche

Augen, und Evangeline schien es, als sei das Lächeln ihr ständiger Begleiter.

»Bitte, kommt doch herein«, sagte der Herzog charmant und kam auf sie zu. Seine dunklen Augen begutachteten ihre Frisur, die ihm, seinem zustimmenden Nicken nach zu schließen, gefiel. Sie hätte ihm gerne gestanden, dass sie sich in die Wangen gekniffen hatte, um rosiger auszusehen, etwas, das sie immer verabscheut hatte, und auch jetzt verstand sie nicht, warum sie es getan hatte. Er sollte ihr Gesicht ansehen, ja, und zustimmend nicken. Aber er musterte ihre Brüste, das wusste sie, und er wusste, dass sie es wusste. Er bedachte sie mit einem hinterhältigen Grinsen, als er ihre Hand nahm, sie an seine Lippen hob und ihr einen Kuss aufs Handgelenk hauchte. »Ihr seht hinreißend aus, aber das wisst Ihr selbstverständlich.«

»Hört auf, auf meinen Busen zu starren. Ich besitze noch andere Körperteile, die ebenfalls recht ansehnlich sind«, zischte sie leise.

»Ich bin mir nicht sicher, ob Ihr das wirklich ernst meint. Um welche Körperteile handelt es sich denn? Befinden sich selbige Teile, die Ihr angesprochen habt, vielleicht weiter südlich? Oder haben sie sich hinter Euren Ohren versteckt? Später müsst Ihr mir alles über diese ansehnlichen Körperteile verraten. Vielleicht stimme ich Euch zu, vielleicht auch nicht. Aber was Eure Brüste betrifft, so bin ich sehr entzückt. Das heißt, sie entzücken mich sehr. Ach, diese verfluchte Grammatik. Ich wünschte, ich könnte sie korrekter handhaben, gerade in einer so wichtigen Situation wie dieser. Kompliment übrigens, Dorrie hat sich mit diesem Kleid wahrhaft selbst übertroffen. Aber bevor Ihr mir verbietet, andere gleichermaßen unschuldige Dinge zu tun, möchte ich Euch meine Großtante, Lady Eudora Pemberly, und ihre Nichte,

Miss Felicia Storleigh, vorstellen. Der Gentleman dort drüben mit der Sturmfrisur, der aussieht, als hätte er gerade den Kanal überquert – er ist stets bemüht, den geschniegelten, romantischen Helden zu mimen –, ist Lord Pettigrew, Drew Halsey mit Namen. Und das hier ist Sir John Edgerton, ein eleganter Gentleman, der als mindestens ebenso versiert in Modefragen gilt wie der verstorbene Brummel. Beide Herren sind gerade vor einer knappen Stunde aus London angekommen. Ladies und Gentlemen, meine Cousine, Madame Evangeline de la Valette, die kürzlich aus Paris angereist ist.«

Evangeline nickte jedem der Anwesenden höflich zu, was ihr ungeheuer schwer fiel. Sie konnte einfach nicht fassen, dass er hier war. Es war zu früh, viel zu früh. Das Herz schlug ihr bis zum Hals, langsam, dumpf und laut. Ihr wurde übel. Sie stand da wie angenagelt und starrte John Edgerton mit großen Augen an.

13

Er hatte sich keinen Deut verändert. Vielleicht durchzogen inzwischen ein paar graue Strähnen mehr sein aschblondes Haar. Nun ja, so lange war es auch nicht her, seit sie ihn zuletzt gesehen hatte. Sein Gesicht war schmal, das Gesicht eines Ästheten, wie ihr Vater einmal gesagt hatte, das Gesicht eines Mannes, dem zu viel durch den Kopf geht, und der zu wenig Zeit hat. Und jetzt stand er vor ihr.

Weil sie hier war.

Sie wünschte, sie hätte mehr Zeit gehabt. Sie spürte, wie die Angst in ihrer Kehle hochstieg und wusste nicht, was sie sagen sollte. Wenn sie in diesem Augenblick eine

Pistole zur Hand gehabt hätte, dann hätte sie diesen Schweinehund erschossen. Diesen verdammten, niederträchtigen Schweinehund.

Sie wusste, dass er sich mit ihr in Verbindung setzen würde, o ja, das hatte sie gewusst, aber sie hatte keine Zeit gehabt, sich darauf vorzubereiten. Nein, wie töricht sie gewesen war. In den wenigen Stunden, die sie mit dem Herzog verbracht hatte, war ihr tatsächlich mitunter fast entfallen, weshalb sie eigentlich hier war. Aber jetzt hatte die Realität sie wieder eingeholt, viel zu schnell, und sie hasste sie, und sie hasste sich.

»Du brauchst mir Evangeline nicht vorzustellen«, bemerkte John Edgerton mit seiner tiefen, nonchalanten Stimme, und ging auf sie zu. »Ich kenne Madame de la Valette schon seit ihren Kindertagen, als sie ein kleines Mädchen mit struppigen Zöpfen, Schmutz an der Nase und ausgebeulten Stiefeln war.«

Er machte eine tiefe Verbeugung, nahm ihre stocksteife Hand und küsste sie. Seine Lippen waren trocken und kalt. Aber merkwürdig, seine Augen strahlten, als er sie ansah, eine sanfte Wärme aus, als wäre dies alles nicht Wirklichkeit, als wäre er nur ein Mann, der sie als Kind gekannt und gern gehabt hätte, ein netter Onkel, mehr nicht. »Es ist immer ein Vergnügen, alte Freunde wiederzusehen, findest du nicht auch, Evangeline?«, sagte er. »Ich hoffe, es geht dir gut. Darf ich mir die Bemerkung erlauben, dass du hinreißend aussiehst? Du bist das Ebenbild deines lieben Vaters, nur die Augen hast du von deiner Mutter.«

»Gibt es das denn?«, sagte der Herzog und blickte erstaunt von einem zum andern. Edgerton hielt noch immer ihre Hand. Evangeline sah aus, als getraue sie sich nicht, sich zu bewegen, was natürlich lächerlich war. »Du kennst sie, John?«

Evangeline zog ihre Hand aus John Edgertons starkem Griff zurück, und ihre Stimme klang völlig ruhig, als sie schließlich die Worte herausbrachte: »Ja, ich kenne ihn. Wir haben uns lange nicht mehr gesehen. Das ist wirklich eine Überraschung, Sir John. Ich habe nicht erwartet, Euch hier zu treffen, besonders jetzt schon.« Sie hatten ungefähr die gleiche Größe. Ihre Augen begegneten den seinen, aber sie konnte in seinem Blick nichts anderes lesen als Freude über ihr Zusammentreffen. Er war ein Meister der Lüge, wie man es von ihm erwarten sollte, war doch sein ganzes Leben eine einzige Lüge, die offenbar noch niemand als solche enttarnt hatte. Nun, was hatte sie sich vorgestellt? Das Wort *Satan* quer über seine Stirn geschrieben zu sehen?

»Ich hoffe, es ist eine angenehme Überraschung, Evangeline«, sagte Sir John. Diesmal wanderte der Blick seiner warmen, freundlichen Augen zu ihrer Brust. Der Herzog bemerkte es. Und sah sofort rot. Überrascht über seine Reaktion wich er zurück. Was war nur los mit ihm? Diese Frau bedeutete ihm nichts, rein gar nichts, eine Verwandte, die genau genommen gar nicht so eng mit ihm verwandt war. Ach, sein Beschützerinstinkt musste erwacht sein, nachdem sie als Verwandte ab jetzt unter seinem Schutz stand. Ja, das war es. Es war sein Feudalherrenblut, das in ihm den Wunsch weckte, John Edgerton, der die Frechheit besaß, Evangeline so unverfroren aufs Dekolleté zu starren, die Faust ins Gesicht zu rammen.

Leichthin und mit einem Anflug von Humor in der Stimme bemerkte Sir John: »Ah, ich sehe, dass dein Cousin unruhig wird, Evangeline. Anscheinend ist er der Ansicht, dass ich dich schon viel zu früh am Abend in Beschlag nehme. Er hat Recht, du musst Lady Pemberly deine Aufwartung machen. Sie ist ein Drache … aber keine Angst, sie spuckt zwar Feuer, aber das wird dich nur ein bisschen ansengen. Wir beide werden nach dem Dinner noch ausführlich miteinander plaudern. Es gibt viel zu erzählen. Wir haben uns ja so lange nicht mehr gesehen, hm?« Er wandte sich an den Herzog. »Unsere letzte Begegnung liegt beinahe zwei Jahre zurück. Ich kannte ihre Eltern sehr gut.«

Und Edgerton hat bereits zu viel von ihr gesehen, dachte der Herzog wütend. Er hätte seinen Freund am liebsten erwürgt, obwohl ihm sehr wohl bewusst war, wie absurd seine Mordgelüste waren. Aus dem Augenwinkel sah er, wie Evangeline zu seiner Tante Eudora trat und artig knickste. Er hörte sie mit leiser, wispernder Stimme sprechen, verstand aber kein Wort von dem, was sie sagte. Was, zum Teufel, war nur in sie gefahren? Er drehte sich wieder zu John Edgerton um, der inzwischen in ein Gespräch mit Drew Halsey vertieft war und seine Worte mit ausholenden Bewegungen seiner schmalen, langen Hände unterstrich.

»Ihr seid also Marissas Cousine«, stellte Lady Pemberly fest, während sie sie von oben bis unten musterte. »Besondere Ähnlichkeiten mit Marissa kann ich allerdings nicht erkennen. Euer Haar hat eher die Farbe von feuchtem Schlamm, wohingegen Marissas Haar wie pures Gold schimmerte. Sie war zu klein, dafür seid Ihr zu groß. Na ja, daneben gibt es natürlich auch noch andere Unterschiede.«

»Ja, Mylady. Ich bin ein großes Mädchen, die Bemerkung habe ich schon gehört.«

»Diese Bemerkung stammt von mir, Tante Eudora«, ließ sich der Herzog vernehmen. Evangeline, die ihn nicht so nahe hinter sich wähnte, machte unwillkürlich einen Schritt zur Seite.

»Ich bezweifle nicht, dass du auch noch sehr viele andere Bemerkungen über sie gemacht hast, mein Junge.

Ich muss sagen, Madame, Euer Englisch ist mehr als passabel. Ihr sprecht es beinahe so flüssig wie eine Engländerin. Kompliment an Eure Lehrer. Mit viel Fleiß und Übung könntet Ihr es vielleicht sogar zur Perfektion bringen.«

»Meine Mutter war gebürtige Engländerin, und ich bin in England aufgewachsen, Mylady. Verzeiht, wenn ich behaupte, die Sprache fließend zu beherrschen.«

»Ich denke, das sollte fürs Erste genügen«, warf der Herzog an Lady Pemberly gewandt ein. »Seid so lieb, Tante Eudora, und verjagt sie nicht gleich wieder, wo sie doch eben erst angekommen ist. Für Edmund ist mit ihrer Ankunft offenbar die Sonne aufgegangen. Denkt an das Glück meines Sohnes, bitte. Edmund zieht sie sogar Rohan Carrington oder Phillip Mercerault vor.«

»Ich hatte ja keine Ahnung, dass er Rex, den Pfau, erschießen würde«, sagte Evangeline zu Lady Pemberly, worauf der Herzog seiner Großtante lachend von der Pistole erzählte, die Evangeline seinem Sohn mitgebracht hatte. »Edmund hat sogar das Tau durchgeschossen, mit dem seine Schaluppe am Pier festgemacht ist. Wie Ihr Euch vorstellen könnt, hat er keinen großen Schaden angerichtet.«

Zu Evangelines Überraschung schien Lady Pemberlys übermäßig geschminktes und gepudertes Gesicht Gefahr zu laufen, Risse zu bekommen, als sie es zu einem breiten Lächeln verzog. Ihre grünen Hexenaugen zwinkerten ihr belustigt zu. »Tja, mein Kind, wenn Ihr einem kleinen Hosenmatz eine Pistole mitbringt, müsst Ihr in der Tat mehr Engländerin als Französin sein. Ja, ja, die Männer und ihre Schießeisen. Man möchte meinen, sie schlafen am liebsten mit der Pistole unterm Kopfkissen. Mein Vater hat mehr Schüsse abgefeuert als meine Mutter Blähungen. Ja, das habt Ihr richtig gemacht. Mein Junge wird seinem Sprössling beibringen, nicht auf Menschen zu schießen, außer auf Wegelagerer oder vielleicht den Premierminister oder den Prinzregenten, beides unfähige Idioten, die eine solche Behandlung zweifellos verdienen.

So, meine liebe Felicia, jetzt sag auch du zu Madame ein paar nette Worte. Dein lieber Herr Papa hat weiß Gott eine stattliche Menge Silberlinge springen lassen, damit du lernst, dich wie eine anständige Lady zu benehmen. Du hattest mehr als genug Zeit, deine Verführungskünste an dem Herzog auszuprobieren. Insgeheim hat er darüber gelacht, wie ich beobachten musste, aber da er dich schätzt, hat er sich entsprechende Kommentare verkniffen. Wie mir scheint, hast du bei Drew mehr Erfolg. Zumindest lächelt der noch. Komm her zu mir, ehe dich einer der Herren wieder auf die Schulbank zurückschickt oder dich hinter einer Zimmerpalme küsst, was er nur tun würde, um dich bei deinen Anstrengungen zu ermutigen.«

Felicia sah, mit ihren hellen Wimpern klimpernd, erst Drew an und dann den Herzog. »Ist das wahr, Euer Gnaden? Ihr seid nicht in Liebe zu mir erglüht? Ihr habt meine Avancen nur stumm erduldet? Ach, du meine Güte, und ich habe mir solche Mühe gegeben.« Felicia deutete einen Knicks an. »Ich bin entzückt, Madame. Ich hoffe, Ihr verzeiht uns diesen Überfall, aber Großmutter bestand darauf, dass wir zum Dinner kommen und war der Meinung, dass es mehr als angemessen sei, unser Erscheinen erst drei Stunden vorher anzukündigen. Sie kennt die Küchenperle des Herzogs und freute sich in der Gewissheit, dass sie uns nicht verhungern lässt. Und da Lord Pettigrew und Sir John uns gerade einen Besuch abstatteten, hat sie die beiden Gentlemen gleich als Eskorte mitgebracht. Seine Gnaden ist, wie nicht anders zu erwarten war, höchst erfreut über unser Erscheinen.

Er hat uns versichert, dass er derartige Überraschungen über alle Maßen schätzt.«

Lady Pemberly verdrehte resigniert die Augen, und der Herzog meinte nur trocken: »Allein dein Anblick genügt, Felicia, dass ich mir steinalt vorkomme.«

»Mir geht es ganz genauso«, stimmte Lord Pettigrew eifrig zu, doch der Blick, den er dabei Felicia zuwarf, war keineswegs der eines desinteressierten Senioren.

»Bah«, meinte Felicia abfällig. »Ihr und der Herzog seid doch gerade mal siebenundzwanzig. Für eine Lady ein recht ansehnliches Alter – was ich übrigens nie begreifen werde – Gentlemen Eures Standes hingegen werden in diesem Alter erst als halbwegs herangereift betrachtet, halbwegs trocken hinter den Ohren und allmählich in der Lage, eine Frau mit ihrer in Entwicklung begriffenen Logik, Zuneigung und Ernsthaftigkeit zu ergötzen. Das ist jedenfalls die Ansicht meiner lieben Frau Mama.«

»Deine arme Mutter könnte nie im Leben so viele Worte aneinanderreihen, zumindest nicht mehr, seit du auf der Welt bist«, bemerkte Lady Pemberly sarkastisch.

»Steinalt«, wiederholte der Herzog bedeutungsvoll. »Vermutlich werden wir demnächst einen Krückstock brauchen, um den unabänderlichen Weg unseres Verfalls zu beschreiten, Drew. Wie wär's mit einem Glas Sherry, John? Evangeline? Sonst noch jemand?«

Nachdem die Sherrygläser gefüllt waren, ließ sich Lord Pettigrew mit seiner sonoren Stimme vernehmen: »John, du Schuft, du hast uns heimtückisch verschwiegen, dass du und Madame bereits Bekanntschaft miteinander gemacht habt.«

»Wie Felicia bereits verkündete, liebt der Herzog Überraschungen«, wandte Lady Pemberly ein. »Du kennst ihre Eltern, John?«

»Ganz recht, Mylady. Ihr Vater war ein hervorragender Gelehrter und dazu der attraktivste Mann, den ich je gesehen habe. Evangeline ist ihm wie aus dem Gesicht geschnitten. Es tut mir sehr Leid, Evangeline. Ich habe von seinem Tod Anfang des Jahres gehört.«

Evangeline schwieg beharrlich und nickte ihm nur andeutungsweise zu. Selbstverständlich wusste er genau, was er sagen musste, und tischte nur Fakten auf.

»Wann hast du Evangeline zuletzt gesehen?«, erkundigte sich der Herzog bei Edgerton.

»Damals war sie siebzehn. Und bald darauf heiratete sie und wurde Witwe. Ach je, so vieles ist geschehen in so kurzer Zeit. Das Leben meint es oft grausam mit uns, nicht wahr?«

Evangeline blieb weiterhin stumm. Inzwischen wünschte sie sich nicht mehr, Edmunds Spielzeugpistole zur Hand zu haben; sie wollte nur noch eine des Herzogs, geladen und den Lauf auf John Edgertons Schädel gerichtet.

»Ich erinnere mich«, fuhr John fort, »dass Evangeline damals eine harte Zeit erlebte. Ihre Mutter war im Jahr zuvor gestorben, sämtliche Ladies der Nachbarschaft waren hinter ihrem Vater her, und Evangeline hat sich meistens irgendwo im Ahornwald versteckt. Jedes Mal, wenn ich ihr einen Besuch abstatten wollte, musste ich sie erst im Unterholz ausfindig machen. Was habt Ihr dort eigentlich immer getrieben, Evangeline?«

»Nichts besonderes«, erwiderte Evangeline kühl, die ihm am liebsten an den Kopf geworfen hätte, dass sie ihm hatte aus dem Weg gehen wollen.

»Ein Ahornwald, das klingt ja hinreißend romantisch«, zwitscherte Felicia fröhlich, trank einen Schluck Sherry und verzog dann das Gesicht, als wollte sie ihn wieder ausspucken.

»Das glaubst auch nur du«, gab der Herzog mokant zurück.

Felicia beugte sich verschwörerisch zu Evangeline und meinte: »Wie Ihr wahrscheinlich bemerkt habt, zieht es der Herzog vor, mich anzuschauen, anstatt sich mit mir zu unterhalten. Meine Konversation treibt ihn zur Brandyflasche, behauptet meine Großmutter.«

»Klimpere mit den Augendeckeln und klemm deine Zunge hinter die Zähne«, riet ihr der Herzog. »Auf diese Weise, meine Liebe, angelst du dir am schnellsten einen Ehemann.« Kopfschüttelnd setzte er noch hinzu: »Der arme Kerl – ich sehe ihn schon am Morgen nach der Hochzeitsnacht. Du wirst vermutlich ohne Luft zu holen auf ihn einreden, ihm erklären, was er richtig gemacht hat, ausführlich und in allen Einzelheiten seine Fehler durchnehmen und ihn anschließend instruieren, was er dir zum Frühstück ans Bett bringen darf.«

»Oh, da bin ich mir nicht so sicher«, erklärte Felicia. »Ich dachte eigentlich immer, dass ich am Morgen nach meiner Hochzeitsnacht schlafen werde wie ein Murmeltier.«

Diese Bemerkung ließ zunächst einmal alle Umstehenden in ein peinliches Schweigen verfallen, bis der Herzog die Situation rettete, indem er sagte: »Ich will doch nicht hoffen, dass du auch im Schlaf noch redest.«

»Diesbezüglich solltest du dich zu gegebener Zeit bei meinem Ehemann erkundigen«, gab sie den Ball mit einem verschmitzten Augenaufschlag zurück, wissend, dass sie dieses Wortgefecht gewonnen hatte.

»Ich bin die Älteste in dieser illustren Runde«, erklärte Lady Pemberly, »und seht nur, wohin unsere Konversation abgleitet, geradewegs unter die Gürtellinie und andere sündige Orte. Madame, seid doch bitte so freundlich und zieht Felicia die Ohren lang. Mein Kind, noch eine so impertinente Bemerkung, und ich blase deinen Einführungsball ab.«

»Verzeiht, aber ich fand nichts Ungehöriges an ihrer Bemerkung«, warf der Herzog ein. »Man kann nur hoffen, dass sie keinen Trottel heiratet.«

»Wenn, dann nur Euch, Euer Gnaden«, verkündete sie freimütig, presste die Hände ans Dekolleté und holte tief Luft. »Ich habe Mutter sagen hören, dass Ihr so erfahren seid im Umgang mit Ladies wie ein altgedienter Lebemann und dass man Euch das als Herzog leider nicht ins Gesicht sagen darf, nur heimlich hinter Eurem Rücken.«

»Ich glaube, mir wird übel!«, rief der Herzog empört. »Ich bin kein Lebemann, Felicia. Ich bin ein anständiger Mensch, ein treu sorgender Vater und ein großzügiger Gastgeber. Seht Euch doch an. Ihr weilt immer noch unter meinem Dach, nicht wahr?«

»Ja, ja, mein Junge«, erklärte Lady Pemberly begütigend, »das bist du in der Tat. Aber du wirst sie jetzt nicht zu weiteren albernen Bemerkungen ermutigen. Es ist ja schön und gut, dass du ein unerhört unverschämter und ungenierter Gentleman bist, der zufällig sehr anregend wirkt. Ja, mein Junge, selbst ich, eine reife Dame, habe bemerkt, wie vorteilhaft du dich der Welt präsentierst, ob bewusst oder nicht. Außerdem hast du erfreulicherweise mehr Grips im Kopf als dieses impertinente achtzehnjährige Gör, mit dem ich als Patentochter gestraft bin.«

»Aber liebe Patentante, ich dachte immer, du betest mich seit dem Tag meiner Geburt an! Mir hat man jedenfalls erzählt, dass du auf Knien darum gebettelt hast, meine Patentante werden zu dürfen. Ist das etwa gar nicht wahr?«

Lady Pemberly verdrehte abermals genervt ihre grünen Hexenaugen.

Jetzt wandte sich Lord Pettigrew an Evangeline.

»Erschreckt Euch nicht, Madame. Diese Herrschaften hier benehmen sich schon so, seit ich den Herzog als kleiner Junge kennen lernte. Aber ich versichere Euch, sie mögen sich alle sehr gern.«

»Ja«, sagte Evangeline gedehnt und nippte an ihrem Sherry. »Das sieht man.«

Er lachte. »Ich kenne Felicia schon seit ihrer Geburt und weiß, dass sie unschlagbar ist. Sie hat es gern, wenn man auf ihr herumhackt. Das hält ihre Zunge scharf, erklärte sie mir. Außerdem rücken solch boshafte Bemerkungen sie in den Mittelpunkt des Geschehens, und das ist genau der Ort, wo sie sich am liebsten aufhält.«

»Ihr mögt sie nicht, Lord Pettigrew?«

»Oh, missversteht mich nicht«, erwiderte er und schenkte ihr ein strahlendes Lächeln. »Tatsächlich trage ich mich nämlich mit dem Gedanken, diesen kleinen Wildfang zu ehelichen. Sie soll nur zuerst ihre erste Saison absolvieren. Jede junge Lady hat eine Saison verdient, ehe sie in den Stand der Ehe tritt. Ich glaube, sie wird sich großartig machen als Juni-Braut.« Er runzelte die Stirn und holte tief Luft. »Ich frage mich jetzt schon, welchen Kommentar sie nach unserer Hochzeitsnacht abgeben wird.«

»Dazu möchte ich nichts sagen. Weiß Felicia um die Freuden, die sie erwarten?«

»Habe ich da eben eine Spur Ironie herausgehört? Nein, sie weiß es nicht, sie wird es aber noch rechtzeitig erfahren. Nun, ich hoffe, Ihr seid nicht allzu scharf auf anregende Unterhaltung bei Tisch. Sonst steht Euch nämlich ein anstrengender Abend bevor.« Er unterbrach sich kurz und rief dann: »Felicia, ich habe gerade Madame erzählt, dass John und ich uns in deiner Gesellschaft mittels Zeichensprache verständigen müssen, weil wir ansonsten nicht zu Wort kommen!«

»Ich glaube dir kein Wort!«, rief Felicia zurück und kam rasch zu ihm herüber. Sie sah mit ihren strahlend blauen Augen zu ihm auf, als würde sie ihn besser kennen als sonst jemanden auf der Welt, was vielleicht stimmen mochte, dachte Evangeline, und knuffte ihn in die Brust. »Das habe ich noch nie gesehen. Was ist das, diese Zeichensprache? Zeig sie mir.«

Der Herzog beobachtete, wie sein alter Freund, John Edgerton, Evangeline unverwandt anstarrte. Wie ein Habicht eine hilflose Feldmaus. Was ging hier nur vor? Was hatte er ihr bedeutet, als sie siebzehn war, als junges Mädchen, viele Jahre davon entfernt, eine Frau zu sein? Oder vielleicht eher wie ein männlicher Habicht einen weiblichen. Der Herzog wusste den Blick seines Freundes nicht zu deuten. Aber er wusste genug, um sich darüber zu ärgern.

»Was, zum Teufel, ist los mit dir, mein Junge?«, rief Lady Pemberly besorgt. »Du siehst auf einmal so niedergeschlagen aus, irgendwie ärgerlich und enttäuscht. Ah, ich weiß. Du hast eine Wette verloren. Ha! Ich setze alles darauf, dass es eine Wette um eine hübsche Biene war – der zweibeinigen Art.«

Der Herzog musste wider Willen lachen. Er ahnte inzwischen, welche Rolle John Edgerton in Evangelines Leben gespielt hatte. Grinsend beschied er Lady Pemberly: »Meine sehr verehrte Lady, ich wage zu bezweifeln, dass es in diesem Königreich einen Mann gibt, der auf diesem Gebiet zu einer Wette gegen mich antreten würde.« Sein Blick schweifte kurz zu Evangeline ab, die vor dem Kamin stand und einen Moment lang abwesend in die Flammen starrte. »Oder eine Frau.«

Lord Pettigrew mischte sich ins Gespräch. »Er hat sie übertrumpft, Ma'am. Ich würde nicht dagegenhalten – und du, John?«

»Ich habe vor einiger Zeit gehört, dass der Herzog eine Lady, auf die er ein Auge geworfen hatte, an einen seiner Freunde verlor – Phillip Mercerault. Stimmt das, Richard?«

»Ja«, brummte der Herzog. »Das stimmt. Niemand hat es gern, wenn ihm etwas genommen wird, von dem er glaubt, es besitzen zu wollen, aber in diesem Fall war es für alle Beteiligten das Beste.«

Alles, was er gerade gesagt hatte, war in ihr Bewusstsein gedrungen. Ja, sie stellte fest, dass sie keinem anderen zugehört hatte; nur wenn er sprach, verstand sie jedes einzelne Wort, klar und deutlich. Eine Lady hatte ihm einen Korb gegeben? »Nein«, sagte sie laut, die Brauen sorgenvoll gehoben, ihre Aufmerksamkeit allein ihm zugewandt. »Das ist doch unmöglich. Das glaube ich nicht.« Dann realisierte sie, was sie soeben laut ausgesprochen hatte, lachte ein wenig zu schrill und setzte hinzu: »Ich fürchte, Ihr klingt ein wenig selbstgefällig, Euer Gnaden.«

Er schien über die Maßen geschmeichelt. »Nein, Evangeline. Ich sagte ganz deutlich, dass ich sie verloren habe. Ihr wart es, die das als unmöglich erachtete.«

Evangeline warf die Hände in die Luft, verschüttete dabei ihren Sherry, den sie ganz vergessen hatte, und rief mit gekünstelter Heiterkeit: »Ich bin sehr hungrig. Wo bleibt nur das Dinner?«

»Aber Richard«, hakte Lady Pemberly unerbittlich nach, »du klingst ja gerade so, als ob dein Herz an einer Felswand zerschmettert wäre. Doch nichts könnte der Wahrheit ferner sein. Nur dein Stolz wurde verletzt, mein Junge. Du weißt so gut wie ich, dass Sabrina Eversleigh genau so gehandelt hat, wie man es von ihr erwartete. Und Phillip ebenfalls.«

»Ja, so sehe ich das auch«, stimmte ihr der Herzog zu

und fügte an Evangeline gewandt hinzu: »Die Lady ist eine Bekannte, die einen guten Freund von mir geheiratet hat. Nichts weiter.« Damit drehte er sich wieder zu seiner Großtante um. »Und was Euch betrifft, Mylady, so könnte Napoleon sich glücklich schätzen, über so gut informierte Spione zu verfügen wie Ihr. Zum Glück braucht er keine mehr, seit dieser Halunke auf seiner eigenen Insel im Kerker sitzt. Seht Euch nur die Qualität Eurer Zuträger an. Madame de la Valette ist erst gestern abend hier angekommen, und keine vierundzwanzig Stunden später findet Ihr Euch bereits auf Chesleigh zum Dinner ein.«

Evangeline überraschte das keineswegs. Es war sehr wahrscheinlich, dass John Edgerton für diesen Überraschungsbesuch verantwortlich war, und nicht Lady Pemberly. Sie blickte in Richtung des Herzogs und wünschte im Stillen, sie könnte sich bei ihm entschuldigen. Dafür, was sie getan hatte; und was sie ihm noch antun würde; was sie nicht war und niemals würde sein können.

»Ich versuche stets mein Bestes«, erklärte Lady Pemberly mit einem breiten Lächeln, das im hinteren Teil ihrer Mundhöhle ein paar Zahnlücken entblößte. Sie erhob sich und strich ihre purpurfarbenen Satinröcke glatt; Purpur war genau die Farbe, die Mrs. Raleigh so liebte. »Ich bin sicher, dass Bassick inzwischen veranlasst hat, vier Gedecke mehr aufzulegen. Ich für meinen Teil hätte auch nichts dagegen einzuwenden, demnächst zu Tisch geführt zu werden.«

Sie drehte sich um und warf Evangeline einen selbstgefälligen Blick zu. »Wie ich vom Herzog hörte, beabsichtigt Ihr als Edmunds Nanny auf Chesleigh zu bleiben. Ich habe selbstverständlich ein unscheinbares, langweiliges Ding ohne einen Funken Temperament und ohne jeglichen Ansatz von Schönheit erwartet. Ihr entsprecht jedoch keineswegs meinen Erwartungen. Und in meinem Alter kann das Unverhoffte einen Herzstillstand auslösen, eine Vorstellung, die mir überhaupt nicht behagt.«

»Das würden wir auch nicht wünschen«, entgegnete der Herzog galant. »Aber was Evangeline betrifft, so ist sie tatsächlich als graue Maus hier aufgetaucht. Und jetzt – seht nur, keine vierundzwanzig Stunden später – ist sie erblüht wie eine, äh, eine Narzisse.« Er kratzte sich in gespielter Nachdenklichkeit das Kinn. »Heißt so nicht diese gelbe Blume mit dem dünnen Stängel?«

»Ich würde Evangeline nicht als dünnen Stängel bezeichnen«, widersprach Felicia nachdrücklich. »Ganz im Gegenteil.«

»Vielen Dank für Eure freundliche Unterstützung, Felicia«, sagte Evangeline.

Lady Pemberly schnaubte verächtlich. »Unterstützung, sagt Ihr? Darauf würde ich mich bei Miss Vorlaut nicht verlassen. Ich werde wahrscheinlich schon mit einem Bein im Grab stehen, ehe ich für Felicia einen Ehemann finde, vorzugsweise einen, der stocktaub ist. Und ich habe sie heute abend nur deshalb mitgebracht – und nicht eine der anderen liebreizenden jungen Ladies im heiratsfähigen Alter –, damit der Herzog mir nicht wieder vorwirft, dass ich meine Nase in seine Angelegenheiten stecke. Wo sie tatsächlich schon steckt. Du bist immer noch unverheiratet, Richard. Und ein einziger Erbe ist nicht genug. Deshalb hör mir jetzt mal genau zu, mein Junge: Mir wird kein Wort über deine finstere Laune während der letzten Wochen über die Lippen kommen. Aber deine arme Mutter ist mit ihrem Latein am Ende; sie weiß nicht mehr, was sie unternehmen kann, um dich wieder aufzuheitern.«

Mit einer übertrieben heftigen Bewegung, wie Evangeline fand, riss der Herzog am Klingelstrang. Welche finstere Laune? Ja, sie erinnerte sich, dass der Herzog am Abend zuvor nicht gerade übermäßig fröhlich gestimmt war, als sie sich in der Bibliothek begegneten. War denn etwas Schlimmes geschehen?

Ihre Frage wurde postwendend beantwortet, als Lord Pettigrew leise sagte: »Es tut mir Leid, Richard. Wir haben den Kerl, der Robbie Faraday ermordete, immer noch nicht gefasst. Zwar wissen wir, dass im Ministerium ein Spion sitzt, doch seine Identität konnten wir noch nicht entlarven. Aber was sage ich? Dort sitzen wahrscheinlich mehr Spione, als wir ahnen. Und das treibt jeden hier zur Verzweiflung.«

»Das verstehe ich nicht«, warf Evangeline erstaunt ein. »Napoleon kann uns doch nicht mehr schikanieren. Er sitzt auf Elba im Kerker. Warum gibt es dann immer noch Spione?«

Sie bemerkte, dass John Edgerton sie indigniert ansah. Weshalb? Weil sie in Gewässern fischte, in denen sie leicht ertrinken konnte? Hatte er Angst, dass sie sich gegen ihn wenden würde?

Lord Pettigrew lächelte die seiner Meinung nach ausnehmend hübsche junge Lady an, die beinahe so groß war wie er. »Wo mehr als ein Mann das Sagen hat, gibt es mehr als eine politische Idee. Wenn zwei Männer an ihren Ideen festhalten, herrscht bereits große Uneinigkeit. Es gibt immer noch Menschen, die Napoleon wieder auf den französischen Thron setzen wollen. Und es existiert immer noch ein weit gespanntes Netz von Spionen, die verbissen an seiner Rückkehr arbeiten.«

»Und einer dieser Spione hat einen Mann ermordet, den der Herzog kennt?«

»Ja, Robert Faraday war ein guter Freund von uns allen.«

»Ihr arbeitet für die Regierung, Lord Pettigrew?«

»So ist es. Ebenso John und gelegentlich auch der Herzog.«

Evangeline war fassungslos. Wie konnte Houchard von ihr erwarten, seinen Auftrag auszuführen, wenn der Herzog tatsächlich in Regierungsgeschäfte involviert und nicht nur ein desinteressierter, müßig gehender Aristokrat war? Einer seiner Freunde war ermordet worden. Vielleicht von John Edgerton. Vielleicht sogar auf Befehl von Houchard.

»In der Tat«, sagte John Edgerton, »wir alle tun, was wir können, nicht wahr, Evangeline?«

»Genug jetzt«, brach der Herzog das Gespräch ab. Er hasste es, an Robbie erinnert zu werden, an seinen sinnlosen Tod. Der Gedanke bohrte sich wie ein Messer in seine Brust und machte ihn so wütend, dass er am liebsten wie ein Tier gebrüllt hätte.

»Begeben wir uns ins Speisezimmer«, schlug er stattdessen vor.

14

»Nehmen wir doch noch einen Brandy in der Bibliothek.«

Es war schon spät. Evangeline hatte die Uhr im unteren Stockwerk bereits vor geraumer Zeit elf schlagen hören. Sie wollte nicht mehr mit in die Bibliothek gehen. Sie wollte unter ihre Bettdecke kriechen und nie wieder hervorkommen. Aber sie durfte ihn nicht merken lassen, dass etwas nicht stimmte. Und deshalb nickte sie und brachte sogar ein Lächeln zustande, als ob sie die Aufforderung mit Freuden annähme. Während sie dem Herzog folgte, dachte sie daran, was John Edgerton zu ihr gesagt hatte, als sie ins Speisezimmer gegangen waren. »Ich wusste immer, dass du noch viel hübscher wirst. Und du weißt gewiss, wie sehr ich dich begehrt habe.«

»Ich war damals erst siebzehn.«

Er zuckte die Schultern. »Alt genug. Frauen sind immer alt genug. Doch du hast dich von mir abgewandt und deinem Vater erklärt, dass ich zu alt sei. Ich bin davon überzeugt, dass der alte Schuft dir auch noch Recht gegeben hat. Aber ich wusste damals schon, dass er mir eines Tages auf Gedeih und Verderb ausgeliefert sein würde.« Er machte eine kurze Pause und strich ihr mit den Fingerknöcheln übers Kinn. »Und du ebenfalls. Ja, und jetzt ist es so weit. Du wirst genau das tun, was ich von dir verlange, Evangeline.«

Edgerton hatte Recht. Er hatte sie beide in der Hand. Als der Herzog sich zu ihnen umdrehte, musste er das Gespräch abbrechen. »Ah, ich möchte ihn nicht eifersüchtig machen. Es freut mich, dass er bereits ein Auge auf dich geworfen hat. Und das wird die Dinge sehr vereinfachen, falls er herausfindet, wer du bist und welche … äh, Mission du zu erfüllen hast.«

»Nichts wird irgendwelche Dinge vereinfachen. Ihr habt seinen Freund ermordet, diesen Robert Faraday. Und ich glaube nicht, dass ihn irgendjemand von der Suche nach dessen Mörder abhalten könnte, auch nicht eine Frau, die er begehrt, was in meinem Fall allerdings nicht stimmt.«

In der Bibliothek angelangt, trat der Herzog an die Anrichte und schenkte zwei Gläser Brandy ein. »Ein guter Tropfen, stark und dunkel wie die Sünde«, sagte er und prostete Evangeline zu. Er nahm einen Schluck, während er sie über den Rand des geschliffenen Kristallglases hinweg scharf beobachtete. »Was haltet Ihr von meiner Großtante Eudora und ihrer Nichte Felicia?«

»Lady Pemberly ist sehr fürsorglich Euch gegenüber. Und Felicia, nun, in ihrer Gesellschaft langweilt man sich offenbar nicht so schnell.«

»Und Lord Pettigrew?«

»Ein sehr charmanter Gentleman. Er trägt sich mit dem Gedanken, Felicia zu heiraten.«

»Was, zum Teufel, habt Ihr da eben gesagt?« Eine seiner schwarzen Brauen machte einen steilen Satz. »Das hat er Euch erzählt?«

»O ja. Ich nahm an, Ihr wusstet es bereits. Er meinte, er würde sie zu gegebener Zeit über das Glück, das ihr beschieden ist, in Kenntnis setzen. Er wollte nur, dass sie vorher noch eine Saison in London absolviert.«

»Gütiger Gott.« Der Herzog stürzte den Rest Brandy hinunter, drehte sich um und starrte ins Feuer. »Gütiger Gott«, sagte er nochmals. »Die Wege, die das Herz eines Mannes beschreitet, sind wahrhaft unergründlich.«

»Ich finde, sie passen ausgezeichnet zusammen.«

»Und jetzt möchte ich noch wissen, was Ihr von John Edgerton haltet.«

Das war die einzige Frage, die ihn wirklich interessierte. Alle anderen waren nur ein Vorwand gewesen, das spürte Evangeline ganz deutlich. Es gab keinen Grund, ihm nicht die Wahrheit zu sagen, zumindest einen Teil davon. Sie reckte stolz das Kinn, als sie freimütig erklärte: »Ich mag ihn nicht.«

»Weshalb?«

»Er wollte mich heiraten. Aber mein Vater war dagegen. Ich war damals erst siebzehn. Sir John war viel zu alt für mich, und das sagte ihm mein Vater auch. Es hat mich sehr überrascht, ihn heute abend hier zu sehen. Aber da er ein Freund von Euch ist, werde ich mich zivilisiert benehmen, falls ich noch einmal seine Gesellschaft ertragen muss.«

Schulterzuckend stellte der Herzog sein Brandyglas ab. Er fühlte sich wohler, erheblich wohler sogar, was natürlich absolut lächerlich war. Nur weil John sie kannte, nur weil er ihre Brüste angestarrt hatte … Immerhin, sie mochte ihn nicht. Das war großartig.

»John und Drew«, wechselte er das Thema, »arbeiten beide für die Regierung und sind beide in die jeweiligen gewichtigen Fußstapfen ihrer Väter getreten.« Er machte eine kleine Pause. »Ich weiß, dass Ihr Napoleon hasst. Aber es gibt immer Schurken, die irgendwo ihr Unwesen treiben. Habt keine Angst. Hier seid Ihr sicher. Dafür werde ich sorgen.«

Sie war so verwirrt, dass sie nur träge nickte.

»Ich bin müde«, stöhnte sie, als das Schweigen zwischen ihnen unangenehm wurde. »Es war ein langer Tag. Voller Überraschungen.«

»Ja«, erwiderte er. »Meine Großtante liebt Überraschungen dieser Art. Und sie ist verrückt nach mir. Sie musste sich unbedingt persönlich davon überzeugen, dass Ihr nicht eine Frau seid, die Lord Edmund hinterhältig im Schlaf erwürgt. Glaubt mir, wenn sie nur den geringsten Zweifel an Eurer Integrität gehegt hätte, wäre sie ohne Euch zu fragen in Euer Schlafgemach gezogen und hätte am Fußende Eures Betts übernachtet, damit sie Euch besser im Auge behalten kann.«

»Ja, sie liebt Euch wirklich sehr.«

Er kam langsam auf sie zu, blieb vor ihr stehen und strich ihr, wie Edgerton es getan hatte, mit den Fingern leicht übers Kinn. Doch seine Berührung war ihr nicht so unangenehm wie die von John.

»Ich werde gut für Edmund sorgen.«

»Davon bin ich felsenfest überzeugt. Merkwürdig,

nicht wahr? Und dabei seid Ihr erst seit vierundzwanzig Stunden hier.«

»Inzwischen sind es bald dreißig, doch ich habe das Gefühl, als wäre ich schon viel länger hier. Ich bin sehr froh, dass ich gekommen bin, und hoffe, alles ist in Eurem Sinne.«

Der letzte Satz entlockte dem Herzog ein Lächeln. »Ach, es gibt vieles, was nicht nach meinem Sinn ist. Aber Ihr gehört im Augenblick nicht dazu.« Sein Blick wurde intensiver, eine Veränderung, die Evangeline sofort bemerkte. Zu ihrer Überraschung reagierte sie darauf. Unwillkürlich hob sie die Hände und legte sie schützend an ihre Brust. »Ihr seht mich schon wieder an.«

»Das lässt sich nur schwer vermeiden.«

»Nein, ich meinte, Ihr betrachtet schon wieder gewisse Teile meines Körpers.«

»Das lässt sich ebenfalls nicht vermeiden.«

»Ich gehe jetzt zu Bett.«

Ohne es beabsichtigt zu haben, machte er einen Schritt zurück, obgleich er eigentlich das Bedürfnis verspürte, seine Fingerspitzen über ihre Brüste wandern zu lassen. Für einen Augenblick schloss er die Augen und vermeinte, die Zartheit ihres weißen Fleisches zu fühlen. »Gute Nacht, Evangeline.«

Evangeline schlug die Augen auf und starrte in die Dunkelheit. Sie rieb sich mit der Hand über die verschwitzte Stirn und strich sich die Haare aus dem Gesicht. Wieder so ein Albtraum, nicht mehr und nicht weniger. Aber er war so real gewesen. Sie konnte immer noch Houchards Stimme hören, dunkel und kalt: »Ihr seid viel zu unschuldig für Eure neunzehn Jahre, Mademoiselle. Ihr müsst Euch vorsehen, dass der Herzog Euch nicht einfach die Röcke hochhebt und Euch nimmt, ohne dass Ihr überhaupt merkt, was Euch geschieht. Außerdem müsst Ihr Euch vorsehen, dass Eure Unschuld nicht Euren gesunden Menschenverstand ausschaltet. Das Leben Eures Herrn Vaters hängt allein von Eurem klaren Verstand und Eurem Engagement für unsere Sache ab«, hatte er erklärt und dabei ihr Ohrläppchen zwischen seinen Fingern gerieben. Als sie sich seinem Griff entzog, hatte er nur höhnisch gelacht.

Evangeline stand auf, schlüpfte in ihren wollenen Morgenmantel und die alten Pantoffeln und ging nach unten. Sie hatte nicht vor, sich so bald wieder hinzulegen; zu groß war ihre Angst, dass Houchard sie erneut in ihren Träumen heimsuchte. Lieber wollte sie nachsehen, ob sich in der Bibliothek des Herzogs Bücher fanden, die interessant genug waren, um nächtens darin zu schmökern. Mit dem Kerzenleuchter in der Hand machte sie sich auf den Weg durch den mit Teppichen ausgelegten Korridor in Richtung Treppe.

In dem riesigen Haus herrschte nahezu völlige Stille. Sie vernahm zwar hier und dort ein Ächzen und Knarren, das sie kurz innehalten ließ, sie aber nicht zu Tode erschreckte. In ihrem Bett zu liegen und davon zu träumen, was sie nach Chesleigh geführt hatte, war weitaus beängstigender. Die große Standuhr am oberen Absatz der großen Eichentreppe setzte schnarrend zu einem einzigen lauten Schlag an. Sie hatte geglaubt, es sei schon viel später. Gerade als sie die Kerze über ihren Kopf haltend, die Stufen hinabstieg, flog plötzlich die große Eingangstür auf. Wie angewurzelt blieb sie stehen.

Es war der Herzog. Das fahle Mondlicht, das zur Tür hereinfiel, ließ seine Gestalt wie ein Relief erscheinen. Mit angehaltenem Atem beobachtete sie, wie er mit dem Absatz die Tür zuwarf und nicht allzu sicheren Schritts in die große Eingangshalle stapfte. Sie trat aus dem Schatten heraus, den Kerzenleuchter fest umklammernd.

»Euer Gnaden?«

Sein Kopf flog herum, und im ersten Moment starrte er sie nur verblüfft an. Dann fuhr er sich mit der Hand durch das zerzauste Haar und fluchte leise. »Evangeline? Warum, zum Teufel, seid Ihr nicht im Bett? Was habt Ihr mitten in der Nacht in der Eingangshalle zu suchen?«

»Ich konnte nicht schlafen. Ich hatte einen Albtraum und wollte in die Bibliothek gehen und mir ein Buch holen. Verzeiht mir, dass ich Euch erschreckt habe.«

»Ich komme mit in die Bibliothek«, sagte er, ging auf sie zu und nahm ihr den Leuchter aus der Hand. »Dann könnt Ihr mir von Eurem Albtraum erzählen«, fügte er über die Schulter hinweg hinzu.

Evangeline merkte jetzt, dass er betrunken war. Er schwankte zwar nicht, hatte aber offensichtlich einen über den Durst getrunken. Sie schüttelte verwundert den Kopf. Warum hatte er sein eigenes Haus verlassen, um zu trinken? Wo war er gewesen? Was bereitete ihm solche Sorgen? Der Tod seines Freundes? »Ich komme!«, rief sie hinter ihm her.

Sie folgte ihm in die Bibliothek, wo der Herzog Mantel und Handschuhe ablegte und sich in einen bequemen Sessel vor dem Kamin fallen ließ. Das Feuer war bis auf ein paar dunkelrot glühende Holzscheite heruntergebrannt, die kaum noch Wärme spendeten.

Der Herzog saß in seinem Sessel und sagte kein Wort. Evangeline ging leise zu ihm hin und berührte ihn leicht an der Schulter.

Er war ein wenig benebelt, aber nicht sturzbetrunken. Die Wärme ihrer Hand fühlte sich angenehm an. Langsam drehte er sich um und umfasste ihr Handgelenk. »Warum legt Ihr mir die Hand auf die Schulter?«

»Ihr erscheint mir so nachdenklich, vielleicht sogar traurig. Und das tut mir Leid.«

»Ah.« Er zog ihre Hand herab, ließ sie aber nicht los.

»Bitte, brecht sie mir nicht, Euer Gnaden. Wie soll ich Edmund mit einer Hand erziehen?«

Er fixierte ihre schmale Hand, die er fest umklammert hielt. Dann ließ er sie los. »Verzeiht mir, Evangeline.« Er ließ den Kopf an die Rückenlehne sinken und schloss die Augen. »Ihr wisst, dass ich betrunken bin.«

»Ja. Ich frage mich nur, weshalb? Was macht Euch Sorgen?«

Er sah zu ihr hoch, seine dunklen, durchdringenden Augen suchten ihr Gesicht, und fragte dann unvermittelt: »Habt Ihr oft Albträume?«

»Nein, für gewöhnlich nicht. Aber die letzten Wochen waren sehr aufregend und anstrengend. Warum kommt Ihr so spät nachts nach Hause? Weshalb seid Ihr woanders hingegangen, um Euch zu betrinken?«

»Das geht Euch nichts an, Madame. Ich bin es nicht gewöhnt, mich vor irgendjemandem zu rechtfertigen, schon gar nicht vor einer jungen Witwe, die sich mitten in der Nacht allein mit mir in der Bibliothek aufhält, im Nachthemd wohlgemerkt, und mich auch noch ganz ungeniert anfasst.«

Sie hätte nicht sagen können, warum sie sich neben ihn hinkniete und in sein dunkel umschattetes Gesicht hochblickte. Sie tat es einfach. »Mein Nachtgewand ist so züchtig wie das einer Nonne. Versucht nicht, mich in Verlegenheit zu bringen, obgleich Ihr darin ein wahrer Meister seid. Es tut mir einfach Leid, dass Ihr unglücklich seid. Ich mache mir nur Gedanken um Euch.«

»Ich brauche keine zweite Mutter.« Seine Augen wurden plötzlich schmal. Es ging nicht nur um das Nachthemd. Ihr Haar war offen und fiel ihr lockig über die Schultern.

Er griff in ihren Haarschopf und begann, eine Strähne um seine Hand zu wickeln. »Ich glaube, es war sehr unklug, mir in die Bibliothek zu folgen, Evangeline. Ihr seid kein unwissendes junges Ding. Ihr wart verheiratet. Und Ihr wisst daher, was Männer von Frauen wollen.«

»Ihr habt meinen Leuchter genommen.«

Er fuhr fort, ihr Haar um seine Hand zu wickeln, ganz langsam und bedächtig. »Ich will Euch diese kleine Lüge durchgehen lassen, zumindest für jetzt. Dann hat also das Vergnügen, meine Gesellschaft zu genießen, nichts damit zu tun?«

Evangeline hätte nie gedacht, dass ein Mann wie dieser existieren könnte. Sie war sich seiner Hand wohl bewusst, die mit ihrem Haar spielte und sie zu sich heranzog, während er sich vorbeugte. Mit den Fingerspitzen zeichnete er die Linie ihres Unterkiefers nach. Dann griff er noch einmal tief in ihren Haarschopf und zog sie noch näher an sich.

Evangeline verfiel in eine seltsame Starre, als ob sie eine Puppe wäre, die man neben diesem Mann gesetzt hatte, dessen eine Hand sich in ihrem Haar vergrub, während er mit der anderen sanft über ihr Gesicht strich. Sie hätte sich auch nicht gerührt, wenn das ganze Haus in Flammen aufgegangen wäre. Sie schloss einfach nur die Augen und wartete, was er als Nächstes tun würde.

»Habe ich Euch schon gesagt, dass Ihr außergewönlich schönes Haar habt?« Sie schlug die Augen auf und sah, dass er mit dem Ende einer Strähne zärtlich über sein Kinn strich. Ein Anflug von Ärger oder Schmerz – sie war sich nicht sicher – verdunkelte auf einmal seinen Blick.

»Euer Gnaden?« Sie schloss die Finger um seine große Hand. »Ich bin nicht Eure Mutter. Und ich möchte es auch gar nicht sein. Ich möchte nur, dass Ihr glücklich seid. Ist es wegen der Lady, die einen anderen geheiratet hat? Diesen Phillip Mercerault?«

Evangeline spürte, dass er sich innerlich zurückzog und wünschte, sie hätte den Mund gehalten. Sie wollte seine Nähe fühlen, wollte, dass er sie berührte. Sie konnte es nicht glauben, aber es war die Wahrheit. Dann spürte sie, wie sich ein Gefühl der Kälte ihrer bemächtigte. Sie war dabei, ihn zu hintergehen.

Sein Blick wanderte langsam zum Kamin und blieb an den glühenden Holzscheiten haften. Seine Hand war noch immer in ihrem Haar, doch er hielt sie jetzt nicht mehr so fest. »Sabrina?«, begann er. »Nein, die hat mir nicht das Herz gebrochen, Evangeline. Es sind ganz andere Dinge, die mich bedrücken und mich vor Hilflosigkeit wahnsinnig machen.« Er seufzte. »Ihr seid eine hoffnungslose Romantikerin, wie die meisten Frauen. Nein, ich habe sie nicht geliebt. Nein, sie hat mir nicht das Herz gebrochen, was immer das bedeuten mag. Manchmal glaube ich beinahe, dass ich solcher Gefühle gar nicht fähig bin. Aber ich habe sie begehrt. Ich wollte mit ihr ins Bett gehen, und das, Evangeline, ist genau das, was die meisten Männer von einer Frau wollen, nicht mehr und nicht weniger. Wir werden zur Ehe gezwungen, damit wir einen Erben haben, der unseren eigenen Lenden entsprungen ist und nicht denen eines anderen Mannes.«

»Das glaube ich nicht. Warum sollte eine Frau sich darauf einlassen? Es existiert doch so etwas wie Liebe, zumindest habe ich davon gehört. Und davon gelesen. Es wird so viel darüber geschrieben, so viel Glaubwürdiges. Und nur weil ich diese Liebe nie empfunden habe, bedeutet das noch nicht, dass es sie nicht gibt.«

Im gleichen Augenblick wurde ihr bewusst, was sie da

eben gesagt hatte. Sie verstummte, den Blick starr auf sein Gesicht geheftet.

»Ah, wir sind also wieder bei dem sehr geschätzten André gelandet, diesem überragenden Mann, der Euer Gemahl gewesen war. Ihr habt ihn also nicht geliebt. Warum habt Ihr ihn dann geheiratet? War es eine Vernunftehe? Zumindest wisst Ihr dann, dass ich die Wahrheit gesagt habe – ein Mann heiratet eine Frau, damit er mit ihr schlafen kann, wann und wo immer es ihm gefällt.«

»André war nicht so. Und es war auch keine Vernunftehe.«

»Aber aus dem, was Ihr gerade gesagt habt, kann ich nur schließen, dass Ihr ihn nicht geliebt habt.«

»Natürlich habe ich ihn geliebt. Ich habe das eher philosophisch gemeint.«

»Ich glaube«, fuhr er bedächtig fort, und seine dunklen Augen bekamen plötzlich etwas Eindringliches, das sie fesselte, sie ängstigte und gleichzeitig erregte, »dass Euch die Lügen noch flüssiger über die Lippen kommen als Eure französische Muttersprache. Ich fürchte, ich werde Euch zeigen müssen, wie die Dinge zwischen Mann und Frau tatsächlich stehen, falls Ihr das vergessen haben solltet.«

Er senkte den Kopf, und sie spürte seinen warmen Atem an ihrer Schläfe vorbeistreichen. Seine Finger glitten an ihrem Hals herab, und als seine Lippen sachte die ihren berührten, durchflutete sie ein Gefühl, das ihr bisher völlig unbekannt gewesen war: eine merkwürdige Hitze, die irgendwo in ihrem Bauch entstand, sich in ihrem ganzen Körper ausbreitete und sich so gut anfühlte, dass sie wünschte, sie würde nie wieder vergehen. Sein Mund war offen, seine Zunge stieß sanft gegen ihre Lippen, versuchte sich Einlass zu verschaffen. Sie öffnete die Lippen, spürte seine Zunge. Ohne es zu merken, drängte sie sich ihm entgegen, umfasste seine Schultern und zog ihn näher zu sich heran. Er gab ihren Mund frei und bedeckte ihre Lider, die Wangen und die Nasenspitze mit zärtlichen Küssen. Dann wich er ein wenig zurück, senkte den Blick auf ihre Brüste und beobachtete, wie seine Finger nach unten wanderten, wie sie ihre Brüste umfassten und begannen, sie unter dem Nachthemd und dem dicken wollenen Morgenmantel zu streicheln. Es war nicht genug und gleichzeitig mehr, als sie sich je hätte vorstellen können.

»Oh«, seufzte sie und drückte den Oberkörper gegen seine Hände.

»So viel Stoff«, raunte er. Sie bewegte sich nicht, wagte kaum zu atmen, als er ihren Morgenrock öffnete und anschließend die Bänder ihres Nachthemds aufzog. Natürlich wusste sie, dass das nicht recht war. Sie kannte diesen Mann doch gar nicht. Er würde ihre Brüste sehen. Sie sollte ihm unverzüglich Einhalt gebieten, brachte es aber nicht fertig, weil sie seine Hände auf ihrer nackten Haut spüren wollte.

Ein Schauer durchlief sie, als seine Hände unter ihr Nachthemd glitten und sich um ihre Brüste legten. Unwillkürlich hielt sie den Atem an, wölbte sich ihm entgegen. Das Gefühl, das sie durchströmte, war von einer Intensität, die sie sich nicht hatte vorstellen können. Es war überwältigend und gleichzeitig nicht annähernd genug.

»Ja«, ermunterte er sie, »gib mir mehr von dir. Ich wusste, dass du schön bist. Deine Haut ist so weiß, und deine Brüste füllen meine Hände ganz aus. Du magst es, wenn ich dich berühre, nicht wahr? Du magst es, wenn meine Hände dich liebkosen.«

Er beugte sich herab und küsste sie abermals, während seine Hände mit ihr spielten, sie streichelten.

Sie wusste, dass sie ihn in diesem Augenblick verriet,

und die bittere Gewissheit veranlasste sie, langsam zurückzuweichen. Seine Hände verharrten bewegungslos auf ihren Brüsten. Sie fühlte sich schwer und verspürte plötzlich einen seltsamen Hunger, während sie seinen Mund, seine dunklen Augen betrachtete. »Verzeiht, Euer Gnaden. Ich sollte nicht hier sein. Es tut mir Leid.«

»Nein, ich bin derjenige, der um Verzeihung bitten muss«, murmelte er mit einem leisen Seufzer, ohne jedoch ihre Brüste freizugeben. »Du bist so schön. Ich hätte nie gedacht, dass das so schwierig sein würde.« Wieder sah er auf seine Hände herab, die ihre Brüste hielten, sie spürten, sie streichelten. »Ich muss von dir ablassen, ich muss.« Ganz langsam, die Stirn beinahe schmerzhaft in Falten gelegt, nahm er die Hände von ihr, legte sie in den Schoß und faltete sie. Dann lehnte er sich in seinem Sessel zurück und schloss die Augen. »Ich werde dich nicht kompromittieren. Du stehst unter meinem Schutz. Du bist sicher hier. Insbesondere vor mir. Du musst es sein. Bitte, binde dein Nachthemd und den Morgenmantel wieder zu, Evangeline. Bitte. Ich darf dich nicht noch einmal anfassen. Es war schon schwierig genug, dieses eine Mal von dir abzulassen.«

Sie starrte ihn an, stumm, bewegungslos. Er sah sie nicht an, aber sie spürte ihn, spürte ihn mit jeder Faser ihres Körpers.

Nach einer Weile öffnete er wieder die Augen und sah auf sie herab. »Ihr seid eine sehr empfindsame Frau, Evangeline. Der selige André war ein Glückspilz, Euch zur Gemahlin zu haben.«

»Nein«, gab sie ohne nachzudenken zurück. »Wirklich, das war das erste Mal … Oh … nein. Es tut mir Leid.«

Sie machte noch immer keine Anstalten, ihre Blöße zu bedecken. Der Herzog starrte auf ihr gesenktes Haupt hinab. Sie war leidenschaftlich. Was wäre geschehen, wenn sie ihm nicht Einhalt geboten hätte? Dann hätte selbstverständlich er von ihr abgelassen. Er war ja kein Tier. Ihre Worte hatten einen merkwürdigen Nachklang. Er schüttelte den Kopf. War er betrunken? Alles war irgendwie merkwürdig, wenn er getrunken hatte, was in letzter Zeit viel zu oft vorkam. Er musste damit aufhören. Es wurde allmählich Zeit, sein Leben wieder in den Griff zu bekommen, so zu leben, wie er es vor Sabrina, vor Robbys grausamer Ermordung getan hatte.

Er würde beweisen, dass er sich wieder völlig unter Kontrolle hatte. »Bindet Euer Nachthemd zu.«

Sie rührte sich noch immer nicht. Es schien, als sei sie unfähig, sich zu bewegen. Seufzend zog er die Bänder ihres Nachthemds über den Brüsten zu und schlug den Morgenmantel vorne zusammen. Dann setzte er sich in seinem Stuhl zurück und stützte das Kinn auf die gefalteten Hände. Seine Finger vibrierten noch von der Berührung ihrer Haut.

»War Euer Gemahl ein selbstsüchtiger Mann, dem an Eurem Vergnügen nichts lag?«

Wie kam er denn darauf? Sie schüttelte den Kopf, versuchte, ihre Gedanken zu ordnen. »Ich verstehe Eure Frage nicht.«

Plötzlich sprang der Herzog aus seinem Sessel auf und zog sie mit. »Meine Frage bezog sich auf Euer Bedürfnis, Euch von mir berühren und liebkosen zu lassen. Ihr habt Euch meinen Zärtlichkeiten willig gefügt und sie erwidert, und es hat Euch sichtlich Spaß gemacht. Habt Ihr die Berührungen Eures Gemahls nicht genossen? Seine Zärtlichkeiten?«

Sie sah ihn nur wortlos an. Was hätte sie auch erwidern sollen?

Er musterte sie mit einem Blick, als ob er nahe daran

sei, sie zu erwürgen. Dann wandte er sich von ihr ab und erklärte mit harter, kalter Stimme: »So etwas wird nicht noch einmal geschehen, so lange Ihr unter meinem Dach lebt. Ich möchte nicht, dass Ihr Angst vor mir habt oder mich verachtet.«

Evangeline spürte, wie ihr Schuldgefühl sie innerlich schier in Stücke riss. Wie könnte sie ihn jemals verachten? Sie hielt den Kopf gesenkt und nickte nur.

In seinen Lenden schwelte noch immer heißes Begehren. »Ihr müsst jetzt zu Bett gehen, Evangeline. Es ist schon sehr spät.«

Sie blickte ihn eine ganze Weile schweigend an und erwiderte dann mit einer seltsamen Traurigkeit in der Stimme: »Ich könnte mich niemals vor Euch fürchten oder Euch verachten. Aber Ihr habt Recht, das darf nicht wieder vorkommen. Gute Nacht, Euer Gnaden.« Ihre Hand zitterte, als sie den Kerzenleuchter nahm. Mit raschen Schritten verließ sie die Bibliothek und schloss leise die Tür hinter sich.

Als der Herzog kurze Zeit später in seinem Bett lag, beschloss er, dass diese junge Frau, die von ihm abhängig war, die sich um das Wohl seines kleinen Sohnes kümmern wollte, absolut sicher vor ihm sein musste. Der Gedanke an ihre Brüste ließ ihn unwillkürlich erschaudern. Ende der Woche würde er wie geplant nach London aufbrechen. Sie reizte ihn mehr als jede andere Frau zuvor. Obwohl er schon hübscheren Frauen begegnet war. Was nur war es, das ihn so anzog? Irgendetwas ... Nun, er brauchte einen räumlichen und zeitlichen Abstand von ihr, damit sie ihm wieder aus dem Kopf ging. Ja, das war es, was er wollte.

15

Durch die hohen, geschliffenen Fensterscheiben der Gemäldegalerie schien die Sonne herein und tauchte Evangeline, die vor einem der alten Porträts stand, in ihr helles Licht. Es war erst kurz nach acht Uhr, doch dieser herrliche Morgen kündigte einen weiteren ungewöhnlich warmen Tag mitten im Februar an, ein Phänomen, das mit diesem Tag sicherlich ein Ende gefunden haben würde. Ihr Blick wanderte empor zu einem Herzog von Portsmouth aus dem 17. Jahrhundert, der mit einem besonders strengen Gesichtsausdruck in die Welt hinaussah. Nachdenklich betrachtete sie das lange, aristokratische Gesicht des längst verstorbenen Adeligen und sagte zu ihm: »Euer Gnaden, mein Vater erklärte mir, dass all die jungen Gentlemen, die ich bislang kennen gelernt habe, nur eben das wären – jung. Außerdem seien sie schrecklich unerfahren. Daraufhin sagte ich, dass sie auch sehr Besitz ergreifend seien, wie dieser Henri. Du liebe Güte, der ließ mich nicht einen Moment aus den Augen. Er wollte mich immer an seiner Seite wissen, ständig, als ob er Angst hätte, ich würde mich mit einem seiner Freunde aus dem Staub machen. Mein Vater lachte nur, als ich ihm das schilderte und schüttelte den Kopf. Ich erinnere mich, dass er mich beruhigte und meinte, ich solle nur Geduld haben, denn Jünglinge würden zu Männern heranwachsen, genau wie Mädchen zu Frauen.« Sie machte eine Pause und sah auf ihre Schuhe hinab; ihre eigenen Schuhe, nicht die von Marissa. Marissas Schuhe waren ihr viel zu klein. Aber das Kleid, das diese leichten Lederschuhe umspielte, stammte aus Marissas Garderobe, ein wunderschönes tannengrünes Musselinkleid, das mit goldenen Kordeln unter der Brust gebunden und mit der passenden Spitze am Halsausschnitt eingesäumt war. Ihr Blick wanderte wieder zu dem Porträt empor. Der ehrwürdige Herzog betrachtete sie immer noch mit diesem strengen Gesichtsausdruck und schien nicht im Mindesten an dem interessiert zu sein, was sie ihm erzählte. Nach der vergangenen Nacht in der Bibliothek des Herzogs, nachdem er ihre Brüste mit seinen Händen berührt hatte, nun, da gab es einiges, worüber sie nachdenken musste. Mit ruhigerer Stimme, die ihren Gedanken entsprechend einen finsteren Klang angenommen hatte, fuhr sie fort: »Aber Papa hat sich geirrt. Ich habe auch ältere Herren kennen gelernt, Gentlemen, die er als kultiviert bezeichnen würde, aber von denen kam nichts, sie strahlten überhaupt nichts aus, abgesehen von gähnender Langeweile.« Sie holte tief Luft. »Ich muss ja verrückt sein, dass ich hier stehe und mich mit Euch unterhalte. Ja, wahrscheinlich bin ich verrückt, aber zumindest habe ich die Gewissheit, dass Ihr mein Vertrauen nicht missbraucht. Ach, du meine Güte. Was ich mir gestern abend geleistet habe, was ich dem Herzog gestattet habe, das war wirklich etwas ganz Unsägliches. Etwas Unvorstellbares. Ich hätte ihm nicht in die Bibliothek folgen dürfen. Wahrscheinlich bin ich nur mit ihm gegangen, weil ich neugierig war, was er mit mir tun, was er mir sagen würde – ja, ich darf mir da nichts vormachen. Ihr antwortet mir noch immer nicht. Dabei erwarte ich eine Antwort von Euch. Herrje, offenbar bin ich wirklich verrückt.«

Der Herzog zog sich hinter das Lieblingsstück der Kunstsammlung seiner Mutter zurück, der Marmorbüste irgendeines antiken griechischen Dramatikers. Um seine Lippen spielte ein Lächeln, als er sich fragte, wie viel dieser einseitigen Unterhaltung er wohl nicht mitbekommen haben mochte. Doch das, was er gehört hatte, ließ ihn wie versteinert stehen bleiben. *Unvorstellbar,* hatte sie gesagt. Heißes Begehren wallte in ihm hoch. Am liebsten hätte er sie gleich hier und jetzt auf dem Teppich vor dem Kamin genommen. Und es wäre ihm völlig gleichgültig gewesen, ob sie auf ihm lag oder unter ihm. Er wollte sie so lange küssen, bis sie wimmernd nach mehr verlangte, dann in ihren wunderschönen Körper eindringen und …

»Euer Gnaden … Wie mir scheint, steht Ihr hier ohne einen ersichtlichen Grund herum. Ein Gentleman Eures Standes sollte stets aus einer gewissen Veranlassung heraus handeln. Gibt es irgendein Problem?«

Er drehte sich um und sah sich Bassick gegenüber, der nur einen Schritt hinter ihm stand und ihn, warum wussten die Götter, an seinen alten Professor in Oxford erinnerte. Er stand ebenfalls ohne ersichtlichen Grund hier herum, mit einem Gesichtsausdruck, der dem des ehrwürdigen Herzogs, den Evangeline gerade in ihr Vertrauen gezogen hatte, an überlegener Entrücktheit in nichts nachstand. Evangeline, was für ein lieblicher Name, der einem wie warmer Honig über die Zunge floss. Er liebte es, ihn auszusprechen, liebte seinen wohltönenden Klang. Wie lange stand Bassick schon hier?

»Ihr bewegt Euch lautloser als ein Schatten, Bassick.«

»Ja, man tut, was man kann, Euer Gnaden.«

»Ist das Schweiß, was dort auf Eurer Stirn schimmert?«

»Es ist noch zu früh, Euer Gnaden, um von Schweißausbrüchen heimgesucht zu werden, aber bald werde ich vielleicht von meinem Taschentuch Gebrauch machen müssen, um mir die Stirn abzutupfen. Ich glaube behaupten zu können, dass diese Wetterlage sehr ungewöhnlich ist für einen Februartag in England. Diese Hitze würde man eher im August erwarten. Kann ich Euch irgendwie zu Diensten sein, Euer Gnaden?«

»Nein, ich brauche nichts. Ich habe Madame nur reden hören und mich gefragt, wer wohl ihr Gegenüber sein mag. Wie sich herausstellte, ist es einer meiner ehrwürdigen Vorfahren. Aber ich hege so meine Zweifel, dass er im Augenblick recht gesprächig ist. Geht nur, Bassick. Ich werde Madame zum Frühstück mitbringen.«

»Sehr wohl, Euer Gnaden«, erwiderte Bassick ehrerbietig, drehte sich auf dem Absatz um und ging gemessenen Schritts den Korridor entlang.

»Evangeline, seid Ihr hier irgendwo?«, rief der Herzog und lächelte dabei verschmitzt. »Ich hörte Euch mit jemandem sprechen.«

Zwei, drei Herzschläge lang blieb es mucksmäuschenstill, dann antwortete sie mit tiefer und ein wenig schuldbewusst klingender Stimme: »Ja, ich bin hier. Ich bewunderte gerade die Goldrahmen an den alten Porträts. Da ist wirklich eine Menge Gold dran.«

Sie kam langsam auf ihn zu, in einem von Marissas Kleidern, an das er sich noch erinnerte. Er wunderte sich, wo Dorrie all das zusätzliche Stoffmaterial ausgegraben hatte, um Evangelines hinreißende Brüste angemessen zu bedecken. Sie sah blendend aus. Ganz deutlich standen ihm noch ihre wunderschönen Brüste vor Augen, die am Abend zuvor in ihrer nackten Herrlichkeit im Schein des Kaminfeuers golden geschimmert hatten. Er sog scharf die Luft ein. Nein, so ging das nicht.

»Falls ich einmal mein gesamtes Vermögen verlieren sollte, werde ich einige dieser Goldrahmen verhökern. Damit kann ich mich sicher eine Weile über Wasser halten.« Und den Blick senkend, was er sich nicht verkneifen konnte, fügte er hinzu: »Ja, sie sind großartig.«

»Wer ist großartig?«, wollte sie wissen, obwohl ihr durchaus bewusst war, was er damit meinte. Sie starrte ihn wie gebannt an, bis sie merkte, was sie tat, und drehte dann rasch den Kopf zur Seite.

»Die Goldrahmen selbstverständlich. Nun, wollt Ihr mich ins Frühstückszimmer begleiten?«

»Ja, gern, ich bin ziemlich hungrig. Sollen wir Edmund holen, damit er mit uns frühstückt?«

Eine seiner dichten Brauen krümmte sich zu einer steilen Kurve. »Meinen Kaffee und mein Porridge nehme ich lieber in Ruhe ein. Nein, wir lassen Edmund so lange bei Ellen. Nach dem Frühstück gehört er dann für den restlichen Vormittag mir. Ihr habt nichts weiter zu tun, als Euren fraglos faszinierenden Monolog mit meinen ehrwürdigen Vorfahren fortzuführen. Um Edmund kümmere ich mich.«

Hatte er tatsächlich ihr Gespräch mit diesem reservierten Ahnen mitangehört? Der Gedanke daran ließ sie beinahe über ihre eigenen Füße stolpern. »Habt Ihr keine Kopfschmerzen heute morgen?«

»O nein. Ich bin einer dieser Glückspilze, die sich nach einer durchzechten Nacht nur ein wenig benommen fühlen. Ach, weil wir gerade davon sprechen, wie fühlt Ihr Euch heute morgen, Evangeline?«

Stumm ging sie neben ihm her, den Blick stur geradeaus gerichtet. In etwas dunklerem Tonfall fügte er hinzu: »Ich könnte Euch sagen, wie Ihr Euch gestern abend gefühlt habt, doch ich vermute, Ihr würdet mit meiner Wortwahl und der Beschreibung der Situation nicht einverstanden sein. Ah, da hebt sich Euer Kinn gut um zwei Fingerbreit. Nein, ich werde Euch nicht damit hänseln, obgleich es verlockend wäre, sehr verlockend. Ich werde mich wie ein Gentleman benehmen.« Er seufzte vernehmlich.

Evangeline versuchte sich verzweifelt zu erinnern, ob sie dem Porträt irgendetwas von ihren geheimen Absichten erzählt hatte. Nein, mit Sicherheit nicht, aber sie war kurz davor gewesen. Ihr Schuldgefühl war so groß, dass es sie beinahe überwältigt hätte. Mit aller Macht unterdrückte sie ihr schlechtes Gewissen. Sie würde bei lebendigem Leib in ihrer Schuld sieden müssen, denn sie hatte einfach keine andere Wahl. Doch, hatte sie. Sie konnte aufhören, sich in romantischen Gefühlen nach ihm zu verzehren.

Er führte sie in ein kleines Frühstückszimmer, das zum östlichen Schlossgarten hinausging. Strahlendes Sonnenlicht durchflutete diesen kleinen, luftigen Raum.

»Wie ich sehe, hat Mrs. Dent meine Anweisungen befolgt«, bemerkte er und rückte ihr den Stuhl zurecht. Der livrierte Diener zog sich diskret zurück und postierte sich neben der Tür.

»Nein, ich glaub's nicht!«, rief sie entzückt aus, als sie den Teller mit frischen Croissants entdeckte.

»Guten Morgen, Euer Gnaden. Madame«, grüßte Mrs. Raleigh gut gelaunt, als sie in den kleinen Raum gerauscht kam. An diesem Morgen trug sie ein zartrosa Kleid mit venezianischer Spitze an den Ärmeln und am Ausschnitt, das mit dunkleren Satinbändern unter dem Mieder geschnürt war. Sie sah darin sehr zart und hübsch aus und auch ein bisschen komisch mit dem schweren Schlüsselbund, den sie an einem schmalen Ledergürtel um ihre Taille befestigt hatte, zumal sie kaum eine besaß. »Ich sehe, Ihr habt die Croissants bemerkt. Seine Gnaden hat sie extra für Euch bestellt, nachdem Ihr ja zur Hälfte Französin seid. Mrs. Dent hofft, dass sie Euch munden.«

»Ah, sie sind köstlich, Mrs. Raleigh. Vielen Dank, Euer Gnaden. Das war sehr aufmerksam von Euch.« Sie hatte sich schon ein Hörnchen in den Mund geschoben, ehe sie noch Platz genommen hatte. Der Herzog lächelte sie über den Frühstückstisch hinweg an. »Ihr braucht Euch nicht zu bedanken, greift nur tüchtig zu.« Er selbst füllte sich den Teller mit Toast, Eiern und gebratenen Nieren.

Mrs. Raleigh schien keine Lust zu verspüren, sich gleich wieder zu verabschieden. Deshalb sagte sie zu Evangeline: »Seine Gnaden hat mir erzählt, dass Ihr Euch nichts aus dem herzhaften englischen Frühstück macht. Und da er nicht wollte, dass Ihr hier verhungert, meinte er, dass Croissants genau das Richtige für Euch wären.«

Evangeline warf dem Herzog einen Blick zu, doch der sah sie gerade nicht an. »Ja«, murmelte er und schob sich eine Gabel mit Rührei in den Mund, »ich möchte doch nicht Eure …, äh, obere Hälfte verlieren.«

Mrs. Raleigh zählte gerade ihre Schlüssel, wie Evangeline feststellte, und hatte offenbar nicht zugehört. Instinktiv versuchte sie, sich ganz klein zu machen.

»Ah, meine Liebe!«, rief Mrs. Raleigh entzückt und tätschelte ihr leicht die Schulter. »Dorrie hat die Änderung ja großartig hingekriegt. Wie sie sagte, hat sie etwas Stoff aus dem Rock genommen, um ihn an anderen Stellen einzusetzen. Aber jetzt werde ich Euch Eurem Frühstück überlassen. Es gibt ja immer so viel zu tun. Ich kann es mir nicht leisten, meine Zeit mit Plaudereien zu vertrödeln, obgleich mir das viel Spaß machen würde.«

»Sie ist eine tolle Frau«, bemerkte Evangeline.

»Ja. Sie und meine Mutter sind schon seit Jahren dicke Freundinnen. Und sie hat mir, als ich zwölf war, alles über die Mädchen erzählt. Sie weiß sehr viel. Greift zu und esst, ein Hörnchen ist viel zu wenig.«

Sie lachte. »Ihr seid wirklich schamlos. Zwölf seid Ihr erst gewesen?«

»Vielleicht elfeinhalb. Ganz genau kann ich mich nicht

mehr erinnern. Aber Mrs. Raleigh hat mir genau erklärt, worauf es ankommt, zumindest in großen Zügen. Berühre nie eine Frau oberhalb des Handgelenks, lass es niemals zu, dass sie dir etwas ins Ohr flüstert, solche dreisten Dinge eben.«

»Du meine Güte, warum denn nicht? Was ist denn Dreistes dabei, wenn man jemandem etwas ins Ohr flüstert?«

»Ein weibliches Wesen, auch ein ganz junges, so nahe an sich heranzulassen, kann beim männlichen Gegenpart offenbar unkontrollierbares Verlangen auslösen. Den Atem eines jungen Mädchens im Ohr zu spüren, könnte ihn um den Verstand bringen.« Er stand auf und warf seine Serviette neben den Teller. »Ihr müsst mich jetzt entschuldigen. Ich habe Edmund versprochen, mit ihm auszureiten. Wir sehen uns später. Lasst Euch nur Zeit mit dem Frühstück. Wir treffen uns dann wieder zum Lunch.«

Er hatte seinen Teller kaum angerührt. Evangeline bestrich langsam ein zweites Hörnchen mit Marmelade und schloss die Augen, ehe sie hineinbiss. Wie viel hatte er von ihrem Gespräch mit seinem Ahnherrn mitbekommen?

Sie spürte John Edgertons kalte, trockene Finger an ihrem Handgelenk, erschauderte und sah, dass sie das Hörnchen, ohne es zu merken, zu einem Teigball zusammengedrückt hatte. Sie legte es zurück auf ihren Teller und wischte sich die Hände an der Serviette ab. Heute abend sollte sie ihn in der Bucht treffen, um weitere Instruktionen zu erhalten. Bei dem Gedanken daran verwandelte sich das abgebissene Stück Hörnchen in ihrem Mund zu einem dicken Klumpen, den sie nur mit Mühe hinunterschlucken konnte. Für einige Momente hatte sie dieses Treffen tatsächlich vergessen, doch die Erinnerung zwang sie schier in die Knie. Was sollte sie tun?

Sie blieb so lange am Frühstückstisch sitzen, bis sie hörte, dass der Herzog und Edmund das Haus verließen. Dann begab sie sich rasch nach oben in ihr Schlafgemach. Obwohl Houchard ihr den privaten Strand und die versteckte Höhle genau beschrieben hatte, hatte sie die Höhle noch nicht entdeckt, was bedeutete, dass sie wohl sehr versteckt lag. Aber sie musste sie heute noch ausfindig machen. Sie hatte keine andere Wahl. Zu viel stand auf dem Spiel; keinesfalls durfte sie zu spät zu dieser Verabredung kommen. Aber wie konnte sie es einrichten, sich am Abend der Gesellschaft des Herzogs zu entziehen?

Ihr war noch nichts eingefallen, wie sie das bewerkstelligen sollte, sie beschloss aber, sich darüber später den Kopf zu zerbrechen.

Rasch kleidete sie sich um, zog eines ihrer alten Kleider an und ein Paar feste Laufschuhe. Der Morgen war tatsächlich sehr warm. Merkwürdig, diese Sommertage mitten im Winter. Gegen Mittag würde es richtig heiß werden. Sie holte tief Luft und atmete gierig die würzige Seeluft ein. Eine leichte Brise zerzauste ihr Haar. Als sie die Bucht erreicht hatte und vorsichtig den langen Zickzack-Pfad hinabstieg, spürte sie, wie sich erste Schweißperlen auf ihrer Stirn und im Nacken bildeten.

Unten am Strand angelangt, schirmte sie die Augen mit einer Hand vor der Sonne ab und spähte den Strand entlang Richtung Süden. Die Klippe reichte dort beinahe bis ans Wasser heran; das kalte, zerklüftete Gestein lag noch im Schatten der Morgensonne. Mit schnellen Schritten ging sie über den grobkörnigen Sand auf die Klippe zu. Die Höhle, die von dichtem Buschwerk überwachsen war, entdeckte sie erst, als sie beinahe direkt davor stand. Der Eingang zur Höhle lag unmittelbar am Wasser; nicht mehr als eine Fußbreite Sand trennte ihn von den auslaufenden Wellen. Niemand, der nicht eigens nach dieser Höhle suchte, hätte sie je entdeckt.

Der Eingang war so niedrig, dass sie in gebückter Haltung hindurchkriechen musste. Dann führte der Weg aufwärts. Nach weiteren sechs Schritten fing sie an zu zittern. Die Luft im Inneren war feucht und kalt. Es dauerte eine Weile, bis ihre Augen sich an das schummrige Licht gewöhnt hatten. Bald sah sie, dass die Höhle eigentlich ein langer, schlauchartiger Gang war, der etwa zwanzig Schritte weit in den Fels hineinführte. Das patschende Geräusch, das ihre Schuhe beim Gehen verursachten, ließ sie unschlüssig stehen bleiben. Sie streckte die Hand aus und fuhr mit den Fingern an den Steinwänden entlang. Sie waren mit schleimigem Moos bedeckt, und das weit über Kopfhöhe hinaus. Bei Flut stand die Höhle offensichtlich unter Wasser. Hier eingeschlossen zu sein, bedeutete den sicheren Tod.

Vorsichtig, einen Fuß vor den anderen setzend, ging sie zum Eingang zurück. Dort blieb sie einen Moment stehen, hob das Gesicht der Sonne entgegen und atmete die salzgeschwängerte Seeluft ein.

Dann trat sie aus der Höhle hinaus, ließ den Blick über das Meer schweifen und blieb wie vom Donner gerührt stehen. Mit einem leisen Zischen entwich ihr Atem, den sie vor Schreck angehalten hatte. Dort vorne stand der Herzog bis zu den Hüften im Wasser, mit Edmund auf den Schultern, keine fünfzehn Meter von ihr entfernt. Unverzüglich schlüpfte sie in die Höhle zurück. O Gott, was machte er hier? Er wollte doch mit Edmund ausreiten. Und jetzt sah sie ihn hier mit ihm im Wasser planschen. Nun, die Sonne mochte ja recht einladend sein, aber sie konnte sich vorstellen, dass das Meer eisig kalt war. Richtig, gestern hatte er vom Schwimmen gesprochen. Aber hier? Und jetzt?

Und was nun? Sie überlegte, ob es richtig wäre, so lange in der Höhle zu bleiben, bis der Herzog und Edmund den Strand wieder verlassen hatten, doch dann sah sie, dass das Wasser stieg, und zwar ziemlich schnell. Sie wollte nicht unbedingt nass werden. Und schon gar nicht ertrinken.

Nach Süden konnte sie nicht gehen, da stand die Klippe, die direkt aus dem Wasser aufragte. Gut, dann eben nach Norden. Dorthin zurück, von wo sie gekommen war. Mit hoch erhobenem Kopf spazierte sie aus der Höhle und pfiff leise vor sich hin. Solange sie pfiff, war alles in Ordnung. Sie wollte nicht zu ihm hinsehen, wirklich nicht, aber die Versuchung war einfach zu groß. Noch nie hatte sie einen nackten Mann gesehen. Und dazu noch aus nächster Nähe. Sie konnte ihn ganz deutlich erkennen, deutlicher, als ihr lieb war. Sie beobachtete ihn, wie er Edmund in die Höhe stemmte und in weitem Bogen ins Wasser warf. Eigentlich hatte sie sich nie besondere Gedanken über Männer gemacht, bis gestern abend, in der Bibliothek, als er sie berührt und geküsst hatte. Und jetzt stand er hier vor ihr, nackt wie Adam im Paradies und völlig ahnungslos, während sie ihn anstarrte und dabei beinahe ihre Zunge verschluckte. Nie hätte sie sich träumen lassen, dass ein Mann so wunderschön sein könnte. Sicherlich, ihr Vater sah sehr gut aus, aber er war schmal gebaut und nicht so muskulös wie der Herzog, der groß, kräftig und überall behaart war, angefangen von seinem dichten, schwarzen Haupthaar, den jetzt feucht schimmernden schwarzen Haaren auf seiner Brust bis hinunter zu dem nassen Haarpelz, der seine Lenden bedeckte. Heiliger Himmel! Sie konnte von den Knien aufwärts jeden Zentimeter seines Körpers bewundern. Dabei war ihr klar, dass sie den Blick abwenden sollte, dass sie überhaupt nicht hier stehen und sich an seinem

Anblick ergötzen sollte; noch dazu von dem ganz und gar verwerflichen Bedürfnis erfüllt, auf ihn zuzustürmen, ihn rückwärts in den Sand zu stoßen und sich auf ihn zu werfen.

Natürlich wusste sie, dass ein Mann einen Penis besaß, der deutlich von seinen Lenden abhob. Wie genau dieser aussah, das war ihr nicht bekannt, aber der Anblick war in keinster Weise Furcht erregend oder peinlich. Sein Geschlecht ruhte zwischen seinen Beinen, es ragte nicht in die Höhe und wirkte auch sonst nicht bedrohlich. Nein, die nackte Gestalt des Herzogs jagte ihr keine Angst ein. Er sah insgesamt nur irgendwie anders aus. Sie hörte Edmund vor Begeisterung kreischen und konnte im Augenblick nur ein Gewirr aus wild rudernden Armen und Beinen ausmachen. Als der Herzog wieder aufrecht im Wasser stand, hatte sich Edmund wie ein Äffchen an seinen Rücken geklammert und die Arme um seinen Hals geschlungen. »So, Edmund, ich glaube, das reicht jetzt«, hörte sie ihn sagen. »Wenn wir noch länger im Wasser bleiben, gefrieren wir zu Eisblöcken.«

Sie sollte machen, dass sie wegkam. Bisher hatte er sie noch nicht bemerkt. Ja, jetzt auf der Stelle sollte sie verschwinden. Rasch lief sie zu einem überhängenden Busch und kauerte sich darunter. Doch sie war einfach nicht imstande, sich von seinem Anblick loszureißen. Wie gebannt beobachtete sie aus ihrem Versteck heraus, wie er sich mit dem lachenden und johlenden Edmund im Wasser vergnügte. Als Edmund etwas zu ihm sagte und mit dem Finger auf eine Möwe zeigte, brachen die beiden in schallendes Gelächter aus. Und sie zitterten um die Wette. Kein Wunder, das Wasser musste eiskalt sein. Allein der Gedanke daran ließ Evangeline frösteln.

Fasziniert beobachtete sie, wie sich die Muskeln seines Körpers spannten und entspannten, als er mit großen

Schritten durch die Wellen Richtung Strand schritt, Edmund noch immer auf den Schultern. Wirklich höchste Zeit, endlich zu verschwinden.

Tausend Gefühle strömten auf sie ein, nur Scham war nicht darunter.

16

»Papa, Papa!«, rief Edmund ganz aus dem Häuschen. »Schau nur, da ist Eve!« Er wedelte wild mit den Armen in der Luft herum, um sich bemerkbar zu machen. »Sie wollte uns bestimmt beim Schwimmen zuschauen. Ich freue mich, dass sie gekommen ist. Sie hat wahrscheinlich nicht geglaubt, dass ich ein so guter Schwimmer bin.«

Die Würfel waren gefallen. Sie saß in der Falle. Sie wusste, dass er sie jetzt sah, aber er blieb nicht stehen, zögerte nicht, sondern kam geradewegs auf sie zu, bahnte sich seinen Weg durch die Wellen, die ihn mit ihrer Wucht beinahe umwarfen.

Was für eine Wahl hatte sie? Kopflos rannte sie an der Höhle vorbei Richtung Süden, kam allerdings nicht weit. Sie hatte die Klippe vergessen, die hier aus dem Wasser hochragte und ihr jeglichen Fluchtweg in diese Richtung abschnitt. Sie machte kehrt und ging langsam zurück. Da hörte sie auch schon den Herzog rufen: »Jetzt sehe ich sie auch, Edmund! Ja, dort ist sie, gleich dort vorn am Strand. Sieh nur, jetzt kehrt sie um, weil sie wahrscheinlich gemerkt hat, dass sie nach dieser Seite hin nicht heimlich verschwinden kann. Komm, wir warten auf sie, Edmund. Ich bin sicher, sie wird uns gleich erzählen, wie sehr ihr unsere Schwimmdarbietung gefallen hat. Ja, wir haben ihr eine tolle Vorführung geboten, wenn auch eine kurze. Aber das Wasser ist einfach noch verflucht kalt.«

Evangeline blieb wie angewurzelt stehen. Wusste er etwa, dass sie hier war, dass sie ihn ungeniert beobachtet hatte? Er stand jetzt nur noch bis zu den Knöcheln im Wasser, die Wellen umspülten seine Füße, und plötzlich ging an ihm eine Verwandlung vor. Bisher war sein Anblick weder beängstigend noch befremdlich gewesen, was sich jetzt jedoch schlagartig änderte. Er bewegte sich nicht, stand einfach nur im Wasser und schaute zu ihr herüber – während gleichzeitig sein Geschlecht zum Leben erwachte, wuchs und sich immer mehr in die Höhe reckte. Wenn sie an Stelle des Herzogs gewesen wäre und eine solche Veränderung an sich bemerkt hätte, wäre sie weggerannt, aber er tat nichts dergleichen. Er stand einfach da, Edmund auf den Schultern, lächelte sie an und veränderte sich vor ihren Augen. »O Gott«, stöhnte sie leise.

Dann lachte er, setzte Edmund am Strand ab und sagte zu ihm: »Hol unsere Handtücher, Edmund, und wickle dich gut ein. Ich möchte nicht, dass du dir einen Schnupfen holst. Vielleicht will deine Cousine Eve sich zu uns gesellen.«

Sie rührte sich nicht von der Stelle, bis der Herzog endlich das Handtuch nahm, das sein Sohn ihm gebracht hatte, und sich abzutrocknen begann. »Eve!«, rief Edmund und rannte, während er sich in sein Handtuch wickelte, auf sie zu. »Hast du uns gesehen? Papa hat mich ins Wasser geworfen, und ich bin geschwommen wie ein Seebarsch. Papa hat gesagt, ich muss aufpassen, damit ein Fischer nicht versucht, mich zu fangen, weil ich so schnell schwimme wie ein Fisch. Sonst wirft er mich nämlich in die Bratpfanne und isst mich auf. Komm und sag Papa guten Tag.«

Und was tat eine verdutzte und gleichzeitig faszinierte Frau in einer solchen Situation? Sie trabte brav an Edmunds Seite mit zu dessen Vater. Der hatte sich inzwischen das Handtuch um die Hüften geknotet und ein anderes um die Schultern gelegt. Evangeline musterte den Knoten eindringlich. Er schien sehr fest zu sein, doch sie wusste, dass sie ihn in einer Sekunde aufgeknöpft haben würde, höchstens in zwei.

»Papa hat mir erzählt, dass Ladies nicht schwimmen können«, krähte Edmund. Dann ließ er sich auf die Knie fallen, schob mit den Händen Sand zu einem Berg zusammen und klopfte darauf herum, bis er eine kegelige Form hatte. Ein Schlossturm? Sofort machte er sich daran, einen Graben auszuschaufeln.

»Dein Papa hat sich geirrt. Komm, Edmund, zieh dich erst richtig an, damit du dich nicht erkältest. Was willst du denn bauen?«

»Papa irrt sich nie, Eve. Ich baue Chesleigh Castle.«

»Wenn Ihr wollt«, erbot sich der Herzog, »kann ich Euch das Schwimmen beibringen.«

»Ich benötige aber keinen Schwimmunterricht. Ich schwimme wie ein Fisch, genau wie Edmund. Nur würde ich mich nicht mit einem Seebarsch vergleichen, sondern mit einer Wassernixe.«

»Zieh dich an, Edmund!«, rief ihm der Herzog über die Schulter zu. »Was hat Euch denn hierher geführt, Evangeline?«

»Nun ja, es ist Februar und ein herrlich warmer Tag. Ich habe einen Spaziergang gemacht, weiter nichts. Ich bin an den Strand gegangen, und da standet Ihr plötzlich im Wasser, splitterfasernackt. Wenigstens habt Ihr jetzt ein Handtuch um die Hüften und eins um die Schultern, aber das ist wirklich nicht das gleiche wie Hemd und Hose und was Männer gewöhnlich so zu tragen pflegen.«

»Verstehe. Habt Ihr die Landschaft hier genossen?«

»Aber gewiss. Ich bin auf dem Land groß geworden, und dort gibt es stets herrliche Szenerien zu beobachten. Ja, besonders der Strand und das Meer sind immer wieder für überraschende Ausblicke gut.«

Der Herzog war sich sehr wohl bewusst, dass er genauso gut gebaut war wie sein Vater. Und wie sein Vater früher, boxte auch er inzwischen im *Gentleman Jackson's Club*. Er hatte die gleiche schlanke, muskulöse und durchtrainierte Figur wie der alte Herzog. Jetzt grinste er sie an wie ein Dieb, der mit einem Auge nach den Silberlöffeln schielt. »Ja, hätte ich einen Strandspaziergang unternommen, und wäret Ihr zufällig dem Meer entstiegen, hätte ich die Szenerie mit Sicherheit genossen.«

Die Zunge lag ihr wie ein Stein im Mund. Nicht in ihren kühnsten Träumen hätte sie sich so eine Situation vorstellen können, niemals. Sie, eine junge Lady aus gutem Hause, die die beste Erziehung genossen hatte – dessen war sie sich sicher – konnte, seit sie diesem Mann begegnet war, an nichts anderes mehr denken, als sich ihm an den Hals zu werfen und ihn bis zur Besinnungslosigkeit zu küssen. Sie rechnete damit, dass er fortfahren würde, sie zu necken, sie zu locken und zu umgarnen, doch merkwürdigerweise suchten seine dunklen Augen ihr Gesicht, und sein Blick wurde nachdenklich.

»Ihr müsst zum Schloss zurückkehren, Evangeline«, sagte er dann freundlich, aber bestimmt. »Und ich werde dafür sorgen, dass Edmund nicht lauthals in die Welt hinausposaunt, dass seine Cousine Eve ihm und seinem Vater beim Schwimmen zugesehen hat.«

Evangeline ließ den Blick übers Meer schweifen und richtete ihn dann wieder auf den Herzog. »Ich kann nicht fassen, dass ich so etwas getan habe.«

»Was denn?«

»Ihr wisst ganz genau, was ich meine. Ich bin hier gestanden und habe Euch angestarrt. Das habt Ihr doch gemerkt, oder? Ganz zu schweigen von dem, was ich mir gestern Abend geleistet habe. Ich bin sonst gar nicht so. Ich weiß überhaupt nicht, was plötzlich in mich gefahren ist. Es tut mir Leid. Irgendwie bin ich nicht mehr ich selbst. Ehrlich gesagt weiß ich im Augenblick überhaupt nicht, wer ich eigentlich bin. Und auf der anderen Seite gibt's da die Evangeline, die ich eigentlich sein müsste, und das macht alles noch viel schlimmer. Es ist so schwierig …« Sie drehte sich abrupt um und machte sich, ohne sich noch einmal umzudrehen, auf den Nachhauseweg.

Als sie am oberen Treppenabsatz der großen Freitreppe anlangte, um sich nach unten zum Lunch zu begeben, hörte sie, wie Mrs. Raleigh zu Bassick sagte: »Ich werde ihn vermissen, Mr. Bassick. Diesmal war er nur so kurz hier. Ich frage mich, warum er nach London zurück muss. Und das schon am Freitag? Das ist ja schon in drei Tagen.«

Bassick antwortete etwas, das sie aber nicht verstand. Doch Mrs. Raleighs Stimme klang klar und hell wie eine Kirchenglocke am Sonntag, als sie kurz darauf bemerkte: »Ach, und ich hatte gehofft, dass er jetzt, nachdem Madame bei uns ist, sich länger hier aufhält.«

»Nun, Seine Gnaden tut nie das, was man von ihm erwartet«, gab Bassick ungerührt zurück, und diesmal verstand Evangeline jedes Wort.

Als sie am Fuß der Treppe ankam, standen die beiden dort und lächelten sie an. In Mrs. Raleighs Blick lag etwas Prüfendes. Evangeline wusste, dass der Herzog abzureisen gedachte. Aber Freitag war einfach zu früh. Sie wollte nicht, dass er schon so bald aufbrach. Entsetzt über ihre Gedanken wusste sie doch, dass er es ihr viel einfacher machte, wenn er fortging. Aber wohin ging er?

»Schönen guten Tag, Madame.«

»Keine unerwarteten Gäste bis jetzt?«, erkundigte sich Evangeline lächelnd.

»Na, überraschen würde es mich nicht«, sagte Mrs. Raleigh. »Lady Pemberly ist wirklich ein guter Mensch – es ist nur so, dass sie auf jeder Person in ihrer Umgebung nach Herzenslust herumtrampelt. Ganz anders als Lady Charlotte, Rohan Carringtons Mutter. Lady Charlotte ist so reizend, dass jedermann ihr gern zu Diensten ist, oder sie einfach nur ansieht, weil sie so unglaublich schön ist.«

»Wie ich hörte«, ließ sich Bassick in seiner würdevollen Art vernehmen, »ist Lady Charlotte auch eine begeisterte Anhängerin von Katzenrennen.«

»Das, Mr. Bassick, ist bestimmt ein großartiger Sport. Doch selbst dort gibt es, fürchte ich, Skandale und Korruption.«

»Was, bei Katzenrennen geht es auch korrupt zu?«, warf Evangeline erstaunt ein.

»Aber ja«, bestätigte Bassick und nickte zur Bekräftigung. »Wo Geld im Spiel ist, gibt es immer Leute, die andere übervorteilen. Selbstverständlich gab es Untersuchungen von offizieller Seite aus, die die meisten der üblen Machenschaften und Betrügereien aufdeckten und ihnen ein Ende machten.«

»Es ist wirklich eine Schande, dass die Katzen nicht allein des Vergnügens wegen laufen dürfen«, sagte Mrs. Raleigh und schüttelte dabei den Rock ihres eleganten rosa Kleides aus.

War es dasselbe Kleid, das sie heute morgen getragen hatte?, fragte sich Evangeline, war sich aber nicht sicher. Dann sagte sie ganz unvermittelt: »Wie ich hörte, verlässt uns der Herzog.«

»Ach ja, wir sind alle sehr enttäuscht«, erwiderte Mrs. Raleigh seufzend. »Wir hatten gehofft, dass er diesmal länger bleibt.« Sie machte eine Pause und lächelte dann. »Aber, nun ja, selbst wenn alles gesagt und getan ist, kann es sich immer noch ändern, nicht wahr? Ah, dieses tannengrüne Kleid steht Euch wirklich vorzüglich, Madame. Wie ich sehe, hat Dorrie die Volants und Rüschen am Saum abgetrennt. Ich persönlich finde ja diesen Firlefanz nicht sehr kleidsam. Aber die verstorbene Gnädige liebte solche voluminösen Gewänder. Sie wollte nicht einsehen, dass sie viel zu überladen wirkten.«

Evangeline nickte und dachte dabei an Houchard, der über Marissa und ihre Garderobe bestens Bescheid wusste. Er hatte zu ihr gesagt: »Ihr werdet Eure alten Lumpen nicht lange tragen müssen, Mademoiselle. Seine Gnaden wird Euch in die herrlichen Gewänder aus den reich bestückten Kleiderschränken seiner verstorbenen Gattin hüllen.« Und mit einem kalten Lächeln hatte er hinzugefügt: »Selbstverständlich wird er dafür eine Gegenleistung erwarten; das ist bei Männern seines Standes gang und gäbe. Und Ihr werdet tun, was erforderlich ist, um ihn in Unwissenheit über Eure Aktivitäten zu wiegen.« Er hatte sich abermals unterbrochen und sich mit seinen langen Fingern das Kinn gerieben. »Ich mache mir nur Sorgen, dass Euch der Herzog völlig den Kopf verdreht, Mademoiselle. Das ist zwar dumm von mir, angesichts der Tatsache, dass ich Euren lieben Vater in der Hand habe, der schon mit einem Fuß im Grab steht, aber ich weiß, dass der Herzog ein Mann ist, auf den die Frauen fliegen. Was ich allerdings nicht ganz begreife, da er Engländer ist, und diese Engländer samt und sonders als Tölpel und Langeweiler verschrien sind. Falls er jedoch eine rühmliche Ausnahme sein sollte, dann erwarte ich von Euch, Mademoiselle, dass ihr einen klaren Kopf bewahrt. Und wenn Ihr für ihn die Beine breit macht und ihm süße Nichtigkeiten ins Ohr säuselt, dann solltet Ihr nicht vergessen, dass ich Eurem Vater die Pistole an den Kopf halte.«

Evangeline wünschte sich jetzt, dass der Herzog schon abgereist wäre. Houchard hatte selbst darin recht behalten. Der Herzog war ein Mann, der so ganz anders war als alle, denen sie bisher begegnet war. Ja, dass es so einen Mann gab, hätte sie sich nie träumen lassen. Und er hasste Napoleon. Schon bald würde sie mit diesem verfluchten Edgerton als Verräterin auf einer Stufe stehen.

Bei dem Gedanken wurde ihr speiübel.

Als sie den Herzog im Speisezimmer traf, sah sie immer noch den Abgrund vor sich, der sich zu ihren Füßen auftat, ihre Gedanken kreisten immer noch verzweifelt um eine Lösung, irgendeinen Ausweg, der sie davor bewahrte, ihn und ihr Land zu verraten. Er stand neben seinem Stuhl am Kopfende der Tafel und entbot ihr ein schmales Lächeln. Sie versuchte, sein Lächeln zu erwidern, doch ihr Schuldgefühl fraß sich unaufhörlich tiefer in ihr Innerstes, und sie wusste, dass ihr der Schmerz im Gesicht geschrieben stand.

Das teuflische Funkeln in seinen dunklen Augen verschwand beinahe augenblicklich. »Was ist passiert?«

Sie hob ihr Kinn. »Passiert?« O Gott, war sie wirklich so leicht zu durchschauen? Wenn das tatsächlich der Fall war, sah es schlecht aus für den Erfolg ihrer Mission, für das Leben ihres Vaters. »Gar nichts, Euer Gnaden.«

»Ihr seht so aus, als hättet Ihr gerade Euren Lieblingshund begraben.«

Jetzt lächelte sie vage. »Nein, obwohl ich meinen Bonnie sehr geliebt habe, dauerte es doch eine ganze Weile, bis ich mir wieder einen neuen Hund anschaffen wollte.«

»Bravo, jetzt habt Ihr mir ganz elegant den Wind aus

den Segeln genommen. Ich wollte Euch necken und versuchen, Euch zum Erröten zu bringen, als Strafe für Euer recht erfrischendes und ebenso ungebührliches Benehmen am Strand. Ihr überrascht mich immer wieder aufs Neue, Evangeline. Kommt und setzt Euch. Nach dem Lunch könnte Ihr mit Edmund spielen.«

Erst als er den Diener mit einer Handbewegung entlassen hatte, erkundigte er sich: »Woran habt Ihr vorhin gedacht?«

»Ach, an nichts Bestimmtes«, erwiderte sie und verfiel in Schweigen. Sie musste zur Lügnerin werden. Das war die einzige Möglichkeit, zu überleben. Langsam hob sie den Kopf und beobachtete, wie er hauchdünn geschnittene Scheiben gekochten Schinken auf seinen Teller häufte. Sie hätte irgendetwas furchtbar Langweiliges sagen sollen, irgendetwas, da so töricht war, dass ihm der Appetit verging, doch was ihr spontan über die Lippen kam, war: »Ich habe mir Sorgen gemacht, dass Ihr und Edmund in diesem eiskalten Wasser erfriert.«

»Ich auch, doch Edmund war nicht zu bremsen. Aber wir waren nur zehn Minuten im Wasser, länger nicht. Wir gehen immer schwimmen, wenn ich mich auf Chesleigh aufhalte und das Wetter mild genug ist. Es ist sehr erfrischend, gelinde ausgedrückt. Oder um der Wahrheit genüge zu tun, man friert wie ein Schneider. Das mag vielleicht nicht sehr sinnig klingen, macht aber ungeheuer Spaß. Versteht Ihr das?«

»Ja.«

»Edmund und ich, wir sind für gewöhnlich jeden Morgen um diese Zeit in der Bucht zu finden. Übrigens, ich sah Euch aus der Höhle kommen. Seid vorsichtig, wenn Ihr wieder einmal eine Höhlenexpedition unternehmt, besonders bei steigender Flut. Als kleiner Junge war ich einmal dumm genug, mich in der Höhle vor meinem

Hauslehrer zu verstecken, und stand plötzlich bis zum Hals im Wasser. Mein Vater übrigens auch, als er mich dort rausholen musste. Ich erinnere mich noch gut an die Tracht Prügel, die ich hinterher von ihm bezog, eine der ganz wenigen, die er mir verpasste.«

Evangeline lächelte bei dem Versuch, sich den Herzog in Edmunds Alter vorzustellen. Es war unmöglich. »Keine Angst, ich werde vorsichtig sein. Die Wände der Höhle sind sehr feucht und mit glitschigem Moos überzogen. Steht die Höhle bei Flut ganz unter Wasser?«

»Ja, das Wasser reicht dann beinahe bis zur Decke.«

»Schade, dass man nicht weiter bis zum südlichen Ende der Bucht spazieren kann. Die Klippen reichen leider bis ins Meer hinaus.«

»Ja. Aber die Aussicht, die Ihr auf dieser Seite der Bucht genießen konntet, muss Euch doch eigentlich dafür entschädigt haben.« Warum konnte er sie nicht in Ruhe lassen? fragte er sich. Er war auf dem besten Weg, auch noch das bisschen Verstand zu verlieren, das ihm geblieben war.

»In der Tat. Ich bin stets bemüht, keine Gelegenheit, mich weiterzubilden, ungenützt verstreichen zu lassen.«

Eine seiner schwarzen Augenbrauen machte einen erstaunten Satz nach oben. »Ich habe Euch doch gewiss nicht zu neuen Erkenntnissen über die menschliche Anatomie verhelfen können, oder? Schließlich bin ich nur ein ganz normaler Mann wie Euer Gemahl, der selige André.«

Evangeline verschluckte sich beinahe an der Gabel voll Erbsen, die sie gerade in den Mund geschoben hatte. Das war ein grober Fehler gewesen. Lüge besser, ermahnte sie sich, du musst perfekt lügen, ansonsten hast du verspielt. Sie reckte das Kinn vor, ehe sie schnippisch erklärte: »Nun, macht Euch nicht lächerlich. Natürlich war mir Euer Anblick nicht neu. Im Gegenteil, er war mir recht vertraut. Nur das Handtuch, das Ihr Euch um die Hüften geknotet hattet, das war neu, sehr neu, würde ich sagen. Ich habe es mir genau angesehen. Ich bin eine Frau von Welt, müsst Ihr wissen, Euer Gnaden.«

»Das habe ich mir schon gedacht«, gab er zurück, und sie wusste, dass er seinen Spaß daran hatte, sie zu necken. »Aber wie weltlich Ihr seid, das weiß ich erst, seit ich … Nein, mehr möchte ich nicht zu diesem Thema sagen. Das wäre sehr ungezogen. Aber bitte, so esst doch Euren Teller leer, Evangeline.«

Sie schüttelte den Kopf. »Allmählich wird mir klar, dass ich als dankbarer Schleifstein für Euch fungiere. An mir könnt Ihr anscheinend getrost Eure scharfe Zunge wetzen.«

»Das ist nur fair. Meine Mutter macht es mit mir genauso. Aber versteht mich bitte nicht falsch. Ihr seid ungeheuer schlagfertig und habt selbst eine messerscharfe Zunge – aber lassen wir das. Diese Unterhaltung würde mich auf Ebenen bringen, die ich lieber nicht beschreiten möchte.«

»Wahrscheinlich ist es besser, wenn ich Euch jetzt verlasse«, meinte sie und machte Anstalten, sich zu erheben.

»Nein, geht noch nicht. Ich würde Euren überstürzten Aufbruch als Flucht betrachten. Gebt es doch zu, Evangeline. Es macht Euch doch Spaß, zu versuchen, mich zumindest verbal auszumanövrieren.«

Sie setzte sich wieder hin, faltete die Hände und stützte das Kinn auf. »Ich versuche nie, mein Heil in der Flucht zu suchen, auch wenn es zu meinem eigenen Besten wäre. Und was den verbalen Schlagabtausch betrifft, nun, da muss ich zugeben, dass Ihr nicht so ein Schwachkopf seid wie die meisten Engländer, mit denen ich es bisher zu tun hatte.«

Der Herzog nickte zum Einverständnis. »Da Ihr auf dem Land aufgewachsen seid, in Somerset, überraschen mich Eure Vorurteile nicht sonderlich. Dort wimmelt es nur nur so von rotgesichtigen Gutsherren, aufgeblasenen Möchtegern-Gentlemen und kleinen Lords, die die Nase hoch in der Luft tragen und das Hirn in den Stiefeln haben. Alles in allem stimme ich Euch zu, dass die meisten dieser Provinzhelden nicht das Zeug dazu haben, eine für solche Dinge empfängliche junge Lady mit beispielhaftem Witz, Esprit und Eleganz zu beeindrucken.«

»Ganz im Gegensatz zu Euch.«

»Gewiss. Und ich bin sicher, Ihr meint das ohne jede Ironie. Nun, war Euer Gemahl auch so ein Mann wie die Herren von Somerset? Wortkarg in Eurer Gegenwart? Nur mit seinen Pferden beschäftigt? Ein geborener Langeweiler beim Dinner, der anschließend nach ein paar Gläsern Portwein im Salon eindöste?«

»Selbstverständlich nicht. Er war Franzose.«

»Soll ich ihn beschreiben? Lasst mal sehen. Er war klein, von relativ dunklem Teint, schmalbrüstig, stolzierte auf dürren Beinen durch die Gegend, besaß zweifellos diesen öligen Charme und hat sich nur alle paar Tage ein Bad gegönnt.«

Evangeline sah genau die Grube vor sich, die sie sich selbst gegraben hatte. Sie hatte ihren fiktiven verstorbenen Ehemann, André, so beschrieben, wie sie Henri, ihren jungen Verehrer, in Erinnerung hatte. Und die Beschreibung des Herzogs passte ganz genau auf ihn.

»Er hat oft gebadet«, widersprach sie. Doch im selben Moment fiel ihr ein, dass Henri sich ständig mit Toilettenwasser besprenkelt hatte. Sie hatte diesen muffigen, leicht säuerlichen Geruch an ihm gehasst. »Zumindest glaube ich das«, setzte sie hinzu und zog dabei unwillkürlich die Stirn in Falten.

»Ihr *glaubt,* dass er oft gebadet hat? Wirklich, Evangeline, wenn Ihr Eurem Ehemann nur halb so viel Interesse entgegengebracht habt wie mir in den letzten zwei Tagen, dürftet Ihr keinerlei Zweifel hinsichtlich seiner Badegewohnheiten hegen.«

Sie starrte ihn eine ganze Zeit lang stumm an, in dem sicheren Bewusstsein, dass sie kurz davor war, in diese Grube zu ihren Füßen zu fallen, die in der letzten Minute noch tiefer geworden war. »Nun ja, André ... Äh, nein, so sicher bin ich mir tatsächlich nicht. Er war nämlich ein sehr schamhafter Mann.«

»Für mich hört sich das eher an, als wäre er ein ausgemachter Idiot gewesen, ein ...« Der Herzog verkniff sich den Rest des Satzes, als er sah, dass Evangeline hochrot im Gesicht wurde. »Verzeiht mir«, bat er sie und erhob sich langsam. »Er war Euer Gemahl. Ich muss jetzt gehen, ich habe eine Besprechung mit unserem neuen Jäger. Genießt den Nachmittag. Und meine aufrichtigen Wünsche für das gute Gelingen Eurer ersten Stunden allein mit Edmund.« Er blieb neben ihrem Stuhl stehen und sah auf sie herab. »Kann ich noch irgendetwas für Euch tun?«

Ja, dachte sie bei sich. Ändert meine Lebensumstände und verhelft meinem Vater zur Freiheit. Dann bräuchtet Ihr mich später nicht mit Hass und Abscheu in den Augen anzusehen. Sie schüttelte schweigend den Kopf.

»Also gut. Hättet Ihr vielleicht Lust, später am Nachmittag mit mir auszureiten? Ich muss einigen meiner Pachthöfe einen Besuch abstatten. Bei der Gelegenheit könnte ich Euch ein paar meiner Lieblingsplätze zeigen.«

Noch einmal, dachte sie. Es wäre bestimmt keine Qual, noch einmal ein paar Stunden allein mit ihm zu verbringen. Sie nickte eifrig. »Ja, sehr gerne.«

»Ausgezeichnet. Dann treffen wir uns später.«

17

»Es gibt einfach zu viele Buchstaben. Ich weiß nie, in welcher Reihenfolge ich sie hinschreiben soll. Und die meisten Wörter, die sich gleich anhören, haben nicht die gleichen Buchstaben. Muss ich die wirklich alle lernen? Reicht es denn nicht, wenn ich die Wörter nur mit den Buchstaben schreibe, die ich höre?«

Evangeline tätschelte nachsichtig Edmunds kleine Hand und sagte freundlich: »Ich weiß, dass es Unmengen von Buchstaben gibt. Bisher ist mir nur noch nicht aufgefallen, dass es tatsächlich zu viele sind. Du hast wahrscheinlich Recht. Und dazu gibt es noch unendlich viele Kombinationsmöglichkeiten, Edmund. Aber ich fürchte, du musst unseren längst verstorbenen Vorfahren, die sie erfunden haben, verzeihen und akzeptieren, dass wir heute mit all den Buchstaben und komischen Wortverbindungen leben müssen. Dir bleibt, fürchte ich, gar keine andere Wahl. Du musst es mit ihnen aufnehmen. Ich habe sie ja auch gelernt. Und nachdem du so ein kluger Junge bist, schaffst du das bestimmt ganz leicht.«

Für einen Moment sah es so aus, als hätte sie ihn überzeugen können. Deshalb fügte sie rasch hinzu: »Ich habe immer geglaubt, dass du so werden möchtest wie dein Vater, Edmund.«

Sein kleines Gesicht veränderte sich schlagartig. Er setzte sich aufrecht hin und erkärte mit fester und sehr glaubhafter Stimme: »Ich bin wie mein Vater. Großmutter hat mir hundertmal gesagt, dass ich so bin wie mein Vater und wie mein Großvater, und an den erinnere ich mich noch sehr gut. Er war ein ganz, ganz lieber Großvater, aber dann starb er, wie meine Mutter, und ich habe ihn nie mehr wiedergesehen.«

»Dein Vater kann lesen und schreiben, und dein Großvater konnte es auch. Dein Vater hat sich auf den Hosenboden gesetzt, seinen ganzen Verstand zusammengenommen und jeden Buchstaben und jedes Wort auswendig gelernt.«

»Du hast Recht«, meinte er nach einer Weile kleinlaut. »Ich habe ihn lesen sehen. Und du glaubst nicht, dass er nur so getan hat, als ob er lesen würde, nur damit ich es auch lerne?«

»Nein, ich glaube, dass ihm das Lesen einen Riesenspaß macht.«

Edmund beäugte sie mit einem skeptischen Blick, während Evangeline angelegentlich ihren Daumennagel betrachtete. »Wenn du deine Buchstaben brav übst, dann verspreche ich dir, dass ich jeden Morgn mit dir zum Strand schwimmen gehe, wenn es das Wetter zulässt.« Sie konnte sich nicht einmal vorstellen, auch nur ihren großen Zeh in das eiskalte Wasser zu halten, aber wenn es weiterhin warm bliebe, würde sie sich eben dazu überwinden. Und sie würde Edmund beibringen, sogar noch besser zu schwimmen als sein Vater.

Der Sohn des Herzogs musterte sie völlig ungeniert von oben bis unten. »Du bist ganz schön groß«, stellte er fest und beugte sich dann zu ihr, um ihre Armmuskeln zu prüfen. »Ja«, befand er, »und stark bist du auch für eine Frau.« Doch er zappelte immer noch herum und vermied es konsequent, die Holzbuchstaben anzuschauen, die auf seinem Schreibtisch ausgebreitet waren.

Evangeline seufzte vernehmlich und kreuzte die Arme vor der Brust. »Also schön, wenn du die Buchstaben lernst, spiele ich den Banditen, und du kannst mich jagen.«

»Darf ich dich erschießen, wenn ich dich gefangen habe?«

»Ja«, erwiderte sie und ließ den Kopf hängen. »Du darfst mich erschießen.«

Jetzt lächelte Edmund zufrieden. Er straffte die schmalen Schultern und erklärte entschlossen: »In Ordnung, ich bin bereit.«

»Das A steht für Apfel, für einen großen roten Apfel, der herrlich saftig und süß schmeckt.« Sie führte Edmunds kleine Hand, als dieser den Buchstaben A nachmalte. »Fällt dir noch ein anderes Wort ein, das mit A anfängt?«

Wie aus der Pistole geschossen antwortete Edmund: »Ja, Armleuchter. Papa nennt Phillip Mercerault manchmal Armleuchter. Was Phillip dann zu meinem Papa sagt, kann ich dir leider nicht erzählen. Das ist ein schlechtes Wort, hat Papa mir erklärt, und nicht für die empfindlichen Ohren einer Lady bestimmt. Er hat gesagt, ich darf dieses Wort nur benutzen, wenn ich allein bin oder bei meinem Pony.«

»Na schön, dann sag es auch nicht. Also, A wie Armleuchter. Gut gemacht, Armleuchter ist ein ausgezeichnetes Wort.«

Und so ging es weiter. Sie verzog keine Miene, als sie beim S anlangten und Edmund spontan ausrief: »S steht für stolz, wie mein Papa.« Sie warf einen Blick auf die Wanduhr und stellte überrascht fest, wie schnell die Zeit vergangen war. Als Edmund seinen Namen richtig auf ein Blatt Papier gekritzelt hatte, lobte sie ihn eifrig und drückte ihn kurz an sich. Im selben Moment hörte sie ein Geräusch, das sie veranlasste, aufzustehen. Die Kinderzimmertür schwang auf, und herein trat ein großer, klapperdürrer Mann mit ausgemergelten Zügen, den Evangeline in den vergangenen zwei Tagen schon mehrmals gesehen, aber noch nicht kennen gelernt hatte. Er war von Kopf bis Fuß schwarz gekleidet.

Edmund sprang mit einem Freudenschrei auf, rannte zu dem Mann hin und schlang die Arme um seine Beine. »Bunyon!«, rief er glücklich. »Du musst mich retten.«

»Ich bin mir nicht ganz sicher, wen ich hier retten muss«, erwiderte Bunyon. Um seine schmalen Lippen spielte nur die Andeutung eines Lächelns. »Verzeiht die Störung, Ma'am«, sagte er, während er sein Bein aus Edmunds Klammergriff befreite und an den Studiertisch trat. »Seine Gnaden haben mir aufgetragen, Euch von Euren Pflichten zu entbinden, ehe Lord Edmund Euch so aufgerieben hat, dass Ihr nur noch wirres Zeug stammeln könnt. Ich bin Bunyon, der Kammerdiener seiner Gnaden.«

»Ich kann jetzt schreiben, Bunyon, sieh nur. Schau, das ist mein Name, und ich habe ihn ganz allein geschrieben.«

Im Gegensatz zu Ellen, die Edmund bereits vergötterte, schien Bunyon nicht übermäßig scharf auf die Aufmerksamkeit des jungen Lords zu sein. Tatsächlich schenkte er ihm nicht die Spur von Beachtung, sondern heftete seine dunklen Augen ausschließlich auf Evangelines Gesicht.

Mit einem freundlichen Lächeln erhob sie sich von ihrem Stuhl. »Ich bin weit davon entfernt, wirres Zeug zu stammeln. Edmund hat sich einverstanden erklärt, schreiben zu lernen, und er macht seine Sache bisher ausgezeichnet. Das hier ist sein Name.« Sie beobachtete schweigend, wie Bunyon die großen Druckbuchstaben inspizierte.

»Seine Gnaden«, befand Bunyon, »wird sehr erfreut sein über deine Bemühungen. Du hast gute Arbeit geleistet.« Er schüttelte Edmund die Hand. »Jetzt ist es aber Zeit für dich, dass du in dein Bett kriechst und einen Mittagsschlaf hältst. Nicht lange, nur ein Stündchen.«

»Eve hat mir versprochen, dass ich auf sie schießen darf, wenn ich meinen Namen schreiben kann«, warf Edmund ein. »Hilfst du mir dabei, einen Plan auszutüfteln, bevor ich sie erschieße?«

»Es wird mir eine große Ehre sein, dir als strategischer Berater zur Seite zu stehen«, antwortete Bunyon ernst. »Weiß Madame eigentlich, was sie erwartet?«

»Sag's ihm, Eve. Erzähl ihm, dass du mir versprochen hast, ein Bandit zu sein. Und ich fange dich, und dann erschieße ich dich.«

»Das war Bestechung«, erklärte Evangeline. »Ein ganz klarer Fall von Bestechung. Seid bitte so freundlich und arbeitet mit ihm eine handfeste Kriegslist aus. Ich möchte nicht nach einer mickrigen Hühnerjagd mein Leben lassen müssen. Soll ich Ellen rufen, Bunyon?«

»O nein, Ma'am. Ich werde ihn persönlich ins Bett stecken. Der junge Lord wickelt Ellen nämlich um den Finger, wie es ihm passt. Eine Schande.«

Sehr zufrieden mit sich, ritt der Herzog in gemächlichem Tempo nach Chesleigh zurück. Er hatte den Jäger verpflichtet, den er haben wollte, und das zu einem Preis, der ihm zusagte. Ja, er hatte sich genauso knickrig gezeigt wie sein Vater bisweilen, dachte er. Als er Emperor zu den Stallungen dirigierte, sah er Evangeline neben MacComber stehen, in ein ernstes Gespräch mit ihm vertieft. Er grinste amüsiert über ihre ausdrucksvolle Sprechweise und die weit ausholenden Handbewegungen, mit denen sie ihr Anliegen unterstrich.

»Ich habe Dorcas' feuriges Temperament heute morgen nicht wirklich auf die Probe gestellt, McComber. Seht nur den Herzog auf Emperor. Er sieht großartig aus.«

Das ist ja interessant, dachte McComber bei sich, als er den Herzog in den Hof reiten sah. Er räusperte sich und meinte: »Ich habe sie am frühen Nachmittag selbst bewegt, Madame. Sie wird Euch keinerlei Scherereien machen.«

»Hallo, Evangeline!«, rief ihr der Herzog zu und brachte Emperor zum Stehen. »Ihr seid schon gestiefelt und gespornt, wie ich sehe.« Er beugte sich vor, um Emperor den Hals zu tätscheln. »Mein Freund hier ist müde. Mit einem Wettrennen wird es heute leider nichts werden. Ihr müsst mich wohl ein andermal im Staub zurück lassen.«

»Trevlin könnte Biscuit für Madame satteln, Euer Gnaden.«

Der Blick des Herzogs heftete sich auf den weißen Hals über ihrer hochgeschlossenen Bluse. »Ich fürchte, ich komme Euch nicht aus«, sagte er und streckte seine steifen Finger.

»Ich weiß, was Ihr denkt, und versichere Euch, dass Ihr mir tatsächlich nicht auskommt. Ich bin nämlich sehr stark. Das hat Edmund jedenfalls festgestellt.«

Ein paar Minuten später ritt der Herzog neben Evangeline über eine schmale Straße, die in südlicher Richtung an der Küste entlangführte. Er erzählte ihr gerade von dem Jäger, den er eingestellt hatte, als ihnen das laute Horn einer Postkutsche entgegenschallte. »Reitet rechts ran, Evangeline«, wies er sie an und dirigierte Emperor einen flachen Abhang neben der Straße hinab.

Evangeline riß unwillkürlich am Zügel, als ihnen die Postkutsche rumpelnd entgegenkam. Der Kutscher blies noch einmal kräftig ins Horn, worauf Dorcas sich so erschreckte, dass sie sich aufbäumte, den Kopf wild herumschleuderte und Evangeline den Zügel aus der Hand riss.

Mit aufgerissenen Augen starrte sie den Herzog an, als sie in hohem Bogen aus dem Sattel flog und unsanft auf ihrem Allerwertesten landete. Sie war so verdutzt, dass sie einfach sitzen blieb.

Keine Sekunde später war der Herzog schon bei ihr. »Ist alles in Ordnung? Habt Ihr Euch wehgetan?«

Sie rieb sich die Hüfte. »Nein, es ist nichts passiert. An der Stelle bin ich zum Glück gut gepolstert.«

»Das würde ich nicht sagen, aber es sollte genügen.«

»Ich glaube nicht, dass irgendetwas für Euch jemals genug ist.«

»Gut möglich«, murmelte er und zog sie auf die Beine. Seine Hände schickten sich an, über ihre Hüften zu reiben und sie an sich zu ziehen, als ihm plötzlich klar wurde, was er da tat. Er stieß einen unterdrückten Fluch aus und ließ die Hände sinken.

»Wie peinlich«, sagte sie, ohne ihn zu beachten, und sah der Staubwolke nach, die sich langsam in der warmen Brise auflöste. »Ein dämliches Posthorn, und schon sitze ich im Dreck.«

»Wenn Ihr auf Eurem Hinterteil gelandet seid, warum ist dann die Feder an Eurem Hut abgebrochen?«

»Keine Ahnung«, murmelte sie. Sie nahm den Hut ab und löste damit unbeabsichtigt ihre Frisur. Fasziniert starrte der Herzog auf die Haarflut, die sich über ihren Rücken ergoss und ihr in die Stirn fiel; eine der langen Strähnen baumelte direkt vor ihren Lippen. Instinktiv hob er die Hände, um sie ihr aus dem Gesicht zu streichen, sie dabei an sich zu ziehen … Erneut fluchend ließ er die Hände fallen.

»Die Postkutsche hat Euch völlig mit Staub bedeckt. Vielleicht hättet Ihr doch Biscuit reiten sollen. Die hätte Euch bestimmt nicht abgeworfen. Dazu ist sie viel zu träge.«

»Ich wage zu behaupten, dass sie selbst *Euch* abgeworfen hätte. Dorcas hat sich erschreckt. Sie ist sehr nervös.

Und sie hat lange, kräftige Beine. Damit kann sie sehr gut ausschlagen.«

»Hoffentlich benimmt sie sich jetzt anständig«, meinte der Herzog. »Kommt, reiten wir nach Hause.«

18

»Bunyon hat eine sehr spezielle Art, seinen Unmut kundzutun«, bemerkte der Herzog beim Dinner, über einen Berg Roastbeef auf seinem Teller gebeugt.

»Ich kann mir nicht vorstellen, dass irgendjemand Euch seinen Unmut kundtut.«

»Bin ich in Euren Augen denn so ein furchtbarer Tyrann?«

»Nein, kein Tyrann, aber ein Mann, der hier der unumstrittene Herr und Meister ist.«

»Selbstverständlich ist meine Stellung hier unumstritten. Wer sollte denn sonst auf Chesleigh das Sagen haben?«

»Ihr habt ja Recht. Ich erinnerte mich nur gerade daran, wie Ihr mich behandelt habt, als Ihr mich in der Bibliothek fandet. Ihr habt sehr überzeugend den Schlossherrn herausgekehrt, und ich war nichts weiter als ein lästiges Ärgernis für Euch.«

»Das seid Ihr immer noch«, gab er zurück und starrte finster auf die Kartoffel, die er gerade mit seiner Gabel aufspießte. Dann hob er den Blick, musterte sie über die viel zu lange Tafel hinweg und betrachtete das nachtblaue Kleid von Marissa, das Dorrie umgeändert hatte und in dem Evangeline hinreißend aussah. Dorrie hatte ihr das Haar zu zwei Zöpfen geflochten und diese kunstvoll ineinander verschlungen um ihren Kopf drapiert.

Zwei Korkenzieherlocken kringelten sich vor ihren hübschen Ohren. »Ihr wisst genau, was ich meine.«

Das stimmte, aber um nichts in der Welt hätte sie das zugegeben.

Missmutig schwenkte er den Wein in seinem Glas. Es war nicht klug gewesen, sie anzusehen. »Ich hatte an diesem Tag sehr schlechte Laune. Ihr habt mich einfach mit Eurem Auftauchen überfahren.« Er zuckte die Schultern. »Wie ein Mann eine fremde Frau in seiner Bibliothek behandelt ... Nein, wahrscheinlich ist es besser, diesen Gedanken nicht weiter zu verfolgen. Aber selbst als ich Euch das erste Mal sah, war mir bereits klar, dass man Euch beibringen muss, worin Eure Rollle besteht.«

»Meine Rolle?«, wiederholte sie mit zuckersüßer Stimme. Er grinste auf seinen Teller hinab.

»Eure Rolle unterscheidet sich in nichts von der jeder anderen Frau«, erklärte er, hob sein Weinglas und prostete ihr zu. Er genoss die Situation, wartete gespannt darauf, dass sie rot wurde, ihm vielleicht sogar ihr Weinglas an den Kopf warf, einen Fluch stammelte und dann lachte. »Und diese Rolle besteht naturgemäß darin, dem Ehemann zu dienen, ihm ergeben jeden Wunsch von den Augen abzulesen, seine Kinder zu gebären und selbstverständlich die eigenen Ansichten für sich zu behalten, falls sich diese von seinen unterscheiden.« Lange musste er nicht auf ihre Reaktion warten. Sie schnappte sofort nach dem Köder.

Evangeline vergriff sich jedoch nicht an ihrem Weinglas. Sie schleuderte ihre Serviette auf den Tisch und sprang so ungestüm von ihrem Stuhl auf, dass dieser beinahe nach hinten gekippt wäre. Dann explodierte sie in einer wundervollen Schimpftirade: »Ihr aufgeblasener, arroganter Armleuchter! Ich habe exzellente Ansichten über viele Dinge, denn ich habe studiert und gelesen und mich gebildet. Wohingegen Ihr, wette ich, Eure Zeit als frivoler Wüstling vergeudet habt und nur Eurem Vergnügen nachgejagt seid.«

»Aufgeblasener Armleuchter«, wiederholte er freundlich und grinste sie an. »Wenn Ihr Edmund unterrichtet, führt Ihr bestimmt das A wie aufgeblasener Armleuchter ein, wie?«

»Woher wisst Ihr das?«

»Ich unterhalte mich hin und wieder mit meinem Sohn, Evangeline. Aber ich denke gerade darüber nach, dass es sich für Euch als junge Lady nicht geziemt, mit Eurem angeblichen Wissen über frivole Ausschweifungen zu argumentieren. Was meine Vergnügungen anbelangt, solltet Ihr Euch vielleicht mit den Ladies aus meinem Bekanntenkreis ins Benehmen setzen. Dann werdet Ihr erfahren, dass ich mein Vergnügen niemals vor das ihrige stelle.« Er beugte sich verschwörerisch vor. »Erinnert Ihr Euch noch an den gestrigen Abend in meiner Bibliothek? Ihr könnt mir nicht vorwerfen, über die Maßen selbstsüchtig gewesen zu sein.«

»Nein, ich verweigere es mir, mich daran zu erinnern, weil ich im Augenblick sehr wütend auf Euch bin. Wenn ich zugäbe, mich zu erinnern, würdet Ihr mich nur wieder endlos damit foppen. Ihr würdet mir immer wieder und wieder ins Gedächtnis rufen, wie sehr ich Eure Berührungen und Eure Küsse genossen habe. O Gott, meine Zunge macht sich schon wieder selbständig. Ich werde ihr unverzüglich Einhalt gebieten. O ja, das kann ich. Und ich will auch nichts über Eure zahlreichen Mätressen hören.«

Seine dunklen Augenbrauen krümmten sich zu steilen Bögen. »Aber Ihr habt das Thema doch selbst angeschnitten, Evangeline. Ich habe nur versucht, gewisse Dinge zu erläutern.« Sie war inzwischen knallrot geworden. Am liebsten hätte er sie an sich gerissen, sie im Kreis herumgewirbelt, langsam wieder auf die Füße gestellt und sie geküsst, bis ihr Hören und Sehen verging. Stattdessen holte er tief Luft. Das reichte jetzt. Das war schon mehr als genug. Er zerbrach sich den Kopf nach einer unverfänglichen Bemerkung, und nach einer Weile fiel ihm etwas ein, das sie nicht gegen ihn aufbringen, sie nicht dazu hinreißen würde, ihn einen Armleuchter zu schimpfen; etwas, das ihr eigentlich gefallen müsste. »Wenn ich mich recht entsinne, habe ich zu Beginn des Dinners davon gesprochen, wie Bunyon mir gegenüber seinen Unmut zum Ausdruck bringt.«

»Sehr gut. Ihr habt Euch entschlossen, das Thema zu wechseln. Das ist wahrscheinlich ein kluger Zug von Euch. Ich bin die Ruhe selbst. Also, was hat Bunyon getan?«

»Er drohte mir, mich mit meiner Schleife zu erwürgen.«

»Du lieber Himmel! Warum denn das?«

Der Herzog ließ den dunkelroten Burgunderwein in seinem Glas kreisen. »Er ist dagegen, dass ich Euch hier zurücklasse. Als Edmunds Erzieherin. Dass Ihr allein für Edmund die Verantwortung tragt.«

Die Richtung, in die dieses Gespräch steuerte, gefiel ihr ganz und gar nicht. »Ich verstehe nicht.« Er konnte sich doch unmöglich von der Meinung seines Kammerdieners beeinflussen lassen.

»Bunyon ist der Ansicht, dass Edmund alt genug ist, mich nachLondon zu begleiten. Und er ist darüberhinaus der Ansicht, dass Edmund in dem Alter ist, wo er einen männlichen Hauslehrer braucht. Er findet, Ihr solltet Edmund nicht erlauben, auf Euch zu schießen, nur damit er seine Aufgaben lernt. Kurz gesagt, er ist der Auffassung, dass Ihr viel zu gutmütig und viel zu jung seid, um mit meinem willensstarken Sohn fertig zu werden.«

Panik stieg in ihr hoch. Nein, das durfte doch nicht wahr sein. Sie rutschte an die Stuhlkante vor. »Wenn Ihr Edmund mit nach London nehmt, dann gibt es keinen Grund für mich, weiterhin auf Chesleigh zu bleiben.«

»Das ist richtig. Und deshalb, Evangeline, werdet Ihr und Edmund morgen mit mir gemeinsam nach London aufbrechen. Nicht nötig, noch bis Freitag zu warten.«

»*Nein!*«

Der Herzog starrte Evangeline verständnislos an. Leichenblass, aber mit hochroten Wangen war sie von ihrem Stuhl hochgesprungen und stand jetzt, die Hände auf den Tisch gestützt, regungslos da. »Pardon, was sagtet Ihr eben?«

»Ich sagte nur ein einziges Wort. Und das habt Ihr doch sicher verstanden, oder? Immerhin habe ich es ja laut und vernehmlich geäußert.« Das durfte nicht geschehen. Sie konnte Chesleigh nicht verlassen, nein, das war völlig ausgeschlossen. Bunyon hatte sie in Schwierigkeiten gebracht und das auch noch aus den edelsten Motiven heraus. Was sollte sie jetzt tun? In weniger als zwei Stunden sollte sie sich mit John Edgerton treffen. Und man hatte ihr ganz unmissverständlich klar gemacht, dass sie auf Chesleigh bleibten musste. Sonst würde Houchard ihren Vater umbringen.

»Vieleicht seid Ihr so freundlich«, sagte der Herzog gefährlich leise, »und erklärt mir dieses eine Wort genauer, Evangeline? Dieses eine Wort, das Ihr so laut gebrüllt habt, dass der Kristalllüster jetzt noch wackelt.«

Sie war verzweifelt, doch das durfte sie ihm nicht zeigen. Er würde es nicht begreifen. »Verzeiht, ich wollte Euch nicht anschreien. Es ist nur so, dass ich nicht nach London möchte. Bitte, Euer Gnaden, lasst mich hier bleiben. Ich komme schon mit Edmund zurecht. Ich werde Euch nicht enttäuschen. Er braucht keinen Lehrer. Und mir macht es nichts aus, wenn er versucht, mich zu erschießen. Ich werde ihm ohnehin nur gestatten, auf mich zu schießen, wenn er mich gefangen hat. Und ich bin keine lahme Schnecke im Laufen. Es wird nicht leicht sein für ihn. Ich werde es ihm so richtig schwer machen, damit es eine Herausforderung für ihn ist. Ich weiß, wie man mit kleinen Jungs umgeht. Bitte, ich muss hier bleiben. Ich muss.«

»Das war eine recht ausschweifende Erklärung für ein einziges Wort, Evangeline.«

»Ich weiß, und es tut mir Leid. Aber ich möchte wirklich nichts anderes, als mit Edmund hier auf Chesleigh bleiben. Glaubt mir, ich werde Euch nicht enttäuschen, Euer Gnaden. In einem Monat wird Edmund so weit sein, dass er die Familienbibel vorwärts und rückwärts lesen kann. Ich werde ihn jeden Tag einen Brief an Euch schreiben lassen, und jeder Brief wird um einen Satz länger sein als der vorige. Bitte, Euer Gnaden.«

Das war alles sehr merkwürdig. Warum lag ihr so viel daran, hier auf Chesleigh zu bleiben, anstatt mit ihm nach London zu fahren? Jede andere Frau hätte London vorgezogen. Er verstand nicht, was in ihr vorging. Ihre Reaktion war total überzogen. Völlig unnatürlich. Anfangs hatte er geglaubt, ihre Weigerung, nach London zu fahren, resultiere aus ihrer Verlegenheit, als arme Verwandte seiner Mutter zu begegnen. Eigentlich war er ganz glücklich mit seiner Entscheidung gewesen, denn ihm war klar geworden, dass er sie trotz seiner Gedanken an die vergangene Nacht mit nach London nehmen, ihr die Sehenswürdigkeiten zeigen und sie seiner Mutter vorstellen wollte. Was seine Absichten sie betreffend anging, da war er sich noch keineswegs sicher. Himmel nochmal, er kannte sie ja auch erst seit zwei Tagen. Aber er wusste, dass er noch nie eine Frau wie sie kennen gelernt hatte, dass sie ihn restlos faszinierte, dass er sie mehr begehrte als jede andere Frau, die jemals in seine Nähe gekommen war. Sie befriedigte seine Sinne, alle seine Sinne. Ganz zu schweigen von der Leidenschaft, mein Gott, der Leidenschaft, die sie so mühelos in ihm entfachte.

Um der Sache ein anderes Gesicht zu geben, erinnerte er sich daran, dass er nicht wollte, dass sie allein auf Chesleigh zurückblieb, nur in Gesellschaft seines kleinen Sohnes. Und er gestand sich ein, obwohl es ihm schwer fiel, dass es ihm nicht gefiel, wenn sich irgendjemand seinen Wünschen widersetzte, besonders nicht, wenn diese freundlich gemeint, gut überlegt und zudem recht attraktiv waren.

»Ich würde mir Sorgen um Euch machen«, sagte er schließlich. »Nein, ich werde es nicht gestatten. Ihr beide kommt morgen mit mir nach London.«

Evangeline war mit ihrem Latein am Ende. Sie hatte ihn inständig gebeten, und es hatte nichts genutzt. Entschlossen holte sie tief Luft und sagte mit kalter Stimme: »Ich verstehe. Der Befehl des Herrn und Meisters. Na schön, Euer Gnaden, wenn Ihr mir nicht gestattet, auf Chesleigh zu bleiben, mit Edmund, dann muss ich eben gehen. Ich werde unter keinen Umständen nach London mitkommen.«

»Unsinn, wo wollt Ihr denn sonst hin? Nein, Ihr werdet genau das tun, was ich Euch sage.«

»Ihr macht Euch lächerlich, Euer Gnaden. Ich denke, in diesem Fall geht es Euch nichts mehr an, wohin ich gehe oder was ich tue.«

Der Herzog stand auf und nagelte sie mit seinem Blick förmlich fest. »Ich habe jetzt genug von diesem Blödsinn, Evangeline. Ich weiß nicht, warum Ihr in dieser Angelegenheit so stur seid. Erklärt es mir, jetzt auf der Stelle.«

Ich hasse London. Ich weigere mich, in diese Stadt zu reisen.«

»Ihr seid doch noch nie in London gewesen.«

»Das spielt keine Rolle. Ich bleibe hier.«

»Setzt Euch hin und beendet Euer Dinner. Ihr seid ja völlig durcheinander. Beinahe hysterisch. Kein sehr reizvoller Anblick. Wir sprechen später noch einmal darüber.«

Evangeline rührte sich nicht vom Fleck. »Nein, das werden wir nicht. Hört mich an, Ihr könnt mir keine Befehle erteilen. Ich bin nicht einer Eurer Dienstboten. Trotzdem juckt es mich, genau wie Euren Bunyon, in den Fingern, Euch mit Eurer Schleife zu erwürgen.« Er hatte sich wieder hingesetzt, die Arme vor der Brust gekreuzt, und sah sie ungerührt an. »Der kalte Blick Eurer Augen zeigt mir, dass Ihr nicht vorhabt, Eure Meinung zu ändern.« Sie warf ihre Serviette auf den Tisch. »Lebt wohl, Euer Gnaden. Mein Besuch hier war eine recht eindrucksvolle, wenn auch etwas kurze Erfahrung.«

Der Herzog schoss so vehement aus seinem Stuhl hoch, dass dieser krachend auf den Teppich fiel. »Verdammt, Evangeline! Ihr werdet nirgendwohin gehen. Ein Schritt, und Ihr werdet es bereuen!«

Sie ließ ein abfälliges Lachen hören. »Geht zum Teufel«, versetzte sie, machte auf dem Absatz kehrt und marschierte zur Tür. Unwillkürlich überlegte sie, ob Bassick, die Diener und Dienstmädchen draußen vor der Tür warteten und sich wunderten, was dort drinnen vor sich ging. Sie drehte sich noch einmal um und sagte mit vor Wut vibrierenden Stimme: »Wenn ich Edmunds Pistole zur Hand hätte, würde ich Euch erschießen.«

Sie schaffte es nicht durch die Tür. Der Herzog war

mit einem Satz bei ihr, packte sie am Arm und wirbelte sie herum. Sie wehrte sich nicht. Sie wollte keine Kraft an ihn vergeuden. Er kochte vor Wut. Sie konnte das Blut in seiner Halsschlagader pulsieren sehen.

Er schüttelte sie, beugte sich dicht zu ihr und sagte ihr mitten ins Gesicht: »Ihr werdet nirgendwohin gehen. Habt Ihr mich verstanden?«

Seine Augen starrten auf ihre Brüste. Und im nächsten Augenblick war seine Wut verraucht. Er riss sie grob an sich, umfasste ihr Kinn und zwang sie, ihn anzusehen.

Evangeline war völlig wehrlos. Sie starrte zu ihm hoch, zu keiner Reaktion fähig. Er küsste sie, seine Zunge stieß drängend an ihre geschlossenen Lippen.

»Öffne den Mund, verdammt nochmal!«

Sie schmeckte seine Wut, dann nur noch ihn und seine zügellose Begierde.

Es war, als wüsste er nicht, was er zuerst tun sollte. Er küsste sie, küsste sie wieder und wieder. Dann drückte er ihren Oberkörper nach hinten, und sein Mund suchte ihren Hals, ihre Schultern. Er stöhnte, seine Hand war an ihrem Ausschnitt und riss ihr mit einem kräftigen Ruck das wunderschöne blaue Kleid bis zur Taille herunter. Seine Blicke saugten sich an ihren Brüsten fest, dann spürte sie seine heißen Lippen, seine Zunge, die gierig über ihr Flesich glitten.

Überwältigt gab sie sich hin.

Das war Leidenschaft, schoss es ihr durch den Kopf. Dieses Begehren, das sie in sich aufwallen spürte, aber nicht verstand, war beinahe wie ein Schmerz.

Dann ließ er unvermittelt von ihr ab. Sein Blick war verschwommen, als er sie anstarrte und versuchte, sich wieder in die Gewalt zu bekommen. Er drückte sein Gesicht in ihr Haar. »O Gott«, murmelte er. »Verzeiht mir.«

Sie zwang sich, sich aufzurichten, einen Schritt von

ihm weg zu machen, Abstand zu gewinnen. Nackt bis zur Taille stand sie vor ihm. Das war ihre einzige Chance. Sie musste auf Chesleigh bleiben. Sie hatte keine andere Wahl.

Sie zwang sich zu einem Blick, als sei dieser Zwischenfall nur ein unbedeutendes Ärgernis, das sie völlig unberührt ließ. Mit leicht amüsierter Stimme sagte sie: »Wie mir scheint, Euer Gnaden, habt ihr schon zu lange keine Frau mehr gehabt. Vielleicht besteht Ihr deswegen so unerbittlich darauf, dass ich mit euch nach London reise – weil Ihr dort momentan keine Mätresse habt, mit der Ihr Euch vergnügen könnt. Kann es sein, dass Ihr mich nur als eine wehrlose Frau betrachtet, ohne Protektion, eine Frau, an der Ihr Euch deshalb so einfach vergreifen könnt?«

Er wich vor ihr zurück, als hätte sie ihm eine Ohrfeige versetzt. Seine Begierde war dahin, sie sah nur langsam anschwellende Wut in ihm aufkeimen. Sie spürte diese Veränderung ganz deutlich, konnte aber nicht mehr zurück, ganz gleich, was passierte. Stocksteif stand sie vor ihm und fragte sich, ob er es wagen würde, sie zu schlagen.

Nach einer Weile sagte er so leise, dass sie sich anstrengen musste, ihn zu verstehen: »Manche Frauen sind durchtriebene Biester. Gehört Ihr auch zu dieser Sorte?« Dann wurde seine Stimme dunkler und tiefer. »Ich muss gestehen, Ihr habt mich überrascht. Ihr könnt auf Chesleigh bleiben, wenn Ihr das wünscht. Aber ich erwarte, dass Ihr mich über Edmunds Fortschritte auf dem Laufenden haltet. Gute Nacht und auf Wiedersehen.«

Damit ließ er sie stehen, entblößt bis zur Taille, wo sich das Oberteil ihres nachtblauen Gewandes bauschte. Er drehte sich nicht um, als er das Speisezimmer verließ und leise die Tür hinter sich zuzog.

Evangeline starrte wie versteinert auf die geschlossene Tür. In diesem Augenblick wusste sie mit absoluter Gewissheit, dass sie ihn niemals verraten konnte. Sie würde ihm die Wahrheit sagen. Und er würde ihr glauben. Er und Lord Pettigrew würden John Edgerton festnehmen. Und sie würden ihr helfen, ihren Vater aus Houchards Hand zu befreien. Das musste doch möglich sein.

Es dauerte eine Weile, bis sie ihr Kleid wieder hochgezogen und einigermaßen gerichtet hatte. Sie musste sich beeilen. Sie musste ihm erklären, dass sie sich in weniger als einer Stunde mit Edgerton treffen wollte. Sie mussten gemeinsam Pläne schmieden. Hastig rannte sie aus dem Speisezimmer, den langen Korridor entlang in die Halle, wo Bassick vor der goßen Eingangstür stand und stumm den Kopf schüttelte.

Sie hielt inne und holte tief Luft. »Was ist passiert, Bassick?«

Er sah sie an und drehte langsam den Kopf von einer Seite zur anderen. »Nichts, Madame, woran Ihr oder ich etwas ändern könntet.«

»Ich verstehe nicht, was Ihr meint.«

»Seine Gnaden«, sagte Bassick leise, »er hat Chesleigh verlassen. Gerade eben.«

19

Wie von Sinnen rannte Evangeline aus dem Schloss, doch dann blieb sie stehen. Vielleicht war es besser so, dachte sie. Vielleicht war es besser, wenn sie erst einmal herausfand, was sich hinter dem ganzen Anschlag verbarg. Dann hätte sie den Beweis, dass Edgerton ein Verräter war und könnte dem Herzog eine Nachricht zukommen lassen.

Ja, das war eine gute Idee. Sie musste nur Edgerton gegenüber die Nerven behalten. Sie durfte es nicht zulassen, dass er irgendeinen Verdacht hinsichtlich ihrer Pläne schöpfte.

Bis zu ihrer Verabredung mit Edgerton hatte sie noch reichlich Zeit. Fröstelnd zog sie den Umhang enger um die Schultern. Das sommerliche Wetter hatte sich inzwischen verändert. Es war kalt geworden, und die Temperaturen würden im Laufe des Abends noch weiter sinken. Vorsichtig stieg sie den langen Pfad zur Bucht hinunter. Die helle Sichel des Halbmondes wies ihr den Weg. Unten in der Bucht angekommen, blieb sie einen Moment stehen und blickte aufs Meer hinaus. Die Wellen hoben sich langsam, neigten sich dann vornüber, überschlugen sich und rollten sich dann auf wie ein Ballen Stoff, bis sie den Strand erreichten, wo sie sich leise plätschernd über den Sand ergossen.

Sie hatte Angst, die feuchte und stockfinstere Höhle zu betreten, daher ging sie zu einem runden Felsen vor dem Höhleneingang, setzte sich darauf und wartete. Vielleicht kam Edgerton ja gar nicht. Vielleicht hatte man ihn entlarvt, und ihr Vater befand sich bereits in Sicherheit. Unsinn, natürlich hatte man ihn nicht entlarvt. Das war nur ein verzweifelter Wunschgedanke von ihr. Sie wusste, dass sie keine gute Schauspielerin war, doch heute abend musste sie ihr Bestes geben. Sie musste unter allen Umständen vermeiden, dass er auf den Gedanken kam, sie führe etwas anderes im Schilde als seine Befehle auszuführen.

Und morgen, dachte sie, morgen wollte sie dem Herzog eine Nachricht zukommen lassen. Dann würde er zurückkehren und ihr helfen.

Sie wünschte John Edgerton zur Hölle. Und spürte gleichzeitig, wie die schwere Last der Schuld von ihr abfiel.

Es wurde immer kälter. Sie begann zu zittern. Wo blieb Edgerton nur? Hatte sie seine Anweisungen womöglich missverstanden? Hatte er …

»Guten Abend, Evangeline. Im Gegensatz zu den meisten Frauen bist du überpünktlich. Das gefällt mir.«

Evangeline wirbelte herum und wäre beinahe von dem Felsen gestürzt. Neben ihr, im Eingang der Höhle, stand seelenruhig John Edgerton. Seine vom Mondlicht beschienene Gestalt hob sich als weiße Silhouette vor dem dunklen Loch der Höhle ab. Wie lange stand er schon dort im Schatten, wartete und beobachtete sie?

Langsam erhob sie sich, ihren Umhang mit einer Hand fest am Kragen zusammengerafft. »Meiner Erfahrung nach sind es viel öfter die Männer, die unpünktlich sind. Anscheinend lieben sie große Auftritte und kommen erst dann, wenn man sie bereits ungeduldig erwartet.«

»Du bist noch sehr jung, deine Erfahrungen sind begrenzt und deine Ansichten daher unerheblich. Schön, du bist da. Hättest du dich verspätet, hätte ich möglicherweise an deinen guten Absichten gezweifelt. Leider war es mir neulich abends nicht möglich, dir zu sagen, wie sehr ich mich freue, dich wiederzusehen. Natürlich hätte ich einen anderen Anlass für unser Wiedersehen vorgezogen, doch es hat nicht sollen sein. Aber ich schweife ab. Das nächste Mal, wenn du hierher kommst, bring bitte eine Laterne mit. So, und jetzt folge mir.«

Er stellte eine Laterne am Höhleneingang auf den Boden und kniete sich hin, um sie anzuzünden. Als er zu ihr hochsah, fiel gelblicher Schein auf sein umschattetes Gesicht. »In zwanzig Minuten wirst du mit dieser Laterne ein Signal geben.« Er unterbrach sich und musterte sie mit gerunzelter Stirn. »Du hast Angst, nicht wahr? Das ist gar nicht so schlecht. Die Angst wird dich davon abhalten, Fehler zu machen – Fehler, die für deinen Vater tödliche Konsequenzen haben könnten.«

Evangeline blieb stumm.

»Hör mir genau zu. Du wirst anschließend unten am Pier ein paar Männer treffen. Ich warte inzwischen hier und beobachte, ob alles vorschriftsmäßig abläuft. So, aber jetzt solltest du das hier studieren, wir haben nicht mehr viel Zeit. Ah, du zögerst. Das hier ist ein sehr großer Schritt für dich, wie? Heute nacht wirst du an einem verräterischen Akt gegen England teilnehmen. An einem einzigen Akt, der unserer Sache jedoch sehr dienlich ist. Und damit sind die Würfel gefallen. Dann wird es für dich kein Zurück mehr geben.«

Wenn sie eine Waffe zur Hand gehabt hätte, wäre sie imstande gewesen, ihm ohne zu zögern eine Kugel in den Kopf zu jagen. Und ohne Bedauern. »Ihr seid ein Trottel, Sir John. Ihr glaubt, dass das hier ein Spiel ist, in dem Ihr mir Vorschriften machen könnt. Lügt Euch doch nicht selbst in die Tasche. Ihr seid nichts weiter als eine erbärmliche Person. Houchard hält meinen Vater gefangen, und Ihr wisst genau, dass ich keine Wahl habe. Alles andere ist nichts weiter als Kulissengeschiebe und schlechtes Melodram. Tut, was Ihr tun müsst, verdammt nochmal.«

Sie glaubte, er würde sie ohrfeigen. Er hatte eine Hand erhoben, ließ sie jedoch ganz langsam wieder sinken. »Du treibst es ziemlich weit, Evangeline. Du glaubst wohl, ich würde mich an das Mädchen erinnern, das du einmal warst, das Mädchen, das dein erbärmlicher Vater mir verweigert hat?«

»Mein Vater hat Euch gar nichts verweigert. Ich war diejenige, die Euch abgelehnt hat.«

Er lächelte; ein Lächeln, das im schummrigen Halbdunkel der Höhle Furcht erregend aussah. »Ich habe dich in der Hand, Evangeline, damit du das richtig verstehst. Deine tollkühne Prahlerei amüsiert mich, das will ich nicht leugnen. Und ich hätte nichts dagegen, mit diesem Geplänkel fortzufahren, aber nicht heute Abend. Wir haben wichtigere Dine zu tun und müssen uns beeilen.«

»Ihr seid Engländer. Warum wollt Ihr Euer Land verraten?«

Er zuckte die Schultern und fixierte einen Moment die Laterne. Dann hob er den Kopf und sah ihr direkt ins Gesicht. »Wir alle treffen Entscheidungen im Leben, Evangeline. Ich habe mich dafür entschieden, einem großen Mann dabei zu helfen, seine Bestimmung zu verwirklichen. Eine Bestimmung, die weit in die Zukunft hineinreicht, und ich werde meinen Teil dazu beigetragen haben. Aber genug davon. Ich erwarte nicht, dass du das verstehst. Nein, streite nicht mit mir. Die Zeit wird knapp. Was wir heute Abend hier vorhaben, ist eine sehr ernste Angelegenheit. Deine Aufgaben werden unterschiedlich sein, aber keine davon wird dich in eine gefährliche Situation bringen. Deine wichtigste Aufgabe wird darin bestehen, als eine Art Kontrollstelle zu fungieren. Niemand wird zu mir vorgelassen, ehe du nicht vorab sichergestellt hast, dass er auch derjenige ist, für den er sich ausgibt.«

Er zog ein gefaltetes Stück Papier aus seiner Westentasche und reichte es ihr mit den Worten: »Alle Nachrichten, die du in Zukunft erhalten wirst, werden mit diesem Code verschlüsselt sein, den nur du, Houchard und ich kennen. Du wirst mit einigen Männern entsprechend unseren Anweisungen zusammentreffen und sorgfältig deren Papiere überprüfen. Und du wirst keinen Mann gehen lassen, solange du dich nicht hundertprozentig davon überzeugt hast, dass seine Anweisungen authentisch sind. Nach eingehender Prüfung der einzelnen Nachrichten wirst du jede Seite mit deinen Initialen unterschreiben, als Zeichen dafür, dass du die Nachricht geprüft und als echt erachtet hast. Das dient zu Houchards und meiner Sicherheit. Was uns betrifft, so sind wir auch noch anderweitig abgesichert. Niemand wird deinen oder meinen richtigen Namen erfahren. Du wirst unter dem Decknamen Adler, *L'Aigle,* operieren, und ich unter Luchs, *Le Loupcervier.* Du bist ein kluges Mädchen, Evangeline – präge dir jetzt den Code ein.«

Evangeline ging näher an die Laterne heran und kniete sich hin. Der Code bestand darin, Buchstaben durch Ziffern zu ersetzen.

»Die Vokale haben einen eigenen Code. Keine Angst, in ein paar Minuten hast du alles begriffen.«

Sie sah zu ihm hoch. »Und was mache ich, wenn mir ein Mann eine gefälschte Nachricht vorlegt?«

»Wenn du feststellst, dass dies der Fall ist, dann unternimmst du überhaupt nichts. Du schickst den Mann einfach zu folgender Adresse in London.« Er reichte ihr eine kleine Visitenkarte. »Ich rechne nicht damit, dass es jemandem gelingt, unser Netzwerk zu durchdringen, aber man kann nie vorsichtig genug sein. Wir versuchen, auf alle Eventualitäten vorbereitet zu sein. Ich gehe davon aus, dass du uns keinen Bonapartisten vorbeischickst, denn wenn dir ein solcher Fehler unterläuft, beabsichtigt oder nicht, dann wird es dein letzter gewesen sein. Selbstverständlich wird auch dein Vater dann sterben, was du jedoch nicht mehr erlebst.«

Sie hielt die Karte hoch. »Heißt das, dass jeder, den ich zu dieser Adresse schicke, umgebracht wird?«

»Ganz recht. Und das hier ist meine Karte. Alle Männer, die du als zuverlässig beurteilst, schickst du zu mir.«

»Wo ist der Brief von meinem Vater? Houchard hat versprochen, mir einen zu schicken.«

»Du bekommst deinen Brief, wenn das Boot hier anlegt. Zusammen mit den Anweisungen für deinen nächsten Auftrag. Vorläufig wirst du auf Chesleigh bleiben. Falls es Änderungen gibt, lasse ich dir eine entsprechende Nachricht zukommen. Hat der Herzog bereits versucht, dich zu verführen?«

»Nein. Ich glaube, er hat nicht das geringste Interesse an mir. Außerdem ist er bereits nach London abgereist.«

»Macht nichts. Nebenbei bemerkt, die Vorstellung, die du neulich abends gegeben hast, hat mich sehr beeindruckt.«

»Ich hatte keine andere Wahl. Der Herzog und Lord Pettigrew haben Euch ja beide als ihren Freund betrachtet, jemandem, dem sie vertrauen können.«

»Sehr richtig«, erwiderte er und nickte selbstgefällig. »Ich habe auch jahrelang hart darauf hingearbeitet, mir ihr Vertrauen zu sichern. Aber, wie gesagt, du hast die Rolle der jungen Lady perfekt gespielt.«

»Ihr irrt Euch«, widersprach sie und erhob sich, um ihn anzusehen. »Ich bin keine gute Schauspielerin. Wenn der Herzog Chesleigh nicht schon verlassen hätte, wäre ihm über kurz oder lang bestimmt aufgefallen, dass mit mir irgendetwas nicht stimmt. Ich bin zwar erst seit ein paar Tagen hier, doch es gibt bereits jemanden, der argwöhnisch geworden ist. Mrs. Needle ist zwar eine harmlose alte Frau, doch sie hat irgendwie das Gefühl, dass mit mir etwas nicht in Ordnung ist. Wenn ich so leicht zu durchschauen bin, kann ich Euch und Houchard wahrscheinlich nicht von großem Nutzen sein.«

»Wer, sagst du, ist diese alte Frau?«

Evangeline schüttelte ungeduldig den Kopf. »Das ist unerheblich. Mir scheint nur, dass sie mich schon durchschaut hat, wirklich durchschaut. Und andere vielleicht auch.«

»Ich vertraue darauf, dass du um dein und das Leben deines Vaters willen ganz schnell lernst, dich zu verstellen. Frauen haben bekanntlich ein Talent dafür. Was nicht überrascht, da sie ja grundsätzlich dazu neigen, sich aller möglichen Listen und Täuschungen zu bedienen, wenn sie ein bestimmtes Ziel verfolgen. Und ich nehme an, dass du keine Ausnahme bist.«

»Ihr scheint keine sehr hohe Meinung vom weiblichen Geschlecht zu haben.«

»Oh, ganz im Gegenteil. Ich verehre die holde Weiblichkeit. Wie alle Männer, wenn es darum geht, ihre Bedürfnisse zu befriedigen. Es ist nur so, dass ich die Frauen kenne und weiß, dass man ihnen nicht trauen kann.«

»Warum wolltet Ihr dann ein siebzehnjähriges Mädchen zur Frau nehmen, dem Ihr niemals hättet trauen können?«

»Aus eben diesem Grund. Du warst noch blutjung und hattest nicht genügend Zeit, es im Gebrauch der weiblichen Raffinessen und Tücken zur Perfektion zu bringen. Ich hätte mich deiner angenommen und dich nach meinen Vorstellungen geformt.« Er zog seine Uhr aus der Westentasche. »Es ist Zeit. Pass jetzt sehr gut auf.«

Er brachte ein Taschentuch zum Vorschein, deckte damit die Laterne ab und trug sie zum Eingang der Höhle. In diesem Augenblick sah Evangeline in der Ferne ein Licht aufblitzen, und kurz darauf ein zweites.

Edgerton zog daraufhin das Taschentuch von der Laterne und hielt sie einige Sekunden lang hoch in die Luft. »Du wirst immer ein Doppelsignal erhalten, das du mit einem einfachen Lichtsignal beantwortest, das lange genug andauert, damit die Männer die Peilung vornehmen können. Sie werden zum Pier rudern und dort anlegen. Und dort triffst du sie.« John Edgerton senkte die Laterne, deckte sie wieder ab und stellte sie zurück in die Höhle.

»Bei Flut steht die Höhle unter Wasser.«

»Die Männer wissen, dass sie nur bei Ebbe anlanden können. Außerdem haben sie Order, sich der Bucht nur dann zu nähern, wenn du das Signal gegeben hast.« Er hob seine Hand. »Hörst du?«

Augenblicke später hörte sie tatsächlich das leise, rhythmische Platschen von Rudern, die ins Wasser tauchen.

»Du wirst jetzt ans Pier gehen. Und vergiss nicht, mein lieber Adler, dass du jetzt eine von uns bist. Du wirst die Männer begrüßen, das Paket mit den Nachrichten in Empfang nehmen und hierher zurückbringen. Später entziffern wir die Nachricht gemeinsam.«

Evangeline nickte und huschte durch die Dunkelheit hinaus auf den langen Holzsteg. Sie erkannte Edmunds kleine Schaluppe, die am Ende des Piers an der Ankerkette dümpelte, und dahinter, im Abenddunst, ein Langboot. Zwei Männer, bis zu den Ohren in dicke Umhänge gehüllt, kletterten auf den Steg, und einer von ihnen trat auf sie zu. Zu Evangelines Überraschung sprach er fließend Englisch. »Alles in Ordnung? Seid Ihr der Adler?«

Evangeline nickte nur, wagte nicht zu sprechen.

Der Mann musterte sie vom Kopf bis zu den Zehenspitzen und meinte dann: »Man hat uns zwar gesagt, dass unsere Kontaktperson eine Frau ist, aber dass es eine junge Schönheit ist, hat man uns verschwiegen.«

Evangeline hätte ihm am liebsten auf die Stiefel gespuckt. Mit einer Stimme, die so kalt und frostig wie die Nacht geworden war, sagte sie: »Gebt mir Eure Anweisungen.«

Wortlos nahm sie das Paket entgegen und ging zurück

zur Höhle. Die beiden Männer ließ sie auf dem Pier stehen, wo sie auf ihre Rückkehr warteten. Sie öffnete das Paket und fand zwei Umschläge, von denen einer, wie John Edgerton ihr gesagt hatte, den Brief ihres Vaters enthielt und ihre nächsten Anweisungen. In dem anderen waren irgendwelche Papiere und eine Nachricht in Houchards Code. Ihre Hände zitterten; in ihrem Kopf drehte sich alles. Stotternd versuchte sie die Nachrichten zu entziffern.

»Behalt nur die Ruhe, Evangeline. Die Männer werden warten, bis du fertig bist. Du hast die Buchstaben vertauscht. Versuch es noch einmal.«

Sie brauchte eine weitere Viertelstunde, bis klar war, dass die Botschaft tatsächlich von Houchard stammte. Bei den Papieren handelte es sich um Zeugnisse und Empfehlungsschreiben, einen gewissen Allan Dannard betreffend, der sich bei einem Lord George Barrington in London für die Stelle des Privatsekretärs bewarb. Evangeline hatte den Namen noch nie gehört, vermutete aber, dass der Lord irgendetwas mit dem Kriegsministerium zu tun hatte. Auf alle Fälle prägte sie sich die beiden Namen gut ein. Sie würde später mit dem Herzog darüber sprechen.

»Sie sind authentisch«, erklärte Evangeline und steckte die Papiere zurück in den Umschlag.

John Edgerton zog einen dünnen Kohlestift aus seiner Westentasche und reichte ihn Evangeline. »Unterzeichne die Schreiben in der rechten unteren Ecke mit deinen Initialen. Ohne diese Unterschrift können die Männer in London nicht weiter agieren.«

Als sie kurz darauf unten am Steg einem der Männer den Umschlag aushändigte und ihm die Adresse des Luchses nannte, nickten beide und salutierten flüchtig. »*A bientôt, Mademoiselle L'Aigle*.« Einer der Männer legte seine Fingerspitzen an die Lippen, küsste sie schmatzend und meinte: »Vielleicht sehen wir uns noch einmal wieder, unter anderen Umständen.«

»Das glaube ich kaum«, gab sie kühl zurück. »Aber seid versichert, dass ich Euch nie vergessen werde.«

Als sie hinter den Klippen verschwunden waren und das Langboot nicht mehr zu sehen war, trat John Edgerton aus der Höhle. »Das hast du gut gemacht, Evangeline. Deine nächsten Anweisungen findest du, wie ich bereits sagte, in dem anderen Umschlag.« Er unterbrach sich kurz, um mit den Fingerspitzen über ihre Wange zu streichen. Evangeline wich angewidert zurück.

»Bedauerlicherweise fällt mir in diesem Drama die Rolle des Schurken zu, doch andererseits hat es dich zu mir geführt, und das war mein größter Wunsch. Du wirst mich wiedersehen, Evangeline. Vielleicht bist du ja beim nächsten Mal ein wenig fügsamer und eher geneigt, dich mit mir über andere Angelegenheiten zu unterhalten.«

»Nein«, versetzte sie. »Gewiss nicht.«

»Ach, warten wir's ab. Eins noch, Evangeline, dein Gesicht spricht Bände. Du spielst ganz offensichtlich immer noch mit dem Gedanken, beziehungsweise überlegst fieberhaft, ob und wie du dich von uns befreien kannst. Aber das ist vergebliche Liebesmüh. So viel steht schon mal fest. Und was ich dir jetzt noch sage, das kannst du mir unbesehen glauben. Falls mir irgendetwas zustoßen sollte, so liegt der Befehl vor, Lord Edmund unverzüglich zu töten; schnell und sauber, und seine Leiche irgendwo zu verscharren, wo sie niemals gefunden wird. Er wird sterben, und du allein trägst dann die Schuld an seinem Tod. Ach, ich vergaß beinahe deinen Vater. Zwei Tote werden auf deinem Gewissen lasten, falls du mich an den Herzog oder an sonst jemanden verrätst. Hast du das verstanden?«

Er hatte gewonnen, und sie wusste es. Wahrscheinlich stand ihr das auch ins Gesicht geschrieben. Nein, Edmund durfte nichts passieren, nicht ihrem kleinen Jungen, der ihr von Tag zu Tag mehr ans Herz wuchs. Nein, das könnte sie nicht ertragen.

»Hast du mich verstanden?«

Nach einer Weile murmelte sie so leise, dass er sich näher zu ihr hinbeugen musste, um sie überhaupt zu hören: »Ja, ich habe verstanden.«

»Ausgezeichnet. Vielleicht hilft es dir, wenn du dir deinen Vater vorstellst, wie er, den kleinen Edmund an die Brust gedrückt, tief unter der Erde mit ihm in einem modrigen Grab liegt.«

Ja, sie hatte diese schreckliche Vision genau vor Augen. Sie verfiel in resigniertes Schweigen, der Ausdruck auf ihrem Gesicht erstarrte. Ihr war eiskalt und übel. Edgerton hatte gewonnen.

Irgendwann – sie hatte keine Ahnung, wie viel Zeit inzwischen verstrichen war – machte sie sich auf den Heimweg, stieg langsam den schmalen Klippenpfad hinauf, den Brief ihres Vaters an sich gedrückt. Es war vorbei, alles war vorbei. Sie war zur Verräterin geworden. Sie hatte England verraten.

Und sie hatte den Herzog verraten.

Jetzt gab es keinen Weg mehr zurück.

20

Trevlin lehnte sich gemütlich auf der gepolsterten Holzbank im *White Goose Inn* zurück und stillte seinen Durst mit einem Krug frischem Porter. Falls es ihm merkwürdig erschien, dass Madame de la Valette eine Fahrt von mehr als fünf Meilen auf sich nahm, nur um die kleine normannische Kirche zu besichtigen, die sich hoch oben auf den Kalkfelsen erhob, so stand es ihm nicht zu, Fragen zu stellen. Er vermutete, dass die junge Lady einfach nur Langeweile hatte, was nicht verwunderlich war, da sie außer Lord Edmund und den Dienstboten keinerlei Gesellschaft in dem riesigen Schloss hatte und deshalb diesen Ausflug unternehmen wollte. In den vergangenen Wochen hatte er sie bereits nach Landsdown begleitet, einem malerischen Dorf, das inmitten der idyllischen Hügellandschaft bei Southsea lag, und nach Southampton, wo sie ein Kloster besichtigte, das jahrhundertelange politische und religiöse Wirren überdauert hatte, wie sie ihm erklärte.

Als sie auf Chesleigh angekommen war, hatte er sie als lebenslustige junge Lady kennen gelernt, deren fröhliches Gelächter ihn mehr als einmal hatte schmunzeln lassen. Doch in letzter Zeit wirkte sie immer öfter bedrückt und abwesend, selbst auf ihren Ausflügen. Lässig mit den Fingern schnipsend, bedeutete Trevlin dem Serviermädchen, einem hübschen Frauenzimmer mit einem losen Mundwerk, ihm noch einen Krug Porter zu bringen. Der Augenaufschlag, mit dem sie ihn daraufhin bedachte, ließ seine Gedanken an Madame sofort verblassen.

Evangeline rümpfte angewidert die Nase ob des durchdringenden Fischgeruchs, der ihr entgegenwehte, als sie die gepflasterte Hauptstraße verließ, die durch das kleine Dörfchen Chitterly führte, und den schmalen gewundenen Pfad zu der alten Steinkirche einschlug. Obwohl sie weit und breit keine Menschenseele erblicken konnte, hatte sie doch das unangenehme Gefühl, beobachtet zu werden. Plötzlich hörte sie hinter sich das Rascheln von Laub und fuhr herum. Doch da war niemand.

Seit dieser Nacht mit Edgerton in der verschwiegenen Bucht war sie kaum von Edmunds Seite gewichen. Was Edmund schon bald langweilig geworden war. Natürlich hatte sie sich Mühe gegeben, sich ihm gegenüber wie immer zu verhalten, zu lachen und zu scherzen, aber das fiel ihr zunehmend schwerer. Jeder Schatten, jedes unerwartete Geräusch konnten eine Bedrohung für ihn darstellen.

Sie hatte angefangen, peinlich genau Buch zu führen über jeden Menschen, der ihren Weg kreuzte; sie notierte, wohin die fragliche Person ging, fertigte eine genaue Beschreibung an und hielt alles schriftlich fest, was ihr wichtig erschien. Instinktiv klammerte sie sich an den verzweifelten Wunsch, dass irgendetwas geschehen möge, das sie aus dieser unerträglichen Situation befreite, und sammelte daher so viele Beweise wie möglich.

Nachts, wenn sie allein in ihrem Bett lag, fröstelnd und verängstigt, dann haderte sie immer wieder mit sich, ob sie nicht doch dem Herzog schreiben und ihn um Hilfe bitten sollte. Doch gleich darauf tauchte in der Finsternis das Bild ihres Vaters auf, mit Edmund im Arm, beide im Tode erbleicht, stumm, ihr für immer genommen. Sie fragte sich, wie lange sie noch so weiterleben konnte und hatte sich sogar überlegt, heimlich nach London zu fahren und John Edgerton eigenhändig umzubringen; aber da war Edmund, ihr kleiner Junge, den sie inzwischen so liebte, als wäre er ihr eigener Sohn. Sie liebte sein fröhliches Lachen, seine unentwegten Versuche, sie in ihrer Rolle als Bandit einzufangen und mit der Pistole zu erledigen; dem Geschenk eines schlechten Menschen, der keine Skrupel hätte, ihn zu töten. Wer war von Edgerton beauftragt worden, Edmund umzubringen, wenn sie ihn verriet?

Ach, Edmund. Die Bedrohung seines jungen Lebens

ging ihr noch mehr zu Herzen als die Gefahr, in der sich ihr Vater befand. Edmund war hier bei ihr, in ihrer Obhut. Sie war für ihn verantwortlich, und er war so verletzbar. Er war doch erst fünf Jahre alt.

Als sie die kleine Anhöhe erreichte und vor der alten, bogenförmigen Eichentür der Kirche stand, war sie nach außen hin wieder ganz ruhig. Sie legte die Hand an den schweren bronzenen Türknauf und drückte dagegen, bis die Tür laut knarrend aufschwang. Im Inneren der Kirche war es kalt und klamm, da die dicken Steinmauern kaum Wärme hineindringen ließen.

Die Kirche war leer. Mit verhaltenen Schritten ging Evangeline durch den schmalen Gang, vorbei an den schmucklosen Holzbänken, auf den Altar zu. Plötzlich hinter ihr ein schlurfendes Geräusch. Sie erstarrte.

»Seid Ihr der Adler?«

Aus dem Schatten trat ein hagerer Mann in den grob gewebten Kleidern, die die Fischer hier trugen. Er war noch sehr jung, auf seinen Wangen war nicht der Schatten eines Bartes zu erkennen.

»Ja«, wisperte sie mit erstickter Stimme. »Seid Ihr mir gefolgt?«

»Nay, das war mein Kumpan. Er traut Weibsbildern nich' übern Weg. Er hätte Euch Eure hübsche Gurgel durchgeschnitten, wenn Ihr nicht allein gekommen wärt.«

Er legte es darauf an, ihr Angst einzujagen, aber merkwürdigerweise ließen sie seine drohenden Worte völlig kalt. Sie fürchtete sich nicht mehr. Über solche Gefühle war sie schon längst hinaus. Sie streckte die Hand aus. »Gebt mir das Paket. Ich will meine Zeit nicht mit Euch vertrödeln.«

Er sah sie mit gerunzelter Stirn an; offenbar hatte sie ihn mit ihrer kalten Art überrascht. Doch dann zog er umständlich einen speckigen Umschlag aus dem Hosenbund und reichte ihn ihr. Evangeline nahm keine weitere Notiz von ihm. Sie ließ sich auf einer der Holzbänke nieder, faltete den einzelnen Papierbogen auseinander und strich ihn glatt. »Seid Ihr dieser Conan DeWitt?«, erkundigte sie sich und sah dabei kurz zu ihm auf.

Der Mann schüttelte den Kopf. »Nein, der bin ich nich'. DeWitt is' mein Genosse. Er is'n feiner Herr.«

»Bringt mich zu ihm. Ich muss mit ihm sprechen.«

Er wirkte unentschlossen. »Conan hat nur gesagt, dass ich mich mit Euch treffen soll.«

»Trotzdem muss ich ihn sehen. Wenn er sich weigert, herzukommen, kann ich nichts weiter unternehmen.« Die verschlüsselte Nachricht Houchards enthielt eine Beschreibung von DeWitt: ein großer, blonder Mann mit einem Muttermal an der linken Wange, knapp unter dem Auge.

»Also gut«, brummte er missmutig. »Aber ich hoffe, Ihr habt 'nen guten Grund dafür.«

Sie zuckte nur die Schultern. »Die Entscheidung liegt bei Euch.«

»Mal sehen, ob er kommt.«

Er stapfte aus der Kirche und kehrte wenige Minuten später mit einem großen Mann zurück, der einen eleganten Buckskin-Anzug trug und nachlässig einen Gehstock schwenkte.

Conan DeWitt musterte sie ganz ungeniert. Ihr ungewöhnliches Gesicht, das trotz der Blässe sehr hübsch war, gefiel ihm. Jamie hatte sie ihm als eiskaltes Luder beschrieben, doch seine Stimme hatte dabei ungewollt respektvoll geklungen. »Was wollt Ihr von mir, Adler?«

»Houchard hat mir Eure Beschreibung geschickt. Ich muss mich vergewissern, dass Ihr der Mann seid, von dem man spricht.«

Er deutete geziert mit der Fingerspitze auf sein Muttermal. »Nun, seid Ihr zufrieden?«

Evangeline nickte, unterzeichnete das Schreiben mit ihren Initialen und reichte es DeWitt zurück. »Habt Ihr ein Paket für mich?«

DeWitt händigte ihr jetzt seinerseits einen dünnen Umschlag aus. Evangeline ließ ihn in der Tasche ihres Umhangs verschwinden und erhob sich.

»Jamie hatte Recht. Ihr seid wirklich ein eiskaltes Luder. Ich habe Houchard gesagt, dass man Frauen nicht trauen kann, doch er hat darauf bestanden, dass Ihr anders seid, und hinzugefügt, dass er Euch ohnehin so fest in der Hand hat, dass Ihr es niemals wagen würdet, uns zu betrügen. Offenbar glaubt er Edgerton mehr als mir.« Er unterbrach sich kurz, hob resigniert die Schultern und meinte dann: »Man wird ja sehen. Ich jedenfalls halte an meiner Überzeugung fest, dass Frauen wankelmütige Geschöpfe sind. Beim nächsten Treffen werde ich Edgerton fragen, worin dieses angebliche Druckmittel besteht. Er begehrt Euch, wisst Ihr das eigentlich? Und er wird Euch schließlich auch bekommen.«

In das kurze Auflachen, das sie zustande brachte, mischte sich ihre ganze Wut, die sie diesem verräterischen Halunken entgegenbrachte. »Eure Ansichten sind zweifellos Ausdruck Eures Charakters, Mr. DeWitt. Ich glaube, unsere Unterredung ist beendet. Guten Tag.«

»Ja, ein Luder«, murmelte er und taxierte sie noch einmal mit einem anzüglichen Blick, wobei er überheblich eine blonde Augenbraue hob. Evangeline nannte ihm noch rasch John Edgertons Adresse in London und machte dann Anstalten, die Kirche zu verlassen. Doch DeWitt stellte sich ihr in den Weg. »Dieser Bursche, dieser Trevlin … seht zu, dass er keinen Verdacht schöpft. Sonst ist er ein toter Mann.«

Sie spürte, dass sie in Panik geriet, doch außer ihrer Ungeduld ließ sie davon nichts nach außen dringen. »Macht Euch nicht lächerlich. Der Mann ist völlig ahnungslos. Kümmert Euch lieber um Eure eigenen Angelegenheiten und lasst mich in Frieden.«

Damit drehte sie sich auf dem Absatz um und schritt mit hoch erhobenem Haupt an ihm vorbei, verließ die Kirche und trat hinaus in den hellen Sonnenschein. Er war ein gut aussehender Mann, ein Gentleman, der sich ohne Zweifel überall in London Zutritt verschaffen konnte. Das Muttermal jedoch gab einem zu denken. Sie hatte eine Menge über Conan deWitt in ihr Tagebuch zu schreiben.

Der Herzog von Portsmouth stand vor einem der breiten Bogenfenster im Salon seines Londoner Stadthauses am York Square und beobachtete versonnen die Regentropfen, die an der Fensterscheibe herunterrannen. In der Hand hielt er einen Brief von Evangeline, worin sie ihm im typischen Gouvernanten-Stil über die Fortschritte seines Sohnes Bericht erstattete, unpersönlich, formell, ohne jegliches Gefühl. Statt dieses Briefes hätte er in diesem Augenblick viel lieber ihren weißen Schwanenhals in den Händen gehalten und fest zugedrückt. Das war bereits der fünfte Brief in dieser Art. Man hätte meinen können, sie sei eine völlig Fremde. Konnte dieser Brief tatsächlich aus der Feder jener Frau stammen, die er liebkost, deren Brüste er mit seinen Händen gestreichelt, deren Lippen er geküsst hatte, bis er glaubte, es vor verzweifelter Begierde nicht mehr aushalten zu können?

Und jetzt war sie eine Fremde. Sie hatte sich so weit wie nur irgend möglich von ihm distanziert. Bestürzt stellte er fest, dass der Schmerz über die Worte, mit denen sie ihren Brief beschlossen hatte, immer noch nachwirkte, immer noch tief in ihm rumorte, sodass er sich wiederholt fragte, was sie dazu veranlasst hatte, solche Worte zu gebrauchen, was er getan hatte, um sie dazu zu bringen. Und dann diese strikte Weigerung, ihm nach London zu folgen. Auch heute konnte er ihrem Verhalten nicht mehr Sinn abgewinnen als am Tag zuvor, als er sich wieder einmal stundenlang den Kopf über Evangeline zerbrochen hatte.

»Erzähl mir doch, was dich quält, mein Lieber.«

Er wandte sich vom Fenster ab, als er die Stimme seiner Mutter hörte, und schüttelte automatisch den Kopf. Eigentlich hatte er vorgehabt, sich seine grüblerische Stimmung nicht anmerken zu lassen, was insofern schwierig war, als seine Mutter ihn beinahe ebenso genau durchschaute wie früher sein Vater. Da er seine Mutter nicht beunruhigen wollte, meinte er lächend: »Mich quält überhaupt nichts, Mutter. Es ist nur so ein trüber, grauer Tag, der einem unwillkürlich aufs Gemüt drückt. Das Wetter ist schuld, weiter nichts. Mach dir um mich keine Sorgen.«

Die verwitwete Herzogin von Portsmouth, Marianne Clothilde, musterte ihren attraktiven Sohn mit einem liebevollen Blick. Wie sein Vater versuchte er stets, sie nicht zu beunruhigen, selbst wenn seine Bemühungen selten erfolgreich waren. Da sie ihn so gut kannte, erwiderte sie sein Lächeln und erkundigte sich nach Edmunds Befinden.

»Madame de la Valette berichtet mir heute, dass er demnächst seine erste Geschichte verfassen wird, so gut macht sich der Bursche. Vorab hat sie mir die Einleitung seines Erstlingswerks mitgeschickt.« Er reichte seiner Mutter einen einzelnen Briefbogen, der vier Sätze enthielt. Edmunds Handschrift war wirklich wie gestochen. Sie las laut: *»Die Nacht war stockfinster und stürmisch. Kein*

Mond war zu sehen. Nur ein paar Sterne. Die Geschichte geht noch weiter, ich bitte um Geduld.«

»Das ist wundervoll.« Die Mutter des Herzogs lächelte: »Ich glaube, Madame de la Valette ist ein Genie.«

»Sie hat ihm die Sätze wahrscheinlich diktiert. Das ist nichts Besonderes.«

»Sei doch nicht so ein Miesepeter, Richard. Ich bin sicher, dass das Edmunds Worte sind und dass sie ihm nur ein paar stilistische Vorschläge gemacht hat. Ich werde ihm gleich heute noch einen Brief schreiben und ihn tüchtig loben. Und ihm sagen, dass ich schon ganz gespannt bin, wie die Geschichte weitergeht. Ja, ich werde auch schreiben, dass es bei einem so guten Anfang gar nicht leicht ist, geduldig auf die Fortsetzung zu warten.«

»Ja, der Anfang ist nicht übel«, bemerkte der Herzog brummig, aber mit so viel Stolz in der Stimme, dass seiner Mutter warm ums Herz wurde.

»Er schreibt ganz ausgezeichnet, und das nach nur drei Wochen. Mir scheint, diese Madame de la Valette ist eine vorzügliche Lehrerin. Ach, ich vermisse den Bengel schrecklich.« Ihr Blick streifte die eindrucksvollen Augen ihres Sohnes, in denen sie eine unverhüllte Sehnsucht erkannte. Nach seinem Sohn? Ja, wahrscheinlich. Aber andererseits, warum kehrte er dann nicht einfach nach Chesleigh zurück? Oder ließ Edmund nach London kommen? Sie wagte einen Schuss ins Blaue und sagte: »Ich habe gerade nachgedacht, mein Lieber. Edmund ist ja nun kein Kleinkind mehr und wird bald die väterliche Hand brauchen, die ihn führt. Könnte er nicht mit Marissas Cousine nach London kommen? Bei der Gelegenheit könnte ich sie endlich kennen lernen.«

Der Herzog beäugte seine Mutter misstrauisch. Ihre dunklen Augen, die den seinen so ähnelten, waren jedoch ohne jeden Arg, was ihn nur noch mehr verunsicherte.

Denn wie seinem Vater entging auch seiner Mutter nie auch nur die geringste Kleinigkeit. Als kleiner Junge war er immer wieder gescheitert, wenn er versucht hatte, einen der beiden anzuschwindeln. »Ich vermute«, gab er säuerlich zurück, »du hast wieder einmal mit Bunyon geschwatzt. Dieser verfluchte Kerl muss überall seine Nase reinstecken und mitmischen.«

Die Herzoginwitwe nahm den Gefühlsausbruch ihres Sohnes mit einem nachsichtigen Lächeln zur Kenntnis. Natürlich hatte sie mit Bunyon gesprochen, der sich aber ganz gegen seine Gewohnheit äußerst bedeckt gehalten hatte, was sie eigentlich bewunderte. Loyalität war schließlich eine hoch zu schätzende Tugend. Doch seit Richard Chesleigh verlassen hatte und in London war, wirkte er verändert, irgendwie unbeteiligt und stets in Gedanken versunken. Anfangs hatte sie vermutet, dass er immer noch um seinen Freund Robbie Faraday trauerte, doch inzwischen glaubte sie das nicht mehr. Seine gedrückte Stimmung hatte auch nichts mit Sabrina Eversleigh zu tun, die Phillip Mercerault geheiratet hatte. Eines stand jedoch fest – er war reizbar und einsam, viel zu einsam für ihr Dafürhalten. Und dass sie nicht wusste, wie sie ihm helfen konnte, deprimierte sie zutiefst.

Marianne Clothilde verfiel in Schweigen. Vielleicht braucht er nur eine neue Mätresse, überlegte sie in der ihr eigenen realistischen Art. Ihr Sohn war genauso sinnlich und leidenschaftlich wie sein Vater es als junger Mann gewesen war – bis er sie, Marianne Clothilde, die Tochter eines verarmten Grafen, gefunden hatte. Von da an lebte er seine Leidenschaft zu Hause aus, mit ihr, in ihrem Ehebett oder wo immer sie gerade die Lust aufeinander überfiel. Die süße Erinerung zauberte ein Lächeln auf ihre Lippen. Andererseits hatte ihr Sohn eine ganz eigene Persönlichkeit, trotz der frappanten Ähnlichkeit mit seinem Vater. Damals, als er dessen Wunsch respektiert und Marissa geheiratet hatte, war sie der Meinung gewesen, dass er nun häuslich werden und zur Ruhe kommen würde, doch das war nicht geschehen. Er hatte freilich niemals ein schlechtes Wort über seine junge Frau verloren. Niemals seinen Schwiegervater kritisiert, der weiß Gott ein verabscheuungswürdiger Mann gewesen war. Und dann war Marissa gestorben.

Marianne Clothilde seufzte. Inzwischen fragte sie sich ernsthaft, ob der Herzog jemals eine Frau finden würde, mit der er sich wohl fühlen und eine erfüllte Gemeinschaft aufbauen konnte. Unwillkürlich schweiften ihre Gedanken zu Marissas Cousine ab und sie überlegte, was für eine Frau sie wohl sein mochte.

Nach einer Weile meinte sie zu ihrem Sohn, besser gesagt zu seinem Rücken, denn er hatte sich von ihr abgewandt und starrte wieder hinaus in den verregneten Park: »Du weißt doch, dass Bunyon mir gegenüber nie etwas verlauten lässt. Was ich übrigens sehr bedauere, denn du bist ja verschlossen wie eine Auster.«

»Es würde mich nicht wundern, solltest du ihm zuliebe schwindeln. Aber«, setzte er hinzu, ohne sich umzudrehen, »ich werde mir den Burschen trotzdem vorknöpfen. Nein, das meine ich nicht wörtlich, jedenfalls nicht in deiner Gegenwart. Ich werde ihn in den *Gentlemen Jackson's Boxing Salon* mitnehmen und ihn grün und blau schlagen.«

Ihr war aufgefallen, dass er bisher keine ihrer Fragen direkt beantwortet hatte. Sie lächelte und sagte zu seinem kerzengerade aufgerichteten Rücken: »Weißt du, mein Schatz, ich beginne mich schrecklich zu langweilen. Vielleicht überlegst du dir wirklich, ob du Edmund und Madame de la Valette nicht nach London nachkommen lässt.« Dann seufzte sie und bemühte sich um einen leicht weinerlichen Tonfall, als sie hinzusetzte: »Ich vermisse meinen einzigen, geliebten Enkelsohn sehr. Ich möchte ihn so gerne noch einmal wiedersehen, ehe mich, wie es in meinem Alter ganz natürlich ist, eine Krankheit ereilt und von dieser schönen Welt entführt. Kannst du Edmund und Madame de la Valette nicht nach London bringen? Deiner alten Mutter zuliebe?«

Der Herzog fuhr herum, und als sie seinen verkniffenen Gesichtsausdruck sah, vergaß sie für den Augenblick ihre Rolle. Er machte eine wegwerfende Handbewegung und versetzte schroff: »Madame weigert sich, nach London zu kommen. Als ich sie darüber in Kenntnis setzte, dass ich sie und Edmund gerne hier hätte, drohte sie damit, Chesleigh zu verlassen. Und auf meinen Einwand hin, dass sie doch sonst niemanden habe, der sie aufnehmen würde, entgegnete sie glatt, dass ich mich um meine eigenen Angelegenheiten kümmern solle. Und anschließend wünschte sie mich ganz unladylike zur Hölle, wenn ich mich recht erinnere.«

Marianne Clothilde schüttelte verwundert den Kopf und kam dann auf das Wesentliche zu sprechen: »Du hast sie *in Kenntnis gesetzt,* mein Sohn? Nach dem, was Bunyon mir erzählte, ist sie eine ausgesprochen nette junge Frau, die jedoch eine gehörige Portion Stolz besitzt. Und eine arme Verwandte, die auf deine Güte angewiesen ist. Vielleicht warst du ein bisschen zu streng mit ihr?«

Da seine einzige Antwort ein unbeugsames Schnauben war, fuhr sie ungerührt fort: »Wie heißt sie eigentlich mit Vornamen? Ich kann von ihr doch nicht immer als Madame de la Valette sprechen.«

»Evangeline«, antworteteer merkwürdig leise. Seine Mutter, der in diesem Augenblick ein ganzes Lichtermeer aufging, hätte sich um ein Haar vergessen, beherrschte sich jedoch noch in letzter Sekunde. Tausend Fragen brannten ihr gleichzeitig auf der Zunge, doch sie kannte ihren Sohn gut genug, um zu wissen, dass er sich hinter einer Mauer verschanzt hatte, die auch sie nicht durchbrechen konnte.

Daher begnügte sie sich vorerst mit einer unverfänglichen Bemerkung. »Was für ein reizender Name«, sagte sie, erhob sich aus ihrem Sessel und schüttelte die langen Röcke aus. Sie war eine große Frau, die sich trotz ihrer fünfzig Jahre eine gertenschlanke Figur bewahrt hatte. Schnell ging sie zu ihrem Sohn ans Fenster, küsste ihn auf die Wange und sagte: »Wenn ich es mir recht überlege, bist du der mit Abstand bestaussehende Gentleman, den ich kenne.«

»Da ich dir sehr ähnlich sehe, Mutter, schmeichelst du doch wohl nur deiner eigenen Eitelkeit.«

»O nein, nicht ganz. Dein Vater war ebenfalls ein blendend aussehender Mann.« Sie wusste sehr wohl, dass ihr Sohn, wie auch sein Vater früher, ständig von hoffnungsvollen jungen Ladies umschwärmt worden war, aber auch von verheirateten und von solchen, die alles andere als Ladies waren. Insgeheim hatte sie sich schon oft gefragt, ob er sich nur deshalb nie wirklich verliebt hatte, weil sich ihm die Frauen so gierig an den Hals – und in sein Bett – warfen, und das bereits seit seinem sechzehnten Lebensjahr. Vielleicht sogar schon vorher. Ihr Gatte war sehr stolz gewesen auf die sexuellen Heldentaten seines Sohnes. Er hatte ihn mehr geliebt als seine Frau, vermutete sie. Natürlich konnte er empört über die wilden Eskapaden seines Sohnes fluchen, doch im nächsten Augenblick auch ganz der stolze Papa, über seine Ausschweifungen lächeln. Und dann hatte sich der Sohn den Wünschen seines Vaters gebeugt, hatte geheiratet und einen Erben in die Welt gesetzt, seine Frau verloren und seinen Lebensstil auf etwas diskretere Art fortgesetzt. Und war dabei todunglücklich geworden.

In dem unverfänglichsten Tonfall, den ihr schauspielerisches Repertoire beinhaltete, sagte sie: »Du hast mir erzählt, dass Evangeline zur Hälfte englischer Abstammung ist.«

»Ja«, erwiderte er, und das war alles. Er wollte sich gar nicht erst vorstellen, wie seine Mutter reagieren würde, wenn er ihr gestand, dass er diese Frau mehr begehrte als jede andere zuvor, dass er sie am liebsten gleichzeitig erwürgen und dabei ganz eng an sich drücken würde, wenn er mit ihr schliefe.

»Ich glaube«, fuhr Marianne Clothilde fort, indem sie ihren hellblauen Musselinrock glatt strich, »dass Monsieur Possette jeden Augenblick eintrifft. Er hat begnadete Hände und zaubert mir immer die aufregendsten Frisuren.« Damit verließ sie den Salon. In der Tür blieb sie noch einmal kurz stehen und verkündete leichthin: »Wer weiß? Vielleicht kommt Evangeline doch bald nach London. Ich könnte sie ja persönlich einladen. Was meinst du dazu?«

Sein Blick hatte etwas Gehetztes, als er barsch erwiderte: »Das wirst du nicht tun, Mutter. Bloß nicht.«

Einen Augenblick später, als er allein am Fenster stand und in den Regen hinausblickte, sah er Evangeline vor sich, wie sie in seinen Armen lag, während seine Lippen ihren Mund liebkosten. »Zum Teufel mit dir, Evangeline«, fluchte er leise vor sich hin.

Seine Gedanken schweiften ab zu Morgana, seiner Mätresse. Merkwürdig – obwohl er ihre schlagfertige Zunge, ihren Witz und ihre sinnlichen Fertigkeiten vermisste, begehrte er sie im Moment überhaupt nicht. Er wollte nur diese eine Frau, verdammt nochmal!

Von einer blinden Wut erfüllt, dachte er an Bunyon

und rieb sich erwartungsfroh die Hände. Heute nachmittag würden sie gemeinsam in den *Gentleman Jackson's Boxing Salon* gehen. Und er wusste, dass er sich mit jedem Schlag wohler fühlen würde, Treffer oder nicht.

21

Verwundert sah Evangeline Mrs. Raleigh hinterher, die im Laufschritt den langen Korridor entlang Richtung Nordflügel rannte, während ihr dicker Schlüsselbund laut scheppernd an ihrer Hüfte auf und ab hüpfte.

»Was ist denn passiert, Mrs. Raleigh?«, rief Evangeline und machte die Schlafzimmertür hinter sich zu. »Kann ich Euch helfen?«

»Oh, Madame. Guten Morgen.« Sie hielt im Laufen inne und drehte sich zu Evangeline um, rot im Gesicht und ganz außer Puste. »Ach, wisst Ihr, ich mache mir große Sorgen um Mrs. Needle. Sie findet sich jeden Morgen pünktlich um sieben Uhr im Dienstbotenraum ein, um ihr Porridge zu essen, aber bis jetzt hat sie noch niemand gesehen. Und es ist schon nach acht. Irgendetwas ist passiert, das spüre ich ganz genau. Sie ist schon sehr alt, müsst Ihr wissen. Ich will mal nach ihr sehen.«

»Ich begleite Euch«, erbot sich Evangeline und passte sich mühelos dem schnellen Schritt der Haushälterin an. »Vielleicht hat sie beim Brauen irgendwelcher Zaubertränke einfach nur die Zeit übersehen.«

Als sie das Turmzimmer erreichten, rüttelte Evangeline an der alten Eichentür und rief: »Mrs. Needle, wir sind's, Madame de la Valette und Mrs. Raleigh! Ist alles in Ordnung?«

Keine Antwort. Evangeline machte sich noch einmal laut bemerkbar. Nichts.

»Ich wusste doch«, keuchte Mrs. Raleigh, »dass da etwas nicht stimmt. Sie ist krank, mein Gott, ich habe es doch geahnt.«

»Vielleicht ist sie in den Wald gegangen, um Pilze zu suchen«, warf Evangeline ein, während sie an dem großen Messingknopf drehte, glaubte aber selbst nicht, was sie da eben gesagt hatte. Ihr war nicht wohl bei dem Gedanken, das Turmzimmer zu betreten.

Als sie die Tür aufmachte, schlug ihnen der schwere Duft von getrockneten Rosenblüten entgegen. »Mrs. Needle?«

Zögernd ging Evangeline in dem düsteren Raum umher, gefolgt von Mrs. Raleigh, die ihr dicht auf den Fersen blieb. Plötzlich sog sie scharf die Luft ein. »O Gott«, flüsterte sie. »O mein Gott.«

Evangeline rannte in die andere Ecke des Turmzimmers, zu dem kleinen Alkoven, in dem Mrs. Needles Bett stand. Die alte Frau lag zusammengekrümmt vor dem Bett auf dem nackten Holzfußboden. Instinktiv wusste Evangeline, dass Mrs. Needle tot war, noch ehe sie sich neben sie kniete und ihr Handgelenk umfasste. Sie fühlte keinen Puls; ihr Körper war ganz steif. Sie musste schon vor Stunden gestorben sein.

»Sie war eine alte Frau«, sagte Mrs. Raleigh, »aber trotzdem ist es traurig. Es muss ihr Herz gewesen sein. Ich bete zu Gott, dass sie leicht gestorben ist. Sie hat nie einem von uns erlaubt, länger bei ihr zu bleiben. Ach, es tut mir so Leid, dass niemand bei ihr war, als sie ihren letzten Weg angetreten hat.«

Evangeline sank auf die Fersen und schloss die Augen. Ohne es zu wollen, tauchte das friedliche Gesicht ihrer Mutter in ihrer Erinnerung auf, die blassen Lippen zu einem Lächeln gekräuselt, die blauen Augen weit geöffnet, bis der Arzt ihr sanft die Lider schloss. Im ersten Moment hatte sie der Tod ihrer Mutter nur zutiefst geschockt; der erstarrte Körper, der einmal ihrer Mutter gehört hatte, war ihr ganz fremd erschienen. Die Trauer war erst später gekommen. »Ja«, sagte Evangeline nach einer Weile, den Blick auf Mrs. Raleigh gerichtet. »Sie war eine alte Frau, eine sehr alte Frau. Ich glaube, Ihr holt am besten Bassick. Der weiß bestimmt, was getan werden muss.«

Mrs. Raleigh nickte und machte sich eilig auf den Weg. Das Rasseln ihrer zahlreichen Schlüssel hallte plötzlich gespenstisch durch den steinernen Treppenaufgang des Turms.

Evangelines Blick glitt zögernd über Mrs. Needles Gesicht. Die tiefen Falten und Runzeln schienen sich geglättet zu haben. Im Tod sah sie gar nicht mehr so alt aus. Evangeline streckte die Hand aus und berührte für einen kurzen Moment die kalte Wange der Toten. Die arme alte Frau. Sie war einsam und allein gestorben, ohne einen lieben Menschen zur Seite, der an ihrem Hinscheiden teilnahm. Zufällig streifte ihr Blick den aufklaffenden Kragen von Mrs. Needles abgetragenem Wollgewand, und beim näheren Hinsehen entdeckte sie zwei blaue Flecken in der runzeligen Vertiefung unter ihrer Kehle, die genau wie die Abdrücke eines Daumenpaars aussahen. Entsetzt sank Evangeline auf ihre Fersen und schloss die Augen. O nein. O Gott, nein. Sie zwang sich, noch einmal ganz genau hinzusehen. Vielleicht hatte sie sich ja getäuscht. Aber diese grauenvollen Abdrücke waren immer noch deutlich sichtbar, zwei ovale Flecken, dunkel gefärbt und tödlich. Mrs. Needle war doch nicht allein gestorben – jemand hatte sie erdrosselt.

Evangeline seufzte tief und barg das Gesicht in ihren

Händen. Das war alles ihre Schuld. Sie hatte John Edgerton von Mrs. Needle erzählt. Hatte wahrscheinlich sogar ihren Namen erwähnt, doch ganz sicher war sie sich nicht. Auf alle Fälle hatte sie ihm erzählt, dass die Greisin die Vermutung geäußert habe, dass mit ihr irgendetwas nicht stimmte. Sie hatte das nur angesprochen, weil – ein verzweifelter Schluchzer entrang sich ihrer Kehle, und sie presste die Hände noch fester auf ihr Gesicht –, ja, weil sie den Verdacht der alten Frau zum Vorwand nehmen wollte, um Edgerton Angst einzujagen und ihn von weiteren Wahnsinnstaten abzuhalten. Doch statt sich einschüchtern zu lassen, hatte er sich der unschuldigen Alten einfach entledigt, als wäre sie ein lästiger Fussel, den man vom Ärmel eines Jacketts schnippt. Er hatte ihren Mörder gedungen. Und sie allein trug die Verantwortung für dieses scheußliche Verbrechen. Mrs. Needle war tot, weil Evangeline nach Chesleigh gekommen war. Es gab keine Entschuldigung für ihr Tun, nicht die geringste.

Bassick fand Evangeline neben Mrs. Needles Leichnam hockend vor, das Gesicht tränenüberströmt, den Körper wie unter schrecklichen Schmerzen gekrümmt.

»Madame«, sagte er leise und legte ihr sacht eine Hand auf die Schulter. »Ihr müsst jetzt gehen. Es tut mir Leid, dass der Tod Mrs. Needles Euch derartig getroffen hat. Einen Menschen tot aufzufinden, kann ein großer Schock sein.«

Evangeline sah mit tränenumflorten Augen zu ihm auf. »Sie ist tot, Bassick. Begreift Ihr nicht? Sie ist tot.«

Bassick kniete sich neben sie und legte die flache Hand auf Mrs. Needles Brust. »Ja, ich verstehe. Aber Ihr müsst sie jetzt verlassen. Ich werde mich um alles kümmern. Es war ihr Herz. Mrs. Needle war schon sehr alt. Ihr Herz hat aufgehört zu schlagen, ja, es ist offenbar einfach stehen geblieben. Es war ein leichter Tod, Madame. Ich habe bereits nach dem Doktor schicken lassen. Er wird in Kürze hier sein. Geht jetzt, Madame.«

»Nein, Bassick, es war nicht ihr Herz. Und sie hatte keinen leichten Tod.« Sie legte die Fingerspitzen auf die verräterischen Blutergüsse. »Jemand hat sich hier hereingeschlichen und sie erwürgt.«

Bassick hatte plötzlich das Gefühl, als drehe sich alles um ihn herum im Kreis, und er schüttelte heftig den Kopf. »Nein, das ist völlig ausgeschlossen. Nicht hier, nicht hier auf Chesleigh Castle.«

Evangeline schwieg.

Bassick nahm die beiden ovalen Blutergüsse an Mrs. Needles Kehle näher in Augenschein. Er wusste, was er da so eingehend betrachtete, und doch lief es ihm dabei eiskalt über den Rücken. Er konnte es einfach nicht akzeptieren. »Aber weshalb?« Die Situation überforderte ihn. Er fühle sich völlig hilflos, obwohl er doch irgendetwas unternehmen sollte. »Weshalb?«, fragte er noch einmal.

Und Evangeline antwortete mit einer Stimme, die so leblos war wie die Gestalt, die neben ihr auf dem Boden lag: »Ich weiß es nicht, Bassick. Ich weiß es nicht.«

Bassick riss sich zusammen und stand auf. Dann reichte er Evangeline die Hand und half ihr, sich aus der Hocke zu erheben. »Madame, ich glaube, wir sollten sie nicht anfassen. Ich muss den Magistrat rufen. Das ist Baron Lindley, ein alter Narr, aber uns bleibt keine andere Wahl. Kommt jetzt erst einmal mit mir. Wir werden zusammen ein Glas Brandy trinken, um uns für das zu rüsten, was auf uns zukommt.«

»Mrs. Needle hat niemandem etwas zuleide getan«, flüsterte Evangeline mit erstickter Stimme, als sie sich von Bassick aus dem Turmzimmer führen ließ.

Baron Lindley, ein Mann mit einem dichten weißen Haarschopf und stämmigen Schultern, dessen Gichtleiden das einzige Gesprächsthema war, das er in seinem Haushalt duldete, traf binnen einer Stunde auf Chesleigh ein. Madame de la Valette, die junge Cousine des Herzogs, machte auf ihn einen unnatürlich abwesenden Eindruck. Traurig, dachte er, dass ausgerechnet eine so sensible junge Lady diejenige sein musste, die die alte Frau tot aufgefunden hatte. Nachdem er die mühsame Befragung sämtlicher Chesleigh-Dienstboten abgeschlossen hatte, kehrte er in den Salon und zu Madame de la Valette zurück, da sonst niemand da war, um ihn zu empfangen. Er wünschte, der Herzog wäre anwesend gewesen; in Gegenwart von dessen junger Cousine fühlte er sich etwas verunsichert. Sein rechter Fuß schmerzte höllisch. Er wollte um ein heißes Tuch bitten, um sich einen Umschlag zu machen, doch als er das ausdruckslose Gesicht der jungen Lady bemerkte, die abwesend vor sich hinstarrte, vergaß er seine Bitte. Vermutlich hätte sie ihn sowieso nicht verstanden, überlegte er und fragte sich kurz, ob sie nicht vielleicht geistig etwas minderbemittelt wäre. Er räusperte sich. Bassick stand wie eine Marmorstatue neben der Tür. Er musste sich noch zweimal räuspern, ehe die junge Lady ihn überhaupt zur Kenntnis nahm.

»Ich bin zu dem Schluss gekommen, dass der Mann, der die alte Frau erwürgt hat, jemand gewesen sein muss, dem sie ein Heilmittel gegeben hat, das entweder ihm oder einem lieben Angehörigen Schaden zugefügt hat. Sicherlich haben wir es hier mit einem Racheakt zu tun. Der Mann hat sie wahrscheinlich in einem Anfall blinder Wut erwürgt.«

»Racheakt«, wiederholte Evangeline gedankenverloren, während das Wort durch ihren Kopf spukte, ohne irgendeinen Sinn zu ergeben, zumindest keinen wirklichen. War der Baron davon tatsächlich überzeugt?

»Ja, es war Rache«, fuhr Baron Lindley fort. »Sie besaß keinerlei Wertgegenstände, und wie ich feststellte, wurden ihre Sachen auch nicht durchwühlt. Auffallend allerdings war dieser intensive Rosenduft in ihren Räumlichkeiten. Ich könnte mir vorstellen, dass dieser Geruch den Mörder zu seiner Tat erst richtig animiert hat. Vielleicht war das der Lieblingsduft derjenigen Person, der Mrs. Needle eine unverträgliche oder sogar tödliche Arznei verabreichte. Möglicherweise handelte es sich dabei um eine Art Liebestrank. Ja, der Mörder muss außer sich vor Gram und Trauer gewesen sein und sie deshalb erwürgt haben. Ich bezweifle jedoch, dass wir herausfinden können, wer dieser Mann war. Auf alle Fälle werde ich alle Personen, denen Mrs. Needle in den vergangenen Wochen eine Arznei zusammengemischt hat, befragen lassen. So, jetzt muss ich mich leider verabschieden. Ich habe Schmerzen in meinem Fuß, sollte ihn eine Weile hochlegen und zur Entspannung einen Brandy trinken. Oh, diese Schmerzen, sie sind kaum auszuhalten … Guten Tag, Madame.«

Evangeline wusste, dass man den Mörder niemals fassen würde. Sie glaubte auch nicht, dass der Baron tatsächlich vorhatte, eine Befragung unter der örtlichen Bevölkerung durchzuführen. Es wäre ohnehin reine Zeitverschwendung gewesen. Sie schaffte es zumindest, sich zu erheben, als Baron Lindley den Salon verließ, dicht gefolgt von Bassick. Mrs. Needles Tod würde ein ungeklärtes Geheimnis bleiben und bald in Vergessenheit geraten. Sie war nicht so wichtig gewesen, dass man sich lange an sie erinnern würde.

Nachdem Baron Lindley sich verabschiedet hatte, meinte Evangeline zu Bassick: »Was den Baron betrifft, so habt Ihr absolut Recht gehabt. Und selbst wenn er nur halb so vertrottelt ist, wie er sich gibt, wird in dieser Angelegenheit wohl kaum etwas unternommen werden. Ich muss dem Herzog unverzüglich einen Brief schreiben und ihn über die Vorkommnisse informieren.« Sie unterbrach sich kurz. »Bitte, Bassick, kontrolliert alle Schlösser.«

Bassick sah die Angst in ihren Augen und verstand sie gut. Ihm selbst war nämlich auch nicht wohl. Jemand war unbemerkt ins Schloss eingedrungen und hatte einen der Bewohner ermordet. »Selbstverständlich, Madame. Außerdem werde ich an den diversen Eingängen Lakaien postieren. Möglich, dass der Mann, der das getan hat, noch einmal zurückkehrt. Ja, Ihr müsst unbedingt Seiner Gnaden schreiben. Er wird zutiefst betroffen sein. Er hat Mrs. Needle nämlich sehr gern gehabt. Er kannte sie schon seit seiner Kindheit, müsst Ihr wissen, und hat ihr immer alle möglichen Blätter und Wurzeln gebracht.«

»Ja, ich weiß, dass er sie sehr mochte. Hat er ihr wirklich Pflanzen und dergleichen gebracht?«

»O ja. Erst letzten Monat kam ein Schiffskapitän und brachte dem Herzog eine ganze Kiste mit Pflanzen aus Indien mit. Die hat er dann Mrs. Needle gegeben. Seine Gnaden hat sie gebeten, ihm einen Kräutertrank zu mixen, der ihn zum besten Reiter im ganzen Land macht. Wenn ich mich recht erinnere, erklärte Mrs. Needle seiner Gnaden, dass er bereits der beste Liebhaber im Lande sei und weitere Superlative nur seinen Charakter verderben würden. Dabei lachte sie wie eine alte Hexe, und auch Seine Gnaden amüsierte sich königlich über ihre Schlagfertigkeit.«

Evangeline setzte sich an den Schreibtisch des Herzogs in der Bibliothek, legte einen einzelnen Briefbogen vor sich hin und tauchte den Federhalter in das Tintenfass. Die Art und Weise, wie sie sich vor drei Wochen getrennt hatten, spielte jetzt keine Rolle mehr. Sie musste ihn sehen. Aber was sollte sie ihm sagen? Dass sie sein ehemaliges Kindermädchen umgebracht hatte? Nein, nicht eigenhändig erwürgt, Euer Gnaden, aber ich habe John Edgerton von ihr erzählt, und er hat es dann getan. O Gott, sie wusste nicht, wie sie sich ihm verständlich machen sollte. Nein, sie musste ihn unbedingt sehen und mit ihm darüber sprechen. Sonst würde sie unter ihren Schuldgefühlen zusammenbrechen.

»Euer Gnaden«, schrieb sie schließlich. *»Es tut mir entsetzlich Leid, dass ich schlechte Nachrichten für Euch habe. Mrs. Needle ist tot. Und sie ist keines natürlichen Todes gestorben.«* Ihre Feder schwebte eine Weile unbeweglich über dem Briefbogen, ehe sie sich dazu überwinden konnte, folgende Worte zu schreiben: *»Ein Unbekannter ist ins Schloss eingedrungen, hat Mrs. Needle im Nordturm überrascht und sie umgebracht. Ich bitte Euch inständig, nach Chesleigh zurückzukehren. Eure Cousine …«*

Sie unterzeichnete den Brief hastig mit ihrem Namen und faltete den Briefbogen zusammen.

Jetzt hatte sie nur noch den Wunsch, zu sterben.

22

Am späten Vormittag des folgenden Tages traf der Herzog auf Chesleigh ein, nachdem er den weiten Weg von London in weniger als sechs Stunden bewältigt hatte. Er war erschöpft, schmutzig, erschüttert über die Art und Weise, wie Mrs. Needle zu Tode gekommen war, und außer sich vor Sorge um Evangeline.

»Dem Himmel sei Dank, dass Ihr so schnell gekommen seid, Euer Gnaden. Willkommen, herzlich willkommen.« Bassick war so erleichtert, seinen Herrn zu sehen, dass er sich ihm beinahe an die Brust geworfen hätte. Tatsächlich stolperte er vor lauter Aufregung über einen Stuhl, als er ihm entgegeneilte, um ihm aus dem Mantel zu helfen.

»Ich bin so schnell gekommen wie ich konnte, Bassick. Wo ist Madame?«

»Sie ist bei Lord Edmund. Ich fürchte, dass Mrs. Needles Tod sie schwer getroffen hat. Sie hat darauf bestanden, mit den Vorbereitungen für die Beerdigung zu beginnen. Ich habe meinerseits veranlasst, dass an allen Zugängen im Schloss Lakaien postiert werden, die Wache halten. Außerdem habe ich alle Schlösser auswechseln, beziehungsweise verstärken lassen. Ach, wir sind ja alle so froh, dass Ihr unverzüglich gekommen seid.«

»Ich werde mich um sie kümmern«, erklärte der Herzog und ließ Bassick stehen, der ihm verwirrt hinterherblickte.

Leise öffnete er die Tür zum Kinderzimmer und trat ein. In dem großen Raum war es angenehm warm; im Kamin loderte ein knisterndes Feuer. Evangeline saß auf dem Teppich, mit dem Rücken an ein kleines Sofa gelehnt, und Edmund hockte neben ihr. Er hielt einen englischen Holzsoldaten in der Hand. »Ich weiß nicht, Eve«, sagte er gerade mit nachdenklich gerunzelter Stirn. »Du sagst, dass es dir gut geht, aber Bassick meinte, ich darf dich heute nicht jagen und auf dich schießen, weil du heute kein richtiger Gegner für mich bist.«

»Nein, wahrscheinlich nicht«, gab Evangeline zurück. »Verzeih mir, Edmund, aber ich bin heute wirklich nicht in Form. Aber sag mal, weiß dieser Bassick eigentlich immer alles?«

»Er sagte auch noch, dass ich heute nicht rumschreien

oder zu laut mit dir reden darf. Ja, er sagte, ich soll dich so behandeln, wie ich behandelt werden möchte, wenn ich ganz schlimmes Bauchweh habe. Er hat einen Waffenstillstand angeordnet.«

Waffenstillstand, überlegte sie. Dann drehte sie sich zu Edmund um, lächelte und schüttelte seine Hand. »Ja, für heute schließen wir einen Waffenstillstand, Edmund. Und morgen geht es dann wieder gnadenlos weiter mit unserer erbitterten Hetzjagd, ja?«

Edmund hob den Kopf und sah seinen Vater in der Tür stehen.

»Papa!« Blitzschnell rannte er auf seinen Vater zu, lachend und juchzend vor Freude, und der Herzog fing ihn auf, hob ihn hoch und küsste ihn schmatzend auf beide Wangen. »Bist du gekommen, um nach Eve zu sehen, Papa? Ihr geht's nicht gut. Sie ist traurig, weil Mrs. Needle gestorben ist. Ich habe gehört, wie Mrs. Raleigh mit den anderen Dienstboten darüber geredet hat. Bassick sagte, ich müsse heute ganz brav sein.«

»Ich weiß, Edmund. Ach, sieh mal, da ist ja Bunyon. Er geht immer so leise, dass man ihn nie kommen hört. Er will dich auf einen Ausritt mitnehmen. Ich kümmere mich inzwischen um deine Cousine Eve.«

»Aber du wirst sie nicht jagen und auch nicht auf sie schießen, nicht wahr, Papa?«

»Nein, keine Sorge, mein Junge.«

»Das ist gut. Das darf nämlich nur ich. Bring sie zum Lachen, Papa. Ich möchte sie so gerne wieder lachen sehen.«

Evangeline hörte Bunyons Stimme, sah ihn aber nicht. Im nächsten Augenblick war Edmund verschwunden und sie mit dem Herzog allein. Er rührte sich nicht, blieb einfach in der Tür stehen und sah sie an. Nach einer Weile machte er mit einer Hand leise die Tür zu.

»Ich kam so schnell ich konnte«, sagte er und streckte ihr die Arme entgegen. »Kommt her.«

Und sie kam. Sie rannte zwar nicht so schnell wie Edmund, doch binnen Sekunden lag sie in seinen Armen.

»Es ist gut«, murmelte er in ihr Haar und streichelte ihr dabei beruhigend den Rücken. »Jetzt bin ich ja hier, und alles wird gut.«

In diesem Augenblick war es um ihre Selbstbeherrschung geschehen, und die schmerzliche Trauer und die Schuldgefühle brachen aus ihr heraus. Das Gesicht an seinen Hals gepresst, weinte sie hemmungslos, schluchzte wie ein Kind, und er ließ es geschehen, sagte kein Wort, hielt sie nur fest und strich ihr mit seinen großen Händen über den Rücken, hinauf und hinunter, ganz langsam, und sie weinte und weinte, an ihn geklammert wie eine Ertrinkende.

Als ihr Schluchzen langsam verebbte und sich zu einem Schluckauf wandelte, küsste er sie leicht auf die Stirn. »Es ist alles vorbei, Evangeline. Ich verspreche Euch, alles wird wieder gut.«

»Nein«, versetzte sie impulsiv und löste sich von ihm. »Nein, nichts ist gut, überhaupt nichts.« Wenn sie nicht gewesen wäre, wäre Mrs. Needle noch am Leben, aber das konnte sie ihm nicht sagen. Dann würde Edmund sterben. Sie ballte die Hände zu Fäusten, trommelte auf seine Brust ein und wünschte sich, sie könnte diejenige sein, der sie damit wehtat. Er beachtete ihre Schläge nicht, sondern hielt sie nur fest im Arm.

Nachdem er ihren von einem Boten aus Chesleigh überbrachten Brief zu Ende gelesen hatte, war seine Wut gegen sie, die er über Wochen angestrengt aufrechterhalten hatte, angesichts der Nachricht von Mrs. Needles Tod und ihrer flehentlichen Bitte, zurückzukommen, augenblicklich verraucht. Und auch jetzt stellte er seine eigene Trauer hintan und war nur darauf bedacht, sie zu beruhigen.

Schließlich spürte sie nichts mehr, keinen Schmerz, keine Wut, die Tränen waren versiegt, und in ihr war nur noch eine dumpfe Leere. Der Herzog lockerte seine Umarmung und drückte ihr ein Taschentuch in die Hand. Als sie es einfach nur festhielt, nahm er es wieder und tupfte ihr das Gesicht trocken – dieses geliebte Gesicht, wie ihm plötzlich klar wurde, eine Erkenntnis, die ihn bis ins Mark traf. Aber es war die reine Wahrheit. Ihre Augen waren verquollen, und sie war leichenblass. Merkwürdig, dachte er, dass sie in der kurzen Zeit so eine Zuneigung zu Mrs. Needle gefasst hatte. Aber das war unwichtig. Sie schien völlig außer sich.

»Es tut mir Leid«, wisperte Evangeline in sein Taschentuch. »Verzeiht mir, Euer Gnaden. Ich bin so froh, dass Ihr hier seid. Ich wusste nicht, was ich tun soll.«

»Ihr habt mehr getan, als Ihr hättet tun sollen. Ich bin derjenige, der in Eurer Schuld steht, weil Ihr so Schreckliches habt ertragen müssen.« Für einen kurzen Moment sah er Schmerz und andere Gefühle in ihren Augen, die er nicht zu deuten wusste. Er ließ sie nicht los. Er wollte sie nicht gehen lassen. Er zog sie näher an sich heran. »Wir müssen jetzt nicht darüber sprechen. Ich möchte Euch nicht noch mehr verletzen.«

Evangeline schüttelte heftig den Kopf und gewann allmählich ihre Fassung wieder. Sie hatte sich gehenlassen, und das war sehr gefährlich. Sie musste ihr Geheimnis für sich behalten. »Nein«, seufzte sie schließlich entschlossen und wand sich langsam aus seinen Armen. »Nein, Ihr müsst wissen, was geschehen ist, damit Ihr entsprechend handeln könnt. Baron Lindley ist als Magistrat anscheinend noch unfähiger als Edmund als Drachentöter.«

»Drachentöter? Ich dachte, er jagt nur Straßenräuber.«

»Als ich ihm eine Geschichte über einen Drachentöter vorlas, glühte er vor Aufregung. Er war sich nur nicht sicher, ob ich wirklich in der Lage sei, Feuer zu spucken, wenn er mich verfolgt.« Sie lächelte unwillkürlich, verschluckte sich dann und wollte am liebsten sterben.

»Ist schon gut. Lachen lässt Euch das Unglück für eine Weile vergessen.« Er rückte ihr einen Sessel zurecht, sie setzte sich und strich mit blassen Fingern ihren Rock glatt. Der Herzog blieb stehen, mit dem Rücken an den Kaminsims gelehnt. Er betrachtete sie für einen Moment schweigend, und auf einmal wurde ihm klar, dass er sie plötzlich mit ganz anderen Augen sah.

Evangeline blickte zu ihm empor, dem Mann, der zum Mittelpunkt ihres Denkens geworden und dessen Sohn ihr so ans Herz gewachsen war, dass sie wusste, sie würde sich einfach niederlegen und sterben, falls ihm irgendetwas zustoßen sollte. Was konnte sie nur tun? Die Wahrheit hing wie ein Damoklesschwert über ihr, Worte, die sie für immer zu seinem Erzfeind machen würden, Worte, die bei ihm unbändigen Hass und tiefste Verachtung hervorrufen mussten. Doch diese Worte blieben unausgesprochen, aber nicht, weil sie feige war. Was sie davon abhielt, die Wahrheit zu sagen, war das Leben von Edmund. Inzwischen hatte sie nicht mehr die geringsten Zweifel, dass John Edgerton seine Drohung, den Jungen umzubringen, wahr machen würde, wenn sie ihn hinterging. Sie hatte bereits einmal den Tod in dieses Haus gebracht. Und Lügen – Lügen waren immer noch besser als weitere Tote. »Baron Lindley ist zu dem Schluss gelangt, dass der Mörder ein Mann gewesen sein muss, dem Mrs. Needle einen Liebestrank gemischt hat. Dieser Trank hat offenbar seine Geliebte getötet. Für mich ergibt das zwar keinerlei Sinn, aber der Baron ist sehr zufrieden mit seiner Theorie. Er hat die Gicht. Er kam sehr rasch zu dieser Schlussfolgerung und verabschiedete sich anschließend hastig, weil zu Hause ein Brandy und ein Kissen für seinen Fuß warteten.«

»Es fehlt nichts? Es wurde nichts gestohlen?«

Sie schüttelte verneinend den Kopf.

»Es wundert mich, dass er nicht unverzüglich ein paar arme Kesselflicker, den Fluch seines Lebens, hinter Schloss und Riegel gebracht hat. Vielen Dank, dass Ihr Euch seiner angenommen habt. Ich werde noch einmal mit ihm sprechen, das bleibt mir wohl nicht erspart. Verdammt, ich sollte Magistrat hier sein. Ich hätte schon vor zwei Jahren den Posten haben können, doch da gab es zu viele andere Dinge, die meine Zeit in Anspruch nahmen.« Er zog die Stirn in Falten und schüttelte nachdenklich den Kopf, als ob er, wie sie glaubte, seinen damaligen Entschluss, das Amt nicht anzunehmen, im Nachhinein bereute. »Ich sehe da kein Motiv. Wer sollte schon ein Interesse daran haben, Mrs. Needle umzubringen?«

Evangeline hätte seine Frage sofort beantworten können. Sie wusste alles. Doch sie wandte den Blick von ihm ab. In seinen Augen stand ganz deutlich die Trauer über den Verlust geschrieben, den er erlitten hatte, und es schmerzte sie furchtbar, diese Trauer zu sehen und zu wissen, dass sie den Tod der unschuldigen alten Frau rächen könnte, es aber nicht durfte.

»Ihr habt alle nötigen Vorbereitungen veranlasst. Ich danke Euch dafür.« Er hielt sie mit seinem Blick fest, bemerkte ihre Blässe und die seltsame Härte in ihren Augen, für die er keine Erklärung fand. »Ihr seid müde. Bunyon und ich werden uns um Edmund kümmern, und auch um alles Weitere, was noch getan werden muss.«

Sie richtete sich ungestüm in ihrem Sessel auf. »Nein,

bitte, ich möchte nicht allein sein – ich meine, ich möchte mich nicht ausruhen. Bitte, lasst mich bei Euch bleiben.«

Auch diese Reaktion war ihm ein Rätsel. »Ihr wollt nicht allein sein?«

Sie hatte wieder einen Fehler gemacht. Die Art, wie er auf sie einging, brachte sie völlig aus der Fassung. »Nein, ich glaube nicht«, murmelte sie und stand langsam auf, ohne ihn anzusehen.

Er legte ihr die Hand auf die Schulter. »Ihr könnt hierbleiben, wenn Ihr das möchtet.« Und nach einer kurzen Pause fügte er hinzu: »Der Tod ist immer ein Schock. Ich erinnere mich, wie es mir erging, als ich von Robbies Tod erfuhr. Ich war wie betäubt und nicht mehr Herr meiner Sinne. Es hat lange gedauert, bis ich wieder das unschätzbare Glück fühlen konnte, einen Sohn zu haben, mich wieder an einem Lachen oder der Schönheit einer Frau erfreuen konnte und nicht mehr von dieser tödlichen Wut und Hilflosigkeit überwältigt wurde. Es geht vorüber, Evangeline, der Schock und die Trauer lassen allmählich nach. Aber Ihr werdet es nicht vergessen, Evangeline, nein, vergessen werdet Ihr es nie, und das ist wahrscheinlich auch gut so.«

Und die Schuld wird bleiben, dachte sie. Mein Schuldgefühl wird niemals nachlassen. Sie senkte den Kopf und schwieg.

Am folgenden Nachmittag wurde Mrs. Needle auf dem Friedhof von Chesleigh beigesetzt, wo seit mehr als zweihundert Jahren Familienmitglieder und Dienstboten ihre letzte Ruhestätte fanden. Evangeline hielt den Blick starr auf den frischen Erdhügel gerichtet, gestützt von dem hilfreichen Arm des Herzogs, während der Vikar die Grausamkeit von Mrs. Needles Tod beklagte. Dann ließ sie den Blick zum Schloss wandern, zum Nordflügel, wo

Mrs. Needle gelebt hatte. Der Gedanke, dass der Herzog demnächst wieder nach London aufbrechen und sie allein auf Chesleigh zurücklassen würde, erschien ihr schier unerträglich. Sie schauderte. Es war sehr kalt, so kalt, wie ein Februartag nur sein konnte.

Nach dem schweigsamen Abendessen im Anschluss an Mrs. Needles Beerdigung, bei dem Evangeline kaum etwas zu sich nahm, sondern nur fieberhaft überlegte, was sie unternehmen könnte, erklärte der Herzog freundlich: »Ihr braucht eine Ortsveränderung, Evangeline. Das alles war sehr anstrengend für Euch. Habt Ihr nicht doch Lust, für eine Weile mit mir nach London zu kommen?«

Sie starrte ihn an, wortlos, fassungslos, dass er ihr so ein Angebot machte. Das hatte sie nun weiß Gott nicht verdient. Dann überlegte sie, dass er wahrscheinlich damit rechnete, wieder eine abschlägige Antwort von ihr zu hören, doch ehe sie noch etwas sagen konnte, fuhr er fort: »Ihr und ich, wir sind nicht immer gut miteinander ausgekommen. Vielleicht können wir das außerhalb von Chesleigh in Ordnung bringen. Ihr habt mir erklärt, dass Ihr nicht nach London fahren wollt und dass Ihr mich verlassen werdet, wenn ich Euch dazu zwinge. Das möchte ich nicht. Aber ich möchte Euch für eine kurze Weile von Chesleigh fortbringen. Und Edmund natürlich auch.«

Sie spürte, dass dieser starke Mann, der seinen Wert genau kannte, Angst hatte, abermals von ihr abgewiesen zu werden. Am liebsten hätte sie sich in seine Arme geworfen und ihre Dankbarkeit hinausgeschrien, doch stattdessen sagte sie schlicht: »Vielen Dank, Euer Gnaden. Ich komme sehr gerne mit Euch nach London. Das ist wirklich freundlich von Euch.«

Er hätte nicht geglaubt, dass ihre Zusage ihm so viel bedeuten würde. Leise stieß er die Luft aus, die er instinktiv angehalten hatte. Dann hob er sein Portweinglas und sagte, indem er ihr zuprostete: »Meine Mutter wird sehr erfreut sein. Sie kann es kaum erwarten, Euch kennen zu lernen, und natürlich auch ihren Enkelsohn zu sehen.« Er sah die Erleichterung in ihren Augen und wusste, dass er sein Leben hingeben würde, um sie zu beschützen.

»Ich freue mich, dass Ihr Eure Meinung geändert habt«, setzte er nach einer Weile hinzu. Dann stellte er sein Glas ab und erhob sich. »Ihr seid sehr erschöpft, Evangeline. Ich möchte morgen früh zeitig aufbrechen und schlage daher vor, dass Ihr Euch jetzt zu Bett begebt. Soll ich Euch etwas Laudanum bringen lassen, damit Ihr leichter einschlaft?«

Evangeline erhob sich ebenfalls. Der Herzog war so freundlich. Sie spürte, wie das Gefühl der Schuld sich wie ein Messer in sie bohrte. Seine Freundlichkeit, seine Stärke und sein Verständnis ihr gegenüber machten es nur noch schlimmer. Sie schüttelte den Kopf.

Er ging zu ihr hin und berührte ihre blasse Wange. Ihre Haut war so zart, so weich wie Samt. Er wollte sie an sich ziehen, sie einfach nur halten, bis sie sich an ihn drückte. Er wollte ihr sagen, dass er alles Menschenmögliche tun würde, um ihren Schmerz über den Tod seines alten Kindermädchens zu lindern, so wie es seinen Schmerz linderte, wenn sie nur bei ihm war. Doch er sagte nichts dergleichen. Er fand keine Worte. Sanft zwang er sie, den Kopf zu heben. In ihren Augen schimmerten Tränen. Er beugte sich herab, küsste sie auf die Wangen, auf die geschlossenen Lider, schmeckte ihre Tränen.

Und während er ihre Augenlider küsste, murmelte er leise: »Ich werde dich nie wieder verlassen.« Und dann küsste er sie auf den Mund und war verzaubert.

Später am gleichen Abend, im strömenden Regen, traf Evangeline in einer verborgenen Bucht einen anderen Mann.

23

»Großmama, hier bin ich endlich. Ich wollte, dass John Coachman schneller fährt, aber Papa hat es nicht erlaubt. Sieh nur, ich habe sogar Eve mitgebracht.«

Marianne Clothilde hörte die Stimme ihres geliebten Enkelsohnes, dem vor lauter Aufregung die Worte nur so aus dem Mund purzelten, legte ihre Strickarbeit nieder, erhob sich und breitete die Arme gerade noch rechtzeigig aus, um Edmund aufzufangen, der ihr entgegengehüpft kam. Mit einem glücklichen Lächeln drückte sie den Kleinen an sich. »Ich hab dich schon so lange nicht mehr gesehen, Edmund, viel zu lange. Allmählich fange ich an zu glauben, dass London gar kein so schrecklicher Ort für kleine Jungs ist. Vielleicht hat sich dein Großvater getäuscht und dein Papa auch. Vielleicht ist es wirklich am besten für uns alle, wenn du einfach hier bleibst, damit wir immer alle zusammen sein können. Puh, ich muss dich absetzen, du bist mir zu schwer. Du bist ja ein Riese geworden!«

»Eve sagt, ich bin sogar mehr als ein Riese. Ich bin so stark wie ein Ochse und genauso stur. Und ich kann auf zwanzig Schritt alles schießen, was mir in den Weg kommt.«

»Ah, deine Cousine Eve. Möchtest du sie mir nicht vorstellen, Edmund?«

»Sie ist auch so stark wie ein Ochse. Sie hat mir versprochen, mir so gut schwimmen beizubringen, dass ich

Papa davonschwimmen kann.« Er legte seine kleine Stirn in Falten und setzte seufzend hinzu: »Falls es jemals wieder warm wird.«

»Das mit der Stärke und dem Ochsen kann ich bestätigen, Mama. Immerhin hat Evangeline es beinahe acht Stunden mit Edmund in derselben Kutsche ausgehalten. Ich hätte das nicht geschafft. Was ihre Schwimmkünste betrifft, so muss ich mich ihrer Fähigkeiten auf diesem Gebiet erst noch versichern.«

Marianne Clothilde konnte den Blick nicht von ihrem Sohn abwenden. Seine Stimme klang tief und ein wenig amüsiert. Er schien recht glücklich zu sein, wie er so im Eingang des Salons stand, neben sich eine bemerkenswert hübsche junge Frau in einem dunkelblauen Samtkleid.

»Ihr müsst Edmunds Cousine Eve sein«, sagte Marianne Clothilde und betrachtete die junge Frau, die beinahe so groß war wie sie selbst.

Evangeline knickste. »Ja, Euer Gnaden. Ich bin Marissas Cousine.«

»Madame de la Valette«, sagte der Herzog.

Marianne Clothilde hätte nicht überraschter sein können, wenn mitten in ihrem Salon eine Kuh gemolken worden wäre. Ihr Sohn, ihr selbstbewusster, kultivierter und bisweilen recht arroganter Sohn hatte nur ihren Namen genannt, doch sein Tonfall dabei sprach Bände. Ganz deutlich hörte sie Stolz und Zuneigung in seiner Stimme mitschwingen. Es schien ihr, als habe ihr Sohn jetzt endlich doch die Frau gefunden, die zu ihm passte. Und als Nächstes bemerkte sie, dass er ganz dicht bei Evangeline stand, so als wollte er sie beschützen. Vor mir? fragte sie sich verwundert. Glaubte er etwa, sie würde unfreundlich zu dem Mädchen sein?

Sie entbot der halb französischen Cousine ein liebenswürdiges Lächeln, das Lächeln ihres Sohnes, und ergriff ihre Hand. Das Mädchen war zweifellos sehr hübsch, befand Marianne Clothilde, aber irgendetwas stimmte nicht mir ihr. Es lag etwas in ihren Augen, das sie nicht zu deuten wusste. War es Angst? Vor ihr? Nein, das war Unsinn.

»Ich freue mich sehr, Euch endlich kennen zu lernen, Madame«, sagte sie und drückte die schlanke Hand.

Die Hand zitterte und sank dann schlaff nach unten. »Vielen Dank, Euer Gnaden«, antwortete Evangeline und glaubte, im Erdboden versinken zu müssen. Hier stand seine Mutter und hieß eine Verräterin in ihrem Haus willkommen. »Es tut mir sehr Leid, dass wir so überraschend zu Besuch kommen, aber Mrs. Needle ist gestorben. Es war so schrecklich, ich war so allein und wusste nicht, was ich tun sollte, und Seine Gnaden ...«

»Ja, ich weiß, und das tut mir aufrichtig Leid.«

»Seine Gnaden war so freundlich, mich ebenfalls nach London mitzunehmen.«

Der Herzog sah zu seinem Sohn hinüber, der gerade einen antiken Globus inspizierte. »Nicht anfassen, Edmund.«

»Nein, Papa, ich wundere mich nur, dass der Globus da rund ist, wo doch Mrs. Raleigh immer wieder sagt, dass die Erde eine Scheibe ist. Das da ist doch unsere Erde, oder?«

Marianne Clothilde lachte und wandte sich dann an Eve. »Mrs. Raleigh gehört schon seit Urzeiten einem Verein an, der sich *Flache Erde* nennt. Ihr werdet ein großes Maß an Überredungskunst aufwenden müssen, Madame, ehe Ihr Edmund vom Gegenteil überzeugen könnt.«

»Edmund!«, rief der Herzog.

»Ja, Papa?«

»Du wirst mir jetzt einmal ganz genau zuhören und mir glauben, und damit hat sich dieses Thema ein für allemal erledigt, ja?«

Lord Edmund ging langsam zu seinem Vater zurück, blieb vor ihm stehen und sah zu ihm auf.

»Die Erde ist rund. Wiederhole das.«

»Die Erde ist rund, Papa. Bist du dir da ganz sicher?«

»Habe ich dich jemals angelogen?«

»Nein, Papa. Ich habe auch noch nie erlebt, dass du dich geirrt hast.«

Evangeline ließ einen leisen Unmutsseufzer hören, und Marianne Clothilde lachte, bis ihr die Tränen in den Augen standen.

»Gut. Wenn Mrs. Raleigh dir das nächste Mal weismachen will, dass die Erde flach wie eine Flunder ist, dann wirst du lächeln und artig nicken, aber insgeheim wissen, dass die Erde in Wirklichkeit eine Kugel ist.«

»Ja, Papa.«

Der Herzog lächelte seinen kleinen Sohn an, hob ihn hoch und setzte ihn sich auf die Hüfte.

»Fürwahr, Euer Gnaden, das war eine Meisterleistung«, sagte Evangeline, und Marianne Clothilde hörte nur eine gesunde Portion Humor in ihrer Stimme, keine affektierten Seufzer oder albernes Gekicher, mit denen ihr Sohn so oft konfrontiert worden war.

»Ja, ich bin ebenfalls sehr beeindruckt, Madame. Aber glaubt bitte nicht, dass ich Euch als Eindringling betrachte. Ich wollte Euch unbedingt kennen lernen. Mein Sohn hat mir schon so viel von Euch erzählt.«

»Ach, du meine Güte«, entgegnete Evangeline bekümmert.

»Ja, ich habe Mama erzählt, dass Ihr stur wie ein Esel seid, ganz passabel reitet und die Landschaft um Chesleigh besonders ansprechend findet. Ach ja, und ich habe ihr erzählt, dass Ihr auch ein gewisses Maß an Charme besitzt.«

»Vermutlich kann ich mich glücklich schätzen, dass Ihr bei Eurem Bericht nicht weiter ins Detail gegangen seid.«

»Was veranlasst Euch zu der Annahme, dass ich das nicht getan habe? Schließlich ist sie meine Mutter. Sie bewundert mich und sagt mir immer wieder, dass ich nichts falsch machen kann.«

»Das ist die Wahrheit«, bestätigte Marianne Clothilde lächelnd. »Aber er ist eben mein Sohn. Wie könnte eine Mutter nur einen so wundervollen Sohn schelten?«

Evangeline stöhnte leise, der Herzog warf Edmund wieder in die Luft, und Marianne Clothilde sagte: »Kommt, und setzt Euch zu mir, Madame. Ich werde nach einer Kanne Tee läuten. Darf ich Euch Evangeline nennen? Madame passt irgendwie nicht auf eine Erde, die rund ist.«

»Ich weiß nicht, Großmama«, warf Edmund mit zweifelnd gerunzelter Stirn ein. »Mrs. Raleigh sieht immer so überzeugt aus, wenn sie mir sagt, dass die Erde flach ist.«

»Rund, Edmund«, fuhr der Herzog dazwischen. »Rund!«

»Ja, Papa. Großmama, hat Papa dir erzählt, dass ich der beste Schütze im ganzen Land bin?«

»Er hat mir erzählt, dass du Rex, den Pfau, mit mindestens zehn Schüssen erledigt hast.«

»Das stimmt«, bestätigte Edmund zufrieden und gähnte ausgiebig. Evangeline beugte sich zu ihm, legte ihm zwei Finger unters Kinn und hob seinen Kopf an. »Hör mir zu, Edmund, und keine Widerrede. Du bist genauso erschöpft wie dein Papa. Und weil du noch ein bisschen jünger bist, wirst du jetzt mit Ellen ins Kinderzimmer gehen und ein kleines Nickerchen machen.«

Der Herzog nahm seinen Sohn wieder auf den Arm. »Nein, ich werde ihn zu Ellen bringen. Aber ich komme gleich wieder. Ich möchte Euch nicht unnötig lange allein lassen. Mutter, bitte sei so gütig und erschreck' Evangeline nicht zu Tode, bis ich wieder zurück bin.«

»Aber, Papa, was ist mit meiner Geschichte. Ich wollte Großmama gerade erzählen, wie sie weitergeht.«

»Das kannst du gerne, nachdem du dich ausgeruht hast.« An der Tür blieb er kurz stehen. »Ich werde Grayson bitten, den Tee zu bringen.«

Er ließ die junge Lady in ihrer Obhut zurück, und Marianne Clothilde betete im Stillen, dass Evangeline die richtige Frau für ihren Sohn wäre. Sie entbot ihr ein freundliches Lächeln, das wirklich von Herzen kam. »Nehmt doch bitte Platz, Evangeline. Habt Ihr den ganzen Weg in der Kutsche mit Edmund zurückgelegt?«

»Ja, bis auf eine Stunde, als mich plötzlich heftige Kopfschmerzen überfielen. Da hat Seine Gnaden darauf bestanden, dass ich mit ihm reite.«

»Mit ihm?«, wiederholte Marianne Clothilde verwundert.

Zu ihrer Freude errötete Evangeline. »Wisst Ihr, der Herzog ritt seinen prächtigen Hengst, und er sagte ... Nun dann bin ich eben vor ihm gesessen. Das war alles, Euer Gnaden, ehrlich.«

Es war nicht alles, wie Marianne Clothilde zu ihrer Freude ganz deutlich sah. Sie sagte: »Oh, ich weiß, es ist beinahe unmöglich, meinem Sohn etwas abzuschlagen. Er kann mitunter sehr hartnäckig sein.«

»Ja«, stimmte Evangeline zu. »Die Erfahrung habe ich auch bereits gemacht.« Tatsächlich hatte er sie zu nichts gezwungen. Und es war auch nicht das Geringste passiert. Evangeline hatte sich mit dem Rücken an ihn gelehnt, in seine Arme, und hatte tief und fest geschlafen.

Und sie hatte sich seit langem nicht mehr so sicher gefühlt.

»Setzt Euch doch bitte«, sagte Marianne Clothilde, indem sie ein paarmal mit den Fingerspitzen auf den Platz neben sich tippte. Evangeline knöpfte ihren Umhang auf, legte ihn über die Lehne eines Sessels und nahm dann neben ihr Platz. Nein, was für ein reizendes Ding, dachte Marianne Clothilde. Die junge Lady hatte eine elegante, gertenschlanke Figur, die, um die Wahrheit zu sagen, der ihren sehr ähnlich war – einschließlich ihrer vollen, wohlgeformten Brüste. Das Kleid, das sie trug, stammte offenbar von Marissa, dem armen dummen Ding.

»Wenn ich mir's recht überlege, Evangeline«, begann Marianne Clothilde nach einer Weile, »hat mein Sohn sogar eingestanden, dass er Euch öfter Anweisungen gegeben hat, und zwar in seiner besten Herr-des-Hauses-Manier. Und wahrscheinlich kam dabei sein Tonfall einem Knurren recht nahe.«

»O nein«, warf Evangeline ein. »Das hatte bestimmt nicht in seiner Absicht gelegen. Er ist nur einfach daran gewöhnt, dass jedermann in seiner Umgebung ihm aufs Wort gehorcht. Aber in dem speziellen Fall konnte ich ihm einfach nicht Folge leisten. Andererseits ist er …«

»Ich weiß. Mein Sohn war sehr nett zu Euch, ja, ganz reizend.«

»Nun, als reizend habe ich ihn eigentlich noch nicht erlebt. Das entspricht nicht seinem Charakter. Eigentlich treibt er öfter seine Späße mit einem, um seinen Willen durchzusetzen, oder er funkelt einen bitterböse an, weil er weiß, dass nur ein Idiot es wagen würde, sich seinem Willen zu widersetzen, und … Ach du liebe Güte, ich wollte Euren Sohn nicht beleidigen, Euer Gnaden. Nein, wirklich, der Herzog war sehr besorgt um mich. Ja, das ist der richtige Ausdruck. Er würde nicht widersprechen, wenn ich sein Verhalten als besorgt bezeichnen würde – oder doch?«

Marianne Clothilde tätschelte mütterlich Evangelines ineinander verschlungene Hände. »Wir werden ihn fragen. Ihr kennt mich noch nicht gut genug, aber ich will Euch die Wahrheit sagen. Mein Sohn und ich sind uns sehr ähnlich, in allen Beziehungen. Ihr, meine liebe Evangeline«, fuhr sie ohne Pause fort, »fühlt Euch irgendwie schuldig, nicht wahr?«

Wie konnte sie das nur wissen?

Als sie erwiderte: »Ja, ich glaube schon«, klang sie sehr verängstigt.

»Nun, ihr gehört zur Familie. Und Ihr könnt so lange bei uns bleiben, wie Ihr wollt. Marissas Kleid steht Euch übrigens ganz ausgezeichnet. Ich vermute, Dorrie hat es für Euch umgeändert.«

»Ja, sie ist eine fantastische Schneiderin.«

»Ich weiß. Das ist mir schon vor Jahren aufgefallen. Ich war auch diejenige, die sie Marissa vermittelt hat. Marissa mochte sie sehr gern.«

Ein großer, untersetzter Mann mit einer feuerroten Mähne, in die sich bereits einige weiße Strähnen mischten, betrat mit einem schweren silbernen Teetablett den Salon. Seine buschigen roten Augenbrauen, die einen hohen Bogen beschrieben, verliehen ihm einen leicht erstaunten Gesichtsausdruck.

»Ah, Grayson, Ihr bringt uns eine kleine Stärkung.«

»Sehr wohl, Euer Gnaden, die Art von Stärkung, die Ihr schätzt.« Er stellte das Tablett vor ihnen auf den Tisch.

»Grayson und ich sind zusammen aufgewachsen«, erklärte Marianne Clothilde, während der Butler zu Evangelines Erstaunen selbst den Tee einschenkte.

»Madame?«

»Ich nehme ihn ohne alles, Grayson.«

»Er macht das ausgezeichnet«, bemerkte Marianne Clothilde. »Mich plagt nämlich seit einigen Jahren die Arthritis. Ich bin so ungeschickt mit meinen Händen geworden, deshalb nimmt mir Grayson freundlicherweise viele Handgriffe ab. Das ist ein weiterer Grund, warum ich nicht auf Chesleigh leben kann. Die feuchtkalte Luft dort bekommt mir denkbar schlecht.« Sie lächelte dem Butler zu, als sie ihm ihre Teetasse abnahm. »Ich glaube, wir beide geben ein eindrucksvolles Paar ab, besonders jetzt, da unsere Knochen morsch werden, unser Haar ergraut und unsere Würde auf dem Gipfel angelangt ist.«

»Genau so ist es, Euer Gnaden«, erwiderte Grayson. »Darüber hinaus bin ich der Ansicht, dass, je röter das Haar, desto natürlicher die Würde, die man ausstrahlt.«

»Ganz gewiss«, pflichtete ihm Marianne Clothilde bei und biss mit elegant geschürzten Lippen in ein Apfeltörtchen. »Ach, welch ein Genuss. Zwar sind sie nicht ganz so delikat wie die Törtchen der Dinwitty-Köchin, mit der Phillip Mercerault gesegnet ist, oder die von Mrs. Dent, aber doch recht akzeptabel. Grayson, das ist Madame de la Valette. Sie gehört zur Familie und bekleidet im Augenblick eine verantwortungsvolle Stelle als Lord Edmunds Kindermächen.«

Grayson unterzog Evangeline einer eingehenden Betrachtung und nickte dann bedächtig. »Ich glaube, dafür ist sie genau die Richtige«, befand er und verließ den Salon.

Marianne Clothilde lachte. »Wie ich sehe, haben es Euch die Törtchen angetan. Greift nur zu, Evangeline.«

»Wie verträgt er sich denn mit Bassick?«, erkundigte sich Evangeline zwischen zwei Bissen.

»Eine sehr kluge Frage, Evangeline«, entgegnete Marianne Clothilde lächelnd. »Tatsächlich sind sich die beiden noch nie begegnet. Der Herzog stimmt mit mir überein, dass wir unsere Haushalte hübsch getrennt halten sollten. Was Zar Iwan betrifft – so nenne ich unsern Butler auf St. John Court, Richards Wohnsitz im Norden –, so scheint der mir aus einem noch härteren Holz geschnitzt zu sein als Grayson oder Bassick. Er hat sich doch tatsächlich einmal zu der Bemerkung herabgelassen, dass, wenn Wilhelm der Eroberer einen Diener gehabt hatte, dieser zweifellos einer seiner Vorfahren gewesen sein müsse.«

Evangeline lachte herzlich, als der Herzog wieder in den Salon zurückkehrte. Er blieb einen Moment auf der Schwelle stehen; um seine Augen spielte ein Lächeln. Und was für ein Lächeln, dachte seine Mutter verblüfft.

24

»Komm doch rein, mein Lieber, setz dich zu uns und gieß dir eine Tasse Tee ein«, forderte Marianne Clothilde ihren Sohn auf. »Evangeline scheinen die Kunstwerke unserer Köchin zu munden. Ich habe ihr gerade von Zar Iwan erzählt.«

»Zar Iwan ist ein schrecklicher Mensch«, gab der Herzog zurück und setzte lächelnd hinzu: »Eurem Lachen nach zu schließen, Evangeline, hat meine Mutter offenbar nicht versucht, Euch nach der vornehmen Herkunft Eurer Vorfahren zu befragen, hat Euch auch nicht vorgeworfen, dass Ihr mit mir um die Zuneigung meines Sohnes wetteifert, oder damit gedroht, Euch die Fußnägel einzeln auszureißen, falls Ihr es wagen solltet, auch nur andeutungsweise Kritik an meiner Herrlichkeit oder der meines Sohnes zu üben, habe ich Recht?«

»Wir haben nur über Zar Iwans Vorfahren gesprochen, Euer Gnaden. Meine Vorfahren sind, wie Ihr ja wisst, von vornehmer Abstammung, aber längst nicht so großartig wie die von Zar Iwan.«

»Er ist ein alter Methodist. Als Kind hat er mir oft Angst eingejagt, und manchmal ist er mir auch heute noch unheimlich«, ließ der Herzog verlauten, während er sich eine Tasse Tee einschenkte und die Tasse seiner Mutter nachfüllte. Dies tat er mit einer Grazie, die bewundernswert war.

Evangeline quittierte seine Bemerkung mit einem so unbeschwerten und lieblichen Lachen, dass dem Herzog ganz warm ums Herz wurde und er sie am liebsten in die Arme gezogen und so lange geküsst hätte, bis sie ihm gestattete, ihr das Kleid herunterzuziehen und ihre Brüste zu liebkosen, sie zu streicheln und ... Heiliger Herr im Himmel, er befand sich im Salon seiner Mutter, trank Tee und träumte davon, sie zu lieben und sie zu küssen, bis sie vor Wollust seinen Namen schrie. Er schüttelte vehement den Kopf, mit dem Erfolg, dass er sich an dem heißen Tee verschluckte.

Marianne Clothilde klopfte ihm nachsichtig den Rücken. Und selbst als er sich wieder beruhigt hatte, fand sie, dass er merkwürdig erhitzt wirkte, doch sie meinte nur: »Wir haben uns noch gar nicht über Mrs. Needles Ermordung unterhalten. Ja, ich gebrauche absichtlich dieses starke Wort, denn es ist die Wahrheit. Nun, was weißt du über diese traurige Geschichte?«

»Baron Lindley hat Evangeline mit einer Kostprobe seiner Dummheit beehrt, dergestalt, dass eine von Mrs. Needles Kräutermixturen die Geliebte oder Ehefrau eines Mannes getötet haben müsse, worauf dieser sie dann aus Wut oder aus Rache umgebracht habe. Eine völlig absurde Schlussfolgerung freilich, aber der alte

Trottel, verzeih mir den Ausdruck, wollte anscheinend nur schleunigst wieder nach Hause, um sich zu seiner Brandyflasche zu gesellen und seinen Gichtfuß auf ein weiches Kissen zu betten.« Er machte eine kurze Pause. Dann sagte er: »Wir sind Evangeline zu größtem Dank verpflichtet. Sie hat sich bis zu meiner Rückkehr um alles Nötige gekümmert.« Er unterbrach sich abermals und ließ den Blick auf dem schweren Smaragdsiegelring ruhen, den er an der linken Hand trug. »Ich habe Vorkehrungen getroffen, dass Chesleigh in Zukunft strenger bewacht wird. Mrs. Needles Ermordung erscheint mir so sinnlos. Sie war eine harmlose alte Frau. Und gerade das erschreckt mich. Warum hat man sie umgebracht? Warum ausgerechnet Mrs. Needle? Aber das werden wir ergründen. Ich habe nicht vor, die Angelegenheit auf sich beruhen zu lassen. Nein, ich werde herausfinden, wer das getan hat und warum.«

Evangeline fragte sich insgeheim, was er bereits unternommen hatte oder zu unternehmen gedachte. Möglicherweise fand er heraus, dass Verräter seine private Bucht dazu benutzten, sich unbemerkt nach England einzuschleusen. Möglicherweise fand er auch heraus, dass sie ihn hintergangen hatte. Evangeline sah nicht von der Teetasse aus Dresdner Porzellan auf, die sie auf dem Schoß balancierte.

»Mrs. Raleigh hat mir einen Brief geschrieben«, sagte Marianne Clothilde nach einer Weile. »Jedermann auf Chesleigh ist zutiefst betroffen, versicherte sie mir darin. Deshalb bin ich froh, dass du die Angelegenheit aufklären willst. Mrs. Needle war eine liebe alte Dame, und sie hatte den gewissen *Blick*. Habe ich dir je erzählt, dass sie deine Geburt vorausgesagt hat, und zwar auf den Tag genau? Und sie hat mir geweissagt, dass du noch attraktiver sein würdest als dein Vater, und klüger als ich – was ich mir kaum vorstellen kann –, und ein grandioser Liebhaber, etwas, das eine Mutter nicht unbedingt hören möchte.« Sie lächelte und klopfte ihm auf die Schulter. »Aber jetzt genug davon. Wir sprechen später noch einmal darüber.«

Daraufhin erhob sich der Herzog. »Evangeline ist müde. Ich werde sie ins Rosenzimmer bringen, damit sie sich bis zum Dinner ausruhen kann. Wir speisen heute abend hier, nur wir drei. Kommt, Evangeline.« Und er streckte ihr die Hand entgegen. Evangeline sah zu ihm auf und nickte ein paarmal, ehe sie seine Hand ergriff.

»Ach, mein Lieber«, warf Marianne Clothilde zerknirscht ein. »Ich erwarte Gäste. Und die bringen mich um, wenn ich so spät absage. Was machen wir jetzt?«

Evangeline hörte den Herzog leise fluchen. »Erwartet Ihr zufällig Lady Pemberly? Und Miss Storleigh?«

Marianne Clothilde bedachte sie mit einem verschmitzten Grinsen, das dem des Herzogs zum Verwechseln ähnlich war. »Eurer Frage nach zu schließen, habt Ihr Eudora also bereits kennen gelernt? Sie hätte das Zeug zu einem von Wellingtons Generälen. Ja, Ihr habt richtig geraten. Sie kommt heute Abend.«

»Eudora und Zar Iwan sind aus demselben Holz geschnitzt«, brummte der Herzog. »Sie hat an Evangelines zweitem Abend auf Chesleigh quasi auf meiner Türschwelle campiert, um sicherzugehen, dass sich nicht irgendein geldgieriges Flittchen an mir vergreift. Drew und John Edgerton hat sie auch gleich mitgebracht. Als sie uns verließ, war sie bester Stimmung. Evangeline hat ihr offenbar gefallen.«

»Werden Lord Pettigrew und John Edgerton auch hier zu Gast sein, Euer Gnaden?«

»Ich werde sie ebenfalls zum Dinner bitten«, erwiderte Marianne Clothilde. »Mit noch zwei Herren wird es eine hübsche Runde werden. Hoffentlich sind sie abkömmlich.«

Evangeline hatte nicht den geringsten Zweifel, dass John Edgerton kommen würde. Zur Hölle mit ihm!

Marianne Clothilde wandte sich an den Herzog. »Weißt du, was ich nicht verstehe? Dass Drew ständig mit Felicia zusammen ist. Überall wird er mit ihr gesehen.« Sie schüttelte indigniert den Kopf. »Es amüsiert mich immer wieder aufs Neue, für welche Mädchen Männer auf die Knie fallen.«

»Das ist abstoßend, Mutter. Kein Mann sollte jemals auf die Knie fallen.«

»Das war nur bildlich gesprochen.«

»Auch dann. Es ist unwürdig für einen Mann, so tief zu sinken. Mein Gott, ich bezweifle, dass Felicia jemals die Klappe hält, auch nicht beim ... Ach, vergiss es, aber es ist doch wahr.« Er ließ das Thema auf sich beruhen, nachdem die Teetasse seiner Mutter vernehmlich auf dem Unterteller klapperte.

Evangeline hatte nicht zugehört. Sie hatte sich bereits den Kopf zerbrochen, wie sie John Edgerton eine Nachricht zukommen lassen könnte, und die Mutter des Herzogs hatte das Problem für sie gelöst. Sie befeuchtete sich mit der Zungenspitze die Lippen, ehe sie sagte: »Ich danke Euch, dass Ihr mich mitgenommen habt, Euer Gnaden.«

»Was meinst du, Richard? Soll ich Evangeline stattdessen das Abendessen aufs Zimmer bringen lassen?«

»Ich würde es vorziehen, wenn wir beide allein in meiner Bibliothek zu Abend speisen könnten, vor einem lauschigen Kaminfeuer.«

»Das ist keine Alternative«, widersprach Marianne Clothilde. »Du wirst dich für unsere Gäste wohl oder übel rüsten müssen, mein lieber Sohn.«

»Ihr werdet Euch jedenfalls erst einmal ausruhen«, sagte der Herzog zu Evangeline und zog sie dichter an seine Seite. Die elegant geschwungenen Brauen seiner Mutter hoben sich kaum merklich. Das war faszinierend. Dieser entschiedene Tonfall, sehr spannend.

Evangeline nickte stumm. Zumindest hatte sie jetzt eine Stunde für sich, um nachdenken und entscheiden zu können, wie sie John Edgerton ihren Aufenthalt hier am besten erklären würde. Am liebsten hätte sie ihn umgebracht.

»Warum zittert Ihr denn so?«

Erschrocken blickte sie zu ihm auf. »Ich zittere doch nicht, Euer Gnaden.«

»Wir sehen uns später, Evangeline«, meinte Marianne Clothilde abschließend. »Ein bisschen wackelig auf den Beinen scheint Ihr mir aber doch zu sein. Das Rosenzimmer? Ja, das ist ein besonders hübscher Raum.«

Als sie an der Seite des Herzogs die breite geschwungene Treppe emporstieg, bemerkte Evangeline: »Euer Stadthaus ist sehr elegant.«

»Ja«, erwiderte er. »Meine Mutter hat es größtenteils nach ihrem Geschmack eingerichtet. Der Stil ihrer Schwiegermutter hat ihr nie besonders gefallen. Mir sagt ihr Geschmack ebenfalls zu. Meine Mutter hat ein sehr genaues Gespür für viele Dinge. Nicht nur was Stilrichtungen betrifft. Sie schätzt auch Menschen meist sehr genau ein.«

»Und sie ist sehr freundlich.«

»Evangeline, Ihr müsst wirklich nicht an dem Dinner teilnehmen, das meine Mutter geplant hat«, erklärte er mit leiser Stimme.

»Glaubt Ihr, Eure Mutter möchte mich nicht dabei haben? Sie ist so nett und zuvorkommend mir gegenüber, dass ich ihre wahren Gefühle nicht ganz einschätzen kann. Im Gegensatz zu den Euren«, setzte sie hinzu und lächelte ihn spitzbübisch an. »Ich weiß immer, was Ihr denkt.«

»Das wage ich doch entschieden zu bezweifeln.« Wenn sie wirklich seine Gedanken lesen könnte, würde sie nicht so dicht neben ihm stehen und ihn so unbekümmert anlächeln. »Die wahren Gefühle meiner Mutter sind unerheblich. Sie haben nichts mit dem zu tun, was ich meinte. Da haben wir's – Ihr versteht überhaupt nichts.«

»Na schön. Dann setzt mich doch bitte ins Bild, Euer Gnaden. Was erwartet Ihr von mir?«

Die Gedanken auszusprechen, die ihm gerade durch den Kopf gingen, war leider unmöglich. Sie würden sie zu Tode erschrecken. Und wenn nicht, was dann? Wie sollte er sich dann verhalten? Sein Magen verkrampfte sich. »Ich möchte nur, dass Ihr heute abend nicht vor Erschöpfung zusammenklappt, das ist alles.«

Vor einer der vielen Türen blieb er stehen und verkündete: »Das ist das Rosenzimmer. Soviel ich weiß, hat Königin Charlotte hier einmal übernachtet, nur weshalb, das habe ich vergessen. Vielleicht war es auch Königin Bess. Obwohl, dafür ist das Haus ja nicht alt genug.«

Er nahm ihre Hand und führte sie an seine Lippen. Selbst durch den Handschuh konnte sie seine Wärme spüren. Ganz unbewusst lehnte sie sich an ihn.

»Nein«, sagte er schroff. »Nein.«

Sie zuckte zurück. »Keine Angst, ich bin stark«, murmelte sie verlegen. Was hatte sie getan? Sie hatte sich ihm an den Hals geworfen, ja, genau das hatte sie getan. »Wirklich, Ihr braucht Euch nicht um mich zu sorgen. Ich bin sehr konsequent.«

Er hob eine Hand und berührte mit den Fingerspitzen ihre blasse Wange. »Habt Ihr wirklich einen so eisernen Willen?«

Sie hob den Kopf und sah ihm direkt in die dunklen Augen. Sein Blick ruhte auf ihren Lippen. Und sie wünschte sich nichts mehr, als ihn an sich zu ziehen, seinen Herzschlag zu fühlen, seine Haut an der ihren zu spüren.

Nein, nein. Sie straffte die Schultern und lächelte zögernd. »Nein, natürlich nicht. Wir sehen uns zum Dinner, Euer Gnaden.«

Als der Herzog wenig später in den Salon zurückkehrte, sagte seine Mutter zu ihm: »Sie ist sehr hübsch, deine Cousine. Eine echte Schönheit, um die Wahrheit zu sagen, was für dich natürlich keine Rolle spielt, oder doch?«

»Nein, spielt es natürlich nicht. Aber belass es dabei, Mutter. Ich möchte nicht, dass du dich weiterhin in Spekulationen ergehst.«

»Ich glaube nicht, dass es zum gegenwärtigen Zeitpunkt bereits Anlass zu gewagten Spekulationen gibt. Du behandelst sie sehr herrisch.«

»Das ist doch lächerlich. Ich behandle sie angemessen und sehr anständig.«

»Sie ist eine erwachsene Frau, und eine Witwe. Ich nehme an, sie ist es gewöhnt, ihre eigenen Entscheidungen zu treffen. Glaubst du, dass ihr Vater oder ihr Gatte sie herumkommandiert haben?«

»Nein, ich glaube auch nicht, dass sie das zulässt. Ich verstehe sie nur einfach nicht.«

»Du kennst sie ja auch noch nicht lange.«

Er drehte sich zu ihr um und meinte lächelnd: »Das stimmt. Aber andererseits habe ich das Gefühl, dass ich sie noch lange kennen werde. Sie braucht nur eine starke Hand. *Meine* starke Hand.«

»Das hast du aber rasch beschlossen.«

Er zuckte die Schultern. »Ja, scheint so. Aber was daraus wird – das wissen die Götter.«

Marianne Clothilde betete ihren Sohn an und musste sich eingestehen, dass sie ihn noch nie so rührend besorgt erlebt hatte. Die Art, wie er sich dieser jungen Frau gegenüber benahm, war faszinierend. Er realisierte genau, was er fühlte, aber dieses Gefühl war noch nicht ganz bis zu seinem Verstand vorgedrungen. Immerhin bezweifelte er nicht, dass er sie noch lange kennen würde? Nun, dieser Gedanke ging sehr tief. Sie kannte seinen Ruf und wusste sehr gut, dass ihn bisher von all den wunderschönen Frauen, die in und aus seinem Leben getreten waren, keine Einzige wirklich tief berührt hatte. Wie es schien, hatte ihr stolzer, zynischer Sohn schließlich doch noch eine Frau gefunden, die ihn würde halten können.

Eine Witwe, und zur Hälfte französischer Abstammung.

Eine junge Frau, die nicht nur in ihn, sondern auch in seinen kleinen Sohn vernarrt zu sein schien, falls Marianne Clothilde die Situation richtig beurteilte, was sie meistens tat.

25

Evangeline blieb wie angewurzelt am Fuß der großen Freitreppe stehen, als sie sich den sechs Lakaien gegenübersah, die kerzengerade und Schulter an Schulter nebeneinander in einer Reihe standen, alle in Weinrot und Gold gekleidet, der herzöglichen Livree. Grayson, der mit seiner roten, im Licht des riesigen Kristalllüsters jetzt glutrot schillernden Haarmähne und dem nachtschwarzen Anzug einen eindrucksvollen Kontrast dazu bildete, schien die blütenweißen Handschuhe der Männer zu inspizieren. Er drehte sich kurz zu Evangeline um und informierte sie mit seiner sonoren Stimme: »Madame, der Herzog und Ihre Gnaden befinden sich im Salon. Sie erwarten Euch. Ihr seid sehr pünktlich, eine Tugend, die Ihre Gnaden sehr schätzt.«

Da Evangeline von einem sauertöpfischen Dienstmädchen aus tiefstem Schlaf geweckt worden war, konnte sie dieses Kompliment nicht für sich verbuchen. »Wann werden die Gäste eintreffen, Grayson?«

»In fünf Minuten, Madame. Niemand, selbst der Prinzregent nicht, möchte ich hinzufügen, kommt zu einer Gesellschaft im Clarendon House zu spät.«

»Das kann ich mir auch nicht vorstellen«, erwiderte Evangeline und meinte es auch so.

Grayson öffnete die zweiflügelige Eichentür, und Evangeline schritt ihm voraus in den Salon. Der Herzog lehnte in entspannter Haltung am Kamin, die Arme vor der Brust gekreuzt, und lächelte gerade über eine Bemerkung seiner Mutter. Er sah blendend aus in seinem formellen schwarzen Abendanzug. Evangeline überlegte kurz, ob Bunyon ihm wohl die Schleife gebunden hatte, die so schneeweiß war, dass man meinen konnte, sie fühlte sich eiskalt an. Die Antwort, die er seiner Mutter gab, unterstrich er mit ausholenden Gesten seiner langen Finger. Evangeline vermeinte diese Finger förmlich zu spüren, wie sie ihr über die Wange, das Kinn und den Hals strichen – sich weiter hinab zu ihren Brüsten tasteten … Erschrocken über ihre Gedanken, atmete sie geräuschvoll aus. Sie durfte nicht in dieser Art über ihn denken, nicht in dieser fraglos lüsternen Art, die man ihr an den Augen ablesen konnte, wie sie wusste. Ja, sie wusste ganz einfach, dass er es jedes Mal merkte, wenn sie daran dachte, wie er sie berührt, sie geküsst hatte.

Andererseits war sie viel zu jung, überlegte sie, um ein so ödes, freudloses Leben zu führen.

Der Herzog hielt mitten im Satz inne, als Evangeline den Salon betrat. Noch nie im Leben hatte er eine so schöne Frau angeschaut. Sie sah hinreißend aus in Marissas Abendkleid aus cremefarbener Spitze, dessen Mieder hauteng geschnürt war und ihre Brüste vorteilhaft zur Geltung brachte. Ja, viel zu vorteilhaft, für sein Empfinden. Sie schienen das Mieder schier zu sprengen, wölbten sich ihm entgegen, das schattige Tal zwischen den rosigen Halbkugeln schien kein Ende zu nehmen. Unwillkürlich verfinsterte sich sein Blick. Ich muss bei Gelegenheit mit ihr darüber sprechen, dachte er. Er wollte nicht, dass man sie anstarrte oder lüsterne Bemerkungen über ihr Dekolleté machte, überlegte er weiter und schüttelte dann verwundert über seine Gedanken den Kopf. Wenn er ein paar Minuten mit ihr allein sein könnte, würde er schnurstracks auf sie zugehen, ihr das Mieder bis zur Taille herabstreifen und sie betrachten, ihr nacktes Fleisch berühren, streicheln ... Es war ihm schier unmöglich, den Blick von ihr abzuwenden. Dann sah er ihre Augen. Sie wirkte irgendwie traurig. Ja, genau das war es, traurig. Aber warum? Sie hatte doch keinen Grund, traurig zu sein, außer sie war unglücklich hier, in London, mit ihm. Er war sich bewusst, dass seine Mutter ihn beobachtete. Er musste sich zusammenreißen.

Wenn ihm nur eine Bemerkung einfiele, die nichts damit zu tun hatte, dass er ihr am liebsten die Kleider vom Leib gerissen und sie gleich hier vor dem offenen Kamin geliebt hätte. Er räusperte sich und machte zwei Schritte auf Evangeline zu, blieb dann aber stehen, weil er sich im Augenblick einfach nicht traute, ihr näher zu kommen. »Ihr habt Euch verspätet, Evangeline, worüber ich jedoch großzügig hinwegsehen will, weil Ihr wirklich sehr erschöpft wart. Wenigstens seid Ihr jetzt da«, brachte er heraus.

»Ich habe mich keineswegs verspätet, Euer Gnaden. Grayson hat mir soeben bestätigt, dass ich sehr pünktlich bin, genau wie Euer Gnaden.«

»Nun, sagen wir, Ihr habt Euch um ein Haar verspätet«, insistierte er und kam sich dabei höchst albern vor.

»Euer Gnaden«, begrüßte sie die Herzoginwitwe und knickste tief, ohne den Herzog weiter zu beachten.

»Du meine Güte!«, rief Marianne Clothilde aus. »Richard, mein Lieber, du wirst Evangeline beschützen müssen. Sie sieht einfach umwerfend aus. Ich fürchte, die Gentlemen werden bei ihrem Anblick den Verstand verlieren.«

»Dazu haben sie auch allen Grund. Schau dir nur ihr Dekolleté an, Mutter. Es reicht beinahe bis zur Taille. Sie lässt viel zu viel Haut sehen. Aber da heute Abend nur wohl erzogene Herrschaften anwesend sind, darf man erwarten, dass sie sich nach Kräften bemühen, sie wenigstens nicht zu ungeniert anzustarren. Falls wider Erwarten doch einer der Herren die Grenze der Schicklichkeit übertreten sollte, werde ich ihn höchstpersönlich zu Boden schlagen und ihm einen Tritt in den Hintern versetzen, der ihn hinter deine geliebte Rosenhecke befördert.«

»Ich versichere Euch, Euer Gnaden, dass mich keiner der Herren auch nur eines zweiten Blickes würdigen wird. Ich bin Witwe, bin völlig mittellos und bestimmt nichts Besonderes.« Doch ihre Hände bedeckten bei diesen Worten unwillkürlich ihre Brüste. Sie hatte mit Dorrie hinsichtlich der Tiefe des Ausschnitts zähe Kämpfe ausgefochten und verloren. Trotzdem glaubte sie, dass keiner der Gentlemen gesteigertes Interesse an ihr zeigen würde.

Der Herzog stand im nächsten Augenblick neben ihr und flüsterte so leise, dass nur sie es hören konnte: »Wenn Ihr noch weiter in diesem Stil argumentiert, werde ich ärgerlich. Habt Ihr mich verstanden?«

Evangeline zwang ein Lächeln auf ihre Lippen und ließ die Hände sinken. »Eure Worte habe ich wohl vernommen, doch den Sinn habe ich nicht verstanden.«

»Ihr braucht Euer Licht nicht so unter den Scheffel zu stellen. Glaubt mir, Euer Ausschnitt ist wirklich zu tief. Lasst ihn von Dorrie um mindestens zwei Fingerbreit anheben. Ich will nicht, dass Euch die Männer auf den Busen starren.«

»Warum nicht?«

»Weil Ihr mir gehört«, raunte er.

Sie hätte sich ihm beinahe an die Brust geworfen, und er sah es und grinste sie frech an.

»Mein Lieber, du hältst Evangeline doch nicht etwa zum Besten, oder?«

»Aber wo denkst du hin, Mutter. Ich habe ihr nur gerade erklärt, was ich heute Abend von ihr erwarte.«

Die Eingangshalle füllte sich mit Stimmen und Gelächter, und Marianne Clothilde runzelte enttäuscht die Stirn. Sie hätte zu gern gewusst, was ihr Sohn zu Evangeline gesagt hatte. Es musste etwas sehr Pikantes gewesen sein, denn Evangeline war heftig errötet. Verflucht, sie hätte es wirklich zu gern erfahren, um dann selbst schamhaft zu erröten. Dass ihre Gäste wie immer pünktlich auf die Minute erschienen, passte ihr im Augenblick gar nicht ins Konzept.

Das nannte die Herzogin ein Abendessen im kleinen Rahmen? wunderte sich Evangeline und ließ den Blick über die lange Tafel schweifen, an der fünfundzwanzig herausgeputzte und lachende Gäste Platz gefunden hatten. Lady Pemberly hatte sie leutselig begrüßt und sie ohne Umschweife wissen lassen, dass sie zu viel Dekolleté zeigte, worauf der Herzog, dem die Bemerkung nicht entgangen war, eine wütende Grimasse zog. Und Felicia, die mit ihrem kostbaren Elfenbeinfächer permanent gegen Lord Pettigrews Arm klopfte, um sich seiner Aufmerksamkeit zu versichern, erklärte lachend, dass sie es dem Herzog sehr übel nehme, dass er Evangeline so lange auf Chesleigh versteckt habe.

»Ich musste auf dem Land bleiben«, hatte Evangeline knapp erwidert und mit den Schultern gezuckt.

»Aber nun nicht mehr, wie ich sehe, Madame.«

Evangeline wusste, dass er kommen würde, hatte aber nicht bemerkt, dass er inzwischen eingetroffen war und genau hinter ihr stand. Langsam drehte sie sich zu dem Mann um, dem sie mit Wonne ein Messer zwischen die Rippen gestoßen hätte. Sie reckte stolz das Kinn. »Ja, wie Ihr seht, Sir John.«

Sir John deutete eine Verbeugung an. »Gestattet, dass ich Euch zur Tafel geleite, Madame. Es ist uns in der Tat eine große Freude, dass Ihr Euch entschieden habt, nach London zu kommen. Ich bin sicher, dass Ihr Euch in dieser aufregenden Stadt nicht langweilen werdet. Vielleicht haben wir später Gelegenheit, dass ich Euch etwas über die Stadt und deren Sehenswürdigkeiten erzähle.«

Evangeline bemerkte, dass der Herzog sie und Sir John nicht aus den Augen ließ und hielt den Blick gesenkt, während sie an John Edgertons Seite das formelle Clarendon-Speisezimmer betrat.

Zu ihrer Verblüffung wartete der Herzog neben dem Stuhl zu seiner Rechten und rückte ihn eigenhändig für sie zurecht. Der livrierte Diener, dem diese Aufgabe eigentlich oblag, starrte seinen Herrn eine Weile mit großen Augen an, ehe er sich besann und einen Schritt zurücktrat. John Edgerton verbeugte sich kurz und nahm seinen Platz an der Tafel ein, der gottlob weit genug von dem ihren entfernt lag. Der Platz rechts von ihr war für Lord George Wallis reserviert, ein schnauzbärtiger Gentleman und ehemaliger Offizier, wie sie bald erfuhr, der die unangenehme Gewohnheit hatte, jedes Gespräch, das er zufällig mithörte, mit seltsamen Kommentaren zu würzen. Und er hasste Napoleon aus tiefster Seele. Seine beiden Brüder waren im Kampf gegen den Tyrannen gefallen.

Ihr gegenüber saß Lady Jane Bellerman, die älteste Tochter eines Grafen, ein hübsches Mädchen, in rosa Satin und Chiffon gewandet, das sie neugierig musterte und dann mit einem eiskalten Blick bedachte. Evangeline, die sich dagegen nicht zu wehren wusste, hielt den Blick gesenkt und schob nervös ein Stück Lachs auf ihrem Teller hin und her.

Ein Gang nach dem anderen wurde serviert. Die Diener versahen ihre Aufgabe mit größter Aufmerksamkeit. Evangeline hatte inzwischen heftige Kopfschmerzen. Sie unterhielt sich mit Lord George Wallis und lauschte gedulgig den endlosen Beschreibungen jeder einzelnen Schlacht, die er auf der spanischen Halbinsel mitgemacht hatte. »Diese Schweinehunde sind immer noch unter uns«, bellte er lautstark, ehe er seinen Redeschwall kurz unterbrach, um sein Weinglas an die Lippen zu setzen und es zu leeren. »Ja, das Gemetzel wird erst aufhören, wenn Napoleon tot und begraben ist.«

»Auch ich würde ihn gern unter der Erde sehen«, bemerkte Evangeline.

»Ihr habt gewiss gehört, dass ein sehr guter Freund des Herzogs umgebracht worden ist – Robert Faraday. Der arme Robbie. Wenn der Herzog den Kerl ausfindig macht, der seinen Freund getötet hat, dann wird der seinen letzten Atemzug getan haben, noch ehe er den Mund aufreißen und um sein miserables Leben betteln kann.«

»Genauso ist es«, bestätigte der Herzog.

Lady Jane Bellerman ergriff die Gelegenheit, sich mit leiser und äußerst verführerischer Stimme ins Gespräch zu mischen. »Was ist so, Euer Gnaden?«, zirpte sie. »Dass Ihr gern Walzer tanzt? Ich wette, Ihr seid ein Tänzer. Darf ich hoffen, dass Ihr mir später die Ehre erweist?«

»Wir tanzen heute Abend nicht«, gab der Herzog zurück, den Blick auf Evangeline geheftet, die so blass um die Nase war, dass er schon fürchtete, sie würde ohnmächtig über ihrer Kalbsroulade zusammensinken. Das kam von den unerfreulichen Gesprächen über Napoleon und den Tod seines Freundes. Nicht gerade die Art von Konversation, die eine Lady bei Tisch erheitern konnte, dachte er ärgerlich und legte plötzlich die Stirn in Falten.

Evangeline hatte ihn gerade angesehen, und dabei waren ihm ihre Augen aufgefallen, in denen sich kalte Wut spiegelte. Nein, sie war alles andere als einer Ohnmacht nahe. Was zum Teufel ging hier vor?

Evangeline, die wusste, dass der Herzog sie nur allzu leicht durchschaute, gab sich große Mühe, ihren wütenden Gesichtsausdruck zu bändigen, was bei den Gesprächen über Napoleons Gräueltaten nicht gerade einfach war. Sie drehte sich zu Grayson um, der wie ein Wächter hinter dem hochlehnigen Stuhl des Herzogs stand, da hörte sie Lady Jane lachen und sah, dass die junge Frau den Blick auf sie gerichtet hatte. Sie hob die Brauen und fragte lächelnd: »Pardon?«

»Lady Jane hatte soeben das Wort an Euch gerichtet, meine Liebe«, informierte sie Lord George, ehe er ein beachtliches Stück Pastete in den Mund schob. Es handelte sich um eine Melton Mowbray Pastete, eine Spezialität der Köchin, die sich keiner entgehen ließ, wie er ihr seufzend vor Vorfreude erklärt hatte, als sie serviert wurde.

Lady Jane wiederholte, als Evangeline sie über den Tisch hinweg ansah: »Ich sagte soeben zum Herzog, dass es scheint, als unterhieltet Ihr Euch nicht sonderlich gut. Es muss deprimierend für den Gastgeber sein, wenn ein Gast sich so offensichtlich langweilt, findet Ihr nicht auch, Madame de la Valette?«

»Ich muss gestehen, dass ich meinen Gedanken für einen Augenblick gestattet habe, abzuschweifen, Lady Jane«, konterte Evangeline leichthin. »Aber jetzt weile ich wieder ganz im Hier und Jetzt und bin bereit, mich unterhalten zu lassen und hoffentlich in der Lage, jedweder Konversation auf angemessene Art und Weise zu folgen.«

Der Herzog grinste Evangeline über seine Gabel hinweg an.

»Seine Gnaden hat mir erzählt, dass Ihr gerade erst aus Frankreich zu uns gekommen seid.«

»O nein«, mischte sich Lord George prompt ins Gespräch und starrte sie an, als ob er sie jetzt zum ersten Mal sähe. »Aber Ihr klingt so englisch. Das verstehe ich nicht.«

»Meine Mutter war Engländerin, Lord George«, erklärte sie. »Ich bin in Somerset aufgewachsen. Es stimmt, dass ich mit einem Franzosen verheiratet war, aber er war ein Loyalist. Er hasste Napoleon ebenso sehr, wie ich es tue.«

»Ich habe dem Herzog gerade gesagt«, fuhr Lady Jane fort, »dass Napoleon wohl kaum das passende Gesprächsthema für ein geselliges Abendessen ist. Seine Gnaden teilt zweifellos meine Ansicht, dass Ihr seine Gäste deprimiert.«

Der arme Kerl, dachte Evangeline. Lord George war angesichts dieser Beleidigung krebsrot im Gesicht geworden, und der Herzog hielt den Kopf tief über seinen Teller gesenkt. Evangeline wusste, dass er sich in Wahrheit köstlich amüsierte und nur mit Mühe das Lachen zurückhielt.

»Ich bin also ein schlechter Gast«, sagte Evangeline und lächelte ihr Gegenüber über den Rand ihres Weinglases hinweg an.

»Das ist wahr«, pflichtete ihr Lady Jane bei und fügte leise hinzu: »Vielleicht solltet Ihr Euch zurückziehen. Vielleicht wäre es überhaupt besser, Ihr würdet nach Frankreich zurückgehen, wo Ihr gewiss besser hinpasst.«

Evangeline zuckte lässig die Schultern und legte bedachtsam ihre Gabel weg. Sie entbot Lady Jane ein strahlendes Lächeln und zeigte dabei ihre schneeweißen Zähne. »Falls dem Herzog meine Gesellschaft nicht angenehm ist, braucht er sich nur anderen Gästen zuzuwenden, die eher bereit sind, ihn mit ihrem amüsanten Charme zu unterhalten.«

»Das wird er mit Sicherheit auch tun«, behauptete Lady Jane und strich ihm mit ihren weißen Fingern über den schwarzen Ärmel. Der Herzog bedachte sie mit einem trägen Blick, der sinnliche Freuden im Übermaß zu versprechen schien.

Doch Freuden dieser Art hatte er im Augenblick keineswegs im Sinn. Im Gegenteil, er fragte sich, warum zum Teufel seine Mutter ausgerechnet Lady Jane zu seiner Linken platziert hatte. Selbstverständlich konnte sie nicht ahnen, dass er nicht vorhatte, sich mit Lady Jane zu amüsieren. Er sah zu Evangeline hinüber, die schweigend das Stück Melton Mowbray Pastete musterte, das, inzwischen kalt geworden, in der Mitte ihres Tellers lag.

»Ich vermute, es liegt an Eurem englischen Blut«, fuhr Lady Jane mit Engelszungen fort.

Evangeline neigte den Kopf nachdenklich zur Seite und erwiderte ernst: »Das ist durchaus möglich.« Sie wusste nicht genau, wo sich das Beil verbarg, aber dass es demnächst auf sie niedersausen würde, dessen war sie sich sicher.

»Ihr seid nicht so zierlich und dunkel wie die meisten Eurer Landsleute, sondern eigentlich viel zu groß.«

Evangeline vertiefte sich in den Anblick ihrer kalten Pastete. Sie hatte nur einen Bissen davon gekostet und fand, dass sie jetzt nicht mehr sehr appetitlich aussah. Als einer der Diener höflich fragte, ob sie gerne ein Stück Apfeltorte hätte, schüttelte sie den Kopf. »Wie Ihr meint, Lady Jane«, erwiderte sie dann knapp.

»Ja, in der Tat«, ließ Lady Jane nicht locker. »Mir scheint, Euer gemischtes Blut gereicht Euch nicht gerade zum Vorteil. Die Ladies hier fühlen sich gewiss wie zierliche Wesen neben Euch.«

Evangeline wunderte sich, warum diese Frau zu solch lahmen Beleidigungen Zuflucht nehmen musste, um die Aufmerksamkeit des Herzogs auf sich zu lenken. Ihre Stimme klang glockenhell, als sie lächelnd entgegnete: »Ich finde es recht bemerkenswert, dass Ihr das ansprecht, Lady Jane. Ich habe nämlich denselben Eindruck gewonnen; nur hat sich mir der Vergleich in anderer Form aufgedrängt. Ich habe eher an vierschrötig gedacht, als an zierlich.«

Lady Jane sog hörbar die Luft ein, und ihre Augen wurden vor Gehässigkeit ganz schmal. »Wie bedauerlich für Euch, dass Ihr verwitwet seid. Im Gegensatz zu den Franzosen fühlen sich englische Gentlemen nämlich selten zu Frauen hingezogen, die bereits verheiratet waren, außer, sie verfolgen ganz offensichtliche Ziele.«

»Jane, wisst Ihr eigentlich, dass meine Mutter größer ist als Evangeline?«, ließ sich der Herzog laut vernehmen.

Lady Jane warf ihm einen erschrockenen Blick zu.

O nein, dachte Evangeline, lasst nicht zu, dass ich Mitleid mit ihr empfinde. »Ach, Euer Gnaden, Eure Mutter ist in jeglicher Hinsicht außergewöhnlich«, erklärte sie an den Herzog gewandt. »Was sie als Eure Mutter zwangsläufig sein muss.«

Was zum Teufel sollte das heißen? überlegte der Herzog.

Lady Jane schien sich geschlagen zu geben. Und Evangeline empfand ihr gegenüber nicht mehr Eifersucht, sondern puren Hass.

Als merkte sie erst jetzt, dass sie Lady Janes Unverschämtheiten viel zu freundlich und viel zu lange erduldet hatte, erklärte sie in schneidendem Tonfall: »Ihr müsst wissen, Lady Jane, dass ich nicht die geringsten Ambitionen habe, die Aufmerksamkeit eines englischen Gentlemen zu erheischen. Ich bin nämlich nur zu Gast in England und nicht auf der Suche nach einem neuen Ehemann. Außerdem sollt Ihr wissen, dass ich mir nichts Abstoßenderes vorstellen kann als den Gedanken, dass mich ein Gentleman nicht akzeptabel fände, nur weil ich Witwe bin. Wenn die englischen Männer wirklich solch bornierte Schwachköpfe sind, dann könnt Ihr sie alle mit Kusshand behalten.«

Lady Jane schien sehr zufrieden zu sein, dem strahlenden Lächeln nach zu urteilen, das sie dem Herzog schenkte.

Der murmelte nur: »Wie ich sehe, schickt sich meine Mutter soeben an, die Ladies in den Salon zu begleiten.«

Und im selben Moment rief Marianne Clothilde mit ihrer wohlklingenden Stimme: »Meine Damen? Ich denke, wir überlassen die Gentlemen ihrem Port und ziehen uns in den Salon zurück.«

Wie schaffte sie es nur, ihr Timing so perfekt abzustimmen? wunderte sich Evangeline, während sie dem Diener zunickte, der ihr daraufhin den Stuhl zurückschob. Zu Lord George sagte sie, ehe sie sich von der Tafel erhob: »Die Pastete war in der Tat sehr delikat.«

Evangeline blieben vorerst weitere Angriffe von seiten Lady Jane Bellermans erspart, da Lady Pemberly und die unaufhörlich schnatternde Felicia ihre Aufmerksamkeit für sich beanspruchten, nachdem die Ladies es sich im Salon bequem gemacht hatten.

Felicia hatte sich auf das Thema Essen eingeschossen und berichtete in epischer Breite, was sie von den jeweiligen Gängen probiert und wie es ihr geschmeckt hatte, bis Lady Pemberly ihre kulinarischen Ausführungen mit der Bemerkung unterbrach, dass Lord Pettigrew sich demnächst gewiss anderweitig umsehen werde, wenn sie weiterhin solche Holzfällerportionen verschlinge.

Evangeline, die nur sehr wenig gegessen hatte, log ohne rot zu werden: »Das Dinner war in der Tat ein wahrere Gaumenschmaus, und ich kann mich Miss Storleighs Meinung nur aus vollem Herzen anschließen. Ich bin unendlich froh, dass wir Frauen uns nicht mehr in diese schrecklichen Korsetts zwängen müssen.«

Anschließend unterhielt sich Evangeline gerade mit Pauline, der Vicountess Demster, als die Stimme des Herzogs sie aufhorchen ließ. »Die Ladies mögen meine Unterbrechung bitte entschuldigen. Gerade sind einige sehr gute Freunde von mir eingetroffen, und ich möchte ihnen Madame de la Valette vorstellen.«

26

Als der Herzog sie aus dem Salon führte, wobei er hier ein Lächeln und dort ein Kompliment verteilte, flüsterte er ihr an der Tür leise zu: »Gratuliere. Ich glaube, Ihr seid aus diesem Zweikampf als Gewinnerin hervorgegangen.«

Im ersten Moment begriff Evangeline nicht, wovon der Herzog sprach, was er auch gleich bemerkte. »Lady Jane«, setzte er erklärend hinzu und schüttelte den Kopf.

»Ach, die. Diese dumme, eifersüchtige Pute. Die wäre nicht die richtige Ehefrau für Euch, Euer Gnaden. Glaubt mir, sie würde Euch binnen kürzester Zeit zu Tode langweilen. Könnt Ihr Euch vorstellen, dass sie sich von mir bedroht fühlte?«

Er starrte sie wie hypnotisiert an. »Erstaunlich, nicht? Ausgerechnet von Euch, einer durchtriebenen Hexe, die weder schön noch geistreich ist, die nicht den geringsten Charme besitzt und mit einer Figur geschlagen ist, die keinem Mann der Welt den Kopf verdrehen würde.«

»So weit braucht Ihr nun auch wieder nicht zu gehen«, gab sie schmunzelnd zurück. »Wer sind diese Freunde, denen Ihr mich vorstellen möchtet?« Sie dachte an John Edgerton und dass sie unbedingt mit ihm sprechen musste, ehe er London verließ. Der Herzog geleitete sie in die imposante Eingangshalle.

»Verzeih unsere Verspätung, Richard«, sagte ein gut aussehender Gentleman, während er auf sie zuging. Dann wandte er sich an Evangeline. »Ich bin Phillip Mercerault, Viscount Derencourt, und das ist meine Frau, Sabrina. Unser Baby zeigt sich noch nicht, aber meine Gemahlin versichert mir täglich, dass es unserer Tochter ausgezeichnet geht.«

Die junge Lady, die ihr volles, kastanienbraunes Haar zu einer üppigen Hochfrisur aufgesteckt hatte, knuffte ihren Gatten am Arm und sagte lachend: »Entschuldigt bitte seine freimütige Rede, Ma'am. Ich bin Sabrina, und es ist wahr, dass ich in anderen Umständen bin und dass Phillip sich ein Mädchen wünscht, aber ich bin ganz sicher, dass es ein Junge wird. Mein Gott, wir haben uns reichlich verspätet, aber Rohan und Susannah kamen unerwartet auf Besuch. Sie konnten uns leider nicht hierher begleiten, lassen aber herzlichst grüßen. Ja, spät kommen wir, aber doch.«

»Ja, ihr beiden und ein noch unbekannter Dritter«, scherzte der Herzog. »Das ist Evangeline de la Valette.«

»Freut mich sehr«, sagte Phillip, indem er ihre Hand nahm und an die Lippen führte. »Wie ich hörte, habt Ihr Edmunds Erziehung übernommen. Wenn Sabrina schon unbedingt meint, dass wir einen Buben bekommen, dann wünsche ich mir einen wie Edmund.«

»Ja, er ist wirklich ein fabelhafter kleiner Bursche. Wisst Ihr übrigens, dass ich Euch aus dem Rennen geschlagen habe, Mylord?«, fuhr Evangeline munter fort. »Ich habe ihm nämlich eine Pistole geschenkt, eine Modellpistole wohlgemerkt, mit der er bereits sämtliche Pfauen erledigt hat. Und mit Bunyon tüftelt er an hochkompolizierten Strategien herum, wie er mich, den Straßenräuber, dingfest machen und anschließend erschießen kann. Er meinte, Eure Geschenke seien nichts im Vergleich zu dieser Pistole.«

»Dieser undankbare kleine Strolch«, murmelte Phillip und kniff die Augen zusammen. »Jahrelang habe ich ihn mit den tollsten Geschenken verwöhnt, und jetzt gibt er mir wegen einer Pistole von Euch den Laufpass. Richard, sprich einmal ein ernstes Wort mit deinem Herrn Sohn. Du musst ihm klar machen, dass Loyalität zum eigenen

Geschlecht die einzige Möglichkeit ist, zu vermeiden, dass uns die Frauen zu Pantoffelhelden machen.«

Evangeline lachte schallend, bis sie die seltsamen Blicke bemerkte, die Sabrina ihrem Gatten zuwarf.

»Du meine Güte!«, rief sie aus. »Was tut Ihr denn da?«

»Oh, Ihr meint die Art und Weise, wie ich ihn mit meinen Blicken verschlinge?«, erwiderte Sabrina.

»Genau! Verratet mir doch bitte, wie Ihr das macht.«

»Oh, das ist ein Geheimnis. Rohan Carringtons Mutter, Lady Charlotte, ist die schönste Frau der Welt, und sie hat mir diesen Augenunterricht gegeben, damit ich meinen Ehemann verführen kann, wenn mir der Sinn danach steht.«

»Faszinierend«, bemerkte der Herzog. »Die letzte Neuigkeit von Lady Charlotte war, dass sie mit irgendeinem attraktiven Vertreter der Gattung Mann nach Russland aufgebrochen ist.«

»Nein, in Russland war sie voriges Jahr, oder war es Venedig?«, warf Phillip ein. »Na, jedenfalls ist sie seit letzter Woche irgendwohin unterwegs.« Er sah in die Augen seiner Frau und begann beinahe zu schielen. »Sie hat in der Tat gelernt, mich sehr wirkungsvoll zu verführen. Ich weiß zwar nicht genau, was Charlotte ihr beigebracht hat, aber es funktioniert. Und zwar augenblicklich.«

»Andererseits«, gab der Herzog zu bedenken, »bist du erst seit einem Jahr verheiratet. Und soviel ich gehört habe, gibt es keinen Mann, der nach so kurzer Zeit schon mit allerlei Tricks zu Zärtlichkeiten ermutigt werden müsste.«

Phillip beugte sich zu seinem Freund, um ihm etwas ins Ohr zu flüstern, was die Damen allerdings sehr wohl verstanden. »Nimm ihr bitte nicht die Freude daran, Richard. Sie bildet sich nämlich ein, die Bathsheba der Verführungskunst zu sein. Und mir gefällt es.«

»Das möchte ich dir auch geraten haben«, erklärte Sabrina kokett.

Aus dem Augenwinkel bemerkte Evangeline John Edgerton, der in der offenen Salontür stand und sie ansah. Sie lächelte die Freunde des Herzogs an, die sie wahrscheinlich nie wiedersehen würde, und sagte: »Ich habe mir den Saum aufgerissen und muss mich darum kümmern, dass ihn eines der Mädchen wieder hochnäht. Außerdem muss ich ein paar Worte mit Sir John wechseln. Es war mir eine Freude, Euch kennen zu lernen, Mylord, Mylady. Entschuldigt mich bitte.« Und weg war sie, ehe Sabrina ihr ihre Hilfe anbieten konnte. Der Herzog starrte ihr verwundert hinterher. Er beobachtete, wie sie mit John Edgerton sprach und wie die beiden anschließend in den Salon zurückkehrten. Was, zum Teufel, ging hier vor? Plötzlich war er so wütend, dass sich sein Magen verkrampfte. John Edgerton?

»Du scheinst ja schon richtig zur Familie zu gehören, meine Liebe«, sagte John Edgerton, als er Evangeline durch die Bibliothek und hinaus auf einen kleinen Balkon führte. Es war sehr kalt, und der Vollmond warf sein hartes Licht über die Stadt. Am wolkenlosen Himmel blitzten Myriaden von Sternen, doch Evangeline bemerkte sie kaum.

»Man stelle sich vor«, fuhr er fort, »dass du den ehrenwerten Viscount und seine Gemahlin stehen gelassen hast, um dich mir anzuschließen! Der Herzog ist ganz scharf auf dich. Aber das weißt du natürlich, wie alle Frauen.«

»Ich glaube eher, dass mich der Herzog sehr bald aus dem nächsten Fenster werfen wird«, gab Evangeline scharf zurück.

»Darf ich fragen weshalb? Nein, dazu ist im Augenblick keine Zeit. Ich möchte nicht, dass unser lieber Herzog Verdacht schöpft. Du bist in London, obwohl ich dir nicht die Erlaubnis erteilt habe, Chesleigh zu verlassen. Erklär mir doch bitte, weshalb du meine Anweisungen missachtet hast, Eveline. Und gib dir Mühe, dass die Erklärung mich zufrieden stellt, denn sonst werde ich dafür sorgen, dass der kleine Edmund zusammen mit seiner geliebten Pistole ein hübsches Kindergrab findet.« Er lachte über den Hass, der aus ihren Augen sprühte. »Den Jungen ins Jenseits zu befördern, ist eine Kleinigkeit«, setzte er hinzu und schnippte bedeutungsvoll mit den Fingern. »Spar dir also den Versuch, mich zu hintergehen.«

Ihre Stimme zitterte vor unterdrückter Wut und vor Angst. »Ihr habt Mrs. Needle erwürgt, Ihr gemeiner Mörder. Die arme alte Frau hat niemandem etwas zuleide getan. Versteht Ihr denn nicht? Ich trage die Schuld an ihrem Tod, weil ich Euch an diesem ersten Abend zufällig von ihr erzählt habe. Verdammt, Ihr habt sie umgebracht.«

»Dafür bist in der Tat ganz allein du verantwortlich, meine Liebe. Hättest du deinen Mund gehalten, würde die alte Hexe immer noch munter ihre verruchten Zaubertränke mischen. Aber du hast geredet, und ich habe gehandelt. Ich handle immer, wenn es notwendig ist. Und ich werde genauso schnell handeln, wenn du auch nur davon träumen solltest, mich zu verraten. Weshalb bist du eigentlich nach London gekommen?«

»Weil ich es auf Chesleigh nicht mehr ausgehalten habe, deswegen.«

John Edmund zog bedächtig eine Schnupftabakdose aus seiner Westentasche und ließ mit Hilfe seines Daumens blitzschnell den emaillierten Deckel aufschnappen. Dann nahm er mit spitzen Fingern eine exakt dosierte

Prise des armomatischen Pulvers heraus, hielt es unter die Nase und inhalierte es. Er nieste dezent und ließ den Deckel wieder zuschnappen.

»Dass du so ein mitfühlendes Gemüt besitzt, Evangeline, gefällt mir sehr. Brauche ich mir dann doch nicht allzu große Sorgen zu machen, dass du dem Herzog unsere kleinen Geheimnisse anvertraust, in der Hoffnung, dass er dich und deinen Vater rettet. Das kann er ohnehin nicht. Niemand kann das. Und vergiss Edmund nicht, Evangeline. Also schön, du kannst in London bleiben.«

»Ich ertrage das nicht mehr«, flüsterte sie. Sie zitterte wie Espenlaub, hatte solche Angst und fühlte sich so elend, dass sie am liebsten losgeheult und gleichzeitig laut geschrien hätte. »Bitte, keine Aufträge mehr. Ich habe genug getan. Lasst mich gehen.«

»Halt den Mund, Evangeline. Wir sind zwar allein hier, aber die Dienstboten haben ihre Ohren überall. Ich will kein Aufsehen erregen. Wenn es dich beruhigt, will ich dir versprechen, dass ich dich nicht für deinen Ungehorsam bestrafen werde.« Er unterbrach sich kurz und betrachtete seine Schnupftabakdose. »Zufällig habe ich einen kleinen Auftrag, den du hier in London für mich erledigen kannst.«

»Ich kann nicht«, wisperte sie. »Ich kann nicht. Bitte, lasst mich in Ruhe. Begreift Ihr denn nicht? Wie kann ich all diese Dinge unter dem Vorwand tun, Edmund und meinen Vater zu schützen, wenn Ihr unschuldige Menschen umbringt?«

»Deine Reaktion ist dramatisch und hysterisch. Beruhige dich. Und hör mir ganz genau zu. Wie du sicherlich von Lord Pettigrew oder anderen erfahren hast, wird Napoleon täglich in Paris erwartet. Bald wird sich alles regeln, und dann bist du frei, das verspreche ich.«

Sie hatte überhaupt nichts gehört. Napoleon auf freiem Fuß? Mein Gott, das durfte nicht wahr sein!

»Aber wie könnte sich irgendetwas regeln, wenn dieser Unhold wieder in Freiheit ist und damit fortfährt, die Menschen hinzumetzeln, zu ermorden und zu bestehlen?«

Sir John zuckte nachlässig die Schultern, doch in seinen Augen glühte eine krankhafte Begeisterung, als er erwiderte: »Man wird sehen. Diesmal wird Napoleon siegen und die Allianz vernichten. Ja, das wird geschehen. Und dann sieht man weiter.«

»Könnt Ihr beschwören, dass mein Vater freigelassen wird? Könnt Ihr beschwören, dass Edmund nichts geschieht? Könnt Ihr beschwören, dass keine unschuldigen Menschen mehr sterben müssen?«

Es bereitete ihm nicht die geringsten Schwierigkeiten, sie zu belügen, und sie wusste, dass er log. Doch sie war absolut machtlos dagegen. Sie hatte das Gefühl, in einem Sarg zu liegen, dessen Deckel sich in diesem Augenblick unwiderruflich schloss. Noch nie hatte sie sich so hilflos gefühlt. Sir John warf den Kopf in den Nacken und lachte aus vollem Halse. »Ach, was bist du doch für ein Kind. Ja, meine Liebe, du hast mein Wort darauf, das Wort des Luchses, und der ist, das kannst du mir glauben, ein sehr vertrauenswürdiger Geselle.«

Mit einer Stimme, die so leblos klang wie sie sich fühlte, erkundigte sich Evangeline: »Und was ist das für ein Auftrag, den ich erledigen soll?«

John Edgerton lächelte liebenswürdig, tätschelte beruhigend ihren Arm und setzte sie ins Bild. Als sie etwas erwidern wollte, unterbrach er sie mit den Worten: »Nein, sag jetzt nichts. Du wirst gleich herausfinden, was ich sonst noch von dir erwarte. Jetzt«, setzte er mit heiserer Stimme hinzu. »Jetzt gleich.« Er packte sie am

Oberarm und riss sie an sich. »Dir ist kalt. Warum sagst du nichts? Warte, ich wärme dich. Ja, lass mich dich ein bisschen wärmen.« Er drückte seinen Mund auf ihre eiskalten Lippen und stieß drängend mit der Zungenspitze dagegen. »Ich begehre dich schon so lange, Evangeline. Lass mich gewähren. Ja, ich werde deinen Vater eigenhändig freilassen, wenn du dich mir hingibst. Komm heute nacht zu mir. Ja, heute nacht. Ich will dich, ich muss dich haben …«

Evangeline hatte ihr Knie hochgerissen und es ihm mit aller Kraft zwischen die Beine gestoßen. Edgerton stöhnte laut auf, ließ sie los und starrte sie entgeistert an. »Das wirst du mir büßen! O ja, das wirst du teuer bezahlen.«

»Ihr seid ein widerliches Schwein«, zischte Evangeline und machte einen Schritt zurück. »Ich werde Eure Anweisungen befolgen, aber anfassen lasse ich mich nicht von Euch.«

Im nächsten Augenblick war sie durch die Verandatür in der Bibliothek verschwunden. Ihr war so kalt, dass sie sich wunderte, nicht in tausend Stücke zu zerspringen. Am Ende ihrer Kräfte rannte sie die Treppe hinauf ins Rosenzimmer und verriegelte die Tür hinter sich. Dann wickelte sie sich in sämtliche Decken ein, die sie fand und ließ sich in einen Sessel fallen. Dort blieb sie stundenlang sitzen, rührte sich nicht, sondern starrte nur wie betäubt vor sich hin.

»Das Kriegsministerium? Warum, zum Teufel, wollt Ihr ausgerechnet das Kriegsministerium besichtigen?«

Evangeline zuckte lächelnd die Schultern. »Ich dachte, dort wäre es recht interessant. Schließlich ist dieses Ministerium das Herzstück der englischen Regierung. Napoleon ist frei und auf dem Weg nach Paris, habe ich gehört. Ja, ich möchte es wirklich gern einmal besuchen und die Aufregung und die gespannte Erwartung miterleben.«

»Das ist das Merkwürdigste, was ich bisher von Euch gehört habe.«

»Tatsächlich? Aber seid beruhigt, es ist nicht nötig, dass Ihr mich begleitet. Ich kann eine Droschke nehmen, das macht keinerlei Umstände.«

Er sah aus, als wollte er ihr eine Ohrfeige geben. »Wann gedenkt Ihr denn diesen aufregenden Ausflug zu unternehmen?«

»Heute Nachmittag. Ihr braucht Euch übrigens nicht zu sorgen, dass man mich nicht einlässt, Euer Gnaden. Ich habe Lord Pettigrew gestern Abend gefragt, und er meinte, er würde sich sehr freuen, mich zu sehen. Euch natürlich auch.«

»Drew ist wirklich ein Muster an Höflichkeit, verdammt nochmal. Ich weiß zufällig, dass er es nicht ausstehen kann, wenn eine Lady in seinem Büro herumschnüffelt. Ich hatte eigentlich vorgehabt, mit Euch nach Richmond zu fahren und die Gärten dort, das Labyrinth zu besichtigen.«

Evangeline erhob sich vom Frühstückstisch und sah ihn von oben herab an. »Wenn Ihr so schlechte Laune habt, ziehe ich es vor, mich in Begleitung eines Dieners auf den Weg zu machen«, erklärte sie schnippisch und schleuderte ihre Serviette auf den Tisch.

Der Herzog fuhr aus seinem Stuhl hoch. »Ihr werdet jetzt hübsch den Mund halten, meine Liebe. Als Euer Gastgeber und männlicher Verwandter, der Euch beschützt, bleibt mir keine andere Wahl. Selbstverständlich werde ich Euch begleiten. He, wo wollt Ihr denn hin? Ich rede noch mit Euch.«

»Zu Edmund, Euer Gnaden. Im Augenblick habe ich Euch nichts weiter zu sagen.«

Einen Moment lang drehte er nachdenklich seine Serviette zwischen den Fingern. »Ich war heute morgen schon bei ihm. Ellen stopfte ihn gerade mit Buttertoast voll, während Bunyon ihm erklärte, wie sich ein junger Lord bei Astley's benehmen sollte, und Mutter bereitwillig zustimmte, sich von ihm erschießen zu lassen. Als er mich sah, einen weiteren seiner ihm treu ergebenen Sklaven, erlaubte er mir großzügigerweise, ihm das Schachspielen beizubringen.«

»Dieser kleine Schlingel!«, rief Evangeline lachend, und ihre Miene erhellte sich plötzlich. »Ich habe es ihm bereits beigebracht, müsst Ihr wissen. Er sieht sich jetzt wohl bereits als Meister dieses Fachs.«

»Was er braucht«, begann der Herzog nachdenklich und ließ seinen Blick von ihrem Mund zu den Brüsten wandern, die ein hellgelber Hausmantel an diesem Morgen sittsam bedeckte, »sind Brüder und Schwestern.«

Evangeline schluckte geräuschvoll und meinte, nachdem sie sich von dem Schreck erholt hatte: »Na ja, möglicherweise kann man Lady Jane beibringen, sich etwas menschlicher zu benehmen, was meint Ihr?«

»Jedenfalls hat sie uns allen glaubhaft versichert«, gab er grinsend zurück, »dass sie noch Jungfrau ist. Und das, meine ich, gereicht Ihr doch unbedingt zum Vorteil.«

Die letzte Bemerkung brachte sie derart auf die Palme, dass sie sofort gierig nach dem Köder schnappte, den er ihr so lässig hingeworfen hatte. »Ihr aufgeblasener, arroganter englischer Wichtigtuer. Ihr …« Sie richtete sich zu voller Größe auf, ballte die Hände zu Fäusten und wollte mit ihren Beschimpfungen fortfahren, als sie merkte, dass er sie nur frech angrinste.

»Ich gehe mit Euch zu Edmund. Wir werden ihm beide eine Schachlektion erteilen.«

»Ach, geht zum Teufel«, zischte sie, drehte sich auf

dem Absatz um und stapfte wütend aus dem Frühstückszimmer. Sein dunkles, volles Lachen holte sie ein und verwirrte sie dermaßen, dass sie vor der Tür beinahe einen der Diener umgerannt hätte.

27

Evangeline hielt ihr Retikül fest an die Brust gedrückt. In dem kleinen Lederbeutel befand sich der Umschlag, den John Edgerton ihr am Morgen durch einen Boten hatte zukommen lassen. Was sich in diesem Umschlag verbarg, wollte sie gar nicht wissen. Sie hatte Angst, Todesangst.

Es war so kalt, dass sie selbst in der Kutsche ihren Atem als weiße Dampfwölkchen sehen konnte.

Der Herzog beugte sich zu ihr herüber und legte ihr eine zweite Decke über die Knie. »Könnt Ihr Euch vorstellen, dass wir vor zwei Wochen im Meer gebadet haben?«

Die Kutsche kam rumpelnd zum Stehen, und Jennifers Gesicht erschien am Fenster, verkniffen, aber doch lächelnd. Offenbar genießt er es, jedem Wetter zu trotzen, dachte der Herzog. Und gleichzeitig wunderte er sich bestimmt, was eine junge Lady im Kriegsministerium zu suchen hat. Ja, zum Teufel, was wollte sie dort eigentlich?

»Nein«, sagte sie. »Das kann ich mir nicht vorstellen.« Sie stand vor einem wuchtigen, nicht gerade einladenden Steingebäude, das der Ruß im Laufe der Jahrzehnte dunkelgrau gefärbt hatte und das dringend einen frischen Anstrich benötigte. Um das Gebäude herum verlief ein hoher schwarzen Eisenzaun. Auf der Straße war es ungewöhnlich ruhig; hier tummelten sich keine Händler, die

die einflussreichen Herrschaften hinter den dicken Steinmauern mit ihrem Geschrei gestört hätten. Rechts und links vor dem Eingangsportal standen zwei uniformierte Wachen der königlichen Garde, die schweigend und mit geradeaus gerichtetem Blick ihren Dienst versahen.

»Von hier aus kann man Westminster sehen«, bemerkte der Herzog und deutete mit einem behandschuhten Finger in die angegebene Richtung.

»Hochinteressant«, meinte Evangeline knapp und marschierte, den skeptischen Blick des Herzogs ignorierend, entschlossen auf das schwarze Tor vor dem Ministerium zu.

Der Herzog brauchte sich vor den Wachen nicht eigens auszuweisen. Die beiden Torflügel schwangen unverzüglich auf.

»Euer Gnaden«, grüßte der eine Wachposten.

»Bleib bei den Pferden, Juniper!«, rief der Herzog seinem Burschen zu.

Sie stiegen die ausgetretenen Steinstufen empor zu einer imposanten Eichentür. Der Wachposten zog an einem schweren Eisenring und verbeugte sich tief vor dem Herzog. »Euer Gnaden«, sagte er, »Lord Pettigrews Sekretär wird sich jetzt Eurer annehmen.«

»Ihr habt wirklich jeglichen Grund, der eingebildetste Mann von ganz England zu sein.«

»O nein. Der Prinzregent übertrifft mich da bei weitem. Und alle anderen interessieren mich nicht.« Er warf ihr einen verwunderten Blick zu. »Wäre es Euch lieber, dass man uns als Landstreicher behandelt oder völlig ignoriert?«

»Selbstverständlich nicht. Es kommt mir nur so vor, dass man Euch behandelt, als wäret Ihr der Prinzregent.«

»Nein, das ist nicht wahr. Jeder, der mich kennt, ist sehr viel höflicher zu mir, das versichere ich Euch.«

Evangeline blieb erschrocken stehen. Der Herzog hatte nicht laut gesprochen, doch seine Worte hallten wie ein gewaltiges Echo von den Wänden wider. Sie sah sich verblüfft um. Die Eingangshalle nahm in der Höhe mindestens vier Stockwerke ein, die von schweren schmiedeeisernen Geländern gesäumt wurden. Auf jedem Treppenabsatz hielten uniformierte Posten Wache. Gentlemen aller Altersgruppen, in vornehmes dunkles Tuch gekleidet, eilten raschen Schrittes in der Eingangshalle umher und hielten nur kurz inne, als sie Evangeline bemerkten. Der Herzog wurde von jedem von ihnen mit einer leichten Verneigung begrüßt, doch Evangeline ignorierte man geflissentlich.

»Es sollte Euch mittlerweile aufgefallen sein, dass Ladies diesen Ort nicht allzu häufig mit ihrer Anwesenheit beehren«, meinte der Herzog freundlich, nachdem ein junger Herr, der weniger zugeknöpft war als die anderen, beim Anblick von Evangeline beinahe über seine eigenen Füße gestolpert wäre.

»Ah, Richard, Evangeline. Ihr kommt gerade zur rechten Zeit. Herzlich Willkommen in meinem zweiten Zuhause.« Lord Pettigrew kam vom anderen Ende der Eingangshalle auf sie zu, im Gegensatz zu den anderen umherschwirrenden Gentlemen und Sekretären in einen derben Lederwams und dunkelbraune Reithosen gekleidet. Trotz seines freundlichen Willkommensgrußes hatte Evangeline das Gefühl, dass er über ihren Besuch nicht sonderlich begeistert war. Wahrscheinlich betrachtete er ihre Bitte, das Ministerium zu besichtigen, als lächerliche Marotte, die ihm nur seine kostbare Zeit stahl. Und sie machte ihm auch keinen Vorwurf daraus. Sie sah ihn an, dachte daran, was sie gleich tun würde, und wäre am liebsten tot umgefallen. Stattdessen entbot sie ihm ein charmantes Lächeln und sagte: »Ich danke Euch wirklich sehr, dass Ihr mich empfangen habt.«

Lord Pettigrew antwortete mit einem verbindlichen Nicken und wandte sich an den Herzog. »Wir haben neue Informationen aus Paris. Wenn du heute Abend nichts vorhast, Richard, würden wir dich gern zu einer kleinen Zusammenkunft bitten.«

»Selbstverständlich«, erwiderte der Herzog. »Aber lass uns zunächst einmal die Neugier unserer verehrten Madame Naseweis befriedigen. Wirst du uns auf dem Rundgang begleiten oder einer deiner zahlreichen Untergebenen?«

»Den Herzog von Portsmouth von einem Angestellten eskortieren lassen? Ausgeschlossen.«

Lord Pettigrew geleitete sie persönlich durch eine Reihe von düsteren Konferenzsälen, in denen es nach abgestandenem Tabakqualm roch. »Ach, ich war schon so gespannt auf das Lord Deputy's Chamber«, sagte Evangeline zu Lord Pettigrew, als er sie in diesen altehrwürdigen, eichenvertäfelten Sitzungssaal führte, in dem die Verhandlungen über die Geschicke und die Zukunft Englands geführt wurden.

Sie hätte beinahe aufgeschrien, als Lord Pettigrew bemerkte: »In den übrigen Räumen befindet sich mein Büro. Aber das dürfte Euch wohl kaum interessieren.«

Evangeline zauberte ein hinreißendes Lächeln auf ihre Lippen, ehe sie ausrief: »Ach, ich würde zu gerne sehen, wo Ihr arbeitet, Drew!«

Zum ersten Mal schien er zu zögern.

»Ich verspreche auch, dass ich Euch dann nicht weiter belästigen werde.« Er zögerte immer noch, und deshalb fügte sie schmeichelnd hinzu: »Ich meine, man darf es den Damen nicht verdenken, dass sie wissen möchten, wo Gentlemen wie Ihr den Tag verbringen.«

»Also schön, Evangeline«, gab sich Lord Pettigrew schließlich geschlagen und erklärte, wieder ganz heiter: »Unser lieber Herr im Himmel weiß, wie viele Stunden der Herzog und ich in diesen Räumen über irgendwelchen Entscheidungen gebrütet haben. Meine liebe Felicia hat sich, soviel ich weiß, noch nie mit dem Gedanken getragen, auch nur einen ihrer zierlichen Füßchen in dieses Mausoleum zu setzen.«

Während Lord Pettigrew sie in den zweiten Stock geleitete, unterhielt er sich mit dem Herzog über die triumphale Rückkehr Napoleons. »Informierten Kreisen zufolge wird er morgen in Paris eintreffen. Erstaunlich, dass die Franzosen ihn wieder mit offenen Armen empfangen. Bald wird man in Engand über nichts anderes mehr reden. Es ist höchste Zeit, dass wir die Gefahr erkennen, die dieser Mann für alle freien Länder bedeutet.«

Sie stolperte.

Napoleon wird bald wieder in den Tuillerien wandeln, wo er hingehört. Es geschah genau das, was Houchard und Edgerton prophezeit hatten. Insgeheim hatte sie sich an die Hoffnung geklammert, dass die Franzosen nichts mehr mit Napoleon zu tun haben wollten, dass die französische Armee ihn schnellstens wieder zurück nach Elba verfrachten würde. Denn dann hätte Houchard keine Verwendung mehr für sie oder ihren Vater gehabt.

»Evangeline?«

»Es ist die Hitze, Euer Gnaden«, entschuldige Evangeline sich mit einer Stimme, die genauso diffus war wie das Licht, das durch die rußverschmutzten Fenster fiel. »Sonst ist alles in Ordnung.«

»Verzeihung, sagtet Ihr Hitze?« Der Herzog starrte sie aus skeptisch zusammengekniffenen Augen an, die zu viel zu sehen schienen.

»Ich verzeihe Euch«, gab sie knapp zurück.

Lord Pettigrew entschuldigte sich für die Unordnung in seinen großzügigen Räumlichkeiten. Auf jeder verfügbaren Fläche lagen Landkarten herum und stapelten sich Aktenberge. Im hinteren Teil des Büros standen zwei Herren über einen ausladenden Mahagonischreibtisch gebeugt und studierten diverse Papiere.

»Gentlemen«, sprach sie Lord Pettigrew an, »habt bitte die Güte, im Vorzimmer auf mich zu warten. Ich bin noch zwei Minuten beschäftigt.«

Die beiden beäugten Evangeline mit einer Mischung aus Bewunderung, Ungeduld und Herablassung, ehe sie einige Akten zusammenschoben, sich diese unter den Arm klemmten und das Büro verließen.

Evangeline, die sie nicht weiter beachtete, schlenderte gemächlich zu der Fensterfront im rückwärtigen Teil des Raumes. Sie machte eine Bemerkung über die großartige Aussicht auf die Themse, die Lord Pettigrew wahrscheinlich mit einer höflichen Floskel quittierte, doch Evangeline hörte gar nicht hin. Aus dem Augenwinkel schielte sie verstohlen hinüber zu dem Bücherschrank, der an der gegenüberliegenden Wand stand. Er sah nicht sehr frequentiert aus. Laut Edgertons Anweisung sollte sie den Umschlag in diesem Bücherschrank verstecken, im zweiten Regalfach zwischen dem dritten und vierten Buchband. Sie stand am Fenster, unterhielt sich locker mit Lord Pettigrew und überlegte dabei fieberhaft, wie sie es anstellen könnte, diesen verdammten Umschlag unauffällig zwischen den beiden Büchern verschwinden zu lassen.

»Habt Ihr Euch nun sattgesehen?«, erkundigte sich der Herzog nach einer Weile.

Sie drehte sich um, lächelte und streckte Lord Pettigrew die Hand entgegen. »Ja, das habe ich. Ich bedanke mich ganz herzlich für Eure Freundlichkeit, Drew. Ich weiß, dass Ihr sehr beschäftigt seid, und möchte Eure wertvolle Zeit nun wirklich nicht länger in Anspruch nehmen.«

Auf dem Weg zu der breiten Flügeltür ließ Evangeline unbemerkt einen ihrer Handschuhe fallen und rief, als sie bereits im Vorzimmer angelangt waren: »Ach, du meine Güte, ich habe wohl meinen Handschuh fallen lassen! Einen kleinen Moment bitte, ich hole ihn rasch.«

Ehe Lord Pettigrew noch einen der Sekretäre mit der Aufgabe betrauen konnte, war Evangeline schon wieder zurück ins Büro gehuscht. Mit zitternden Fingern zog sie den Umschlag aus ihrem Retikül und schob ihn zwischen die beiden dicken Bücher. Drei Sekunden später stand sie schon wieder im Vorzimmer und wedelte mit ihrem Handschuh.

»Verzeiht bitte, ich bin mitunter schrecklich unaufmerksam«, sprudelte sie munter los. »Nein, wie ungeschickt von mir. Aber jetzt ist alles in schönster Ordnung. Und ich habe endlich einmal einen Blick in diese ehrwürdigen Räume werfen dürfen, in denen Gentlemen wie Ihr Tage und Nächte verbringt, um England so meisterhaft zu beschützen.« Sie hätte ihr albernes Geplapper noch eine Weile fortgeführt, wenn der Herzog ihr nicht mit einem Blick zu verstehen gegeben hätte, dass sie jetzt besser den Mund hielte.

Als sie wenig später wieder in der Kutsche saßen, brachte Evangeline endlose Minuten damit zu, die Decke über ihre Beine zu breiten und sie umständlich festzustecken, ehe sie die behandschuhten Hände im Schoß faltete und angelegentlich aus dem Fenster sah.

»Das war in der Tat eine bemerkenswerte Erfahrung«, eröffnete der Herzog das Gespräch, während er sie scharf von der Seite musterte, doch sie wandte sich ihm nicht zu.

»Ja, wirklich. Hochinteressant. Damit ist heute ein Kindheitstraum von mir in Erfüllung …«

»Seid still, Evangeline«, unterbrach sie der Herzog barsch und fuhr fort, ihr Profil zu betrachten und sich dabei, wie schon so oft, zu fragen, was wohl in ihrem Kopf vor sich ging. »Ich kann den Tag kaum erwarten, an dem es mir gelingt, Euch zu verstehen.«

Evangeline hüllte sich in Schweigen.

»Ich nehme an, Ihr wollt jetzt das Unterhaus besichtigen?«

Jetzt sah sie ihn an; sie hatte sich wieder in der Gewalt. »Ach nein«, gab sie in gespielt dümmlichem Tonfall zurück, »ich würde viel lieber nach Richmond fahren und mir dieses Labyrinth ansehen, von dem Ihr gesprochen habt.«

28

Evangeline saß auf der gepolsterten Fensterbank in Edmunds Kinderzimmer und blickte hinaus in den nebelverhangenen Park, der sich hinter dem großen Platz erstreckte. Sie war jetzt seit fast einer Woche in London – die längste Woche ihres Lebens. Jedes Mal, wenn ein Besuch angekündigt wurde, fürchtete sie, es könne Edgerton mit neuen Anweisungen für sie sein. Bisher war er noch nicht gekommen, aber sie wusste, dass er sie nicht in Ruhe lassen würde. Was befand sich wohl in dem Umschlag, den sie in Lord Pettigrews Büro versteckt hatte? fragte sie sich immer wieder.

Edgerton und Houchard hatten Recht behalten. Die Tageszeitungen waren voll von Berichten über Bonapartes triumphale Rückkehr nach Paris inmitten der französischen Armee. Die Namen Wellington und Napoleon waren in aller Munde, aber auch Mutmaßungen über einen zu erwartenden Krieg, über weitere blutige Schlachten. Jeden Morgen durchforstete sie die Zeitungen, die Grayson ihr in ihr Schlafgemach brachte, nachdem der Herzog sie gelesen hatte, nach irgendwelchen Informationen über die Lage in Paris. Die Zeit verstrich, und sie wartete fieberhaft darauf, dass etwas passieren würde, und fürchtete sich gleichzeitig davor.

Zum Glück hatte sie Edmund. Der kniete gerade vor dem Kamin und stellte seine Zinnsoldaten neu auf, die eine Hälfte Franzosen, die andere Hälfte Engländer. Als er einen Major mit scharfen Worten ermahnte, seine Truppen besser zu beaufsichtigen, musste Evangeline lächeln. Ach, sie liebte Edmund über alles, doch das konnte sie ihm natürlich nicht sagen. Nein, sie konnte sich sein Gesicht vorstellen, wenn sie ihm ihre Zuneigung gestehen und ihn dabei inniger umarmen würde, als es einem Burschen seines Alters notwendig erschien. Tatsächlich verbrachte sie ihre ganze Zeit mit ihm. Anfangs war er ein wenig zurückhaltend gewesen, doch dann, als er merkte, dass sie nicht darauf aus war, ihn ungebührlich lange mit Lese- und Schreibübungen zu traktieren, hatte er ihr lachend und jauchzend erklärt, sie mindestens eine Woche lang nicht jagen oder auf sie schießen zu wollen. Evangeline hatte auf dieses großherzige Angebot mit gestenreichen Dankesbezeugungen reagiert, die Arme vor der Brust gekreuzt und sich tief vor ihm verneigt. Edmund hatte ihre Dankbarkeit mit einem Schnauben abgetan und sie zu ihrer Verblüffung kurz umarmt, ehe er sich einem anderen Spiel zuwandte. Er war ihr Junge geworden, und sie wollte ihn nie wieder verlassen. Nein, daran wollte sie gar nicht denken. Sie konnte den Gedanken an die Zukunft nicht ertragen, an eine

Zukunft, wo sie als Verräterin vor dem Richter stand – oder tot war.

Aber Edmund hatte eine Zukunft. Die zu sichern, dafür würde sie alles Menschenmögliche tun. Mit jedem Tag wurde er seinem Vater ähnlicher. Wenn er seine Zeit nicht mit ihr verbrachte, war er mit dem Herzog zusammen, der ihn mit zum Reiten nahm oder zu Tattersall's, um sich die Pferde anzusehen, und sogar in den *Gentleman Jackson's Boxing Salon*. Sie wusste immer, was die beiden unternommen hatten, denn Edmund erstattete ihr jeden Abend genauestens Bericht über seine Erlebnisse, wenn sie ihn zu Bett brachte.

Auch in anderer Hinsicht glich er seinem Vater. Er langweilte sie nie. Edmund merkte es nicht und wäre wahrscheinlich sehr betroffen gewesen, wenn er es gewusst hätte, aber tatsächlich war er ihr einziger Trost. Erst gestern hatte er ihr gestanden, dass er sie mehr mochte als Phillip Mercerault, was eine sehr große Ehre war. Vielleicht mochte er sie sogar noch mehr als Rohan Carrington, was er, wie er ihr versicherte, nicht einfach so dahinsagte.

Jetzt erklärte er ihr: »Es wird nicht lange dauern, Eve. Warte nur ab. Wellington wird ihm den Todesstoß versetzen. Er wird hoch zu Ross vor Napoleon hintreten und ihm das Schwert in die Eingeweide stoßen. Und dann kannst du wieder lachen.«

O Gott.

Evangeline erhob sich ein wenig zittrig von ihrem Platz in der Fensternische und kniete sich neben Edmund auf den dicken Teppich. Sie durfte es nicht zulassen, dass er zu solchen Überzeugungen gelangte, auch wenn diese erschreckend zutreffend waren. »Was meinst du damit, Edmund?«

Aber Edmunds Aufmerksamkeit war schon wieder zurück zu seinem englischen Bataillon gewandert. Er pflanzte ein gutes Dutzend Bajonette auf und drehte einen Major so um, dass er seine Männer ansehen konnte, die inzwischen alle in einer kerzengeraden Linie Aufstellung genommen hatten. Nach einer Weile hob er den Kopf und sah Evangeline an.

»Papa hat gesagt, dass ich mit dir keine Scherze treiben darf.«

Du liebe Güte, war ihr Gesicht denn ein offenes Buch für ihn? Dabei hatte sie seinen Papa gar nicht gesehen, beziehungsweise nur sehr selten.

»Aber ich mag es, wenn du deine Scherze mit mir treibst. Wo ist deine Pistole? Ich trage mich nämlich mit dem Gedanken an eine spektakuläre Flucht und bin sicher, dass mich, den gefährlichen Wegelagerer, ein tapferer Junge verfolgen und von meinem Pferd herunterschießen wird. Ach, Edmund, sag bloß nicht, dass du deine ganze Munition bei der Pfauenjagd verschossen hast!«

Edmund warf ihr einen für sein Alter viel zu wissenden Blick zu. »Du versuchst doch nur, mich abzulenken, mit Geschichten, die nichts mit dem zu tun haben, was gerade passiert. Papa hat gesagt …«

»Was hat dein Papa gesagt, Edmund?«

Der Herzog stand mit vor der Brust gekreuzten Armen in der offenen Tür. Hoffentlich noch nicht sehr lange, dachte Evangeline und machte sich hastig daran, vom Boden aufzustehen. Doch der Herzog bedeutete Edmund und ihr mit einer Handbewegung, sitzen zu bleiben.

»Nein, Evangeline, bleibt, wo Ihr seid. Mir scheint, Ihr habt es sehr bequem dort auf dem Teppich. So, Edmund, jetzt erzähl mal, was ich zu dir gesagt habe«, forderte er seinen Sohn auf, während er ins Zimmer trat und sich zu den beiden auf den Teppich kniete.

Edmund rieb eine Kanone zwischen seinen kleinen Händen. »Ich mache gerade das Schießpulver warm«, erklärte er, als er den ungeduldigen Blick seines Vaters bemerkte und setzte dann eilig hinzu: »Du hast gesagt, dass Evangeline traurig ist. Und dass ich sie ja nicht so piesacken soll wie die Heuschrecken es mit den Ägyptern gemacht haben. Ich habe ihr gesagt, dass Wellington diesen Napoleon ein für allemal erledigen wird. Ich wollte sie damit zum Lachen bringen. Und sie hat tatsächlich ein klein wenig gelächelt, Papa.«

Der Herzog sah sie über den Kopf seines Sohnes hinweg an. »Und, ist sie jetzt fröhlicher? Frag sie, Edmund.«

Edmund rückte das Pferd eines Generals ein bisschen nach rechts und erkundigte sich treuherzig: »Ich habe dich doch glücklich gemacht, Eve, oder?«

»Glücklicher als eine Katze, die gerade eine ganze Schüssel Sahne ausgeschlabbert hat. Erinnerst du dich nicht? Gestern Abend hast du mir die Fortsetzung deiner Geschichte erzählt, und ich habe furchtbar gelacht.«

»Das stimmt, Papa. Ich habe mir etwas Lustiges ausgedacht, und Eve hat sich kaputtgelacht. Und Großmutter ebenfalls. Ich dachte schon, sie kriegt vor lauter Lachen irgendwann keine Luft mehr. Und dann hat sie gesagt, dass ich der beste Enkelsohn bin, den sie je hatte.«

»Sie hat ja nur dich, Edmund. Ich glaube, da war ein wenig Ironie mit im Spiel.«

»Ironie«, wiederholte Edmund ehrfürchtig. »Ich glaube, ich sollte meine Geschichte auch mit dieser Ironie würzen. Kannst du mir genauer erklären, was das ist, wenn ich weiterdichte? Ach, möchtest du den Anfang der Geschichte hören?«

»Aber sicher. Heute Abend bringe ich dich ins Bett, und dann erzählst du sie mir und bringst mich auch zum Lachen.«

»Er ist sehr schlau, Euer Gnaden. Komm, Edmund, zeig deinem Vater einmal, welche Strategien du anwenden würdest, um Napoleon zu besiegen.«

Evangeline rutschte ein wenig zur Seite, als Vater und Sohn begannen, die Soldaten auf dem Schlachtfeld neu aufzustellen und die Artillerie in Stellung zu bringen. Ihre konzentrierten Manöver wurden von Edmunds aufgeregtem Geplapper kommentiert.

»Kein schlechter Schuss, Edmund. Richte die Kanone an der rechten Flanke etwas mehr auf die Frontlinie. Ja, genau so. Und jetzt: Feuer frei.«

»Treffer!«, kreischte Edmund, ganz aus dem Häuschen. »Ich hab dich genau in den Unterbauch getroffen.«

»Verdammt, das hast du. Jetzt muss ich mich aber vorsehen, sonst machst du noch mein gesamtes Bataillon nieder. Woher hast du eigentlich das Wort Unterbauch?«

»Bunyon sagt immer so zu meinem Bäuchlein. Er sagt auch, dass ich sehr vorsichtig sein muss mit dem Unterbauch, weil es der weichste Teil meines Körpers ist. Schau, Papa, Eve lacht.«

»Tatsächlich. Sogar ihre Augen glänzen ein bisschen. Hör mal, Edmund, was hältst du davon, wenn du mit Großmutter einen Ausflug in den Pantheon Bazaar unternimmst?«

Edmund verschlug es vor Begeisterung schier die Sprache. »Den Pantheon Bazaar? Da war ich bisher noch nie!«, rief er aufgeregt. O ja, Papa, das ist eine prima Idee!«

»Fein. Bunyon wartet draußen in der Halle mit deinem Mantel und den Handschuhen. Und Großmutter trippelt sicher vor Freude schon von einem Fuß auf den anderen.«

Edmund schlang seine Arme um Evangelines Nacken und drückte ihr einen Kuss auf die Wange, dann verbeugte er sich tief vor seinem Vater und sauste aus dem Kinderzimmer. Im Korridor hörten sie Bunyons Stimme, konnten aber nicht verstehen, was er sagte, doch gleich anschließend juchzte Edmund noch einmal lauthals vor Freude. Evangeline wandte sich wieder dem Herzog zu, der inmitten der Spielzeugautomaten und Kanonen lässig auf dem Teppich lag und dabei ungeheuer attraktiv wirkte. »Weiß Eure Mutter eigentlich von dem Ausflug, den Ihr für sie arrangiert habt?«

»Glaubt Ihr etwa, ich habe sie dazu gezwungen, weil ich Euch für mich haben wollte?« Er stand auf, hielt ihr die Hand hin und zog sie auf die Beine. Evangeline sah zu ihm hoch, konnte gar nicht anders, einfach deshalb, weil er da war und weil es ihr solches Vergnügen machte, ihn anzuschauen. Sie schluckte und versuchte einen Schritt zurückzumachen, aber er hielt sie an beiden Händen fest. »Es stimmt tatsächlich, dass ich mit Euch allein zusammensein wollte, aber um die Wahrheit zu sagen, die Idee stammt von ihr. Hätte ich sie zuerst gehabt, hätte ich sie rücksichtslos durchgesetzt, um Euch nah zu sein.«

Er ließ seine großen Hände an ihren Armen entlang wandern, bis sie ihren Hals erreichten. Dann legte er die Daumen unter ihr Kinn und drückte es nach oben. »Ich glaube, ich muss dich jetzt küssen, sonst werde ich verrückt«, sagte er, beugte sich zu ihr herab und berührte mit den Lippen ganz zart ihren Mund. Sie atmete mit einem leisen Seufzer aus und wollte sich ihm entziehen, wollte es wirklich, doch sie besaß nicht die Kraft dazu. Während sie sich an ihn lehnte, spürte sie sofort seine Erregung. Er zog sie dichter an sich und hob sie auf die Zehenspitzen, damit sich ihr Körper völlig an den seinen schmiegte. Sie spürte ihn an ihrem Bauch, wusste, was das bedeutete, die Begierde dieses Mannes, und presste sich noch dichter an ihn, weil die Lust, die sie bei seiner

Berührung empfand, sie schier taumeln ließ. Er küsste sie heftiger, seine Zunge berührte die ihre ganz sacht, ohne sie zu bedrängen. Er war vorsichtig, ja, er bemühte sich sehr, sie nicht zu erschrecken.

Erschrecken? Wie lächerlich. Sie empfand kein bisschen Angst vor ihm. Im Gegenteil, sie wollte ihn nackt, wollte ihn am liebsten auf dem Rücken liegend ausgestreckt sehen und sich auf ihn legen. Sie wollte ihn küssen, bis er vor Lust keuchte, spürte das verzweifelte Verlangen, ihn zu berühren, zu streicheln, seinen Körper zu erkunden und ihn von Kopf bis zu den Zehenspitzen mit Küssen zu bedecken. Aber am allermeisten drängte es sie, ihm die Wahrheit zu sagen, ihm alles zu erzählen und …

Es kostete sie ungeheure Überwindung, sich seiner Umarmung zu entziehen. Ja, selten war ihr etwas so schwer gefallen. Und er ließ sie los. Sein Atem kam in keuchenden Stößen, seine Augen waren noch dunkler als sonst, sein Blick merkwürdig verhangen. Evangeline vermochte kaum, ihn anzusehen, denn sie wusste, dass ihr Gesichtsausdruck dieselben Gefühle widerspiegelte, die sie auch in seinem Gesicht las: Lust, Begehren, ein nahezu verzweifeltes sinnliches Verlangen. Abrupt drehte sie sich um und starrte ins Feuer.

Sie musste etwas sagen, aber was? »Ich kann mir nicht vorstellen, dass Euch irgendeine Frau widerstehen kann, Euer Gnaden.«

»Man hat mir bei der Geburt einen Namen gegeben. Und ich meine, dass jede Lady, die meine Zärtlichkeiten so freudig erwidert wie Ihr, es verdient, mich beim Vornamen zu nennen. Du kannst mich gern St. John rufen, wenn dir Richard nicht gefällt. Mein Vater hat mich immer so gerufen, wenn er mich vermöbeln wollte, was aber nur ganz selten vorkam. Merkwürdig … wenn du mir nicht aus dem Weg gehst, Evangeline, versuchst du, mich zur Raserei zu treiben. Du hast eine sehr lose Zunge. Aber wie du eben gemerkt hast, kann ich dir gegenüber keinen Abstand wahren. Ich begehre dich. Und dieses Gefühl wird von Tag zu Tag stärker. Ich begehre dich jetzt sogar noch mehr als heute morgen. Und dagegen müssen wir etwas unternehmen.«

Sie schloss die Augen. Er begehrte sie. Und sie begehrte ihn ebenfalls. Nein, das war untertrieben. Sie verzehrte sich regelrecht nach ihm, doch daran durfte sie nicht denken. Sie musste vernünftig bleiben. Der Herzog war ein sehr leidenschaftlicher Mann, der gewiss schon Dutzende von Frauen geliebt hatte und sie als recht ansehnliche Frau natürlich ebenfalls nicht verschmähte. »Ihr seid es, der die lose Zunge besitzt«, gab sie zurück, sich weiterhin der formellen Anrede bedienend.

»Es freut mich, dass du so denkst, besonders falls du auf den Moment anspielst, als meine Zunge in deinem Mund war.«

Wieder sah sie ihn nackt vor sich, wie damals, als er aus dem Meer stieg. Sie war verrückt. Nein, nicht verrückt, sie begann nur zu begreifen, was Begierde war – ein höchst unbequemes Gefühl. Sie hätte am liebsten laut losgeschrien. »Habt Ihr denn keine Liaison?«, versuchte sie abzulenken, indem sie ihre Stimme so kühl und desinteressiert wie möglich klingen ließ. »Gewiss gibt es die eine oder andere Mätresse, die auf Abruf bereitsteht, um Euch zu empfangen, wenn es Euch danach gelüstet.«

»Möglich«, meinte er gedehnt und dachte an Morgana. Die Miete für ihre reizende kleine Wohnung war bereits bis zum Ende des Halbjahres bezahlt. »Aber das hat nichts zu bedeuten.« Er legte beide Hände an ihren Hals und streichelte ihn zärtlich mit den Fingerspitzen. Evangeline rührte sich nicht, sondern starrte weiterhin ins lodernde Feuer. Die Hitze, die sie spürte, stammte von Richard, der so dicht hinter ihr stand, dass sein warmer Atem an ihrem Nacken vorbeistrich. »Was ist mit dir, Evangeline? Hast du Angst vor mir? Hast du Angst, dass ich dich verführe und anschließend sitzen lasse?« Seine kräftigen Finger liebkosten noch immer zärtlich ihren Hals. Dann nahm er sie an den Schultern und drehte sie zu sich um. »Fürchtest du dich vor mir?«

»Nein«, entgegnete sie. »Ich fürchte um Euch.«

Eine seiner dunklen Brauen hob sich. »Was, bitte, soll das heißen?«

Evangeline schüttelte stumm den Kopf.

»Möchtest du mir nicht erklären, was du damit meinst?«

Wieder schüttelte sie den Kopf und schwieg. Sie spürte seinen Mund, der sich federleicht auf ihre Lippen legte, und im selben Augenblick überkam sie das heftige Bedürfnis, sich ihm hinzugeben, obwohl sie nur ansatzweise wusste, wie so etwas ablief. Sie wusste, dass er in ihren Körper eindringen würde, eine merkwürdige Sache, gewiss, die aber bestimmt wundervoll sein würde, weil *er* es war. Sie wollte ihn an sich ziehen, wollte keinen Zwischenraum zwischen ihren Körpern zulassen, wollte, dass sein Herz an dem ihren schlug. Sie wollte, dass er alles mit ihr machte, was ihm beliebte, und wusste, dass er sie, was immer es auch sein mochte, unbedingt glücklich machen würde. Er war jetzt ganz nahe – auch sein Geruch, ach, sie liebte seinen Geruch, die Hitze seines Körpers, die Zärtlichkeiten seiner langen Finger. Die Augen schließend, überließ sie sich seufzend seinen Lippen.

»Dein seliger Gatte muss ein rechter Stümper gewesen sein«, flüsterte er in ihren Mund.

Sie versuchte, sich von ihm loszumachen, aber er hielt

sie fest. »Nein, André war ein wunderbarer Mann, das habe ich doch schon gesagt.«

»Ich bringe dir gern bei, wie man küsst, Evangeline, denn wenn ich es nicht besser wüsste, würde ich denken, ich sei der erste Mann in deinem Leben, der dich berührt und küsst.«

»André«, versetzte sie trotzig, »war mein Ehemann.«

Er küsste sie abermals, drang diesmal tiefer mit seiner Zunge in ihren Mund vor, was sie offenbar erschreckte, denn sie stöhnte leise auf, nur ganz kurz, sog hörbar die Luft ein, aber es genügte, dass er sich zurückzog und sie erstaunt ansah. »Du bist ein Rätsel, Evangeline.«

Ihr Mund öffnete sich, um ihm die Wahrheit zu sagen – o Gott, nein, Edgerton würde den kleinen Edmund umbringen. Nein, das würde sie nicht überleben.

»Euer Gnaden, verzeiht bitte die Störung, aber der Schneider erwartet Euch.«

Es war Grayson, der draußen im Flur stand und durch die geschlossene Tür sprach.

Der Herzog lehnte seine Stirn gegen ihre, holte tief Luft und ließ die Hände sinken. Er hob nicht den Kopf, als er rief: »Danke, Grayson. Sagt dem Burschen, ich käme sofort.«

Schließlich richtete er sich seufzend auf. Mit geschickten Fingern brachte er ihre Frisur in Ordnung und beugte sich dann herab, um ihren Rock zurechtzuzupfen und glatt zu streichen. »So, jetzt wird kein Mensch auf den Gedanken kommen, dass du nahe daran warst, dich auf dem Teppich auszustrecken und dich von mir verführen zu lassen.« Damit drehte er sich um und setzte über die Schulter hinweg zu: »Wir müssen entscheiden, wie wir weiter verfahren, Evangeline. Ich hoffe nur, dass dein Herz und deine Liebe nicht mehr an dem seligen André hängen.«

Ehe sie noch etwas erwidern konnte, hatte er schon das Kinderzimmer verlassen, und die Tür fiel leise ins Schloss.

29

»Edmund hat mich gebeten, ihm einige Beispiele für Ironie zu nennen«, sagte Marianne Clothilde zu ihrem Sohn. »*Ironie,* wiederholte ich verblüfft. Glaubst du, mir wäre auch nur ein einziges Beispiel eingefallen? Er brauche Ironie für seine Geschichte, die er dir heute Abend erzählen wolle, hat er gemeint.«

»Wenn du mich fragst, ist unsere momentane Situation ein wahres Paradebeispiel für Ironie«, gab der Herzog spontan zur Antwort. Seit geraumer Zeit wunderte er sich, wohin, zum Teufel, sein Leben ihn gerade führte.

»Eine sehr interessante Bemerkung, mein Lieber. Ich nehme an, dir ist aufgefallen, dass Edmund sich mit Evangeline ausgezeichnet versteht. Sie scheint ihn über alles zu lieben, und er betet sie förmlich an. Ja, die beiden sind ein gutes Gespann. Aber eines ist merkwürdig«, fügte sie hinzu, nachdem sie mit gespitzten Lippen an ihrer Teetasse genippt hatte. »Evangeline sträubt sich mit Händen und Füßen dagegen, heute abend an Sanderson's Maskenball teilzunehmen, weil sie, wie sie behauptet, kein passendes Kostüm besitze. Und selbst als ich ihr anbot, für sie eine Maske und einen Domino zu organisieren, wollte sie nichts davon wissen. Natürlich hatte ich nicht die Absicht, ihr das Gefühl zu geben, eine arme Verwandte zu sein. Ihr Stolz ist in diesem Fall völlig unangebracht. Willst du nicht einmal mit ihr darüber reden? Sie ist so still, verlässt kaum jemals das Haus, und sie hat abgenommen. Ich weiß nicht, was mit ihr los ist, mein Lieber, aber du musst dich darum kümmern. Ich bin sicher, dass sie gerne einen Ball besuchen würde, wie alle jungen Ladies. Du sprichst mit ihr, nicht wahr? Selbst Grayson hat sich schon Gedanken über Evangeline gemacht, und das will in der Tat etwas heißen. Er hat sie nämlich auch sehr gern.«

Der Herzog starrte mit finsterer Miene ins Feuer. Seit er sie gestern im Kinderzimmer seines Sohnes beinahe verführt hatte, versuchte sie ihm hartnäckig aus dem Weg zu gehen, dachte er und fragte sich gleichzeitig, was wohl passiert wäre, wenn Grayson nicht gekommen wäre, um den Schneider anzukündigen. Im Grunde wusste er genau, was passiert wäre, und allein die Vorstellung, in sie einzudringen, entlockte ihm ein unterdrücktes Stöhnen.

Sie begehrte ihn mit jeder Faser ihres Körpers, dessen war er sich sicher. Ja, ihm kam es so vor, als brauchte er sie nur zu berühren, und sie würde sich ihm nur allzu willig hingeben. Er genoss dieses Gefühl, begehrt zu werden, wusste aber gleichzeitig, dass er sie nicht anfassen sollte. Doch andererseits war er nicht imstande, seine Hände bei sich zu behalten, wenn er mit ihr allein war. Er hatte ihr gesagt, dass sie in dieser Hinsicht etwas unternehmen müssten, und das auch ganz ernst gemeint. Er wusste nur nicht, was genau er tun sollte, denn er verstand sie schlicht und einfach nicht. Kopfschüttelnd meinte er, eher an das leise knisternde Feuer als an seine Mutter gewandt: »Wenn das so weitergeht, bin ich bald reif für die Irrenanstalt.«

»So schlimm wird es doch nicht sein«, entgegnete Marianne Clothilde betont ruhig. »Obgleich ich zugeben muss, dass ich dich noch nie in einem solchen Gemütszustand erlebt habe, mein Lieber. Es ist ganz offensichtlich, dass mit dir etwas nicht stimmt, zumindest für mich als deine Mutter, die dich liebt und dich besser kennt als jeder andere.«

Der Herzog bedachte sie mit einem vernichtenden Blick. »Bitte, verschone mich mit deinen gut gemeinten Ratschlägen und deinen verdammten mütterlichen Beobachtungen.«

»Na gut, dann lehne ich mich eben gemütlich zurück und sehe zu, wie du zappelst wie ein Fisch auf dem Trockenen – eine ganz neue Erfahrung für dich, wie mir scheint.«

»Ich habe bestimmt schon jede Art von Erfahrung gemacht, die ein Mann in seinem Leben nur machen kann«, brummte der Herzog und trat mit der Stiefelspitze gegen ein glühendes Holzscheit.

»Sagen wir es so: Du hast tatsächlich eine neue, unbekannte Erfahrung gemacht, du weißt es nur noch nicht.«

»Ganz wie du meinst, Mutter. Du denkst auf deine Art, verfolgst deine ganz persönlichen mütterlichen Gedanken, die mir allerdings völlig schleierhaft sind. Aber ich werde mit Evangeline reden. Ich will, dass sie zu diesem verdammten Ball geht. Ich sage ihr einfach, dass sie uns begleiten und die Maske und den Domino annehmen muss. Sie wird sich meinem Wunsch nicht widersetzen.«

Marianne Clothilde betrachtete nachdenklich ihre weißen Hände mit den schlanken Fingern, die ihr Sohn von ihr geerbt hatte. »Weißt du, vielleicht solltest du deinen Wunsch hinter einer kleinen List verbergen und ein wenig diplomatischer vorgehen, anstatt diesen harschen Befehlston anzuschlagen, der dir offenbar so leicht über die Lippen kommt, wenn es um Evangeline geht.«

Der Herzog warf ihr einen grimmigen Blick zu. »Sie wird genau das tun, was ich von ihr verlange. Wenn nicht, werde ich ...«

»Wie ich bereits sagte – ich fürchte, dass du mit deinem Feldherrengehabe in diesem speziellen Fall möglicherweise nicht allzu weit kommst«, gab Marianne Clothilde sanft zu bedenken.

Richard schlug mit der Faust so heftig auf den Kaminsims, dass er vor Schmerz leise aufstöhnte, ehe er wutschnaubend konterte: »Dir würde ein wenig Diplomatie auch nicht schlecht anstehen, Mutter. Und was das Feldherrengehabe angeht, kann ich nur sagen, dass du bei mir auch die Zügel sehr stramm anziehst. Ja, deine Feinsinnigkeit lässt mitunter ebenfalls sehr zu wünschen übrig.«

Marianne Clothilde fing herzlich an zu lachen und brachte den Herzog damit so auf die Palme, dass er am liebsten einen ihrer kostbaren Sessel gepackt und durch die großen Bogenfenster geschleudert hätte, vornehmlich den, auf dem sie gerade saß. »Du hast Recht, mein Lieber. Ich werde ab jetzt schweigen wie ein Grab. Niemals könnte ich die Vorstellung ertragen, dass du glaubst, ich mische mich in deine ganz persönlichen Angelegenheiten ein.«

»Ha«, schnaubte der Herzog. »Ich werde Edmund jetzt zu dir schicken, da er im Augenblick bestimmt bei Evangeline ist und da ich meinen Auftrag nicht unbedingt in seiner Gegenwart ausführen möchte.« Mit dieser Ankündigung stapfte er missmutig aus dem Salon.

Wie erwartet fand der Herzog Evangeline bei Edmund im Kinderzimmer. Die beiden saßen im Schneidersitz vor dem Kamin, hatten die Köpfe zusammengesteckt und betrachteten alte Stiche von Paris. »Und das, Edmund«, erklärte Evangeline gerade, »ist die Bastille. Als die französischen Bürger nichts mehr zu essen hatten und keine Hoffnung mehr sahen, stürmten sie die Bastille, diese riesige Trutzburg von Gefängnis, und trugen sie anschließend Stein für Stein ab. Das war der Beginn der Französischen Revolution von 1789.«

Edmund zog ein nachdenkliches Gesicht, worauf Evangeline meinte: »Glaubst du, dass du daraus eine Geschichte machen kannst?«

»Ja«, sagte er. »Vielleicht ist in dieser Bastille ein kleines Mädchen eingesperrt, weil es das scheußliche Essen nicht essen wollte, das ihr ihre Stiefmutter immer gekocht hat, und ein kleiner Junge kommt, um sie zu befreien.«

Der Herzog räusperte sich vernehmlich. »Und wer ist wohl dieser kleine Junge, Edmund?«

»Ich natürlich, Papa.«

»Hab ich's mir doch gedacht. Und anschließend sorgst du dafür, dass sie nur noch die köstlichsten Leckerbissen vorgesetzt bekommt.«

»Genau. Ich würde Mrs. Dent bitten, für sie zu kochen. Dann müsste sie nicht wieder in diese schreckliche Bastille zurück. Sie ist nämlich ein ganz liebes Mädchen, und ich möchte nicht, dass ihr irgendein Leid geschieht.«

Der Herzog war so gerührt, dass er seinen Sohn am liebsten gepackt und an sich gedrückt hätte. Manchmal konnte er es kaum fassen, dass dieses liebe Kind sein eigen Fleisch und Blut war. Ja, er konnte sich glücklich schätzen, mit einem solchen Kind gesegnet zu sein, dachte er und spürte, wie es ihm plötzlich die Kehle zusammenschnürte. Er schloss für einen Moment die Augen und räusperte sich abermals. »Verzeih, Evangeline«, sagte er dann. »Edmunds Großmutter erwartet meinen Sohn im Salon. Aber anstatt ihn mit verschimmelten Keksen zu vergiften, hat sie sicher die Köchin bereits beauftragt, ihm Zitronentörtchen zu backen, seine Lieblingskuchen.«

»Zitronentörtchen, wirklich, Papa? Die sauren, bei denen es mir immer den ganzen Mund zusammenzieht?«

»Genau die, mein Sohn«, bestätigte der Herzog.

»Darf ich gehen, Eve?«

»Nachdem du aussiehst, als wärst du schier am Verhungern, bleibt mir wohl nichts anderes übrig, als dich deines Wegs ziehen zu lassen. Aber vielleicht kannst du mir heute Abend mehr über den kleinen Jungen erzählen, der das arme Mädchen aus der Bastille rettet.«

»Ja, ich werde mir etwas ausdenken«, versprach Edmund, drückte ihr einen Kuss auf die Wange, als wäre es das Normalste von der Welt, und sauste davon.

Evangeline hob den Kopf und meinte: »Es ist schon spät. Ich habe völlig die Zeit vergessen. Danke, dass Ihr Edmund aus meinen Fängen gerettet habt.«

»Tatsächlich bin ich heilfroh, dass du ihm nicht hinterhergerannt bist.«

»Ich bin kein spezieller Freund von Zitronentörtchen.«

»Nein? Aber vielleicht wolltest du vermeiden, mit seinem Papa allein zu sein.«

Ihr Kinn reckte sich ihm trotzig entgegen. »Ich sagte Euch doch bereits, dass ich keine Angst vor Euch habe.«

»Nein, vor mir nicht, aber vor dir selbst, und du hast Angst um mich, und du hast Angst vor dem, wozu du dich möglicherweise hinreißen lässt, wenn du mit mir allein bist.«

Das war mehr als wahr, dachte sie, erwiderte dann aber mit einer tüchtigen Portion Spott in der Stimme: »Euer Dünkel verschafft sich wieder Gehör, Euer Gnaden.«

»Du brauchst nicht so erschreckt dreinzuschauen, Evangeline. Ich bleibe auf Abstand. Diesmal reiße ich mich zusammen. Es wäre ausgesprochen töricht von mir, dich noch einmal so zu berühren wie gestern. Denn wenn ich das täte, würden wir unweigerlich nackt auf dem Teppich vor dem flackernden Kaminfeuer landen.«

Ihre Augen verengten sich zu schmalen Schlitzen. Ihr Blick bekam etwas Argwöhnisches und zugleich Erregtes, und die Art, wie sie ihn ansah, wirkte auf den Herzog wie ein Aphrodisiakum. Er wusste, er würde ihr nicht widerstehen können, und machte vorsorglich zwei Schritte zurück. Dann bemerkte er die dunklen Schatten unter ihren Augen. Sie war tatsächlich schmaler geworden, wie seine Mutter gesagt hatte, wirkte zerbrechlich, ja, sogar ein wenig abgezehrt. Die Sorge um sie ließ seine Stimme unbeabsichtigt harsch klingen. »Ich bin gekommen, um einige Dinge klarzustellen, Evangeline.«

»Ich weiß nicht, was Ihr damit meint«, erwiderte sie. Dabei wusste sie es haargenau, hatte aber keine Ahnung, wie sie darauf reagieren sollte. Wollte er, dass sie seine Mätresse wurde? Immerhin war sie verheiratet gewesen und demnach ...

»Wie lange bist du jetzt schon Edmunds Gouvernante?«

Evangeline zuckte vor Verblüffung über diese Frage regelrecht zurück. »Äh ... lasst mich einen Augenblick nachdenken, Euer Gnaden.« Sie senkte den Kopf und begutachtete ihre Fingernägel. Sie musste sich vergegenwärtigen, dass er ein ebenso charmanter wie erfahrener Mann war. Er begehrte sie, aber darüberhinaus bedeutete sie ihm nichts, entschied sie und zwang sich dann seufzend zu einem Lächeln. »Ich bin keine Gouvernante, sondern Edmunds Nanny. Gouvernante klingt so gelehrt. Ich bin eher eine gute Kameradin für Edmund, die über dieses und jenes Bescheid weiß, aber mehr auch nicht. Kurz gesagt, eine Nanny, eine ganz gewöhnliche Nanny.«

»Solch dummes Gerede bringt mich auf die Palme, Evangeline. Hör endlich auf, dein Licht unter den Scheffel zu stellen. Ah, ich ahne schon, dass du gleich wieder anfängst, Ausflüchte zu suchen. Wie auch immer, meinen

Kalkulationen nach kümmerst du dich seit fast zwei Monaten um Edmund und hast bisher noch kein Entgelt für deine Dienste bekommen.«

Ihre Dienste? »Ich verstehe nicht, Euer Gnaden. Ihr habt mir nicht nur Marissas gesamte Garderobe geschenkt, sondern mich zudem behandelt wie einen Ehrengast. Und das ist sehr viel mehr, als ich verdient habe.«

Ohne ihren Einwand zu beachten, fuhr der Herzog fort: »Ich möchte dich für deine Mühen entschädigen«, erklärte er und zog einen Geldschein aus seiner Westentasche. »Ich hoffe, du wirst fünfzig Pfund als angemessene Entlohnung für deine bisherigen Dienste betrachten.«

Evangeline erhob sich langsam vom Boden. Sein Angebot hatte sie derart überrascht, dass sie erst über eine passende Antwort nachdenken musste. Bezahlen wollte er sie? Nach einer Weile entgegnete sie mit dunkler, rauer Stimme: »Wie könnt Ihr mir anbieten, mich wie eine gewöhnliche Dienstmagd zu entlohnen? Zum Teufel mit Euch, behaltet Euer Geld, ich will es nicht.«

Es juckte den Herzog einmal mehr in den Fingern, Evangeline die Hände um den weißen Schwanenhals zu legen und zuzudrücken. Um Zeit zu gewinnen, zupfte er angelegentlich die Spitzenmanschetten über den Handgelenken zurecht und fragte sich, weshalb sie plötzlich bis unter die Haarwurzeln errötete.

»Selbstverständlich bist du keine gewöhnlich Dienstmagd«, gab er knurrend zurück. Sein Blick haftete an ihrem schlanken Hals und wanderte dann hinab zu ihren sich heftig hebenden und senkenden Brüsten, ehe er kühl hinzufügte: »Diese fünfzig Pfund sind, wie ich bereits sagte, die Entlohnung für deine Dienste, für die Erziehung und Betreuung meines Sohnes während der vergangenen zwei Monate. Und ich wäre dir sehr verbunden, wenn du dich dazu durchringen könntest, diese Entlohnung als das zu akzeptieren, was sie ist.«

Evangeline betrachtete ihn mit einem finsteren Blick. Wütend war sie jetzt nicht mehr, da sie einsah, dass er gar nicht begriff, was er ihr antat. »Ich will Euer Geld nicht«, schnappte sie und lehnte sich mit dem Rücken gegen den Kaminsims. »Warum bietet Ihr mir Geld an? Damit ich begreife, was Ihr von mir wollt? Verdammt, sind die fünfzig Pfund der Betrag, mit dem Ihr Eure armselige Mätresse für ihre Dienste zu entlohnen pflegt?«

Mit dieser Beleidigung hatte sie ihn tatsächlich an der empfindlichsten Stelle getroffen. Das also dachte sie von ihm? Sah sie in ihm den Weiberhelden, der es nur auf ihren Körper abgesehen hatte? Richtig, er begehrte ihren Körper, und speziell ihren schlanken weißen Hals, den er jetzt am liebsten zwischen seinen Händen gespürt hätte. »Kaum, Madame. Ich bezahle meine Mätressen für Schönheit, Charme und Erfahrung. Du, meine liebe Evangeline, hast bisher nur die erste dieser drei Anforderungen unter Beweis gestellt, und vielleicht einen Anflug der zweiten. Aber lass mich bitte die Sachlage ganz deutlich erklären, denn ich sehe, dass es dich schon wieder drängt, mir irgendwelche angeblichen Kränkungen vorzuwerfen. Du wirst jetzt diese verdammten fünfzig Pfund annehmen, und wenn nicht, dann schwöre ich, dass ich dir auf der Stelle den Hintern versohle.«

Evangeline machte einen Schritt auf ihn zu und drohte ihm mit der Faust. »Aha, ich bin also schön und auch hinreichend charmant, wie? Aber mir fällt auf, dass Ihr von Euren Mätressen keinen Verstand erwartet. Ist das nicht typisch Mann? Ihr lasst Euch von Euren Mätressen umschmeicheln und bezirzen und das genügt Euch, habe ich Recht?«

Der Herzog sah sie fasziniert an. »Vielleicht«, meinte

er. »Aber da ist noch etwas anderes. Du hast die Erfahrung auf gewissen Gebieten vergessen, die gewöhnlich nach den Schmeicheleien kommt. Und zu meinem Leidwesen muss ich feststellen, dass du trotz deiner ach so glücklichen Ehe mit dem seligen André auf den Gebieten, die ich eben angesprochen habe, nicht die geringsten Erfahrungen gemacht hast. André muss tatsächlich ein arger Stümper gewesen sein, und du warst anscheinend zu dumm, um das zu bemerken. Kurz gesagt, ich habe es hier mit einer unerfahrenen Närrin zu tun.«

Evangeline schaute sich mit wildem Blick nach etwas Handfestem um, das sie ihm an den Kopf werfen konnte. Ah, das Buch mit den Kupferstichen. Sie bückte sich, packte es und schleuderte es ihm entgegen. Der Herzog fing das Wurfgeschoss lässig mit einer Hand auf. »Dieses Buch gehörte meiner Großmutter. Ich würde dich bitten, etwas sorgfältiger mit meinen persönlichen Dingen umzugehen.«

»Ich bin nicht Euer Dienstbote. Ihr seid nicht mein Herr und Meister. Ihr könnt mir keine Befehle erteilen. Das mit dem Buch tut mir Leid. Es wird nicht wieder vorkommen.«

»Oh, ich kann sehr wohl versuchen, dir Befehle zu erteilen, nur scheint mir das nicht allzu viel einzubringen.«

»Ihr gebt mir das Gefühl, mit dem Kopf gegen die Wand zu rennen. Hört mir zu, Euer Gnaden – Ihr könnt Eure Beleidigungen und Euer verfluchtes Geld nehmen und Euch zum Teufel scheren.«

Der Herzog war mit einem Satz bei ihr, packte sie und riss sie an sich, sodass ihre Gesichter nur einen Fingerbreit voneinander entfernt waren. »Du wirst jetzt augenblicklich dein freches Schandmaul halten und mir zuhören. Du benimmst dich wie eine unerzogene Straßengöre. Bei allem, was ich zu dir sage, hörst du nur das

Schlechteste heraus. Wenn ich manchmal in einer etwas herrischen Art mit dir spreche, so geschieht das nur deshalb, weil du dich schon wieder auf die Hinterbeine stellst und dich weigerst, mich anzuhören. Und dann verdienst du diese Behandlung auch. Aber falls es dir dabei um deinen Stolz geht, muss ich leider deine Intelligenz infrage stellen.«

Evangeline begriff plötzlich, dass er sie nicht hatte beleidigen wollen. Er glaubte, sie sei zu stolz. Er hatte überhaupt nichts verstanden. Sie brachte ihn einigermaßen aus der Fassung, als sie den Kopf an seine Schulter lehnte und leise in den Wollstoff seines Jacketts wisperte: »Es tut mir Leid. Sagt, was Ihr zu sagen habt, und ich verspreche, Euch nicht mehr mit Büchern zu bombardieren.«

Er hielt sie eng an sich gedrückt, streichelte ihren Rücken und küsste ihren Haaransatz. »Ich möchte doch nur, dass du dein eigenes Geld hast, begreifst du das denn nicht? Ich möchte nicht, dass du etwas, das dir Vergnügen macht, nicht tun kannst, nur weil du mit leeren Taschen dastehst. Mehr ist nicht dahinter. Ich möchte nur, dass du glücklich bist.« Er spürte ihre Schultermuskeln unter seinen Händen, die hart und verkrampft waren, und fuhr leise zwischen zärtlichen Küssen fort: »Da gibt es noch etwas anderes, das dir Sorgen macht, nicht wahr? Es ist nicht nur, dass du vor mir und auch vor dir auf der Hut bist. Was ist los? Lass dir doch von mir helfen. Ich tue es gern, das weißt du doch.« Er wartete. Er wusste, dass er Recht hatte, wartete aber auf ihre Antwort. Doch nach einigen Minuten wurde ihm klar, dass sie nichts sagen würde. Es tat weh, ja, erstaunlich, wie weh es tat. »Es geht darum, dass du Angst um mich hast, nicht wahr? Was hat das zu bedeuten?«

»Es ist überhaupt nichts, Euer Gnaden. Mir geht es

ausgezeichnet. Aber ich habe Euch vor einiger Zeit doch erzählt, dass ich London nicht mag. Und wie sich gezeigt hat, komme ich hier tatsächlich nicht sonderlich gut zurecht. Das ist alles. Mehr nicht.«

»Du kannst London jederzeit verlassen, wenn du möchtest. Du musst mir nur das genaue Datum nennen, wann du nach Chesleigh zurückkehren möchtest.«

Sie war eine Idiotin, eine hundertprozentige Idiotin, und sie wusste, dass ihm die Bestürzung auf ihrem Gesicht nicht entgangen war. Sie hatte inzwischen keine weiteren Instruktionen von John Edgerton erhalten, nichts, woraus sie schließen konnte, wann sie London verlassen durfte. Sie musste ihn treffen. Den Kopf schüttelnd, wisperte sie mit einer Stimme, die im Nichts zu verhallen schien: »Ja, ich werde es Euch wissen lassen, Euer Gnaden.«

»Ich wünschte, du würdest mir vertrauen«, sagte er. Sie antwortete nicht. »Na gut, vielleicht änderst du ja bald deine Meinung. Ich möchte aber auf jeden Fall, dass du heute Abend mit mir an Sanderson's Maskenball teilnimmst.«

»Aber ich habe doch keine … Sie schüttelte den Kopf, aber dann erhellte plötzlich ein Lächeln ihr Gesicht. »Ah, jetzt verstehe ich. Die gelobten fünfzig Pfund. Eure Mutter. Mein Stolz.« Sie seufzte. »Na, da habt Ihr mich aber ganz schön ausgetrickst, Euer Gnaden. Wenn ich nicht das Bedürfnis verspürt hätte, Euch zu erwürgen, hätte Euer kleiner Betrug wunderbar funktioniert. So, jetzt habe ich also mein eigenes Geld. Aber mehr möchte ich nicht von Euch. Einverstanden?«

»Du hast mich gezwungen, viel weiter zu gehen, als ich es vorgehabt hatte. Ich glaube, ein karmesinroter Domino und eine dazu passende Maske würde mir an dir gefallen. Was meinst du?«

»Karmesin wird sehr verrucht aussehen. Ja, ich glaube, das könnte mir auch zusagen.«

»Na, Gott sei Dank.«

30

»Es liegt leider in der Natur der Sache, dass ein Maskenball gewissen Verhaltensweisen Vorschub leistet, die nicht immer erfreulich und wohlbedacht sind. Kurz gesagt, bei derartigen Festivitäten vergessen Männer wie Frauen des Öfteren ihre gute Erziehung und führen sich auf, als sei dieser Abend ihr letzter auf unserer schönen Welt. Ich wünsche daher, dass Ihr heute Abend stets in meiner Nähe oder der meiner Mutter bleibt.«

Die Kutsche rumpelte über die kopfsteingepflasterte Straße. Am Himmel stand ein voller Mond, dessen Licht hell genug durch die Fenster der Kutsche schien, dass sich die drei Insassen deutlich sehen konnten.

Marianne Clothilde hätte nichts dagegen gehabt, wenn es stockfinster gewesen wäre, denn die schulmeisterhafte Ansprache ihres Sohnes reizte sie zu einem Lachanfall. Sie drehte den Kopf zur Seite und wartete auf Evangelines Antwort, die auch prompt kam.

»Ich glaube, Euer Gnaden, dass Eure flammende Rede bezüglich meines Benehmens jeglicher Grundlage entbehrt. Ich bin kein junges Mädchen mehr. Ich bin noch jung, zugegeben, aber ich war verheiratet. Ich weiß, was man tut und was nicht. Ich bin eine erwachsene Frau, die Witwe des seligen André. Auch bin ich nicht dumm und habe eine gute Erziehung genossen, eine sehr gute sogar. Also lasst mich zufrieden und beherzigt Eure wohlgemeinten Ratschläge selbst.«

Marianne Clothilde entschlüpfte ein unterdrücktes Kichern, das zum Glück niemand hörte.

»Mein Benehmen steht hier nicht zur Diskussion«, gab der Herzog mit merklich erhobener Stimme zurück. »Ihr kennt London nicht. Diese Stadt ist mein Dschungel. Hier bin ich der König. Ich kenne die Spielregeln und weiß über die Jagd- und Tötungsgewohnheiten der Tiere dieses Dschungels Bescheid. Ihr wisst überhaupt nicht, worum es hier geht. Deshalb werdet Ihr tun, was ich von Euch verlange. Ich möchte von unseren Freunden keine abfälligen Bemerkungen über Euch hören. Ihr werdet Euch benehmen, wie es sich geziemt, und das heißt im Klartext, dass Ihr an mir kleben werdet wie eine Klette. Ich werde auf Euch aufpassen und dafür sorgen, dass Ihr keine Dummheiten macht und in irgendwelche Situationen geratet, denen Ihr nicht gewachsen seid. Das könnte ein übereifriger junger Mann sein, oder ein älterer Mann, oder auch ein Greis, vielleicht auch ein angetrunkener Gentleman, der Euch anzugrapschen versucht oder sogar noch Schlimmeres im Schilde führt.«

»Ich werde jedem Mann, ob Jüngling oder Tattergreis, der so etwas Verwerfliches auch nur versuchen wollte, eine schallende Ohrfeige verpassen. Oder würde ich Euch damit in Verlegenheit bringen? Sagt, Euer Gnaden, sprecht Ihr aus Erfahrung? Wart Ihr früher auch so ein übereifriger junger Mann?«

»Nein. Mir wurde Grazie und Finesse quasi in die Wiege gelegt. Und die guten Manieren habe ich mit der Muttermilch aufgesogen. Ich habe niemals eine Frau mit Zärtlichkeiten belästigt, die nicht damit belästigt werden wollte.« Er sah Evangeline bei den letzten Worten so bedeutungsvoll an, dass sie errötend den Kopf abwandte, in ihrer eigenen Falle gefangen.

»Also schön«, gab Evangeline seufzend zurück und

starrte angelegentlich aus dem Fenster. »Ich werde mich benehmen wie eine scheue Jungfrau.«

»Zumindest den Versuch dazu wagen«, erwiderte er sarkastisch und schwieg dann. Eine scheue Jungfrau. Du lieber Himmel, das hörte sich ja entsetzlich an.

Er glaubte, einen Laut aus der Ecke vernommen zu haben, in der seine Mutter saß, und erkundigte sich: »Ist alles in Ordnung, Mama?«

»Selbstverständlich, mein Lieber. Ich bin froh, dass wir gleich Sanderson House erreichen. Mir kommt vor, das war die längste Fahrt meines Lebens. Es stimmt, Evangeline. Mein Sohn kann auf eine reichhaltige Lebenserfahrung zurückblicken und möchte Euch mit seinen wohlgemeinten Ratschlägen nur helfen und keineswegs kränken.«

»Wenn Ihr damit sagen wollt, Euer Gnaden, dass der Herzog in allen Verruchtheiten dieses Londoner Dschungels erfahren ist, dann verstehe ich Euren Einwand. Oh, verzeiht mir, bitte. Das hätte ich nicht sagen dürfen; das war ungehörig. Aber Euer Sohn hat manchmal eine Art, die mich derart reizt, dass ich ihn am liebsten aus diesem Fenster werfen würde.«

»Da würde ich nicht durchpassen«, gab der Herzog zurück. »Und Ihr auch nicht, angesichts Eures … äh, jedenfalls wäre das Fenster für Euch ebenfalls zu klein.«

»Ich kann Euch verstehen. Sein Vater hat mich manchmal auch derart auf die Palme gebracht, dass ich ihn am liebsten an die Wand geworfen hätte. Ach, was war er doch für ein wunderbarer Mann«, setzte sie seufzend hinzu und schloss die Augen.

»Diese Fahrt scheint wirklich kein Ende zu nehmen«, stöhnte der Herzog. Den restlichen Weg legten sie schweigend und nur dem Getrappel der Pferdehufe lauschend zurück. Als die Kutsche schließlich in die lange, gekieste Auffahrt abbog, die zu Sanderson House führte, rief die Herzogin, sichtlich wieder frohgestimmt: »So, da wären wir endlich! Jetzt aber auf ins Vergnügen. Ihr Kinder werdet euch jetzt richtig amüsieren und nicht mehr streiten, nachdem ihr eure schlechte Laune ausgiebig aneinander ausgelassen habt, ja? Oder wollt ihr euch weiter gegenseitig aufstacheln?«

»Ich hab keine schlechte Laune«, gab der Herzog zurück. »Und ich hatte noch nie schlechte Laune, bis sie in meine Nähe kam.«

»Ja, mein Lieber. Ach, ich bin immer wieder überwältigt vom Anblick all dieser vielen Lichter hier. Ist es nicht eine Pracht, Evangeline?«

»Ja«, antwortete Evangeline, doch ihr Blick hing an seinem umschatteten Gesicht.

»Tanzt Ihr gern Walzer, Euer Gnaden?«

»Ja«, sagte er.

»Er ist einer der besten Tänzer von ganz London«, setzte Marianne Clothilde hinzu.

»Ihr seid seine Mutter, Euer Gnaden. Und Ihr sagt so viele nette Dinge über Euren Sohn, weil das Eure Mutterpflicht gebietet.«

»Glaubt Ihr das wirklich, Evangeline? Ich bin mir da nicht so sicher. Doch wenn ich jünger wäre, würde ich mich bestimmt genauso unsterblich in ihn verlieben wie all die anderen jungen Ladies.«

»Ich hoffe nur, es werden genügend nüchterne Gentlemen anwesend sein, die gut Walzer tanzen können«, meinte Evangeline abschließend.

Aus der Ferne hörten sie die Klänge eines deutschen Walzers, worauf Evangeline ganz automatisch begann, mit den Zehenspitzen den Takt dazu auf den hölzernen Boden der Kutsche zu klopfen. Ob John Edgerton auch eingeladen war? überlegte Evangeline. Sie musste dringend mit ihm sprechen, aber nicht unbedingt an diesem Abend. Sie wollte sich einfach nur ein paar Stunden amüsieren und vergessen, was sie getan hatte und was sie noch tun würde.

Am oberen Absatz der massiven Steintreppe wurden sie von einem Butler begrüßt, der in der purpurroten Samtweste mit den blütenweißen Rüschen und den Kniehosen, wie man sie im 16. Jahrhundert getragen hatte, sehr achtungsgebietend aussah. »Willkommen, Euer Gnaden«, grüßte er mit einer tiefen Verneigung. Der Herzog setzte seine Maske auf, Marianne Clothilde ebenfalls; Evangeline hatte ihr Gesicht bereits verhüllt. Niemand kannte sie hier. Sie konnte tun und lassen, was ihr beliebte. Mit einem hintergründigen Lächeln legte sie ihre Hand auf den angebotenen Arm des Herzogs. Der Butler führte sie eine breite, geschwungene Treppe hinauf, vorbei an Dutzenden von Gästen in den exotischsten Kostümen. Überall wachten als Queen-Bess-Höflinge verkleidete Lakaien über das Wohl der Gäste. Man hätte meinen können, dass sie in diesem altmodischen Aufzug lächerlich wirkten, doch inmitten all der schillernden und bauschigen Roben nahmen sie sich recht verwegen aus.

»Ich möchte, dass Ihr Euch heute Abend richtig amüsiert, Evangeline«, flüsterte Marianne Clothilde, als der Herzog sich kurz abwandte, um einen Freund zu begrüßen. »Mein Sohn gibt sich sehr Besitz ergreifend, was ich eigentlich recht charmant finde. Normalerweise ist er überhaupt nicht so. Ja, genießt den Abend, Evangeline.«

»Es ist sehr freundlich von Euch gewesen, mich hierher einzuladen, Euer Gnaden. Vielen Dank. Und was das Amüsement betrifft, so glaube ich, dass es unmöglich ist, sich hier nicht bestens zu unterhalten«, setzte sie hinzu und sah sich um. »Aber glaubt Ihr, dass man hier überhaupt tanzen kann? Bei all den vielen Leuten?«

»Aber gewiss«, warf der Herzog ein, nach ihrem Arm greifend. »Ihr braucht nur einen erfahrenen Tänzer. Und ich wage zu behaupten, dass ich imstande bin, Euch sehr elegant durch die Menge zu geleiten.«

»Noch nicht, mein Lieber«, versetzte Marianne Clothilde. »Hier kommt Lady Sanderson, als römische Matrone verkleidet. Ein sehr klug gewähltes Kostüm. Lucille, wie geht es dir? Ach, was für ein herrlicher Abend. Und so viele illustre Gäste.«

»Ja«, gab Lady Sanderson knapp zurück. »Ein herrlicher Abend, nicht wahr? Aber sag mir doch, Marianne Clothilde, wer ist diese Person am Arm deines lieben Sohnes?«

»Das ist Madame de la Valette, Lucille. Sie ist eine Cousine.«

»Eine Cousine, aha. Ich wünschte, ich könnte Euer Gesicht sehen, meine Liebe. Hoffentlich seid Ihr hübsch genug für unseren Herzog. Er ist ein so liebenswürdiger Mann, und dennoch ist es schwierig, junge Ladies zu finden, die ihm gefallen. Ihr seid noch recht jung, nicht wahr? Der Herzog stellt sehr hohe Ansprüche, müsst Ihr wissen. Wie geht es Sabrina und Phillip, Euer Gnaden? Hegt Ihr immer noch zärtliche Gefühle für Sabrina, nachdem sie einen Eurer besten Freunde geehelicht hat? Sie ist in anderen Umständen, wusstet Ihr das?«

Der Herzog, hinreichend vertraut mit ihrer scharfen Zunge und den schonungslosen Monologen, die darauf abzielten, einen zu quälen, zu amüsieren und in helle Wut zu versetzen, erwiderte mit einem unverbindlichen Lächeln: »Alles ist in bester Ordnung. Madame de la Valette ist recht jung und hinreichend appetitlich. Deshalb verschont mich bitte mit schnatternden Debütantinnen, Lucille. Wenn uns die Ladies jetzt bitte entschuldigen wollen, Madame und ich möchten einen Walzer tanzen. Glaubst du, du schaffst es, Evangeline?«, setzte er leise hinzu.

»Ich zittere ein wenig, aber ich werde es versuchen. Du meine Güte, diese Frau ist ja wirklich eine Klasse für sich.«

»Ja, Lady Sanderson weiß ganz genau, was sie will.«

»Ach, immer diese Cousinen«, hörten sie Lady Sanderson zu Marianne Clothilde sagen. »Ich hoffe nur, dass diese nicht so mittellos ist wie die meisten anderen.«

»Beachte sie einfach nicht«, meinte der Herzog. »Wenn du auf ihre Launen eingehst, müsste ich dich für närrisch halten. Der purpurne Domino steht dir übrigens ausgezeichnet. Er hat etwas Verruchtes, genau wie du beabsichtigt hattest. Ich könnte mir dich auch recht gut in Lady Sandersons römischem Gewand vorstellen; der Faltenwurf würde deinen Brüsten sehr schmeicheln.« So, dachte er, die letzte Bemerkung sollte unverschämt genug gewesen sein, um ihre Gedanken von Lady Sanderson abzulenken. »Darf ich um diesen Walzer bitten, Evangeline?«

»Oh, gern!«, rief sie entzückt und hob die Arme.

Marianne Clothilde, deren Blick dem Herzog und der Cousine gefolgt war, meinte nachdenklich: »Sie tanzen den Walzer hervorragend zusammen. Ein hübsches Paar, muss ich sagen.«

»Sie ist recht groß.«

»Der Herzog ist ebenfalls sehr groß. Außerdem hasst er es, vom Bücken einen steifen Nacken zu bekommen. Was meinst du, Lucille, könntest du mir einen akzeptablen Tanzpartner besorgen?«

Die Hand des Herzogs schloss sich fest um Evangelines Taille, während er sie geschickt durch das Gewirr von tanzenden Paaren dirigierte.

»Um ehrlich zu sein«, bemerkte Evangeline nach einer Weile, ein wenig außer Atem von den vielen Drehungen, »Ihr tanzt recht passabel.«

»Die Gabe, passabel zu tanzen, wurde mir neben guten Maniereen ebenfalls schon in die Wiege gelegt.«

»Ach, Eure Wiege müsst Ihr mir wohl ständig vor Augen halten, wie?«

»Nun, du könntest ja versuchen, mich abzulenken.« Er lächelte sie vielsagend an und entdeckte dabei, dass die Augen hinter ihrer Maske vor Begeisterung glühten. Kaum hatte er eine Lücke erspäht, wirbelte er sie in weiten Kreisen über die Tanzfläche, bis Evangeline vor Vergnügen hellauf jauchzte.

Als die Musik langsamer wurde, sagte Evangeline, jetzt wirklich außer Atem: »Gibt es eigentlich etwas, das Ihr nicht beherrscht?«

»Höre ich da etwa ein Kompliment? Nein, das kann nicht sein.«

»Vergebt mir. Ich fürchte, es war tatsächlich eines. Soll ich es zurücknehmen?«

Er neigte den Kopf ein wenig und berührte mit seinem Kinn einen Augenblick lang ihr Haar, das zart nach Rosenwasser duftete. »Ach, es gibt einige Dinge, die ich noch besser beherrsche.«

»Zum Beispiel?«

»Ah, du willst ein Beispiel hören. Also schön. Wenn du mich das nächste Mal auf die Palme bringst, wäre ich gern in der Lage, meinen Ärger ein wenig länger zu kultivieren. Tatsache ist nämlich, dass ich dich, wenn du mir nahe genug kommst, am liebsten an mich reißen würde – wobei ich leider immer vergesse, dass ich dich eigentlich erwürgen wollte. Ich möchte dir dann nur noch die Kleider vom Leib reißen und mich auf dich stürzen und dich küssen, bis dein Gesicht glüht, und dann …«

»Dieses Beispiel war viel zu detailliert und ist wohl nicht dazu angetan, irgendeine Form von Beherrschung zu garantieren.«

»Nun, ja. Zumindest hat es bei dir etwas bewirkt. Seit ich mit der Aufzählung besagter Details begonnen habe, bist du mir mindestens schon dreimal auf die Zehen getreten. Weißt du übrigens, dass ich mich schon damit zufrieden geben könnte, nur neben dir zu liegen und dich stundenlang anzusehen, ohne dich zu küssen oder jeden Zentimeter deines Körpers zu erforschen? Ja, ich würde dich einfach nur ansehen, aus dem einfachen Grund, weil du mir so gut gefällst. Oh, selbstverständlich tanzt du auch ganz passabel. Mein Niveau hast du zwar noch nicht erreicht, aber mit ein bisschen Übung ließe sich das schon machen.«

Evangeline hatte in diesem Augenblick nur ein Bild vor Augen: Wie sie nackt unter ihm lag, wie er sie betrachtete und ihre Lippen immer wieder mit zärtlichen Küssen bedeckte. Sie schluckte einmal kräftig, um dann forsch zu erwidern: »Wisst Ihr, Euer Gnaden, wenn Ihr Euch an mir satt gesehen habt, würde ich Euch ebenfalls gerne einer eingehenden Musterung unterziehen. Ich hoffe nur, dass ich darüber nicht alt und grau werde.«

Ihre Bemerkung war ein gezielter Schlag in seine Magengrube. Er starrte sie nur fassungslos an, diese Frau, die ihn gerade mit Worten ausmanövriert und gleichzeitig so hart gemacht hatte, dass er glaubte, seine Erregung nicht mehr beherrschen zu können. Das Orchester ließ den Walzer ausklingen; der Herzog und Evangeline blieben mitten auf der Tanzfläche stehen, beide völlig atemlos, und starrten sich an, bis der Herzog durch ein Lachen, das offenbar ihnen galt, in die Wirklichkeit zurückgeholt wurde. Heiliger Himmel, er hatte sich total vergessen. Das Gleiche traf sichtlich auch auf Evangeline zu, die nicht minder heftig atmend neben ihm stand. Ihr Anblick entzückte ihn dermaßen, dass er aufs Neue fürchten musste, die Kontrolle über seine pochende Männlichkeit zu verlieren. Er wich nicht von ihrer Seite, noch sprach er ein Wort.

»Da ist Lady Jane Bellerman«, flüsterte Evangeline. »Sie kommt geradewegs auf uns zu. Ich wusste doch, dass der Augenblick viel zu schön war, um lange anzudauern. Oh, sie hat sogar ihre Maske abgenommen.«

Mit zusammengekniffenen Brauen erwartete der Herzog Lady Jane, die mit beängstigender Entschlossenheit auf ihn zusteuerte, und meinte: »Ein Hirtenkostüm. Gott sei Dank hat sie keinen Stecken dabei, sonst hätte sie dir damit vielleicht eins übergebraten.«

»Ich finde, sie sieht recht niedlich darin aus, was umso schlimmer ist«, gab Evangeline zurück und wünschte die Lady heimlich zur Hölle. »Vermutlich werdet Ihr sie um den nächsten Tanz bitten.«

»Würdest du ihr die Haare ausreißen, wenn dem so wäre?«

»Euer Dünkel macht sich wieder bemerkbar, Euer Gnaden. Obgleich ich zugeben muss, dass ich hier eine ganze Reihe von Ladies erblicke, die bereits Schlange stehen, um Eurer Person habhaft zu werden. Und wenn ich den Gesichtsausdruck von Lady Jane richtig beurteile, würde sie mich am liebsten vom Balkon werfen.«

»Gut möglich, aber du darfst darauf vertrauen, dass ich dich vor ihr beschütze. Also, wo ist denn diese Schlange wartender Ladies? Nein, halt, keine Ohrfeigen, das schickt sich nicht in einem Ballsaal, wo uns mehr Augenpaare beobachten, als du dir vorstellen kannst. So, und jetzt werde ich meine Pflicht tun und Lady Jane zum nächsten Tanz bitten. Und du tanzt bitte nicht mehr als einmal mit demselben Gentleman.«

»Aber warum denn nicht? Ich hatte sehr wohl vor, noch einmal mit Euch zu tanzen.«

»Spiel nicht wieder die Närrin, Evangeline. Ich will nur unnötiges Gerede vermeiden, deshalb meine Bitte.«

»Heißt das, dass Ihr nicht mehr mit mir tanzen werdet?«

»Das ist etwas anderes. Du bist meine Cousine. Ich muss mich um dich kümmern, dazu bin ich verpflichtet. Ah, Lady Jane, die jungfräuliche Hirtin, hat uns fast erreicht.«

»Ich wusste gar nicht, dass alle Hirtinnen Jungfrauen sind.«

»Nur die ganz besonderen. Aber jetzt muss ich dich verlassen. Bleib in der Nähe. Ah, darf ich hoffen, dass ich ausnahmsweise einmal das letzte Wort habe?«

Darauf antwortete Evangeline mit zuckersüßer Stimme: »Da Ihr mein Brötchengeber seid und mich so großzügig für meine Dienste entlohnt, wäre ich doch dumm, diese Geldquelle aufs Spiel zu setzen.«

»Vielleicht«, meinte er sinnend, während er sich mit seinen langen Fingern – die viel lieber Evangeline, jeden einzelnen Körperteil von ihr gestreichelt hätten – das Kinn rieb, »sollte ich die Versäumnisse deines Vaters nachholen und dir einmal tüchtig den Hintern versohlen. Das hat er bestimmt nie getan, nicht wahr? Ja, ich sehe schon meine Hand auf deine schneeweißen, seidenweichen Halbkugeln niedersausen. Aber erst muss ich mich um Lady Jane kümmern.« Damit schlenderte er ohne sich noch einmal umzuschauen, davon.

Schuft! Aber zumindest war er so anständig, Lady Jane gut zehn Schritte von ihr entfernt seine galante Aufwartung zu machen, überlegte sie, während gleichzeitig alles, was er gesagt hatte, wie eine Bilderfolge vor ihrem inneren Auge ablief.

Das Orchester stimmte einen weiteren Walzer an, und Evangeline wurde von einem Ritter aus König Artus' Tafelrunde, der gut einen halben Kopf kleiner war als sie, in das Tanzgetümmel entführt. Die Herzoginwitwe tanzte am Arm eines angegrauten griechischen Philosophen an ihnen vorbei, Lord Harvey, wie ihr Artusritter ihr zwischen Anfällen heftigen Schluckaufs, für die er sich umständlich entschuldigte, erklärte. Und sie sah den Herzog mit Lady Jane tanzen; soeben lachte er herzlich über eine Bemerkung von ihr. Merkwürdig, dachte Evangeline, auf der Dinnerparty der Herzogin hatte sie kein einziges vernünftiges Wort aus Lady Janes Mund gehört.

Ihr nächster Tanzpartner war ein Puritaner, der jedoch nichts von der Entsagung des Fleisches wissen wollte und den sie mit einem kräftigen Tritt gegen sein Schienbein in Schranken weisen musste. Anschließend forderte sie ein Kreuzritter zum Tanzen auf, der offenbar schwer an seiner Rüstung zu tragen hatte, aber recht amüsant war.

Zwischen den einzelnen Tänzen blieb ihr gerade genug Zeit, einmal kräftig Luft zu holen und das wohlwollende Nicken der Herzoginwitwe in ihre Richtung zu bemerken. Und sie hielt so oft wie möglich nach dem Herzog Ausschau, der bisher nicht wieder in ihre Nähe gekommen war. Er tanzte stets mit einer anderen jungen Lady und ließ keinen Tanz aus.

Hatte er ihr nicht etwas über seine Verpflichtung ihr gegenüber erzählt? Warum kümmerte er sich dann nicht um sie? Natürlich, dieser arrogante Schuft war viel zu beschäftigt mit englischen Hirtinnen, flatterhaften Nymphen und einer antiken Göttin in einem mit dicken Goldkordeln geschnürten Mieder, das ihr Dekolleté auf höchst raffinierte Weise zur Geltung brachte.

Als ein französischer Chevalier des vergangenen Jahrhunderts sie darauf aufmerksam machte, dass es gleich Mitternacht schlagen würde, war Evangeline ehrlich erstaunt. Traditionsgemäß wollte er ihr die Maske abnehmen, doch Evangeline reagierte schnell. »Oh, ich sehe, die Herzoginwitwe winkt mich zu sich. Entschuldigt mich bitte!«, rief sie, und weg war sie. Sie schlüpfte durch eine der hohen Glastüren, die auf den Balkon hinausführten. Die Nacht war klar und kalt. Der beinahe volle Mond tauchte die Gärten in ein wunderbar geheimnisvolles Licht. Evangeline trat ans Geländer, noch immer erhitzt vom Tanzen.

»Guten Abend, Madame de la Valette. Wie schön, dass Ihr Euch endlich aus den Fängen all dieser noblen Gentlemen befreit habt und dass ich Euch ganz allein hier draußen antreffe.«

Evangeline wirbelte herum und stand einem großen, schlanken Mann in einem grauen Domino und einer grauen Maske gegenüber. Irgendwie kam ihr seine Stimme bekannt vor, doch im Augenblick konnte sie sie nirgendwo unterbringen.

Eingedenk der Warnung des Herzogs machte sie rasch einen Schritt zurück, nur einen, denn hinter ihr erhob sich das schmiedeeiserne Geländer des Balkons. »Ihr kennt meinen Namen?«, wunderte sie sich und musterte den Mann eingehend. Betrunken schien er nicht zu sein. Vielleicht wollte er einfach nur einen Augenblick frische Luft schnappen und die Stille draußen genießen. Unsinn, sagte sie sich im nächsten Moment, das glaubst du doch wohl selbst nicht.

»Es ist Mitternacht«, erklärte er, hob seine behandschuhten Hände hinter den Kopf und löste die Bänder seiner Maske.

Evangeline starrte in sein Gesicht, sah das Muttermal auf der Wange und sah seine Augen. Es war Conan

DeWitt, der Mann, den sie in der alten normannischen Kirche getroffen hatte.

31

»Nun seht doch nicht so schockiert drein, Madame *L'Aigle*. Ich gehöre hier zur so genannten Gesellschaft – genau wie Ihr, als Verwandte des Herzogs. Ich hatte schon jegliche Hoffnung aufgegeben, heute Abend ein paar Worte mit Euch wechseln zu können. Ihr seid eine sehr begehrte Tanzpartnerin.«

»Was wollt Ihr, DeWitt?«

»Aha, Ihr erinnert Euch tatsächlich an meinen Namen.«

»Ich vergesse niemals den Namen eines Verräters. Was wollt Ihr von mir?«

Er machte einen Schritt auf sie zu. »Verärgert mich nicht, Madame. Ich betrachte Euch immer noch als Gefahr für unsere Sache, auch wenn Edgerton das anders sieht. Er hat mir wiederholt versichert, Euch hundertprozentig in der Hand zu haben, ungeachtet Eurer anrührenden Versuche, uns zu entkommen, und Eures bemerkenswerten Mutes. Aber genug der Worte, lasst uns zum Wesentlichen komen. Der *Luchs* hat mich beauftragt, mich hier einzufinden. Er selbst war verhindert, sehr zu seinem Bedauern, denn er hätte Euch gern wiedergesehen. Hier ist seine Botschaft für Euch.« Er reichte ihr einen Umschlag, den Evangeline unverzüglich in ihrem Retikül verschwinden ließ. »Und der Brief von meinem Vater?«, erkundigte sie sich.

»Befindet sich ebenfalls in diesem Umschlag.«

Er musterte sie mit einem kritischen Blick. »Ich habe

immer noch meine Zweifel, was Eure Person betrifft, gleichgültig, ob Edgerton Euch in der Hand hat oder nicht. Er hat diese verrückte Alte umgebracht. Niemand vermisst sie, und trotzdem erdrückt Euch beinahe Euer schlechtes Gewissen.«

»Ich mochte die alte Frau, Mr. DeWitt. Richtet Edgerton aus, dass er mich aus dieser Sache entlassen soll.«

»Das würde Euch so passen, wie? Nein, macht Euch da keine Hoffnungen. Unser Kaiser ist in Paris. Schon bald, Madame, wird er die Verbündeten vernichtend geschlagen haben und wieder die Macht übernehmen. Und diesmal wird sein Name und seine Dynastie weit in die Zukunft hineinreichen. Wenn es so weit ist, werdet Ihr aus Eurem Auftrag entlassen, aber nicht vorher.«

»Napoleon wird niemals wieder dieselbe Macht erlangen wie früher. Alles, was ihm geblieben ist, ist ein Land voller Verrückter, und wenn es zu einem neuen Krieg kommt, wird er verlieren.«

Evangeline bemerkte, wie seine Hand zitterte, als er eine emaillierte Schnupftabakdose aus der Westentasche zog und den Deckel aufschnappen ließ. Er schnupfte eine Prise und gab dann mit leiser, kontrollierter Stimme zurück: »Ich mag Euch nicht, *L'Aigle*. Gelegentlich betrachte ich Frauen als nützliche Zeitgenossen, doch der Nutzen, den ich mir von ihnen erwarte, unterscheidet sich erheblich von dem Houchards. Ich glaube, Edgerton hat sich von der Liebe zu Euch blenden lassen. Ihr seid nämlich sehr gefährlich. Ach, ehe ich's vergesse, Edgerton hat mich gebeten, Euch daran zu erinnern, dass Ihr zwei Tote auf dem Gewissen haben werdet, nicht nur einen, falls Ihr Euch zu irgendwelchen Mätzchen hinreißen lasst. Und ich lese in Euren Augen, dass diese Warnung sehr wohl ihre Berechtigung hat.«

Unversehens packte er Evangeline am Arm und riss

sie an sich. Sie spürte die Wut, die in ihm brodelte, und hätte sich vor Angst beinahe auf die Zunge gebissen. »Lasst mich los!«

»O nein, noch nicht. Ich würde Euch am liebsten gegen dieses Geländer drücken und Euch gleich hier an Ort und Stelle nehmen. Ja, ich würde gern selbst herausfinden, was Edgerton an Euch so fasziniert, denn Ihr habt ihn doch sicherlich in Euer Bett gelassen, oder? Und der Herzog hatte bestimmt auch schon das Vergnügen, Euch näher kennen zu lernen. Warum sollte ich dann darauf verzichten?«

»Ihr Narr. Es ist eiskalt hier draußen«, schnaubte sie und spuckte ihm mitten ins Gesicht.

DeWitt hielt ihr linkes Handgelenk weiterhin fest und ließ das rechte los. Dann zog er ein Taschentuch aus seiner Westentasche, wischte sich das Gesicht ab und fauchte: »Das werdet Ihr mir büßen. Ich bin als gut aussehender Mann und erfahrener Liebhaber bekannt. Es ist dieser verfluchte Herzog, wie? Auf den seid Ihr wohl scharf. Ja, er ist reich und besitzt einen Titel, und darauf haben es Flittchen wie Ihr eines seid, bekanntlich abgesehen. Wenn ich Geld und Titel besäße, würdet Ihr mich nicht von der Bettkante stoßen, wie? Nein, versucht lieber nicht, nach mir zu treten, sonst fliegt Ihr in hohem Bogen über dieses Geländer. Ich schere mich nämlich keinen Pfifferling darum, ob Ihr Eure nächste Mission noch ausführen könnt oder nicht. Man wird diesen Brief in Eurem Retikül finden und Euch sofort als Verräterin entlarven.«

»Ihr wäret für mich als Mann nur dann akzeptabel, wenn ich Euch am Galgen baumeln sähe.«

»Du verflixtes Luder, ich werde …«

»Evangeline!«

Conan deWitt ließ ihre Hand los und trat einen Schritt zurück. Evangeline, die den Herzog auf den Balkon kommen sah, drückte das Retikül an sich und ging an DeWitt vorbei. »Euer Gnaden«, nickte sie erleichtert.

Der Herzog musterte Conan DeWitt und dann Evangeline, die so weiß im Gesicht war wie das fahle Mondlicht, und spürte Mordgelüste in sich aufwallen. Mit einer Stimme, die vor Trockenheit beinahe knisterte, erkundigte er sich bei DeWitt: »Darf ich mir die Frage erlauben, was Ihr mit meiner Cousine vorhabt? Es ist sehr frisch hier draußen.«

Er kennt DeWitt, dachte Evangeline und machte einen Schritt auf den Herzog zu.

»Ach, wir haben uns gerade über das wechselhafte Wetter in England unterhalten, und ich machte Madame darauf aufmerksam, dass sie sich eine Erkältung zuziehen könne, wenn sie sich noch länger hier draußen aufhielte. Ich sah sie auf den Balkon gehen und nahm die Gelegenheit wahr, ihre Bekanntschaft zu machen. Auf meine Frage, wie ihr England und die Engländer gefielen, hatte sie nur Positives zu berichten. Aber jetzt spüre ich selbst, wie mir die Kälte in die Knochen kriecht. Euer Gnaden ... Madame ...« Den Herzog juckte es in den Fingerspitzen, DeWitt festzuhalten, aber er riss sich zusammen. Evangeline sah aus, als würde sie jeden Augenblick ohnmächtig zu Boden sinken, so blass war sie.

Der Herzog hatte beobachtet, wie sie die Tanzfläche verließ und hinaus auf den Balkon ging. Und er hatte einen Mann in grauem Domino und grauer Maske gesehen, der ihr folgte. Sobald er Lady Winthrop losgeworden war, die ihm die eindeutigsten Avancen machte, nachdem ihre beste Freundin ihr erklärt hatte, dass sie bei ihm nicht würde landen können, hatte er sich an Evangelines Fersen geheftet.

Diese verdammte Blässe. Sie sah aus, als hätte sie sich zu Tode erschreckt. Er zog sie an sich, wie es DeWitt getan hatte, und fragte sanft: »Hat er dich beleidigt? Was wollte er von dir?«

Sie spürte seine Wut; sein ganzer Körper bebte. Sie schüttelte den Kopf, der jetzt an seiner Schulter ruhte. »Nein, er wollte mich nur verführen. Aber ich habe ihm schon Bescheid gestoßen, Euer Gnaden«, fügte sie eilig hinzu, aus Angst, er würde DeWitt zur Rede stellen.

Sein Körper spannte sich plötzlich wie eine Bogensehne. »Nein, bitte, Ihr habt absolut Recht gehabt mit Eurer Warnung vor diesen Maskenbällen. Mindestens ein halbes Dutzend Gentlemen hat mir heute Abend eindeutige Avancen gemacht. Aber nach den ersten dreien hatte ich bereits gelernt, die weiteren ganz elegant abzuschmettern. Dieser DeWitt ist ein schrecklicher Mensch, und ich hätte ihn ohne mit der Wimper zu zucken vom Balkon gestoßen, wenn er sich an mir vergriffen hätte. Wer ist er? Woher kennt Ihr ihn?«

»Er hält sich erst seit kurzem in London auf. Kennen gelernt habe ich ihn durch Drew. Er ist Lord Hamptons Privatsekretär und als solcher in alle politischen Manöver seiner Lordschaft involviert. Aber jetzt möchte ich wissen, was du hier mutterseelenallein auf dem Balkon zu suchen hast.«

Er versuchte, sich von ihr loszumachen, doch sie wollte ihn nicht freigeben. Sie stand ganz dicht vor ihm und hielt ihn an beiden Rockärmeln fest. »Ich wollte nur einen Augenblick verschnaufen, weiter nichts. Euch sah ich immer noch das Tanzbein schwingen. Ihr habt mit jeder Lady hier im Saal getanzt, aber mit mir nur ein einziges Mal. Bitte, können wir jetzt gehen?«

Was, zum Kuckuck, geht hier vor? wollte er brüllen, doch da er wusste, dass er damit nichts erreichen würde, erwiderte er: »Warum nicht? Du musst mich nur loslassen.«

»Das tue ich nur sehr ungern«, erklärte sie, ließ seine Ärmel los, legte aber sofort die rechte Hand flach auf seine Brust. »Vielen Dank«, flüsterte sie und sah zu ihm auf. »Vielen Dank, dass Ihr mir hinterhergegangen seid.«

Mit diesen Worten hatte sie ihm wieder einmal allen Wind aus den Segeln genommen. »Verdammt«, knurrte er und schüttelte den Kopf. »Ich bin dir nur deshalb hinterhergegangen, weil ich dich für diese grenzenlose Dummheit, allein auf dem Balkon herumzustehen, ohrfeigen wollte.« In dem Lächeln, mit dem er sie bedachte, loderte noch ein Rest Wut, den sie sofort bemerkte, weil sie ihn so gut kannte. Aber zum Glück hatte er nicht gebrüllt und getobt oder DeWitt zur Rede gestellt und ihm die Faust ins Gesicht gerammt.

»Ich danke Euch«, sagte sie noch einmal und wandte sich, ihr Retikül fest an die Brust gepresst, von ihm ab.

»Was man sich über DeWitt erzählt«, sagte der Herzog hinter ihr, »klingt alles andere als freundlich. Angeblich liebt er es, Frauen zu verletzen und zu demütigen. Er genießt es, wenn sie ihm ausgeliefert sind, im Bett und auch außerhalb. Es war sicher ein Fehler, dass er Euch gefolgt ist, nicht wahr?«

»Ja. Ich habe ihm ins Gesicht gespuckt«, wisperte sie, immer noch so verängstigt, dass sie sich am liebsten irgendwo draußen hingelegt und dem Kältetod anheim gegeben hätte.

»Was wäre dir denn zu deiner Verteidigung sonst noch eingefallen?«

»Ich hätte ihm das Knie zwischen die Beine gerammt. Mein Vater hat mir diese Maßnahme geraten, als letztes Mittel, um einen zudringlichen Mann außer Gefecht zu setzen.«

»Das wäre wohl das Resultat, ja. Aber jetzt entschuldige mich bitte, ich möchte ein Wörtchen mit diesem

DeWitt wechseln und ihm eine kleine Lektion erteilen, die seinen Manieren und seinen Ansichten nur zuträglich sein kann.«

Evangeline griff mit einer Vehemenz und Unerbittlichkeit, die sie selbst verblüfften, nach seinem Arm und hielt ihn fest. »Nein!«

Eine seiner schwarzen Augenbrauen schnellte erstaunt in die Höhe.

»Nein«, erklärte sie noch einmal mit fester Stimme. »Bitte, geht nicht in die Nähe dieses Mannes. Er ist kein Ehrenmann, wie Ihr einer seid. Ich weiß es. Er ist ein Mann von der Sorte, die Euch freundlich ins Gesicht lachen und Euch, sobald Ihr Euch umdreht, ein Messer in den Rücken stoßen. Nein, lasst ihn gehen. Vergesst die Sache. Bitte.«

Die Verzweiflung und die Panik, die er in ihren Augen las, ließen nur den Schluss zu, dass sie Angst hatte. Angst um ihn? Genauso sah es aus. Wieder einmal hatte sie ihn entwaffnet, und das ärgerte ihn.

»Bitte«, bettelte sie abermals. »Ich möchte nach Hause gehen. Kümmert Euch nicht um ihn. Er ist nicht so ehrbar und gut wie Ihr. Er ist keiner Beachtung wert.«

Der Herzog schlug seinen Domino zurück und nahm ihren Arm. »Also schön. Wir suchen meine Mutter, und dann verabschieden wir uns.«

Plötzlich lachte Evangeline. »Wenn Ihr jetzt einen Säbel in der Hand hieltet, wäre das Bild perfekt. Allmächtiger, ich lache mich halb kaputt, anstatt vor Angst zu zittern.«

»Welches verdammte Bild?«

»Ihr saht gerade aus wie ein Pirat, als Ihr den Domino zurückschlugt und Euch das Mondlicht von hinten anstrahlte.«

»Pirat, pah«, knurrte er. »Wenn ich ein Pirat wäre, hätte ich dich schon längst an den Mast gefesselt und ausgepeitscht. Keine andere Frau hat mich je so auf die Palme gebracht wie du. Also los, gehen wir.«

Eine Stunde später, als sie vor ihrer Schlafzimmertür stehen blieben, sagte sie: »Erinnert Ihr Euch noch an das Versprechen, das Ihr mir gegeben habt?«

»Welches denn?«

»Dass ich jederezeit nach Chesleigh zurückkehren kann, wenn ich das möchte.«

»Ja«, erwiderte er.

»Dann möchte ich morgen zurück nach Chesleigh fahren.«

Er ließ einige Zeit verstreichen, ehe er sagte: »Würdest du mir bitte erklären, was hier vorgeht?«

»Ich möchte einfach zurück nach Chesleigh.«

»Warum?«, erkundigte er sich sehr freundlich und mit gesenkter Stimme. »Und warum schon morgen?«

Als plötzlich die Worte: »Napoleon ist wieder an der Macht. Was wird jetzt nur geschehen?«, aus ihr herausbrachen, schüttelte der Herzog verwundert den Kopf.

»Napoleon ist ein Mann, der alles beherrschen will; nicht nur eine Stadt oder ein Land. Er will alles haben. Und er wird nie aufhören, nie. Es wird Krieg geben, denn anders ist ihm nicht beizukommen. Habt Ihr nicht gewusst, dass Wellington im Augenblick mit dem Prinzen von Oranien in Brüssel weilt? Ein Monat noch, höchstens zwei, und wir haben Krieg. Und das wird ein blutiger Krieg werden. Aber ich bin kein Weltuntergangsprophet wie viele meiner Landsleute. Tatsache ist nämlich, dass Napoleon bei seinem irrwitzigen Russlandfeldzug vor zwei Jahren seine Armee empfindlich dezimiert und jetzt unerfahrene Burschen als Offiziere hat. Wellington wird siegen. Er muss siegen.«

»Ich weiß auch, dass er Napoleon besiegen wird. Ich danke Euch«, fügte sie hinzu, ohne ihn anzusehen. »Trotzdem werde ich morgen früh aufbrechen und Edmund mitnehmen, wenn Euch das recht ist. Es ist nicht nötig, dass Ihr uns nach Chesleigh begleitet.«

»So ein Unsinn. Du stehst unter meinem Schutz. Selbstverständlich werde ich dich und meinen Sohn nach Chesleigh begleiten.«

Sie setzte zu einer Erwiderung an, beließ es dann aber bei einem Kopfschütteln. Mit einem letzten »Ich danke Euch«, drehte sie sich auf dem Absatz um, ging in ihr Schlafzimmer und zog leise die Tür hinter sich zu.

Der Herzog stand da und starrte auf die geschlossene Tür. Sie befand sich in dem Zimmer dahinter. Er brauchte nur die Tür zu öffnen und zu ihr zu gehen. Aber er wusste auch, wenn er dies tat, würde er sie verführen und bis zur Besinnungslosigkeit lieben. Seine Hand lag bereits auf dem Türknauf. Dann zog er sie zurück.

Er würde sie morgen früh wiedersehen. Ja, er hatte die Absicht, sie ab jetzt jeden Morgen zu sehen, sein ganzes Leben lang. Aber zuvor musste er herausfinden, was sie von ihm abhielt. Wo lag das Problem?, überlegte er und zuckte die Schultern. Nun, er würde alles herausfinden, was er von ihr zu wissen begehrte. Das Problem war sicherlich nur eine unwichtige Kleinigkeit, und die wollte er aus der Welt schaffen. Und auch wenn es sich doch um etwas Wichtigeres handeln sollte, würde er alle Schwierigkeiten beseitigen. Erklärte sein Sohn ihm nicht immer wieder, dass er der stärkste Papa der Welt sei, und auch der klügste?

Zuversichtlich vor sich hin pfeifend, begab er sich in sein eigenes Schlafgemach.

»Ihr braucht uns wirklich nicht zu begleiten, Euer Gnaden. Ihr habt hier gewiss sehr viel Interessanteres zu tun.«

Er grinste sie träge an. »Nein, habe ich nicht. Und ich bin zu der Einsicht gelangt, dass du meine führende Hand benötigst, Evangeline. Sobald ich dich aus den Augen lasse, wirst du um ein Haar verführt. Komme ich dann, um dich zu retten, lässt du mich nicht mehr los.«

Sie hatte schlecht geschlafen, hatte geträumt, dass Edgerton in Edmunds Schlafzimmer schleiche, ein Seil in der Hand, oder ein Stilett; oder er würde auch nur seine Hände benützen, seine Finger, die stark genug waren, um jedes Leben aus Edmunds kleinem Körper herauszupressen. Sie wollte nur noch eines: London so schnell wie möglich verlassen.

»Diesmal verschmähe ich Euren Köder«, sagte sie, und er ging nicht weiter darauf ein. Sie sah wirklich nicht wohl aus.

»Mein Sohn wird sich um euch beide kümmern, Evangeline«, versicherte Marianne Clothilde, den kleinen Edmund an sich drückend. »Überlasst nur alles ihm. Ihr seht sehr erschöpft aus, meine Liebe. Bittet doch Edmund, Euch schlafen zu lassen. Vielleicht hat der junge Herr die Güte, Eurer Bitte Folge zu leisten.«

»Wenn sie mir verspricht, dass es wieder wärmer wird, Großmama, dann darf sie mit mir ein Nickerchen machen.«

»Du bist wirklich ein Goldkind!«, rief Marianne Clothilde und drückte ihrem Enkelsohn einen Kuss auf die Wange. »Ich bin sicher, dass Evangeline mit Kleinigkeiten wie dem englischen Wetter nicht die geringsten Schwierigkeiten hat.«

»Genau das glaube ich auch«, setzte Edmund hinzu.

Marianne Clothilde gab ihm noch einen Kuss.

»Vielen Dank für Eure Freundlichkeit, Euer Gnaden«, sagte Evangeline. »Ich hoffe, ich werde Euch einmal wiedersehen.«

»Oh, keine Sorge. Ich habe Euch ins Herz geschlossen, und wir werden uns in Zukunft recht oft sehen. Jetzt möchte ich noch gern ein paar Worte mit meinem Sohn wechseln.«

Nachdem Evangeline Edmund aus dem Salon gebracht hatte, sagte Marianne Clothilde: »Ich wünsche dir viel Glück. Irgendetwas stimmt hier nicht. Dieser überstürzte Aufbruch kommt mir merkwürdig vor, und ich habe keine Ahnung, was dahintersteckt. Weißt du es?«

»Noch nicht. Aber was immer es sein mag, ich werde es schon herausfinden.«

»Ich bin froh, dass Edmund sich so gut mit ihr versteht. Und ich nehme doch nicht an, dass du deinen Sohn jemals als Druckmittel missbrauchen würdest, oder?«

Ihr sehr von sich eingenommener und bisweilen recht arroganter Sohn hob eine dunkle Braue und erwiderte: »Verdammt, Mutter, glaubst du tatsächlich, ich würde mich auf so eine klägliche Ebene herablassen?«

»Womöglich. Evangeline ist eine sehr willensstarke junge Frau.«

Er wollte gerade dagegenhalten, dass Evangeline gefälligst das zu tun habe, was er ihr anschaffe, doch dann wurde ihm klar, dass seine ehrenwerte Mutter auf solche Worte hin nur zu lachen begänne. Wahrscheinlich würde er sogar selbst über sich lachen müssen. »Ich nähme sogar Bunyons Hilfe in Anspruch, wenn mir das ewas einbrächte«, überlegte er laut.

Marianne Clothilde drehte sich um, betrachtete nachdenklich das Porträt des verstorbenen Herzogs und meinte dann: »Schade, dass sie noch ein halbes Kind war, als dein Vater wünschte, dass du dich vermählst. Ich glaube, alles wäre ganz anders gekommen, wenn sie damals schon Marissas Alter gehabt hätte.«

»Vater hat mir immer eingeschärft, ich solle mich nicht über die Vergangenheit grämen, sondern stets in die Zukunft blicken und vergangene Fehler korrigieren, dann würde alles gut und ich ein besserer Mensch werden.« Damit zog er seine Mutter in die Arme und drückte sie zärtlich an sich. »Ach, ich vermisse Vater genauso schrecklich wie du. Weißt du, dass er Recht hatte? Und ich sage dir noch etwas: Ich glaube, dass ein Witwer und eine Witwe ganz gut zusammenpassen.«

»Ich bin davon überzeugt«, erklärte Marianne Clothilde ernst, »dass ihr beide, dein Vater und du, zu den besten Männern zählt, die jemals auf dieser Erde gelebt haben. Ich liebte ihn von ganzem Herzen. Und ich kann mir nicht vorstellen, dass Evangeline dir geringere Gefühle entgegenbringt.«

32

Die Miene des Herzogs war todernst, seine Stimme völlig ruhig, als er sagte: »... und dann schwor Bunyon meinem Vater, dass dieser gemeine Schuft tatsächlich von der Brücke gestürzt war. Und er schwor ebenfalls, dass ich mindestens zehn Schritte von ihm entfernt stand und für diesen Sturz nicht verantwortlich gemacht werden könne. Worauf mein Vater erklärte: ›Ich weiß, dass mein Sohn ein Satansbraten ist, Bunyon. Dass er außerdem noch zaubern kann, überrascht mich daher keineswegs‹.«

Evangeline lachte. »Konnte dieser Schurke wenigstens schwimmen?«

»Soweit ich mich erinnere, hat Teddy Lawson schon am nächsten Tag wieder andere Kinder gequält.«

»Was ist denn aus ihm geworden?«

»Das Letzte, was ich von ihm hörte, war, dass er irgendwo in den Cotsworlds eine Stelle als Vikar bekleidet. Das Leben ist schon interessant, nicht wahr?«

Evangeline senkte den Kopf. Sie verschanzte sich hinter ihrer Schweigsamkeit wie hinter einem Schild. Der Herzog betrachtete finster ihr gesenktes Haupt. »Du hast mir keine Antwort gegeben«, bemerkte er nachdrücklich. »Findest du nicht, dass das Leben interessant ist? Dass das Leben bisweilen seltsame Wege geht?«

»Ja«, murmelte sie und hob den Kopf, sah ihn aber nicht an. »Das Leben ist so unberechenbar, dass ich manchmal am liebsten tot sein möchte. Nein, so meine ich das nicht. Wie töricht von mir, so etwas zu sagen.«

Das war ein Anfang, dachte der Herzog bei sich. Sie waren erst vor zwei Tagen nach Chesleigh zuückgekehrt. Er ahnte bereits, dass Evangeline in ihrem kurzen Leben schon viel Schlimmeres zugestoßen war; der selige André hatte sie verlassen, und auch ihre Eltern waren beide gestorben. Aber da gab es noch etwas anderes, etwas, das mit dem Tod ihrer Lieben nichts zu tun hatte. Er spürte ihre Niedergeschlagenheit, ihre Angst, wusste, dass sie etwas Schreckliches quälte. Warum wollte sie so plötzlich und ohne ersichtlichen Grund nach Chesleigh zurück?

Er lehnte sich mit der Schulter an den Kaminsims, ein Glas Brandy in der Hand, und starrte einen Augenblick nachdenklich vor sich hin. Dann meinte er unvermittelt: »Vielleicht hättest du Lust, mit mir nach Southampton zu fahren? Von dort aus könnten wir auf die Isle of Wight segeln und anschließend ein paar Tage in meinem Haus in Ventnor verbringen. Edmund liebt die Gegend dort.

Er würde sich riesig freuen, denn oft kommt er nicht dorthin.«

Evangeline spürte, wie Angst, Panik und schreckliche Reue in ihr hochwallten. Den Anweisungen zufolge, die Conan DeWitt ihr übergeben hatte, sollte sie am Abend des folgenden Tages einen von Houchards Männern in der Bucht treffen, und weitere Anweisungen würden folgen. »Nein«, stieß sie hervor. Sie sah die Verwirrung auf seinem Gesicht und beeilte sich hinzuzufügen: »Ich fürchte mich auf Schiffen, auch auf großen. Ich weiß, dass das dumm klingt, aber« – sie machte eine hilflose Handbewegung –, »ich kann es nicht ändern.«

Er hatte sie bei einer Lüge ertappt, die ihm äußerst unsinnig vorkam. »Ah, eine gute Schwimmerin, aber Angst vorm Wasser«, wiederholte er nachdenklich.

»Nein, nur vor Booten.«

»Evangeline, du brauchst nicht zu lügen, damit du hier bleiben kannst. Oder ist es Chesleigh selbst, das dich hier festhält? Nein, das kann nicht sein. Erst vor kurzem konntest du nicht schnell genug von hier fortkommen, wenn ich mich recht entsinne. Und jetzt bist du wieder hier. Das ergibt doch keinen Sinn, oder? Vielleicht willst du ja einfach meiner Gesellschaft entfliehen. Glaubst du etwa, dass ich dich verführen will? Wenn ja, vergiss es. Das ist eine ganz andere Geschichte, die nur uns beide etwas angeht. Aber abgesehen davon bin ich wirklich davon überzeugt, dass es dir auf Vendnor sehr gut gefallen wird.«

Hinter ihrer linken Augenbraue machten sich die ersten Anzeichen heftiger Kopfschmerzen bemerkbar. »Dass Ihr mich verführt, darüber mache ich mir keine Sorgen. Ich mache mir um überhaupt nichts Sorgen. Ich möchte einfach nur auf Chesleigh bleiben. Ich fühle mich hier sehr wohl. Ich möchte nirgendwo anders hin.«

»Solange, bis du mich wieder anflehst, dich unverzüglich nach London zu bringen?«

»Ich glaube nicht, dass ich noch einmal nach London möchte.«

»Und warum, zum Teufel, nicht?«

Sie schüttelte nur stumm und ohne ihn dabei anzusehen den Kopf, woraufhin er klirrend sein Glas auf dem Kaminsims abstellte und sich vor ihr aufbaute. Dann packte er sie bei beiden Armen, zog sie auf die Füße und schüttelte sie. »Verdammt nochmal, du bist jetzt seit zwei Tagen hier und hast alles darangesetzt, mir aus dem Weg zu gehen. Als ich mit ausreiten wollte, hast du Kopfschmerzen vorgeschützt. Du schleichst herum wie ein Schatten – oder besser gesagt, wie ein Angeklagter vor dem Magistrat. Was, zum Teufel, ist nur los mit dir?«, rief er und betrachtete sie mit wachsendem Umbehagen.

»Überhaupt nichts ist mit mir los.«

Er ließ sie stehen und begann, vor ihr auf und ab zu gehen. Nach einer Weile knurrte er über die Schulter hinweg: »Ich hasse diese Art von Spielen, Evangeline. Wenn dir meine Gesellschaft unangenehm ist, brauchst du es nur zu sagen. Ich werde dich deshalb nicht gleich von Chesleigh verjagen oder dich im Brunnen ersäufen. Wenn du mich nicht leiden kannst, verdammt, dann sag es mir. Ich versichere dir, dass ich in meinem ganzen Leben noch keine Frau zu etwas gezwungen habe. Andererseits ist es so, dass du jedes Mal ganz wild geworden bist, wenn ich dich angefasst habe. Wir beide sind ganz wild aufeinander geworden. Verdammt nochmal, ich will jetzt endlich wissen, was hier gespielt wird!«, rief er erregt und zog sie im nächsten Augenblick an sich. Er schlang seine Arme um sie und war ihr so nah, dass er ihren Duft riechen und ihr Herz an seiner Brust schlagen hören konnte.

»Evangeline«, murmelte er. Sie blickte zu ihm auf und sah, dass alles, was er für sie empfand, sich in seinen Augen spiegelte, in diesen dunklen Augen, den schönsten Augen, in die sie je geblickt hatte. O nein, dachte sie. Nein, nein. Sein Blick ruhte jetzt auf ihr, neugierig, erwartungsvoll.

»Evangeline?«

Sie hasste die Zärtlichkeit in seiner Stimme, hasste deren Bedeutung, weil sie diese Zärtlichkeit nicht verdiente. Sie war schlecht, unaufrichtig und seiner nicht wert.

»Willst du mir die Ehre erweisen, meine Frau zu werden?«

Sie starrte ihn mit großen Augen an, unfähig, auch nur die Lippen zu einer Antwort zu bewegen. Er wollte sie heiraten? Das bedeutete, dass er sie gern hatte, wirklich gern hatte – und nicht nur ihren Körper begehrte, nein. Nervös feuchtete sie sich mit der Zungenspitze die staubtrockenen Lippen an. Sie spürte, wie er sich verspannte. »Nein«, antwortete sie leise und so unglücklich, so verzweifelt, dass sie sich fragte, ob sie überhaupt weitersprechen könnte. »Ich kann nicht«, stieß sie hervor. »Ihr meint das nicht so, nein, gewiss nicht. Ihr seid nur zufällig an mich geraten. Ihr mögt meine Brüste, das ist alles. Das ist alles, nicht wahr?«

Er legte seine Daumen unter ihr Kinn und zwang sie mit sanftem Druck, den Kopf zu heben und ihn anzusehen. »Ich bete deine Brüste an. Sie sind göttlich. Und zufällig genieße ich auch deine Gesellschaft. Ich möchte meine Zeit mit keiner anderen Frau außer dir verbringen. Ich möchte keine andere Frau außer dir lieben. Ich will dich heiraten. Ich werde dir so treu sein, dass du dir gelegentlich wünschen wirst, mich nicht so dicht um dich zu haben. Und falls du mich beim ersten Mal nicht richtig verstanden haben solltest: ja, ich bin ganz verrückt nach deinen Brüsten.«

Sie wand sich aus seinen Armen, und er ließ sie gewähren. Jetzt war sie es, die nervös im Zimmer hin und her zu gehen begann. Am liebsten wäre sie davongerannt, aber das war sinnlos. Er war ohnehin schneller als sie. Und er wusste inzwischen, dass irgendetwas Schreckliches im Hintergrund lauerte. Sie musste ihn davon überzeugen, dass sie nicht die richtige Frau für ihn war. Das war ihre einzige Chance. Seine Frau? O Gott, nein.

»Ihr foppt mich doch nur. Ihr amüsiert Euch auf meine Kosten«, flüsterte sie. »Das ist nicht sehr nett von Euch.«

»Ich fürchte, ich war ein bisschen zu voreilig«, gab er zurück. »Und dabei habe ich mich bis jetzt immer für einen Frauenkenner gehalten. Ich würde mich niemals auf deine Kosten amüsieren, Evangeline. Eine Ehe ist eine sehr ernste Angelegenheit. Nein, über so etwas würde ich niemals scherzen.«

Sie spürte ein Gefühl von überwältigender Freude, von Glück in sich aufwallen – und im gleichen Augenblick sah sie Edmund, tot, die leblosen Augen starr auf sie gerichtet. Sie sah ihren Vater, ebenfalls tot und aufgebahrt, die weißen Hände über der Brust gefaltet, zwei Kupfermünzen auf den Augen, genau wie bei ihrer Mutter, der man die Lider mit Kupferpennies verschlossen hatte. Ein Schrei steckte in ihrer Kehle, den sie tapfer unterdrückte. In ihren Augen brannten bittere Tränen, Tränen der Wut über ihre Hilflosigkeit.

Sie hatte keine andere Wahl. Sie zwang sich, sich von ihm abzuwenden. Und mit einer Stimme, die aus weiter Ferne zu kommen schien, begann sie: »Ich danke Euch, Euer Gnaden, aber die Antwort auf Euer großzügiges Angebot muss nein lauten. Ich möchte mich nicht wieder vermählen. Ich möchte nicht für den Rest meines Lebens noch einmal nach der Pfeife eines Mannes tanzen müssen. Es tut mir Leid, ehrlich, wenn ich Euch verärgert habe …«

Er lachte. »So eine Antwort habe ich noch nie gehört, aber wahrscheinlich ist sie bei jungen Ladies heutzutage beliebt, wenn sie das Angebot eines Freiers möglichst höflich ablehnen möchten. Benutzt du diese Antwort eigentlich zum ersten Mal?«

Sie musste anders argumentieren, irgendeine andere Ausrede finden. »Ihr solltet eine englische Lady heiraten, Euer Gnaden, nicht eine halbe Französin, eine arme Verwandte ohne Mitgift, die bereits schon einmal verheiratet war.«

Er lachte wieder und schüttelte dabei den Kopf. »Nein, Evangeline. Ich will keine englische Lady. Es ist eine halbe Französin, die es mir angetan hat, eine, die sturer ist als ein alter Ziegenbock, die meinen Sohn genauso innig liebt wie er sie. Ah, und nicht zu vergessen, die eine Zunge besitzt, die mich in Grund und Boden redet, wenn sie mich nicht gerade küsst oder mich ansieht, als wollte sie mich jeden Augenblick anspringen.

Außerdem solltest du wissen, dass ich auf eine Mitgift zum Glück nicht angewiesen bin. Und dass du schon einmal verheiratet warst, spielt keine Rolle. Wie kommst du überhaupt auf die verstiegene Idee, dass mich das stören könnte? Glaub mir, ein junger Springinsfeld, der anscheinend so unerfahren war wie der Winter lang ist, bedeutet keine Konkurrenz für mich. Und was das Nach-der-Pfeife-tanzen betrifft, so verspreche ich dir, dass du mir eine anständige Kopfnuss geben darfst, sollte ich mich je zum Tyrannen auswachsen. Ist das nicht ein faires Angebot?«

»Ich möchte nicht Eure Frau werden«, erklärte sie

abermals, obwohl sie wusste, dass das als Argument nicht ausreichte, in ihrem Kopf herrschte jedoch eine lähmende Leere. »Bitte, sprecht nicht mehr darüber.«

»Das ist mit Abstand das merkwürdigste Erlebnis, das mir bisher beschieden war. Vor mir steht die Frau, die ich heiraten möchte und von der ich weiß, dass sie mich begehrt. Ja, ich bin mir ziemlich sicher, dass sie mich mag. Ich bin ja nicht mit Blindheit geschlagen. Und sie vergöttert meinen Sohn, das kommt noch hinzu. Nein, Evangeline, ich bin felsenfest davon überzeugt, dass hinter deiner strikten Ablehnung ein Problem steckt, das mit uns beiden nicht das Geringste zu tun hat. Wenn du mich einweihst, werde ich mein Möglichstes tun, um es aus der Welt zu schaffen.« Dann weiteten sich plötzlich seine dunklen Augen. »Nein«, sagte er, »nein, das darf doch nicht wahr sein! Dein seliger Mann, der selige André ... Er ist doch nicht etwa noch am Leben, oder?«

Sie schüttelte den Kopf, selbst als ihr bewusst wurde, dass er ihr soeben ein perfektes Argument geliefert hatte.

Er hielt abwehrend die Hand hoch, als er sah, dass sie zu einer Antwort ansetzte.

»Nein, tu's nicht«, sagte er. »Versuch es nicht einmal. Warum willst du mich nicht heiraten, Evangeline?«

»Ich will ja gar nicht abstreiten, dass ich Euch begehre«, wisperte sie. »Aber ich liebe Euch nicht. Ich will Euch nicht heiraten. Ich will Euch nicht zum Ehemann. Und ich verstehe überhaupt nicht, warum Ihr, ein Mann, der mir erklärte, er glaube nicht an die Liebe, sich an eine einzige Frau binden will! Warum?«

»Das kannst du mich in dreißig oder vierzig Jahren noch einmal fragen, und dann können wir ausführlich meine offensichtliche Schwäche für dich analysieren.«

Sie war am Ertrinken, und er bot ihr an, sie zu retten, aber sie konnte sein Angebot nicht annehmen. Eines

Tages würde er herausfinden, was für eine Frau sich hinter ihrer Maske verbarg. Und von diesem Tag an würde er sie verachten. Er würde sie verfluchen. Sie war seine Feindin; doch das wusste er noch nicht.

»Ihr habt meine Gefühle missverstanden. Ich liebe Euch nicht.«

Er glaubte ihr kein Wort. Sie hatte zu lange geschwiegen. Er hatte ihr gesagt, dass er nicht blind wäre. Er hatte soeben Myriaden von Gefühlen über ihr Gesicht huschen sehen, eines das Nächste verdrängend, und er hatte mehr Schmerz und Pein und Seelenqualen in diesem Gesicht entdeckt, als er begreifen konnte. Er wollte sie schütteln, wollte sie anbrüllen, aber etwas hielt ihn zurück. Stattdessen forderte er sie mit sanfter Stimme auf: »Dann erklär mir doch bitte diese Gefühle, die ich angeblich missverstanden habe.«

Sie hob den Kopf, blickte ihm in die Augen und wusste, dass sie ihm wehtun musste, und auch sich selbst. Sie erinnerte sich an Lady Bellermans Beleidigungen, die so schrecklich albern waren, aber sie hatte keine andere Wahl, sie musste es versuchen. Obwohl sie sich für diese Worte, die sie jetzt mit eiskalter Stimme aussprach, hasste: »Ihr müsst mir nicht die Ehe anbieten, Euer Gnaden. Ihr habt mich nach meinen Gefühlen gefragt. Also schön. Ich finde, Ihr seid ein sehr begehrenswerter Mann. Aber so denken wahrscheinlich die meisten Frauen. Ich möchte mit Euch ins Bett gehen, nicht Eure Frau werden.« Sie zwang sich zu einem vielsagenden Schulterzucken. »Wie Lady Jane ganz richtig sagte: Engländer heiraten keine Frauen, die schon einen anderen Mann hatten. Ihr könnt es ruhig zugeben, Euer Gnaden, dass es Euch nur nach meinem Körper gelüstet, und nicht nach endlosen Jahren in meiner Gesellschaft. Glaubt mir, ich betrachte es als Ehre, dass Ihr mir die Ehe anbietet, nur um mich ins Bett zu locken. Aber Ihr könnt dieses Ehegefasel getrost aufgeben. Ich gehe mit Euch ins Bett, freiwillig.«

Das war merkwürdig. Er kannte sie erst seit zwei Monaten, wusste aber ganz genau, dass sie ihn anlog. Und das nicht einmal besonders raffiniert. Was sollte er tun? Um Zeit zu gewinnen, sagte er: »Ich begreife dich nicht, Evangeline.«

Sie zuckte die Schultern in einer Art, die wohl französisch sein sollte, die ihr aber nicht besonders gut gelang. »Wenn ich eine geborene Engländerin wäre – eine von euch – und noch Jungfrau, würde ich Euer Angebot zweifellos mit anderen Augen betrachten. Aber ich war schon einmal verheiratet. Und ich möchte mich nicht ein zweites Mal verehelichen. Möglicherweise habt Ihr ja recht, dass André ein stümperhafter Liebhaber war. Ihr seid das nicht, das weiß ich. Ich weiß, dass Ihr in diesen Dingen viel Erfahrung habt.«

Was sollte er darauf erwidern? Wie darauf reagieren? Würde sie die Wut in seinen Augen erkennen, die er im Augenblick in sich aufwallen spürte?

»So, so«, murmelte er, und in seinen dunklen Augen war nichts als Belustigung zu sehen. »Zu guter Letzt hast du doch noch eine Verwendung für mich gefunden. Na ja, wenigstens gibst du jetzt zu, dass der selig verschiedene André doch kein Ehemann von Gottes Gnaden gewesen ist.« Er unterbrach sich und senkte die Stimme. »Hat er dich etwa missbraucht? Hat der Schweinehund dich geschlagen?«

»Nein, selbstverständlich nicht. Versteht doch, ich möchte einfach nicht noch einmal heiraten. Ich möchte weiterhin tun, was mir gefällt.« Nein, das war nicht gut. »Es ist wahr, dass ich kein Geld besitze, aber ich mag Edmund sehr, und ich genieße das Leben auf Chesleigh.« Du meine Güte, sie war dabei, ein Loch zu graben, so tief, dass sie demnächst im entfernten China ankommen würde.

»Du möchtest also«, fuhr er bedeutungsvoll fort, »dass ich dein Liebhaber werde, aber nicht dein Ehemann. Hab' ich das richtig verstanden?«

»Ich mag es, wenn Ihr mich küsst.«

»Ah, das hört man gern.« Was hatte das alles zu bedeuten? Er ging langsam auf sie zu und ließ sie dabei keinen Moment aus den Augen. Sie wich nicht zurück. Das wurde ja immer spannender. Er schloss seine Hände um ihre Schultern und zog sie behutsam an sich. Sie versuchte, sich von ihm loszumachen, doch er verstärkte seinen Griff und zog sie noch näher zu sich heran. Ihre Brüste berührten seine Brust. Inzwischen war er steinhart geworden. Dann spürte er ihren ganzen Körper und hätte beinahe laut aufgeschrien vor Lust, vor Zärtlichkeit und vor unstillbarem Verlangen nach ihr. Würde sie immer diese Wirkung auf ihn ausüben? Ja, davon war er überzeugt. Er lächelte, als er ihr Gesicht anhob. »Du gehörst mir«, flüsterte er, und sein warmer Atem strich dabei zärtlich über ihre Stirn. Dann senkte er den Kopf, langsam und entschlossen, und küsste sie. »Du gehörst mir. Jetzt und für alle Zeiten. Mir ganz allein.«

»Nein«, keuchte sie und wusste, wie sehr sie ihn begehrte, wusste, dass sie sterben würde, wenn sie diesen Kuss nicht erwiderte.

»O doch. Schluss jetzt mit diesem Spiel, Evangeline.«

»Bitte«, flüsterte sie, und er küsste sie abermals, und noch einmal, ohne ihre Lippen aufzuzwingen. Doch sie öffnete sie ihm freiwillig. Seine Hände waren in ihrem Haar, zupften die Nadeln und Spangen heraus, bis es ihr offen über die Schultern fiel, seine Finger strichen durch ihre Locken, wanderten an ihrem Rücken herab, umfassten ihren Po. Im nächsten Augenblick zausten sie wieder ihr Haar, verwickelten sich darin, und er küsste sie währenddessen ohne Unterlass. Mit bebender Stimme flüsterte er in ihren Mund: »Erinnerst du dich, dass ich dir sagte, dein Haar sei wundervoll?«

»Ja«, flüsterte sie zurück, und die Melodie ihrer Stimme zwang ihn beinahe in die Knie. Seine Hände waren wieder an ihren Hüften, hoben sie ein wenig hoch, pressten sie noch dichter an seinen Körper, während er von dem einzigen Wunsch besessen war, sie nackt wie Gott sie schuf, an sich zu drücken.

Sie spürte seine Lippen an ihren Schläfen, ihrer Wange, an ihrer Kehle. Er beugte sich zurück, seine Hände noch immer an ihren Hüften, und blickte in ihr Gesicht.

»Was fühlst du, Evangeline?«

Die Frage kam ihr nicht merkwürdig vor, da sie keinerlei Erfahrung mit Männern besaß. Sie schlug die Augen auf und war sekundenlang unfähig, mit den Lippen eine Antwort zu formen.

»Ich würde mein Leben für Euch geben«, wisperte sie schließlich.

Der Herzog starrte sie, sprachlos und gleichzeitig so heftig erregt, dass er sie am liebsten hier auf dem Teppich genommen hätte. Nein, nein, dachte er. Noch nicht. Er musste sich noch eine Weile beherrschen. »Du schaffst es immer wieder, mich mit den unerwartetsten Äußerungen zu überraschen. Möchtest du mir vielleicht erklären, warum eine Frau, die sich nur einen Geliebten wünscht, dem Wohl dieses Geliebten so starke Gefühle entgegenbringt?«

Er hörte, wie sie scharf die Luft einsog, spürte, wie sie sich in seinen Armen verspannte, spürte ihren Widerstand und sagte: »Ich liebe dich, Evangeline. Meine Gefühle gehen weit über ein körperliches Begehren hinaus, falls es überhaupt Begehren war, was ich anfänglich für dich empfunden habe. Ich werde dich lieben, bis meine letzte Stunde geschlagen hat und ich den Weg alles Irdischen antreten muss. Mein Vater hat in meiner Mutter seine Lebensgefährtin gefunden. Und ich habe sie in dir gefunden. Komm schon, fällt es dir so schwer, die Worte auszusprechen?«

Sie presste das Gesicht an seine Schulter und schüttelte heftig den Kopf.

Er küsste ihre Schläfe, ihre Wange, zeichnete mit der Fingerspitze die Form ihrer Brauen nach, küsste die Vertiefung unterhalb ihrer Kehle. Dann umfasste er mit beiden Händen ihre Brüste. Sie zitterte so, dass die süßen Wölbungen ihres Fleisches in seinen Händen bebten. Verlangend bog sie den Rücken durch und drückte ihre Brüste in seine Handflächen.

»Willst du mich, Evangeline?«

»Ja. Ja.« Sie warf sich ihm entgegen, ihre Finger vergruben sich in seinem Haar und zogen seinen Kopf nach unten, damit sie ihn küssen konnte. Er lachte. »Ja, das sehe ich. Kommst du mit mir in mein Zimmer? Willst du mich lieben?«

Noch konnte sie es verhindern. Aber der Gedanke, dass sie ihn bald verlassen, sich heimlich bei Nacht und Nebel davonschleichen, ja, dass sie irgendwann einmal sterben würde, ohne die Leidenschaft mit ihm gekostet zu haben, dieser Gedanke war ihr unerträglich. Konnte es so verkehrt sein, ihm zu zeigen, dass sie ihn liebte, sich ihm nur diese eine Nacht hinzugeben? Morgen Abend, wenn sie Houchards Kurier traf, würde sie ihm erklären, dass sie ihnen nicht mehr von Nutzen sein konnte. Anschließend wollte sie Chesleigh verlassen. Vielleicht konnte sie mit dem Mann nach London fahren und den Herzog niemals wiedersehen. Sie wollte sich ihm nicht versagen. Ihr Körper war das Einzige, was sie mit ihm teilen durfte. Nein, dachte sie. Sag ihm die Wahrheit. Sie wollte sich nicht verleugnen. Sie musste ihn kennen lernen, sie musste diese eine Nacht mit ihm verbringen.

»Ja, ich möchte dich lieben«, flüsterte sie an seine Lippen.

33

»Nach dir, Evangeline.«

Sie überraschte sie beide durch ihr Zögern, als sie ihn mit großen, unsicheren Augen anblickte. Er lächelte sie an, schob sie sanft in sein Schlafgemach und schloss leise die Tür hinter sich.

Ihre Lippen waren trocken wie Stroh. Plötzlich hatte sie Angst und benahm sich töricht, sie schämte sich und fürchtete, ihn zu enttäuschen. Ein paar Schritte wich sie zurück. »Ich glaube, das war keine gute Idee, Euer Gnaden.«

»Da magst du Recht haben. Aber was soll's, jetzt ist es zu spät.« Lachend zog er sie in seine Arme. »Entspann dich, Evangeline. Dann hast du auch mehr davon.«

Sie öffnete den Mund zu einer Entgegnung, doch er war schneller, seine Lippen schlossen sich über den ihren, und er presste seinen Unterleib gegen ihren Bauch. Das Wissen, dass er bald in sie eindringen würde, so wie seine Zunge ihren Mund erobert hatte, ängstigte und erregte sie gleichzeitig so heftig, dass sie zu zittern begann. Sie küsste ihn, stürmisch und unbeholfen in ihrer erwachten Begierde. Sie klammerte sich an ihm fest, wollte mehr, wusste aber nicht, was sie tun sollte.

»Was empfindest du?« Sein Atem brannte wie Feuer in ihrem Mund, seine Zunge kitzelte ihre Unterlippe.

»Ich fühle mich irgendwie wild und ganz außer mir, aber ich weiß nicht, was das zu bedeuten hat. Ich weiß nur, dass es so vieles gibt, was du mir geben kannst, und so vieles, was ich dir geben kann. Hilf mir, bitte.«

Unwillkürlich tauchte ein Bild ihres gesichtslosen Ehemannes vor ihm auf. Wie nur konnte ein Mann dieser Leidenschaft gleichgültig gegenübergestanden haben? Gut, dass der selige André sich bereits von dieser Welt verabschiedet hatte; ansonsten hätte er unter Umständen nachgeholfen.

Entschlossen nahm er jetzt die Dinge in die Hand. Er zog sie an sich und machte sich mit den winzigen Knöpfen am Rückenteil ihres Kleides zu schaffen. Sie öffneten sich ohne Schwierigkeiten unter seinen geübten Fingern, und bald rutschte ihr das Kleid über die Schultern. Raschelnd glitt es an ihrem Körper herab zu Boden und bauschte sich um ihre Beine.

Bald würde sie nackt vor ihm stehen. »Ich habe keine Erfahrung in diesen Dingen«, wisperte sie. »Das musst du mir glauben, es ist die Wahrheit. O Gott, was machst du da?« Er löste die Bänder ihres Unterrocks und beobachtete, wie er an ihren Hüften herunterrutschte. Dann kniete er sich vor sie hin, die Hände an ihren Beinen. »Ich ziehe dir die Strümpfe aus. Kein Grund zur Panik.« Allmächtiger, was hatte dieser verdammte André nur mit ihr getrieben?

»Ich werde dich nicht heiraten.« Sie keuchte so, dass sich ihre Worte überschlugen. »Du wirst sehen, wenn du mich einmal gehabt hast, wirst du nichts mehr von mir wissen wollen. Das ist mir klar.«

Er tat so, als ob er einen kurzen Moment leidenschaftslos über ihre Worte nachdächte, obgleich er heimlich ein Grinsen unterdrückte. Selbst jetzt noch war sie stur wie ein Esel. Ob er später noch etwas von ihr wissen wollte, würde sich ja bald herausstellen. Er streifte ihr den anderen Strumpf vom Bein und zog ihr die Schuhe aus. Jetzt trug sie nur noch ein Hemd, das ihr bis zu den Oberschenkeln reichte. Er erhob sich wieder, sah sie kurz an, löste dann die schmalen Satinbänder und beobachtete, wie der federlichte Musselinstoff über ihre Brüste glitt. Ein kurzes Zupfen am Saum, und das Hemdchen rutschte über ihre Hüften und segelte zu Boden. Sie war nackt, splitternackt, und sie gehörte ihm.

Er betrachtete ihren Körper, spürte den verzweifelten Wunsch, sie überall zu berühren, sie mit seinen Fingern zu liebkosen, mit seinen Lippen und der Zunge, aber etwas hielt ihn zurück. Er sah Panik in ihren Augen aufflackern.

Sie versuchte ihre Blößen zu bedecken, doch er zog behutsam ihre Arme zur Seite und machte einen Schritt auf sie zu. »Leg die Arme um meinen Nacken. Ja, genau so. Das hab ich gern.«

Seine Hände waren auf ihrem nackten Rücken und streichelten ihn langsam von oben nach unten. Als er ihre Hüften umfasste wurde ihr bewusst, dass die Gefühle, die sich in ihrem Unterleib zu regen begannen, ihr völlig unbekannt waren. Nie zuvor hatte sie etwas Ähnliches empfunden. Seine Finger stahlen sich zwischen ihre Schenkel, und sie spürte, wie sie ihre instimsten Stellen berührten, Stellen, die nur sie allein bisher gesehen oder berührt hatte. Sie schüttelte den Kopf und versuchte, sich ihm zu entziehen, merkte aber im nächsten Augenblick, dass sie um nichts in der Welt die Berührung seiner warmen Finger missen wollte.

Heftig warf sie den Kopf zurück. »Bitte … gib mir mehr …«

Hatte er eben richtig gehört? »Das bekommst du. Aber immer hübsch langsam. Wir haben viel Zeit. Fühl mal, was du mit mir gemacht hast. Leg die Hand auf mein Herz, weil ich nicht die Absicht habe, meine Hände von deinen wundervollen Pobacken zu nehmen.«

»Dein Herz schlägt ziemlich schnell«, stellte sie verwundert fest.

»Genau wie das deine.« Seine Finger bahnten sich wieder den Weg zwischen ihre Schenkel, und einer schob in sie hinein. »Du meine Güte«, stöhnte sie leise. »O Gott, das ist ja unglaublich.«

Sie war sehr eng und sehr fest um seinen Finger. Er küsste sie, die Augen gegen die Macht dieses Kusses geschlossen, gegen die unsägliche Begierde, die ihn versengen würde, wenn er sie nicht bald haben konnte. Er spürte, wie sie feucht wurde, als er ihr süßes Fleisch mit federleichten Berührungen liebkoste. Sie ließ sich fallen, öffnete sich ihm, begehrte ihn. Es war berauschend, es war beinahe unerträglich. Er musste sich von ihr losmachen, wenn er nicht vorzeitig zum Höhepunkt kommen wollte, was für sie beide kein guter Anfang gewesen wäre.

Sie sah ihn verwundert an, presste sich an ihn, wollte, dass er sie wieder berührte, mit seinen Fingern in sie eindrang. Er legte seine Stirn an die ihre und atmete dabei so heftig, dass er sich fragte, was geschehen würde, wenn sie ihn jetzt berührte.

»Was möchtest du?«

»Hör auf, dich an mir zu reiben.«

»Habe ich das getan? O ja, ich glaube schon. Aber ich weiß nicht, was ich tun soll. Bitte, sag es mir.«

»Selbst wenn der selig verschiedene André ein Stümper war, musst du doch wissen, wie man einem Mann Vergnügen bereitet. Und ich bin ein Mann, Evangeline. Ein ganz gewöhnlicher Mann.« Er küsste sie, etwas verhalten diesmal und noch immer um Beherrschung ringend.

»Also, wenn du sicher bist, dass du auch nur ein ganz gewöhnlicher Mann bist, dann verstehe ich selbstverständlich.« Doch er hatte den widersprüchlichen Unterton in ihrer Stimme bemerkt, und das wusste sie. Um die Situation zu überspielen, zog sie seinen Kopf zu sich herab und begann ihn leidenschaftlich und ungestüm und dabei sehr ungeschickt zu küssen.

Da er fürchten musste, jeden Augenblick die Beherrschung zu verlieren, machte er sich von ihr los. Er keuchte so heftig, dass er sich fragte, ob er ihre Zärtlichkeiten überhaupt überleben würde. »Nein«, stieß er hervor. »Das ist noch schlimmer. Jetzt kann ich dich sehen, anstatt dich an mir zu spüren. Nein, Schluss damit, oder ich vergesse mich.« Doch dafür war es bereits zu spät. Im nächsten Augenblick schon riss er sie wieder an sich und küsste sie so lange, bis sie beide am ganzen Körper zitterten. Seine Hände waren an ihren Hüften, zwischen ihren Schenkeln – er liebkoste sie, bis sie den Kopf in den Nacken warf und vor Erregung aufstöhnte. Dann begann sie an seinen Kleidern zu zerren. Sie küsste ihn und versuchte dabei, seine Weste aufzuknöpfen. Doch als sie merkte, dass ihr das nicht gelang, stöhnte sie ungeduldig. Er lachte, obgleich er die Situation keineswegs als spaßig empfand, balancierte er doch knapp am Abgrund des Wahnsinns entlang. Er stieß sie von sich, entledigte sich in Windeseile selbst seiner Kleider, hob sie hoch und trug sie zu dem großen Bett, das erhöht auf einem Podest stand. Dort ließ er sie auf die seidigen Laken gleiten, zündete rasch ein halbes Dutzend Kerzen auf dem großen Leuchter neben dem Bett an und blieb dann vor ihr stehen, um sie anzuschauen.

»Noch nie habe ich eine Frau so sehr begehrt wie dich«, sagte er mit rauer Stimme und spürte, dass die Wahrheit dieser Worte ihm einen süßen Stich versetzte.

Dann beugte er sich über sie. »Evangeline, was ist los? Warum starrst du mich so fassungslos an?«

»Du bist nackt«, flüsterte sie, unfähig, den Blick von seinen Lenden loszureißen. »Ganz nackt.« Sie befeuchtete sich mit der Zungenspitze die Lippen, eine unbewusste Geste, die ihn zusammenzucken ließ. »Wie damals, am Meer, als du aus dem Wasser kamst – aber doch irgendwie anders.«

Er stand vor ihr, bebend vor Lust und Erwartung, die er kaum noch zügeln konnte.

»Alles ist so anders, und ich weiß jetzt, dass es nicht funktionieren kann. Ich nehme alles zurück. Ich will doch keinen Liebhaber. Ich will in mein eigenes Bett und mir die Decke über den Kopf ziehen.«

»Allmächtiger«, keuchte er und fing an zu lachen. Schon wollte er wieder eine Bemerkung über den verblichenen André machen, doch der Drang, sich auf sie zu stürzen, war stärker.

»Ich werde dir nicht wehtun. Keine Angst, eher würde ich mir selbst wehtun, bevor ich dir auch nur den Hauch eines Schmerzes zufügen wollte. Komm jetzt, Liebes. Nein, lass die Augen offen. Ein Mann will, dass ihn die Geliebte ansieht, oder besser noch – bewundert.« Er beugte sich zu ihr herab und legte ihr sanft eine Hand auf den Unterleib. Er schwieg jetzt, bewegte sich nicht, stand einfach nur da und ließ seine schwere, warme Hand auf ihrem Unterleib ruhen. Dann begannen sich seine Finger langsam zu regen, nach unten zu tasten, zwischen ihre Schenkel, und sie hielt die Luft an, ihre Augen weiteten sich erstaunt, sie wusste, dass er sie studierte, sie beobachtete, seine Finger verfolgte, die sie liebkosten. Voller Verlangen öffnete sie den Mund, hob ihre Hüften seinen Fingern entgegen und stieß einen Schrei aus. Als er seine Finger von ihrem heißen Fleisch nahm, holte sie keuchend und enttäuscht Luft. Ihre Brüste hoben und senkten sich vor Erregung, und er wusste nicht, was er zuerst tun sollte. Am liebsten alles gleichzeitig.

»Was du eben getan hast«, wisperte sie und hielt ihn mit ihrem erstaunten Blick fest. »Was du da eben getan hast … das hätte ich nie für möglich gehalten. Macht man das immer so? Würdest du das noch einmal tun?«

»Verdammt«, fluchte er rau und kniete sich neben sie. Er beugte sich über ihre Brüste, seine Lippen tasteten sich an eine ihrer süßen Knospen heran und schlossen sich fest darum. Sie zitterte vor Begierde, doch merkwürdigerweise schien sie nicht zu wissen, wie sie ihre Lust steigern oder wie sie ihm zeigen konnte, was er tun musste, um ihr noch mehr Lust zu verschaffen. Er saugte an ihren Brustspitzen und streichelte gleichzeitig ihren Bauch. Sie rieb sich an seiner Hand, ihr Atem kam in kurzen Stößen, ihre Finger krallten sich in seine Schulter. »Bitte«, keuchte sie, und er raunte an ihre Brüste: »Also gut.« Seine Finger tanzten wieder über ihren Unterleib, tasteten sich weiter nach unten, zwischen ihre Schenkel. Mit einem Finger drang er behutsam in sie ein. Sie schrie auf und zuckte mit den Hüften.

»Langsam«, flüsterte er in ihren Mund. Er wollte sie zuerst befriedigen. Sie war mehr als bereit dazu. »Ich möchte, dass du mich jetzt ansiehst, Evangeline.«

Sie krümmte sich und warf den Kopf von einer Seite zur anderen.

»Schau mich an.«

Ihr Blick heftete sich auf sein Gesicht. Er beobachtete sie genau, als seine Finger sich zwischen ihre Schenkel schoben und ihr feuchtes Fleisch berührten; binnen Sekunden begannen ihre Augen zu flackern und sie atmete so hektisch, dass sie sich beinahe verschluckte. Doch keinen Augenblick ließ ihr Blick sein Gesicht los.

»Komm jetzt«, sagte er und küsste sie, während seine Finger sie unablässig streichelten und liebkosten, bis er spürte, wie sie sich verspannte, wie die Muskeln an der Innenseite ihrer Schenkel hart wurden, wie ihr ganzer Körper zu zucken begann. Gleich darauf beobachtete er, wie sie von den Wogen der Lust überspült wurde.

Einen Moment lang überlegte sie, ob sie dabei war, zu sterben; doch dann kümmerte sie sich nicht weiter darum, sondern ließ sich willig von einem Gipfel der Ekstase zum nächsten treiben. Sie wimmerte, sie weinte und warf sich hin und her, dann schrie sie auf, als ihr Körper in einem letzten Aufbäumen erstarrte, erfüllt von einem sirrenden Wohlgefühl, das sie beinahe erstickte. Im nächsten Augenblick ließ die Spannung nach, sie spürte nur noch die kleinen Nachbeben der Lust, die durch ihren Körper huschten, und dachte dabei bereits daran, ob sich dieses wunderbare Erlebnis wiederholen ließe. Sie sah in sein Gesicht, dieses dunkle, in seiner Härte so wunderschöne Gesicht, lächelte ihn an und sagte mit leiser und etwas rauer Stimme: »Ich danke dir. Ich hätte nie geglaubt, dass Liebe so wunderschön sein kann.« Einen Moment lang schloss sie die Augen, um die köstliche Wärme zu genießen, die sie durchströmte, die sie entspannte und ihren Kopf so leicht machte, und plötzlich wusste sie, dass sie nichts lieber wollte, als ihm zu gehören. Aber das konnte nicht geschehen. Nein, ihr blieb nur diese eine Nacht mit ihm. Heiße Tränen kullerten über ihre Wangen; ein herzzerreißender Schluchzer brach aus ihr hervor. Sie fuhr hoch und vergrub ihr Gesicht an seiner Brust.

Obwohl er sie nicht verstand – ein Zustand, an den er sich allmählich gewöhnte –, konzentrierte er sich darauf, sie zu besänftigen und seine lodernde Begierde vorübergehend hintan zu stellen. Er streichelte ihr über den

Rücken, drückte sie an sich, küsste zärtlich ihre Ohren, ihren Nacken, doch mit all diesen Bemühungen erreichte er genau das Gegenteil. Ihre Tränen trockneten beinahe sofort, und jetzt war sie es, die seinen Mund erforschte, zwischen leidenschaftlichen Küssen wispernd: »Ja, bitte. Sag mir nur, was ich tun soll.«

Er studierte ihr Gesicht, wie verzaubert von dem verhangenen Schimmer ihrer Augen. Seine Hand strich über ihren Bauch, und er spürte, wie sich ihre Muskeln darunter aufs Neue anspannten. Ihre Haut fühlte sich an wie fließender Satin.

Wieder hob sie sich ihm verlangend entgegen, doch er drückte sie sanft auf die Laken nieder. »Nein, lieg still. Diesmal ist mein Mund dran.«

Er kauerte sich zwischen ihre Schenkel und küsste ihren Bauch; seine Finger suchten sie, fanden sie, verschafften sich sanft Einlaß. Als seine Lippen ihre intimen Stellen berührten, bäumte sie sich auf und atmete dabei so tief und heftig, dass sie glaubte, ihr Herz würde zerspringen.

Sie schrie seinen Namen. Er hob kurz den Kopf, grinste zu ihr hoch, ein sehr männliches Grinsen, in dem sich Begehren und Befriedigung spiegelten. »Halt still. Nein, zapple und winde dich, so viel zu willst. Schrei, Evangeline. Ja, so ist es gut. Und jetzt lass dich gehen, komm noch einmal für mich.« Jegliche Scham war von ihr abgefallen. Sie biss ihn in die Schulter, ihre Finger vergruben sich in seinem Haar, und sie schrie ihre Lust hemmungslos hinaus. Als sie dem Gipfel der Lust entgegentaumelte, ließ er von ihr ab, spreizte ihre Schenkel auseinander und drang in sie ein.

Sie war heiß und so eng, dass er die Zähne zusammenbeißen musste, um sie nicht mit Gewalt zu nehmen. Er versuchte sich zurückzuhalten, doch das war die härteste Tat, die er je vollbracht hatte. Keinesfalls durfte er ihr wehtun. In ihr Gesicht blickend spürte er, dass sie jetzt ganz still dalag, sich nicht mehr unter ihm bewegte. Sie starrte ihn nur mit großen Augen an.

Sie hatte Angst. Das sah er ganz deutlich, ohne es zu begreifen. O Gott, er musste sie haben. Er drang tiefer in sie ein. Sie stöhnte leise, und ihre Hände griffen nach seinen Armen, um ihn auf Abstand zu halten.

»Halt still, Evangeline, dir wird nichts geschehen. Bleib einfach ruhig liegen. Du wirst dich an mich gewöhnen. Ich bewege mich ganz langsam und vorsichtig.« Und er drang noch tiefer in sie ein, während sich ihre Fingernägel immer fester in seine Schulter bohrten.

»Nein, aufhören ... bitte! Du tust mir weh. Ich habe nicht gewusst, dass das so wehtut. Du hast mir versprochen, mir nicht wehzutun. Und ich habe dir geglaubt.«

Er hielt in seinen Bewegungen inne und bewegte sich nicht mehr, während er auf seine Hände gestützt über ihr balancierte. »Gewöhn dich an mich. Komm, versuch es. Du kannst es.«

Sie entspannte sich, nur ein kleines bisschen, und sofort schob er sich ein Stück tiefer in sie hinein. Dann erstarrte er. Seine Augen weiteten sich, ungläubig.

Er war an ihre Jungfernhaut gestoßen.

Ihre verdammte Jungfernhaut! Der dahingeschiedene André hatte nie existiert! Er starrte in ihre weit aufgerissenen Augen, als sein nächster Gedanke wie geschriebene Worte vor seinem inneren Auge erschien: *Dir war nicht einmal klar, dass ich merken würde, dass du noch Jungfrau bist.* Die Vorstellung allein ließ ihn jegliche Beherrschung verlieren.

Ehe weder er noch sie Luft holen konnte, stieß er mit voller Kraft zu. »Ich weiß, dass es wehtut. Halt dich einfach an mir fest.«

Sie schrie, doch diesmal war es der Schmerz, der ihren Körper verspannte und ihre Muskeln steinhart werden ließ. »Nein, halt dich fest! Wehr dich nicht dagegen. Warte, ich halte still. Jetzt bin ich ganz in dir drin, ganz tief, und jetzt wirst du keine Schmerzen mehr haben. Halt bitte still, mir zuliebe. Ja, so ist es gut.« Er senkte den Kopf und küsste sie, seine Zunge stieß genauso hart und tief in sie hinein wie seine Männlichkeit.

Plötzlich begann sie sich unter ihm zu bewegen, und er wäre beinahe gekommen. »Lieg still! Rühr dich nicht, verdammt nochmal, sonst ziehe ich mich zurück.«

»Nein, bleib bei mir«, keuchte sie, seinen Nacken und seine Schultern küssend. »Warum tut das so weh?«

Er lachte und stöhnte, als sie sich wieder bewegte. »Es wird dir nie mehr wehtun.«

Sie zitterte unter ihm. Er wusste nicht, ob es die Schmerzen waren oder sein Gewicht, das auf ihr lastete. Aber im nächsten Moment dachte er schon nicht mehr daran. Sie bewegte sich noch einmal, und das war einmal zu viel. Er biss die Zähne zusammen, kämpfte gegen seine übermächtige Begierde an und zischte mit tiefer, rauer Stimme: »Ich hab's versucht. Ich hab' wirklich versucht, mich abzulenken … und dich, aber es hat nichts genützt.«

Noch einmal versuchte er, sich zu beruhigen, sich nur ein wenig in ihr zu bewegen, aber es half nichts, es half verdammt nochmal nichts. Wie ein Wilder fiel er über sie her, stöhnte in ihren Mund wie ein Besessener – und dann explodierte er, genoss jeden Augenblick der Lust, die so viel größer war, als er es je für möglich gehalten hätte.

Während sein Höhepunkt verklang und er ihr Ohr küsste, hörte er sie flüstern: »Ich liebe dich. Ich liebe dich schon seit jenem ersten Abend in deiner Bibliothek, als du glaubtest, eine ehemalige Mätresse vor dir zu haben. Und ich werde dich immer lieben.«

Es gelang ihm, sich auf die Ellbogen zu stützen. »Gut«, keuchte er und lächelte sie dabei an. »Das weiß ich.« Dann brach er über ihr zusammen. Sein Kopf lag neben dem ihren auf dem Kissen. »Niemals«, flüsterte er an ihr Ohr, »niemals werde ich dich wieder gehen lassen.«

34

Er wartete, dass Evangeline noch etwas sagen würde, aber sie schwieg.

Auf die Ellenbogen gestützt, beugte er sich über sie. Er sah, dass sie an ihrer Unterlippe nagte und die Lider senkte, noch ehe er sie richtig ansehen konnte, aber sie war nicht schnell genug gewesen. Er hatte den verzweifelten Kummer in ihren Augen bemerkt und wurde auf der Stelle von einer blinden Wut erfasst. »Was, zum Teufel, ist mit dir los, Evangeline?«

Sie sah zu ihm hoch, spürte ihn immer noch tief in ihrem Schoß, spürte, wie sich ihre Muskeln um ihn herum spannten und entspannten und erwiderte mit leiser Stimme: »Ich wollte das eigentlich nicht sagen. Es war sehr nett, aber jetzt ist es vorbei – auch wenn Ihr immer noch in mir seid und ich nie etwas Ähnliches zuvor empfunden habe und mir wünsche, dass es nie aufhören möge.«

»Na, das sind ja interessante Neuigkeiten.«

Sie ging nicht darauf ein, was wahrscheinlich sehr klug war, da sie ohnehin nichts begriff. Sie schwieg, denn es gab nichts mehr zu sagen.

»Ich erdrücke dich«, sagte er und zog sich aus ihr zurück. Dann rollte er sich auf den Rücken, packte sie im

Umdrehen und zog sie auf sich. Sie seufzte tief, das Gesicht an seiner Schulter vergraben. Ihre Hand lag flach auf seinem Bauch. Er küsste sie auf die Stirn und sagte: »Du machst mich mit deiner Weigerung, mir zu vertrauen, rasend, Evangeline. Ich vermute, du hast mir eine Menge zu erzählen.«

Sie machte Anstalten, hochzufahren, aber er hielt sie fest. »Sprich mit mir«, drängte er. »Und vertrau mir endlich.«

Sie biss ihn in die Schulter, hob den Kopf und schrie ihm ins Gesicht: »Warum könnt Ihr mich nicht in Ruhe lassen? Warum müsst Ihr mich permanent bedrängen? Ihr seid schlimmer als die Nanny, die ich für kurze Zeit hatte, als ich sechs Jahre alt war, und die ständig auf mir herumhackte. Lasst mich endlich in Frieden, Euer Gnaden.«

»Euer Gnaden? In Dreiteufelsnamen, Weib, wir haben gerade miteinander geschlafen – würdest du mich freundlicherweise bei meinem Namen nennen?«

»Du bist für mich ›der Herzog‹. Das ist dein Name.«

»Na schön«, gab er zurück. »Damit kann ich vorläufig leben. Ich bin also ein Titel für dich. Gütiger Himmel, mit dir bekomme ich noch graue Haare, ehe ich meinen dreißigsten Geburtstag feiere.« Er drückte sie absichtlich ganz fest an sich und wartete einen Augenblick. »So weit, so gut. Und jetzt sprich.«

Noch eine Lüge, Evangeline. Du musst ihn noch einmal anlügen. Nein, erzähl ihm noch einmal die gleiche Lüge. Diesmal muss er dir glauben. Es ist vorbei. Ihre Stimme klang gedämpft an seiner Schulter, weil sie es nicht schaffte, ihn dabei anzusehen. »Ich liebe dich nicht. Du hast mich vielmehr dazu gebracht, Dinge zu fühlen, die mich unwillkürlich zu diesen Worten zwangen. Ich glaube, das ist ein Trick der Männer, um Frauen zu erobern. Sie bringen sie dazu, diese hemmungslosen Gefühle zu entwickeln, die ihren Verstand ausschalten, und schon ist es um sie geschehen. Ja, du bist in der Tat der aufregendste Mann, dem ich je begegnet bin. Und ich danke dir für das Vergnügen, das du mir bereitet hast. Mehr wollte ich von dir auch gar nicht. Das sagte ich ja bereits. Glaub mir.« Evangeline versuchte, sich von ihm loszumachen, aber er hielt sie fest. Was dachte er jetzt? Würde er jetzt losbrüllen? Doch zu ihrer Verblüffung fing er lauthals an zu lachen. Er lachte und lachte. Evangeline hätte ihn am liebsten umgebracht.

Als er sich wieder beruhigt hatte, meinte er grinsend: »Ich bin ja nur froh, dass du das nicht vorgebracht hast, als ich in dir war. Ich wäre auf der Stelle zusammengeschrumpelt wie ein alter Dörrapfel.« Damit brach er wieder in schallendes Gelächter aus.

»Es ist die Wahrheit. Lass mich gehen. Lass mich in Ruhe.«

»Ich bin also der begnadetste Liebhaber, den du bisher im Bett hattest?«

»Ja, und selbst wenn du vor Stolz platzt, es ist die Wahrheit. Ja, verdammt nochmal, es stimmt.«

»Auch wenn ich dir wehgetan habe?«

»Vorher habe ich immerhin ungeheure Wonnen erlebt, und ich finde, das ist ein fairer Tausch.«

»Normalerweise haben Frauen keinerlei Schmerzen dabei. Hast du das nicht gewusst?«

»Natürlich. Aber du bist auch sehr groß.«

»Heißt das, dass ich auch der von der Natur am üppigsten bedachte deiner bisherigen Liebhaber bin?«

Seine Brust vibrierte unter einem dröhnenden Lachen, das sie so wütend machte, dass sie sich zurückbeugte und ihm die Faust in die Schulter rammte. »Hör auf damit, verdammt nochmal! Ich verstehe dich nicht. Warum musst du mich immer verspotten? Ich habe dir nur die Wahrheit gesagt. Lass mich endlich zufrieden.«

Er packte ihre Hände, drückte sie nach oben über ihren Kopf und rollte sich mit einer blitzschnellen Bewegung auf sie. Sie wehrte sich kurz, blieb dann aber stocksteif unter ihm liegen.

»Ich sollte dir den Hintern versohlen«, meinte er mit nachdenklich gerunzelter Stirn.

»Wenn du das tust, schlag ich zurück.« Er lag auf ihr, bedeckte ihren Körper mit dem seinen. Sie musste ihn verlassen. Sie musste so schnell wie möglich von hier weg.

Der Herzog blickte herab auf ihr blasses Gesicht, das zerzauste Haar, ihren Mund, diesen wunderschönen Mund und ihre Augen, die so tiefgründig waren und Geheimnisse bargen, die er unbedingt enträtseln wollte.

»Lass mich gehen«, bettelte Evangeline. »Bitte, lass mich gehen.«

»Wenn ich dich jetzt gehen ließe, könnte ich mich gleich freiwillig in die Irrenanstalt begeben. O nein, als dein bisher begnadetster Liebhaber, der anscheinend sogar diesen Tölpel, deinen seligen André, ausgestochen hat, möchte ich einen bleibenden Eindruck bei dir hinterlassen, den du nie vergessen wirst, bis du eine steinalte Frau bist und dein Gedächtnis dich allmählich im Stich lässt. Du wirst dich immer an mich erinnern, Evangeline. Ich werde immer bei dir sein«, flüsterte er, senkte den Kopf und küsste sie.

Sie wehrte sich gegen ihn, versuchte diese leidenschaftlichen Gefühle zu unterdrücken, die ihr Blut schon wieder in Wallungen brachten.

Er küsste ihr Kinn, ihren Hals, leckte mit der Zungenspitze ihre pulsierende Halsschlagader entlang. Dann schob er sich zwischen ihre Schenkel und lächelte sie mit seinen dunklen Augen an, die im Schein des Kerzenlichts wie zwei schwarze Achate glänzten. Er sagte ihr, was er mit ihr tun wolle, und begann dann, ihre Brüste zu küssen, wobei er ihr zwischen nahezu jedem dritten Atemzug erklärte, wo er sie als Nächstes berühren würde. Als sein Mund heiß und gierig ihren Bauch suchte, atmete sie bereits keuchend und stöhnte laut, ihre Hände zausten sein Haar, kniffen seine Schultern, fassten ihn überall an, wo sie seiner habhaft werden konnten. Und als er sie schließlich dort unten mit den Lippen berührte, zitterte sie vor Lust und war mehr als bereit für ihn. Sie hörte sich betteln, dass er bitte nicht von ihr ablassen solle, und er tat ihr den Gefallen. Dann endlich bäumte sie sich schreiend auf, und er fühlte sich, als gehöre die Welt ihm allein.

Gleich darauf stieß er hart und schnell und tief in sie hinein, und obwohl sie so eng war und ihr Fleisch ihn zitternd umspannte, wusste er, dass er ihr nicht mehr wehtat. Er wollte den köstlichen Moment in die Länge ziehen, wollte sie noch einmal zur Ekstase bringen, doch sein Körper versagte ihm das Vergnügen; er verzehrte sich einfach schon zu lange nach ihr. Als ihn der Höhepunkt übermannte, schrie er seine Lust hemmungslos zur Deckenvertäfelung seines Schlafgemachs hinauf.

Nach einer Weile stützte er sich auf die Ellbogen, sah sie an und verlangte lächelnd: »Sag mir noch einmal, dass du mich nicht liebst.«

Ihre Augen funkelten wild. Sie starrte ihn wortlos an, dann begann sie zu weinen.

Er rollte sich auf die Seite, beugte sich über sie, strich ihr zärtlich die feuchten Haarsträhnen aus dem Gesicht und hauchte ihr federleichte Küsse auf die Stirn, die Schläfen, die Wangen mit den salzigen Tränen. »Was ist denn das? Meine Evangeline löst sich in Tränen auf wie ein schwaches Mädchen? Das hätte ich mir ja nie träumen lassen. Doch nicht diese große, starke, dickköpfige Frau.«

Sie wandte das Gesicht von ihm ab. Er hörte sie schniefen, und dann bekam sie Schluckauf.

»Rühr dich nicht vom Fleck. Ich kümmere mich um dieses verflixte Leiden.« Er wollte aufstehen, doch zu seiner unendlichen Freude hielt sie ihn zurück und zog ihn wieder an sich. Er grinste sie an, und sie erbebte unter einem neuen Schluckaufanfall. »Lass mich los«, sagte er, worauf sie ihn widerwillig gehen ließ. »Keine Angst«, rief er über die Schulter, »ich verlasse dich nicht! Ich hole dir nur ein Glas Wasser.«

Stirnrunzelnd registrierte er die Spuren von Blut zwischen ihren Schenkeln, die sich mit seinem Samen mischten.

Als er das Zimmer verließ, sagte sie kein Wort. Wahrscheinlich suchte sie verzweifelt nach weiteren Ausreden und noch mehr Lügen, die sie ihm auftischen konnte, überlegte er. Er sagte ebenfalls nichts und kehrte kurz darauf mit einer Schüssel Wasser und einem Waschlappen zurück.

Das brachte sie schließlich zum Reden. »Wofür ist das denn?«, fragte sie und rappelte sich hoch.

»Sei still und bleib liegen.«

»O nein. Erst will ich wissen, was du damit vorhast.«

Er hob eine dunkle Braue. »Du weißt ganz genau, was ich damit vorhabe. Ich werde dich waschen, was denn sonst?«

»Das kommt nicht infrage. Bist du verrückt? Das mache ich schon selbst. Du meine Güte, ich bin ja voller Blut.«

Er überhörte ihre Bemerkung und erklärte mit der ernsten Stimme eines Richters, die keinen Widerspruch duldete: »Es ist immer der Liebhaber, der diese Aufgabe übernimmt.« Seelenruhig fügte er dann hinzu: »Ich nehme doch an, dass Franzosen in dieser Hinsicht genauso agieren, oder?«

Das brachte sie vollends aus der Fassung, und er hätte herzlich darüber gelacht, wenn die Situation nicht so verflucht ernst gewesen wäre und er nicht vor einer so lebenswichtigen Entscheidung gestanden hätte.

»Selbstverständlich«, sagte sie schließlich, und er sah, wie sie mit sich haderte, weil sie sich natürlich nicht von ihm waschen lassen wollte, aber wusste, dass sie es hinnehmen musste, weil es wohl so der Brauch war.

»Manchmal fragt man sich«, fuhr er im Plauderton fort, »ob Männer aus unterschiedlichen Kulturkreisen sich wohl voneinander unterscheiden.« Sie lag auf dem Rücken und hielt die Augen fest geschlossen, während er mit dem feuchten Waschlappen behutsam ihre Schenkel säuberte und dann ihren Schoß. Sie hatte stark geblutet. Er beugte sich näher. Ihr zartes Fleisch war wund gerieben. Er hatte sie nicht rücksichtslos oder grob genommen, und doch hatte er sie verletzt.

Dieses ganze Theater musste ein Ende haben, dachte er, aber er sagte nur: »Evangeline.«

Sie schlug die Augen auf, um festzustellen, dass er sie intensiv musterte. »Mir scheint, du bist nur mitteilsam, wenn ich dich küsse oder liebkose oder dich zum Schreien bringe. Aber damit ist jetzt Schluss, ein für allemal. Deine Geheimniskrämerei hat ein Ende. Ich will alles wissen. Ich sehe nämlich, dass du schon wieder über neuen lächerlichen Lügen brütest. Lass uns doch gleich einmal mit der offensichtlichsten anfangen. Ich weiß, dass du noch Jungfrau bist : äh, warst.«

Sie starrte ihn an wie ein Kaninchen den Jäger. »Das ist eine dumme Unterstellung, Euer Gnaden.«

»Anscheinend habe ich dir nicht genug Zeit gelassen,

um dir eine geistreiche oder zumindest etwas glaubwürdigere Ausrede auszudenken. Du bist so verdammt unschuldig, dass es mich immer wieder aufs Neue schockiert. Mein Gott, war ich blind. Deine gespielte Tapferkeit, dein draufgängerisches Benehmen hat Bände gesprochen. Aber ich war mit Blindheit und Taubheit geschlagen. Ich habe nur gehört und gesehen, was du mich hören und sehen lassen wolltest.«

Evangeline lag da wie ein Stein.

»Also gut«, meinte er seufzend. »Lassen wir es vorläufig dabei bewenden, dass ich jetzt schon eine ganze Menge über dich weiß. Du warst noch Jungfrau, und deshalb habe ich dir wehgetan. Die Frau hat beim ersten Mal immer Schmerzen, weil der Mann ihr Jungfernhäutchen durchstoßen muss. Anschließend tut es nicht mehr weh, jedenfalls nicht, wenn der Mann sich bei der Liebe nicht so stümperhaft anstellt wie dein selig dahingeschiedener André, der niemals auf dieser schönen Erde geweilt hat, habe ich Recht?«

»Ja«, sagte sie. Und dann: »Ich war nie verheiratet.« Es ist alles vorbei, dachte sie, weil sie zu dumm und zu naiv gewesen war, um zu wissen, dass ein Mann natürlich merkte, wenn eine Frau noch unberührt war. Was wird er jetzt tun?, fragte sie sich, und bekam die Antwort schon im nächsten Augenblick.

Seine langen Finger begannen ihre Schulter zu streicheln. »Dann erklär mir doch bitte, was dich als Madame de la Valette nach Chesleigh geführt hat, als arme Cousine meiner verstorbenen Gemahlin.«

Ein Kaleidoskop von Gesichtern wirbelte durch ihren Kopf. Houchard, grausam und unbeugsam in seiner Mission. John Edgerton – der Luchs – ein Mörder, der Mann, der geschworen hatte, sowohl Edmund als auch ihren Vater umzubringen und dem sie jedes Wort glaubte, da er bereits Mrs. Needles grausam ermordet hatte, als zählte dieses Menschenleben nichts. Evangeline sah sie deutlich vor sich, kalt und bleich und tot im trüben Morgenlicht. Sie fuhr sich mit der Zunge über die trockenen Lippen. Es gab keinen anderen Ausweg mehr für sie als neue Lügen. Sie schwieg hartnäckig, denn ihr Verstand registrierte nichts als unaussprechliche Qualen. Stumm schüttelte sie den Kopf.

Er stand auf und warf den Waschlappen in die Schüssel. Das war eine simple körperliche Bewegung, die aber seine ungeheure Enttäuschung und aufflammende Wut besänftigte. »So merkwürdig das auch klingen mag«, begann er mit flacher, ausdrucksloser Stimme, »aber ich weiß, dass du mich liebst. Dass du dich mir heute Abend angeboten hast, ist Beweis genug. Nein, unterbrich mich nicht mit neuen Lügen, Evangeline. Du wirst nie die nötigen Voraussetzungen mitbringen, um die Hure zu spielen; es war töricht von dir, es zu versuchen, speziell bei mir. Was ich allerdings nicht verstehe – und glaub mir, ich habe mir alle Mühe gegeben – ist, weshalb du überhaupt hierher gekommen bist. Du musst mir vertrauen, wenn ich dir sage, dass ich alles in meiner Macht stehende unternehme, um dir zu helfen. Du brauchst mir nur zu erzählen, in welchen Schwierigkeiten du steckst.« Er unterbrach sich kurz und blickte auf sie herab. »Mein Gott, du bist ja völlig verschreckt. Verdammt nochmal, jetzt rede endlich!«

Sie war mehr als verschreckt, sie war völlig verzweifelt. Sie saß in der Falle, und es gab keinen Ausweg. Hilflos den Kopf schüttelnd stieß sie mit rauer, hässlicher Stimme hervor: »Es stimmt, dass ich dich liebe. Aber das will ich nicht. An so etwas habe ich nie gedacht, als ich hierher kam. Aber ich kann mich nicht dagegen wehren. Du hast natürlich Recht. Da ich dich nicht als Ehemann haben konnte, habe ich mir einfach genommen, was zu bekommen mir möglich war. Im Gegenzug wollte ich dir natürlich auch geben, was ich zu geben vermochte. Und was alles Übrige betrifft – nun, ich kann nicht erwarten, dass du mir traust. Dafür habe ich mich viel zu schlecht benommen. Aber glaub mir bitte, dass ich dich nicht verletzen will, weder dich noch irgendjemand deiner Familie.«

»Was willst du also von mir?«

»Ich muss – nein, nein, ich wollte sagen, ich möchte gerne auf Chesleigh bleiben, nur noch eine kleine Weile.«

Er stand vor ihr, nackt wie Gott ihn schuf. Und er sah, dass sie nicht wusste, was sie tun sollte. Sie sprang mit einem Satz aus dem Bett, rannte an ihm vorbei, bückte sich im Laufen und hob ihr Kleid vom Boden auf. Dann sah sie ihn noch einmal an, schüttelte den Kopf und rannte zur Tür.

Er machte drei Schritte auf sie zu, mit ausgestreckter Hand. »Nein!«, schrie sie. »Nein!« Sie zerrte sich hektisch das Kleid über den Kopf, schob die Arme durch die Ärmel, riss die Tür auf und war auch schon draußen. Überraschend leise fiel die Tür hinter ihr ins Schloss.

Der Herzog stand da, starrte die verschlossene Tür an, drehte sich dann um und betrachtete stirnrunzelnd Schuhe, Unterkleid und Strümpfe, die auf einem kleinen Häufchen mitten auf dem Teppich lagen.

35

Die Nacht war stockfinster, nur die weißen Schaumkronen, die auf den heranrollenden Wellen tanzten, durchbrachen die tiefe Dunkelheit. Und es war kalt, so bitterkalt, dass Evangeline auf dem Weg in die Bucht ihren dunklen Umhang oben am Hals ganz eng zusammenraffte. Wie auch bei den anderen Treffen zuvor achtete sie darauf, sich nur im Schatten der Büsche und Bäume zu bewegen.

Heute Nacht, dachte sie, heute Nacht würde sie dem Kurier einen Brief an Edgerton mitgeben, in dem sie ihm erklärte, dass sie nicht weitermachen könne. Und dann würde dieses grässliche Versteckspiel ein Ende finden. Ja, das musste ein Ende finden.

Sie dachte an den Morgen dieses Tages, als der Herzog sie im Stall überrascht hatte. So knapp hatte sie vor ihrer Flucht gestanden, und plötzlich tauchte er neben ihr auf und grinste sie an. »Beinahe hättest du es geschafft«, hatte er gesagt. »Ich habe geahnt, dass du mir heute morgen aus dem Weg gehen wolltest und daher beschlossen, einen keinen Trick anzuwenden. Ich glaube, wir müssen uns einmal ausführlich unterhalten, Evangeline.«

Sie hatte nur stumm genickt, was hätte sie auch sagen sollen.

»Du hast nicht gut geschlafen, wie?«, stellte er lakonisch fest.

Selbstverständlich hatte sie kaum ein Auge zugemacht, aber nicht damit gerechnet, dass man ihr das so deutlich ansehen würde. Ganz sachlich erklärte er ihr: »Du brauchst keine Angst zu haben, Evangeline. Ich habe nicht vor, dich über die Schulter zu werfen und in mein Bett zu schleppen. Nun, um bei der Wahrheit zu bleiben, ich hätte nichts dagegen, dich nackt vor mir stehen zu haben und meine Hände über deinen Körper wandern zu lassen, aber ich werde mich beherrschen. Ich werde dich nicht anfassen.«

Und was hätte sie darauf antworten sollen? Dass sie

alles dafür geben würde, ihn nackt vor sich zu haben und überall zu streicheln?

»Ich bin zu dem Entschluss gekommen, dass ich dich nicht wieder in meinem Bett haben möchte, ehe du dich nicht bereit erklärt hast, meine Frau zu werden. Ah, darf ich deinem abgewandten Blick entnehmen, dass du mich immer noch nicht willst – zumindest nicht als Ehemann? Na, dann vielleicht als Liebhaber? Ziehst du es vor, meine Mätresse zu sein? Ach, und darf ich der zarten Schamröte, die sich an deinem edlen Schwanenhals ausbreitet und bereits bis zum Nacken reicht, entnehmen, dass ich im Augenblick Mademoiselle Evangeline de Beauchamps vor mir habe und nicht die Witwe des selig verschiedenen Tölpels André?«

»André habe ich nach dem Vorbild eines jungen Gentleman in Frankreich erfunden, des Comte de Pouilly. Der wollte mich unbedingt heiraten.«

»Ich hoffe, du hast dem Idioten einen Korb gegeben.«

»Habe ich.«

»Und wirst du immer noch versuchen abzustreiten, dass du mich liebst?«

»Nein, das werde ich nicht. Da könnt Ihr mich hänseln und so lange auslachen, bis ich Euch das Schwert eines Eurer ehrenwerten Vorfahren ins Herz stoße. Aber hört mich an, Euer Gnaden, wenn Ihr mich liebt, müsst Ihr mir Zeit geben – Zeit, um darüber nachzudenken, was ich eigentlich möchte. Ist das zu viel verlangt?«

Der Herzog rieb sich nachdenklich das Kinn. »Nun, diese Antwort muss ich als großes Zugeständnis von deiner Seite aus werten«, erwiderte er nach einer Weile. »Mir kommt vor, ich mache tatsächlich Fortschritte. Nein, das ist nicht zu viel verlangt. Vor dir steht ein Musterbeispiel an Geduld. Na ja, das war vielleicht etwas übertrieben. Ehrlich gesagt würde ich dich am liebsten hier an Ort und Stelle aus deinen Kleidern schälen, dich ins Heu werfen und mich auf dich stürzen. Wie ich bereits sagte, es drängt mich, meine Hände über deinen nackten Körper wandern zu lassen. Ja, und meine Lippen ebenfalls.« Er stieß einen tiefen Seufzer aus. »Aber Spaß beiseite. Du hast mein Wort. Jetzt musst du mir nur versprechen, nicht mehr vor mir davonzulaufen.«

Und sie hatte es ihm versprochen.

Evangeline zog sich die Kapuze ihres Umhangs tiefer ins Gesicht. Der Wind wurde immer eisiger. Sie hatte den Strand beinahe erreicht – deshalb wurde es auch so schrecklich kalt. Mit raschen Schritten ging sie den Pfad hinunter, denn die Zeit drängte.

Nachdem sie die Laterne angezündet und das verabredete Signal gegeben hatte, ging sie hinaus auf den Pier, wo gleich das Langboot anlegen würde. Kurz darauf hörte sie auch schon das gedämpfte Flüstern der Männer und das Knarzen der Bootsplanken an dem hölzernen Steg. Zwei Männer sprangen aus dem Boot und sprachen noch einmal leise mit dem dritten Mann, der im Boot sitzen geblieben war; dann stieß einer der beiden das Boot mit dem Fuß vom Steg ab.

Ein Mann kam auf sie zu; seine Stiefel verursachten nicht das leiseste Geräusch auf den hölzeren Bohlen.

»Ihr seid der Adler?« Evangeline war bereits an den ungläubigen Unterton in der Stimme der Männer gewöhnt. Keiner von ihnen erwartete eine Frau. Ihr Geheimnis wurde sorgsam gehütet.

Sie nickte. »Und Ihr seid Paul Treyson?«

Er lächelte sie an und machte einen Schritt auf sie zu. »Ja.« Er reichte ihr einen dicken Umschlag. »Hier sind meine Instruktionen. Man hat mich angewiesen, Euch Zeit zu lassen, um sie zu überprüfen.«

Anstatt in die Höhle zurückzukehren, kniete Evangeline sich am Strand nieder und überflog rasch das Schreiben. Treyson sollte eine Stelle als Sekretär bei dem einflussreichen Bankier Rothschild in London antreten. Gütiger Himmel, sie wollte sich gar nicht vorstellen, welchen Zugang er dort zu allen politischen Entscheidungen hatte.

Sie ließ das abgebrannte Streichholz fallen, unterzeichnete das Schreiben in der unteren rechten Ecke mit ihren Initialen und erhob sich. »In Ordnung, Monsieur. Es ist schon spät, Ihr müsst Euch beeilen. Oh, nehmt bitte diesen Brief mit und seht zu, dass er dem Luchs ausgehändigt wird.«

Treyson runzelte die Stirn, nickte dann aber. »Also gut. Das hier ist für Euch.«

Er händigte ihr zwei Umschläge aus. Der eine enthielt ihre nächsten Instruktionen von Houchard; in dem anderen Umschlag befand sich ein Brief ihres Vaters.

»Es wird nicht mehr lange dauern«, sagte der Mann. »Dann wird Eure Aufgabe hier eine ganz neue und wichtige Bedeutung bekommen. Der Kaiser wird in den kommenden Monaten seine Verbündeten hier benötigen. Und dann werdet Ihr für uns noch wertvoller sein als bisher.«

Evangelines Hand krampfte sich um die beiden Umschäge. Sie hatte angenommen, dass die Qualen für sie und ihren Vater vorbei sein würden, sobald Napoleon die Zügel wieder fest in der Hand hielt. Wie naiv und dumm von ihr. Sie hatte Houchard geglaubt. Hätte er jetzt vor ihr gestanden, hätte sie ihn ohne zu zögern und ohne Gewissensbisse umgebracht.

»Geht«, sagte sie und huschte zurück in die Höhle. Sie sah das Bild des Herzogs vor sich, wie er sie mit dunklen Augen angesehen und versprochen hatte, ihr Zeit zum Nachdenken zu geben. Etwas anderes hätte sie ihm nicht sagen können, und selbst das war eine Lüge gewesen. Sobald sie die Antwort von Edgerton hatte, dass sie frei war, würde sie sich zu ihrem Vater nach Paris durchschlagen. Den Herzog würde sie niemals wiedersehen. Was sie tat, war verabscheuungswürdig, aber sie konnte es verdammt nochmal nicht ändern. Sie wusste, dass Edgerton sie auf diesen Brief hin persönlich aufsuchen oder ihr auf anderem Wege eine Antwort zukommen lassen würde. Sie musste sich gedulden, aber viel länger hielt sie diese Seelenqualen nicht mehr aus.

Plötzlich zerrissen zwei Schüsse die nächtliche Stille. Sie schienen von oben, von der Klippe zu kommen. Dann hörte sie einen Mann vor Schmerz aufschreien – und noch einen Schuss, wieder gefolgt von einem Schrei. Evangeline wirbelte herum und spähte hinauf. Oben an der Klippe peitschten weitere Schüsse durch die Nacht. Für einen Augenblick stand sie da wie gelähmt, unfähig, sich zu bewegen oder einen klaren Gedanken zu fassen. Sie waren entdeckt worden. Oh, mein Gott. Man hatte sie entdeckt!

Sie duckte sich und rannte in gebückter Haltung auf die Höhle zu, die Augen zusammengekniffen, um in der Dunkelheit überhaupt etwas zu erkennen. In einiger Entfernung vernahm sie das Trampeln schwerer Stiefel, in das sich laute, aufgeregte Männerstimmen mischten. Sich umdrehend, sah sie, wie Männer in schwarzen Umhängen den Klippenpfad herunterrannten und ihr den Fluchtweg abschnitten.

Eine der Stimmen, die eines kultivierten Gentleman, hob sich aus dem Stimmengewirr heraus. »Sucht den Strand ab, und zwar Zentimeter für Zentimeter. Der andere Kerl muss irgendwo hier in der Nähe sein. Er ist der englische Verräter. Lasst ihn nicht entkommen!« Es war Lord Pettigrew.

Evangeline flüchtete sich in letzter Sekunde ins Innere der Höhle, halb verrückt vor Angst. Sie würden sie umbringen, oder schlimmer noch, gefangen nehmen. Verzweifelt dachte sie an ihren Vater. Er würde mit ihr sterben, weil sie versagt hatte. Und der Herzog – nein, niemand würde ernstlich daran glauben, dass er England verraten hatte.

Evangeline kauerte sich ganz hinten in der Höhle an die feuchte Felswand, gefasst darauf, dass man sie aufspürte. Gedämpft drang das Platschen von Wasser und die Stimmen der Männer an ihr Ohr. Sie kamen immer näher. Evangeline hielt den Blick starr auf den Eingang der Höhle gerichtet. Auf einmal hatte sie Edmunds Bild vor Augen, sah ihn vor Freude in die Hände klatschen, weil sie sich über eine Bemerkung von ihm schier kaputtgelacht hatte. Und diesem unschuldigen Kind drohte der Tod, wenn man sie entdeckte. Edgerton würde immer noch frei herumlaufen. Und er würde Edmund töten. Nein, sie durfte nicht zulassen, dass Edgerton ihm irgendein Leid zufügte. Sie musste es unter allen Umständen verhindern. Von einer wilden Entschlossenheit gepackt, wollte sie aus der Höhle stürzen, doch kurz vor dem Ausgang blieb sie wie angewurzelt stehen. Draußen ertönten Stimmen.

»Verdammter Mist«, hörte sie einen Mann fluchen. »Hier kommen wir nicht weiter. Die Flut ist im Steigen. Aus dieser Richtung kann er nicht gekommen sein, sonst hätten wir ihn sehen müssen.«

»Du hast Recht. Die Felsen reichen hier bis ans Wasser und sind viel zu steil. Komm, wir nehmen den anderen Weg.«

Evangeline hörte, wie sie noch eine Weile stehen geblieben und dann durch die heranrollenden Wellen zurück zum Strand rannten.

Die ansteigende Flut! Das war ihre letzte Chance. Das Wasser schwappte ihr bereits bis an die Knöchel, es war eiskalt, doch bis jetzt hatte sie das gar nicht bemerkt. Sie raffte den langen Umhang zusammen und watete wie ein Storch bis zum Höhleneingang, lauschte angestrengt in die Dunkelheit auf die Stimmen der englischen Soldaten, hörte aber nur noch das dumpfe Rauschen des Meeres.

Kurz vor dem Eingang zwang sie sich zu warten, bis die Luft rein war. Eine Ewigkeit, wie es ihr schien, stand sie in dem eiskalten Wasser, das ihr mittlerweile bis an die Oberschenkel reichte. Zum Glück hatte sie kaum noch ein Gefühl in den Beinen. Die Zeit drängte. Wenn sie noch länger wartete, würde die Flut so stark werden, dass sie nicht mehr dagegen anschwimmen konnte. Mit aller Kraft schob sie sich gegen die Wassermassen vorwärts. Nur noch ein paar Schritte, ermutigte sie sich, dann konnte sie aus der Höhe hinausschwimmen.

Sie sah die große Welle nicht kommen, die in die Höhle schwappte, sie mitriss und gegen einen Felsen schleuderte. Ein stechender Schmerz in der Rippengegend raubte ihr den Atem. Edmund, dachte sie verzweifelt. Edmund. Mit letzter Kraft klammerte sie sich an einem Felsvorsprung fest. Sich ständig in den nassen Röcken und dem Umhang verheddernd, die sie nach unten zogen, hangelte sie sich von Fels zu Fels bis an die äußerste Kante der Höhle vor. Jetzt gab es nichts mehr, woran sie sich festhalten konnte. Sie holte tief Luft und begann zu schwimmen. Mit zusammengebissenen Zähnen kämpfte sie gegen die Flut an, bis die Wellen sie gegen die steile Felswand spülten. Mit einer Hand strich sie sich die nassen Haare aus dem Gesicht und spähte die Klippe hinauf, die sich beinahe senkrecht vor ihr erhob. So weit sie sehen konnte, gab es keine Möglichkeit, an dieser Wand hochzuklettern. Dann dachte sie wieder an Edmund und wusste, dass sie keine andere Wahl hatte. Irgendwie musste sie den oberen Klippenrand erreichen. Doch hier an dieser Stelle war es unmöglich. Zum Äußersten entschlossen, stieß sie sich von der Felswand ab und schwamm wieder hinaus aufs offene Meer, bahnte sich den Weg durch die mannshohen Wellen. Als auch die letzten Kräfte sie verließen, ergab sie sich ihrem Schicksal und ließ sich von den eiskalten Fluten mitziehen. Schließlich wurde sie von einer hohen Welle erfasst und an den Strand gespült, über groben Sand, spitze Muschelschalen und Steine, die ihre Arme und Beine aufscheuerten. Doch merkwürdigerweise empfand sie dabei keinerlei Schmerz. Nein, das Einzige, was sie spürte, war ein Gefühl grenzenloser Erleichterung. Sie lebte noch.

Bäuchlings und mit dem Gesicht nach unten lag sie im nassen Sand, rang nach Atem und erbrach immer wieder einen Schwall Salzwasser. Eine ganze Weile blieb sie erschöpft so liegen, doch irgendwann wurde ihr bewusst, dass sie sich in Sicherheit bringen musste. Schließlich rappelte sie sich auf und stolperte vornübergebeugt auf die Klippe zu. Wieder schallten die Stimmen der Männer durch die Nacht, diesmal am anderen Ende der Bucht, dort, wo der Klippenpfad begann. Sie inspizierte noch einmal die senkrechte Felswand vor ihr und stellte fest, dass die Wand, die ihr vorher als nahezu glatte Fläche erschienen war, in Wirklichkeit gar nicht so glatt war. Hier und dort entdeckte sie Vertiefungen im Fels, die das Wasser herausgewaschen hatte, und auch einige Wurzeln. Sie konnte es schaffen. Sie musste es schaffen. Auf Zehenspitzen reichte sie mit einer Hand an eine kleine Fuge heran und bekam mit der anderen eine dicke Wurzel zu fassen. Hoffentlich hielt sie ihrem Gewicht stand, betete sie im Stillen. Die Wurzel hielt. Sie fand noch einen Vorsprung, an dem sie sich ein Stück weiter nach oben hangeln konnte. Und jetzt? Wie ging es weiter? Sie suchte die Wand nach weiteren Vertiefungen ab. Nichts. Sie war schon nahe daran, aufzugeben, als sie einen schmalen Felsgrat entdeckte. Ja, daran konnte sie sich hochziehen. Und weiter oben war wieder eine Vertiefung, sehr weit oben, aber sie konnte sie erreichen, ja, sie musste sie einfach erreichen. Sie hatte bereits gut zehn Meter Höhe gewonnen, als plötzlich eine Wurzel, auf der sie mit einem Fuß stand, nachgab. Sie verlor den Halt und hing strampelnd, sich nur noch mit den Händen an einen Felsvorsprung klammernd, in der nahezu senkrechten Wand. Ihre Beine stießen immer wieder ins Leere, bis sie endlich, endlich einen kleinen Vorsprung ertastete, der wenigstens einem Fuß Platz bot. Kaum hatte sie einen einigermaßen sicheren Halt gefunden, als sich ohne Vorwarnung über ihr Steinbrocken und Erdklumpen lösten und wie eine Lawine über sie hinwegpolterten. Und gleich darauf herrschte wieder absolute Stille. Keine herabfallenden Steine mehr, keine Stimmen. Sie beugte den Kopf zurück, spähte hinauf und sah, dass sie beinahe oben am Klippenrand angelangt war. Eine Hand weit ausstreckend, bekam sie eine Wurzel zu fassen und zog sich mit letzter Kraft über den Klippenrand.

Völlig erschöpft rollte sie sich über den flachen Boden und blieb auf dem Bauch ausgestreckt liegen, fassungslos, dass es ihr tatsächlich gelungen war, diese verdammte Felswand hochzuklettern. Aber sie hatte es geschafft. Langsam rappelte sie sich hoch, versuchte, sich aufzurichten und stellte fest, dass sie es nicht konnte. Ihre Rippen schmerzten höllisch, das Atmen fiel ihr schwer.

In der Ferne erkannte sie die Umrisse von Chesleigh Castle; die wenigen erleuchteten Fenster als einzige Lichtpunkte in der stockfinsteren Nacht. Vornübergebeugt, anders waren die Schmerzen nicht zu ertragen, rannte sie auf die Lichter zu, immer wieder über die nassen Kleider stolpernd, die ihr an den Beinen klebten.

Dann die Stimme eines Mannes. »Halt, ich sehe ihn! Stehen bleiben!«

Evangeline ließ sich auf die Knie fallen und kroch auf allen vieren weiter. Sie hörte einen Schuss, dann noch einen, aber zum Glück weit von ihr entfernt. Dem Himmel sei Dank, die Schüsse galten nicht ihr; die Männer hatten jemand anderen entdeckt. Es folgten noch weitere Schüsse, aber die Entfernung wurde größer. Evangeline stemmte sich stöhnend hoch und rannte auf die Zitronenbäume zu, die den Kiesweg säumten, der um den Nordflügel von Chesleigh Castle herumführte. Dort blieb sie stehen und ließ sich erschöpft gegen einen Baumstamm fallen. Sie bekam kaum Luft. Bei jedem Einatmen versetzte es ihr einen solchen Stich in die Seite, dass sie glaubte, es stecke ein Messer zwischen ihren Rippen.

Irgendwo in weiter Ferne hörte sie einen der Soldaten rufen: »Nein, hier entlang, Leute! Ich habe den Kerl dort langlaufen sehen, über den Kiesweg!« Und gleich darauf hörte sie Lord Pettigrew aufgeregt zurückbrüllen: »Nicht schießen! Wir müssen ihn lebend fassen!«

Evangeline machte die Augen ganz fest zu und drückte das Gesicht an die borkige Rinde des Baumstamms. Die Schritte der Männer in den schweren Stiefeln kamen näher. Sie zwang sich, regungslos stehen zu bleiben und so lange wie möglich zu warten.

Dann ging sie wieder in die Hocke und kroch auf Händen und Füßen an den dichten Büschen entlang, die zwischen den Bäumen wucherten. Sie richtete sich erst wieder auf, als vor ihr der Nordflügel des Schlosses auftauchte. Hastig kramte sie den Torschlüssel aus ihrer Tasche, holte tief Luft und rannte die letzten Meter bis zur Schlossmauer. Im Schatten der hohen Steinmauer angelangt, versuchte sie mit zittrigen Fingern den Schlüssel in das Schloss zu manövrieren. »Komm schon, du verdammtes Ding. Geh endlich rein.« Als der Schlüssel schließlich steckte und sie ihn umdrehen wollte, ließ er sich keinen Millimeter bewegen. Völlig verzweifelt und mit ihren Kräften am Ende, ließ Evangeline sich gegen die Mauer sinken. Sie war so erschöpft, dass sie am liebsten hier liegen geblieben wäre, wo man sie am nächsten Morgen gefunden hätte – zusammengekauert, die Augen weit offen und mausetot. »Verdammt nochmal, geh auf«, fluchte sie, und endlich rastete der Schlüssel richtig ein und ließ sich umdrehen. Erleichtert stieß sie die Tür auf, nur so weit, dass sie gerade hindurchschlüpfen konnte, und sperrte von innen gleich wieder ab. So, und jetzt in mein Zimmer, dachte sie. Sie musste sich so schnell wie möglich in die Sicherheit ihres Schlafgemachs flüchten. Vornübergebeugt und die Arme schützend um den schmerzenden Brustkorb geschlungen, schlich sie auf Zehenspitzen hinauf ins obere Stockwerk. Ihr keuchender Atem war das einzige Geräusch in der nächtlichen Stille, die über dem Schloss lag.

In ihrem Schlafgemach zündete sie zuerst einmal eine Kerze an und warf dann einen Blick auf die völlig zerzauste und zerschundene Gestalt, die ihr aus dem Spiegel entgegenstarrte. Das Haar klebt ihr am Kopf, ihr Gesicht war dreckverschmiert und mit blutenden Kratzern und Schürfwunden übersät. Ihr war eiskalt. Sie musste die Zähne zusammenbeißen, um nicht laut aufzuheulen vor Schmerz, als sie sich die nassen Kleider vom Leib zerrte. Dann wusch sie sich den schlimmsten Schmutz ab, zog ihr Nachthemd an und einen von Marissass Morgenmänteln aus flauschigem Samt darüber. Trotzdem zitterte sie immer noch wie Espenlaub und klapperte mit den Zähnen. Und auch als sie ins Bett geschlüpft war und sich die

Decken bis unters Kinn hochgezogen hatte, schlotterte sie noch vor Kälte. Aber wenigstens konnte sie jetzt etwas klarer denken.

Sie hatte es geschafft. Sie hatte es wirklich geschafft.

Noch immer hörte sie die Stimmen von Lord Pettigrews Männern, die glaubten, etwas gesehen zu haben. Vielleicht hatten sie sie ja tatsächlich gesehen. Vielleicht aber auch nicht. Bald würden sie in ihr Schlafgemach gestürzt kommen. In einem Anfall von Panik stieg sie noch einmal aus dem Bett und stopfte das Bündel mit den nassen Kleidern unter den Schrank. Dann taumelte sie zurück und zwang sich, die Augen zuzumachen. Im Augenblick konnte sie nichts weiter tun als zu hoffen, dass der Schlaf sie irgendwann übermannen würde.

36

Kaum fielen die ersten Strahlen der Morgensonne auf Evangelines Gesicht, schlug sie blinzelnd die Augen auf. Endlich, die Nacht war vorbei. Sie hatte unruhig geschlafen, da sie jeden Moment damit rechnen musste, dass die Männer kommen und sie holen würden. Aber niemand hatte an ihre Tür geklopft. Darüber war der Morgen angebrochen. Evangeline lag ganz still in ihrem Bett, dankbar für den neuen Tag, dankbar, dass sie in Sicherheit war, zumindest hier in ihrem Zimmer. Sie ignorierte die stechenden Schmerzen, gegen die sie ohnehin nichts unternehmen konnte, und versuchte, nachzudenken.

Hatte Lord Pettigrew beide Männer gestellt, Paul Treyson und den anderen? Oder nur einen? Und welchen? Sie dachte an den Brief, den sie Treyson mitgegeben hatte. Zum Glück hatte sie weder ihren noch Edgertons Namen darin erwähnt. Sie schloss die Augen und vergaß vor lauter Erleichterung für einen Moment ihre Schmerzen.

Sie durchkämmten die Gegend nach einem englischen Verräter. Und sie suchten nach einem Mann, falls keiner der Gefangenen Lord Pettigrew gestanden hatte, dass es sich in Wirklichkeit um eine Frau handelte. Wenn man sie allerdings verraten hatte, dann hatte sie verspielt. Dann blieb ihr nichts anderes übrig, als zu warten. Nein, sie musste einfach daran glauben, dass alles gut gegangen war.

Wahrscheinlich hatten seine Männer bereits dem Herzog Bericht erstattet. Sie konnte nicht im Bett bleiben. Sie musste sich ganz normal geben. Wenn sie Krankheit vorschützte, würden der Herzog oder Lord Pettigrew möglicherweise Verdacht schöpfen. Sie war zwar keine gute Schauspielerin, aber heute musste sie ihre Rolle perfekt spielen.

Wieder dachte sie an ihren Vater und an Edmund. Wenn sie die beiden beschützen wollte, musste sie zuerst für ihre eigene Sicherheit sorgen. Doch als sie sich im Spiegel sah, wäre sie vor Schreck beinahe in Ohnmacht gefallen. Ihr Haar war verklebt und stand wirr in alle Richtungen ab. Sie war schmutzig und völlig zerschunden und konnte ihren Anblick kaum ertragen, aber das war im Moment völlig nebensächlich. Sie musste sich einfach so anziehen, dass man von den Kratzern nichts sah. Zumindest waren ihre Knochen heil geblieben.

Es dauerte gute zwei Stunden, bis sie sich die Haare gewaschen, getrocknet und in Locken gelegt hatte. Sie wählte ein feminines und recht frivoles Kleid aus, dessen Oberteil sich eng um ihre Brüste schmiegte und in einem weiten Rock auslief. Wenn es je in ihrem Leben die Notwendigkeit gegeben hatte, das Musterbeispiel an weiblicher Hilflosigkeit zu verkörpern, dann heute. Sie sah auf ihre Hände hinab, runzelte die Stirn und zog ein paar weiße Handschuhe an.

Auf der Treppe begegnete sie keiner Menschenseele. Sie war gerade dabei, ins Frühstückszimmer zu gehen, als sie draußen in der Einfahrt eine Kutsche vorfahren hörte. Sie eilte in den Salon und zog die schweren Vorhänge zur Seite, gerade rechtzeitig, um Lord Pettigrew aus der Kutsche steigen zu sehen. Er wirkte erschöpft.

Bassick begrüßte ihn, und einige Minuten später vernahm sie die Stimme des Herzogs.

»Drew, ich bin froh, dass du hier bist. Wir haben jeden Forst und jeden Bauernhof im Umkreis von drei Meilen durchgekämmt, diesen verdammten Verräter aber nicht gefunden. Hast du den Kerl aufgespürt?«

Dem Himmel sei Dank. Sie suchten noch immer nach einem Mann.

»Nein, aber wir haben eine interessante Entdeckung gemacht«, gab Lord Pettigrew mit gedämpfter Stimme zurück. »Lass uns irgendwo privat darüber sprechen.«

Evangeline drückte sich flach an die Wand, bis die Schritte in dem langen Korridor verhallt waren. Und selbst als sie nichts mehr hörte, wartete sie noch ein paar Minuten, um absolut sicherzugehen, ehe sie ihnen folgte.

Falls Bassick es merkwürdig fand, dass sie so plötzlich auftauchte, ließ er es sich nicht anmerken, sondern verneigte sich förmlich und wünschte ihr einen guten Morgen. Sie grüßte betont heiter zurück und setzte ihren Weg fort. Vor der geschlossenen Tür zur Bibliothek blieb sie kurz stehen und atmete noch einmal tief, ehe sie eintrat, ein Lächeln im Gesicht, so strahlend wie die Morgensonne.

Drew Halsey hatte gerade das Wort ergriffen, als

Evangeline in die Bibliothek geschwebt kam, die personifizierte weibliche Schönheit. Ihr Anblick überraschte die beiden Männer so, dass sie sie eine Weile nur hingerissen anstarrten. Drew fasste sich als Erster und verzog finster das Gesicht. Er wartete ungeduldig darauf, seine Neuigkeit loszuwerden und mit dem Herzog zu diskutieren. Doch als er sah, wie Evangelines Augen sich weiteten, zwang er sich zu einem Lächeln. Er wollte diese liebliche junge Frau nicht erschrecken. Noch nie zuvor war sie ihm so schön erschienen, noch nie hatte er ihre Augen so unbefangen strahlen sehen. Er dachte an Felicia, und sein Lächeln floß unwillkürlich in die Breite. »Guten Morgen, Evangeline«, sagte er, erhob sich rasch und ging auf sie zu. Er nahm ihre behandschuhte Hand und hauchte ihr einen Kuss auf die Fingerspitzen. »Ihr seht bemerkenswert frisch aus heute morgen.«

Sie entzog ihm ihre Hand, erwiderte sein Kompliment mit einem glockenhellen Lachen und erwiderte: »Ich hoffe, ich störe die Herrschaften nicht. Ihr seht beide so furchtbar ernst aus. Ich dachte nur, Seine Gnaden und ich könnten mit Edmund eine kleine Ausfahrt nach Rye unternehmen. Ach, du liebe Güte! Ich hoffe, es ist nichts Ernsthaftes vorgefallen? Hat es etwas mit Felicia zu tun, Drew?«

Der Herzog stand vor seinem Schreibtisch, die Arme vor der Brust verschränkt. Sein Blick ruhte auf ihrem dichten honigfarbenen Haar, das sie zu einem lockeren Dutt zusammengefasst hatte, aus dem sich einzelne Strähnen hervorstahlen und vor ihren Ohrmuscheln ringelten. In dem duftigen Tageskleid und den weißen Handschuhen sah sie aus, als wäre sie soeben einer Modellschneiderei entstiegen. Doch kaum hatte sie den Mund aufgemacht, spürte der Herzog, wie sich etwas in ihm verkrampfte. Evangeline hörte sich an wie eine junge Lady, die an dem erstbesten Gentleman, der ihren Weg kreuzte, ihre weiblichen Listen ausprobieren wollte.

»Nein, nein, kein Grund zur Sorge, Evangeline«, beruhigte Drew sie hastig, um die Angst aus ihren lieblichen Augen zu verscheuchen. »Felicia geht es blendend. Das heißt, soweit ich unterrichtet bin, denn Felicia hält sich in der Stadt auf, und ich bin bereits seit zwei Tagen hier.«

»Guten Morgen, Evangeline«, ließ sich der Herzog vernehmen. Er ging jetzt ebenfalls auf sie zu, blieb einen Moment schweigend vor ihr stehen und nickte dann bedächtig. »Eine Kutschfahrt nach Rye, mit Edmund, sagtet Ihr?

»Ja, Euer Gnaden«, bestätigte sie und wandte rasch den Blick ab. Er sah immer so viel, vielleicht sogar zu viel.

Der Herzog dehnte sein Schweigen noch einige Augenblicke aus, ehe er langsam zum Kamin schlenderte und dann meinte: »Leistet uns doch einen Moment Gesellschaft, Evangeline. Anschließend werden wir beide mit Edmund irgendetwas Aufregendes unternehmen. Am besten fangen wir mit einem exquisiten Frühstück an. Ah, wenn ich's mir recht überlege, solltet Ihr unserem Gespräch überhaupt beiwohnen. Ich glaube, es ist nur recht und billig, wenn Ihr erfahrt, was sich hier ereignet hat.«

»Richard, bist du dir da sicher? Sie ist eine Lady, und ich möchte sie nicht unnötig beunruhigen.«

Evangeline überging Drews Einwand und erkundigte sich interessiert: »Was sich hier ereignet hat, Euer Gnaden?« Selbst für ihre eigenen Ohren hörte sich diese Frage so unschuldig an wie die einer Nonne. Blieb nur zu hoffen, dass der Herzog es ebenso empfand. Sie wedelte geziert mit den Händen und zirpte: »Du meine Güte, wie geheimnisvoll Ihr klingt. Ich setze mich wohl besser hin, für den Fall, dass ich einen Schwächeanfall erleide.«

Der Herzog sagte kein Wort, als sie auf einem Sessel Platz nahm. Drew Halsey sah verwundert von einem zum anderen, zuckte die Schultern und ging hinüber zum Schreibtisch des Herzogs.

Der Herzog unterzog indessen seinen Daumennagel einer eigehenden Musterung und runzelte unwillkürlich die Stirn, als er überlegte, ob er Evangeline damit gekratzt hatte. Doch gleich darauf tat er diesen Gedanken mit einem Kopfschütteln ab und erklärte: »Ich habe Euch nicht früher darüber informiert, weil ich Euch nicht ängstigen wollte. Als ich Euren Brief erhielt, in dem Ihr mir über Mrs. Needles Ermordung berichtet habt, beauftragte ich einen Polizeibeamten, mit mir nach Chesleigh zu kommen und Nachforschungen anzustellen. Noch ehe wir nach London fuhren, berichtete er mir von merkwürdigen nächtlichen Vorkommnissen unten in unserer Bucht – er hat Laternensignale und irgendwelche mysteriöse Kerle beobachtet, die nächtens mit einem Boot am Steg anlegten. Er glaubte, dass es sich dabei um Franzosen handelte. Ich erzählte Drew davon, worauf dieser spontan beschloss, die Angelegenheit persönlich zu untersuchen. Wie viele Nächte haben meine Männer die Bucht vom Klippenpfad aus beobachtet, Drew?«

»Nahezu zwei Wochen lang. Vergangene Nacht habe ich selbt mit ihnen Wache gehalten. Wie ich dir bereits sagte, Richard, hat dieser Ermittler absolut Recht gehabt mit seiner Vermutung.«

Evangeline presste eine Hand auf die Brust und starrte Drew mit weit aufgerissenen Augen an.

Drew warf dem Herzog einen unsicheren Blick zu, doch der beschäftigte sich schon wieder mit seinem Daumennagel. »Ja. Fahr bitte fort, Drew.«

»Vergangene Nacht beobachteten wir zwei vermummte Gestalten auf dem Landungssteg, die sich dort mit einem dritten Mann trafen. Als zwei der Männer den Klippenpfad erklommen, wollten wir sie stellen. Unglücklicherweise ergriffen sie die Flucht, weshalb wir gezwungen waren, auf sie zu schießen – und sie zu töten. Ich weiß allerdings nicht, wie der dritte Mann, der die beiden anderen in Empfang genommen hatte, entkommen konnte, aber irgendwie ist es ihm gelungen. Unglaublich, wenn man bedenkt, wie tückisch die Klippen dort sind. Bei Gott, ich war immer der Meinung gewesen, die Felswand sei unüberwindlich. Aber irgendwie hat er einen Weg gefunden, die Klippe hinaufzuklettern, ohne von uns gesehen zu werden. Es war sehr kalt, letzte Nacht, und stockfinster. Die Männer sahen zwar einige Schatten umherhuschen, aber den Verräter konnten sie nicht erwischen.«

»Das ist ja schrecklich!«, rief Evangeline in gespieltem Entsetzen, die Hände immer noch an die Brust gedrückt. »Habt Ihr einen Beweis dafür, dass die Männer, die Ihr erschossen habt, tatsächlich Franzosen sind?«

»Jawohl, Evangeline«, bestätigte Drew. »Einer der Toten hatte einen Packen Papiere bei sich, verschlüsselte Botschaften, die wir – da habe ich keine Zweifel – in Kürze entziffern werden. In der unteren rechten Ecke hat der Verräter mit seinen Initialen unterschrieben. Außerdem hat der Mann, ehe er sein Leben aushauchte, etwas in französischer Sprache gemurmelt. Verstanden habe ich davon nur ›l'aigle‹ und ›traitre‹. Anscheinend hatte der Mann den Verdacht, dass der andere, der sie am Steg in Empfang nahm, verraten hatte. Aber dem war natürlich nicht so. In den Taschen des Mannes steckte noch ein weiterer Brief, adressiert an einen gewissen Luchs, offensichtlich der Londoner Kontaktmann des Verräters. Wie ich bereits erwähnte, handelt es sich um kodierte Mitteilungen, die wir jedoch bald entschlüsseln werden. Unterschrieben war die Nachricht mit *L'Aigle,* was ja ›Adler‹ bedeutet.« An den Herzog gewandt fuhr er fort: »Wie du weißt, haben wir in nördlicher Richtung von Chesleigh gesucht. Leider ohne Erfolg, Richard. Der Mann ist uns entwischt. Aber wir müssen ihn unter allen Umständen fassen. Ich will gar nicht daran denken, welchen Schaden er uns bereits zugefügt hat. Seit letzter Nacht sind drei Männer damit beschäftigt, den Code zu dechiffrieren. Das Ergebnis sollte demnächst vorliegen.«

»Ich habe lange über die ganze Sache nachgegrübelt«, erklärte der Herzog. »Der Kerl muss hier aus der Gegend stammen. Anders kann es gar nicht sein. Dieser verdammte Schweinehund hat meinen eigenen Grund und Boden dazu missbraucht, Spione nach England einzuschleusen. Wenn ich ihn zwischen die Finger kriege, bringe ich ihn um!«

»Falls du ihn vor mir schnappen solltest, dann lass ihn bitte noch eine Weile am Leben. Ich brauche Informationen von ihm. Anschließend sorgen wir dafür, dass er aufgehängt wird und ersparen dir so die Mühe, deine Hände an ihm schmutzig zu machen. Ich kann mir gut vorstellen, wie wütend du darüber bist, dass die Franzosen Chesleigh als heimliche Passage nach England benutzt haben. Überdies sind wir davon überzeugt, Richard, dass Mrs. Needles Mörder irgendetwas mit der Sache zu tun hat. Möglicherweise hat sie eine wichtige Entdeckung gemacht. Du weißt ja, dass sie trotz ihres Alters immer noch durch Wald und Flur streifte und dass sie dabei etwas Verdächtiges gehört oder gesehen hat, ist gar nicht so unwahrscheinlich. Aus dem Grund möchte ich dich auch um die Erlaubnis bitten, die Dienerschaft einer Befragung zu unterziehen. Viel Hoffnung habe ich ja nicht, aber vielleicht hat doch der eine oder andere von ihnen letzte Nacht etwas Auffälliges bemerkt.«

Der Herzog nickte, sagte aber nichts. Sein Blick haftete auf Evangeline.

»Könnt Ihr Drew etwas berichten? Habt Ihr vergangene Nacht etwas gesehen? Vielleicht wart Ihr ja wach und habt um Mitternacht zufällig aus dem Fenster gesehen?«

»Gestern nacht war es eiskalt, Euer Gnaden. Ich habe mein Bett keine Sekunde verlassen. Du meine Güte, das alles hört sich so unwirklich an.«

Zu Evangelines großer Erleichterung schickte sich Drew alsbald an, sie zu verlassen. Als er aufstand, sagte er noch: »Meine Männer werden deine Dienstboten nicht über Gebühr belästigen, Richard. Ich werde dich auf dem Laufenden halten. Meiner Ansicht nach ist es zwar unwahrscheinlich, dass dieser *Adler* deinen Strand noch einmal aufsuchen wird, aber für alle Fälle habe ich ein paar Männer dort postiert, um die Bucht zu bewachen.«

Evangeline erhob sich ebenfalls. »Ich hoffe, Ihr fasst den Mann bald, sonst werde ich heute nacht vor lauter Angst kein Auge zutun. Wenn die Herrschaften gestatten, möchte ich mich jetzt zu Edmund begeben.«

Evangeline schenkte den beiden Männern ein hinreißendes Lächeln und verließ die Bibliothek. Der Herzog blickte ihr hinterher, sagte jedoch nichts.

»Tagsüber bin ich im *Raven Inn* zu erreichen, Richard, doch gegen Abend muss ich nach London fahren. Meiner jüngsten Information zufolge wird Napoleon innerhalb der nächsten Tage nach Belgien aufbrechen. Wellington erwartet ihn bereits. Hoffentlich kann ich schon heute die dechiffrierten Nachrichten nach London mitnehmen.«

»Ich frage mich inzwischen, ob diese Gruppe von Spionen nicht auch etwas mit Robbies Tod zu tun hatte«, gab der Herzog zu bedenken. »Immerhin war er mein Freund und hat sich oft auf Chesleigh Castle aufgehalten, das, wie sich herausgestellt hat, von diesen Verbrechern als heimliches Schlupfloch nach England benutzt wurde.«

»Ja, dessen bin ich mir inzwischen hundertprozentig sicher. Wenn man sich vorstellt, dass diese Schweinehunde deinen Privatstrand benutzt haben! Eine Dreistigkeit, die ihresgleichen sucht, wenn du mich fragst.«

»Genau betrachtet erscheint mir die Sache immer weniger unwirklich«, stellte der Herzog in kühlem Tonfall fest.

Er gab Bassick einige Anweisungen und nickte den beiden Männern, die Lord Pettigrew zurückgelassen hatte, kurz zu, ehe er sich auf den Weg ins Kinderzimmer machte, wo er Evangeline nicht antraf. Er sah in ihrem Schlafgemach nach, stellte fest, dass der Raum leer war und war schon wieder halb durch die Tür, als er plötzlich wie angenagelt stehen blieb.

Zehn Minuten später fand er sie in einem kleinen sonnigen Salon im oberen Stockwerk. Sie stand am Fenster und blickte hinaus über den Kanal, den Rücken der Tür zugewandt. Laut und vernehmlich schloss er die Tür und lehnte sich dagegen. Evangeline drehte sich nicht um, doch ihm war klar, dass sie sich seiner Anwesenheit voll bewusst war.

»Deine Vorstellung war bühnenreif«, bemerkte er leichthin. »Drew bewunderte abwechselnd deine Schönheit und verfluchte dein frivoles Geplapper. Natürlich hast du mit deinem Besuch in der Bibliothek nur das eine Ziel verfolgt, einen möglichen Verdacht von dir abzulenken und herauszufinden, was wir wissen und welche Maßnahmen wir ergreifen werden. Wie gesagt, du hast deine Sache nicht schlecht gemacht. Aber hast du ernsthaft angenommen, dass du *mich* hinters Licht führen kannst?«

Sie verschloss die Augen gegen diese so freundlich vorgebrachte Anschuldigung und schüttelte den Kopf. »Ich weiß nicht, wovon Ihr sprecht, Euer Gnaden. Ich bin sicher, dass diese Vorkommnisse jede Lady zu Tode erschrecken würden.« Sie erschauderte routiniert. »Ein Verräter, hier auf Chesleigh? Nein, wie ungeheuerlich!«

Der Herzog blieb an der Tür stehen. Sein Tonfall änderte sich nicht, nur seine Stimme klang eine Spur tiefer, und die Ruhe, die er ausstrahlte, wurde eine Spur gefährlicher, als er fortfuhr: »Ach, weil du gerade davon sprichst ... Unterhalten wir uns doch gleich einmal eingehender über den Verräter hier unter meinem Dach. Aber lass mich etwas präziser werden. Soll ich dich weiterhin Evangeline nennen oder lieber deinen Verräternamen benutzen – der *Adler?*«

Evangeline drehte sich ganz langsam zu ihm um und sah ihn an. Es war vorbei. Sie hatte verloren, aber sie wusste, dass sie nicht aufgeben durfte. So ruhig wie es ihr nur möglich war gab sie zurück: »Ich fürchte, Eure Fantasie geht mit Euch durch, Euer Gnaden. Seht mich doch an. Wie könnte man mich wohl mit einem Mann verwechseln?«

»Gute Idee. Ich werde dich sehr genau ansehen.« Er ging auf sie zu, ohne sie eine Sekunde aus den Augen zu lassen. »Wie seltsam, dass du heute Handschuhe trägst. Das hast du doch bisher nie getan.«

Ohne Vorwarnung griff er nach ihren Armen und streifte ihr die Handschuhe ab. »Oh, ich hoffe, du hast dir diese undamenhaften Schürfwunden nicht bei unserem Liebesspiel zugezogen«, meinte er zynisch und schüttelte abwehrend den Kopf. »Nein, mach dir nicht die Mühe, mich anzulügen, Evangeline, falls du nicht auch eine gute Erklärung für das Bündel nasser, zerrissener Kleider parat hast, das ich unter deinem Schrank entdeckt habe.

Verdammt, Evangeline, du wirst mir jetzt die Wahrheit erzählen! Und zwar die ganze Wahrheit!«

Seine Gesichtszüge waren in unverhohlener Wut erstarrt, trotzdem schaffte sie es, sich seinem Griff zu entwinden. Er wusste alles, sie hatte verspielt. Aber ihr Vater? Und Edmund? »Also schön«, wisperte sie kaum hörbar. »Es ist wahr.«

»Du bist dieser verdammte *Adler?*«

»Ja.«

Er wagte es nicht, sie anzufassen, denn er wusste, dass er im Augenblick nicht die geringste Kontrolle über seine Hände besaß. »Bis zum heutigen Tage habe ich geglaubt, ein gesundes Urteilsvermögen im Hinblick auf meine Mitmenschen zu besitzen. Aber dank dir stehe ich jetzt als absoluter Vollidiot da. Eine arme Verwandte, eine schöne junge Frau, die meiner Hilfe bedurfte! Eine schöne Frau, die mich ansah, als wollte sie mir die Kleider vom Leib reißen und mich verführen. Und du hast mich verführt, nicht wahr? Aber glaubst du, dass das einen Unterschied macht, jetzt wo ich weiß, was du bist? Bei Gott, du bist eine verdammte Lügnerin, eine Betrügerin und eine Hochverräterin!«

Sie sah auf seine Hände, die er zu Fäusten geballt hatte. »Ich habe nur getan, was ich tun musste.«

»Und ich habe meine Rolle zu deiner Zufriedenheit gespielt, nicht wahr? Sag mir, was hat dich dazu bewogen, in mein Bett zu kommen? Hast du geglaubt, ich könnte Verdacht schöpfen, wenn du mich nicht ablenkst? Hast du gegaubt, ich würde vielleicht zögern, dich dem Henker zu übergeben, nur weil ich dich entjungfert habe?«

»Ich hatte keine andere Wahl«, sagte sie. »Genug jetzt, Euer Gnaden. Lasst mich bitte erklären.«

Er lachte. »Warum nicht? Ich bin sicher, du hast dir bereits eine ganze Palette einleuchtender Erklärungen zurechtgelegt. Immerhin hast du ein sehr gefährliches Spiel gespielt. Selbstverständlich musstest du dir für den Fall deiner Entlarvung schon vorher ein paar gute Entschuldigungen ausdenken.«

Jetzt konnte sich der Herzog nicht länger beherrschen. Er packte Evangeline an den Schultern und schüttelte sie so lange, bis sie endlich den Mund aufmachte. »Nein«, wisperte sie und starrte ihn mit weit aufgerissenen Augen an. »Nein, so ist das nicht.« Dann sank sie ohnmächtig an seine Brust.

37

Der Herzaog fing Eveline geschickt auf, besorgt zum einen, aber auch außer sich vor Wut. Zum Teufel mit ihr! Jetzt konnte er sie nicht anbrüllen, nicht weiter zur Rede stellen, weil sie die Frechheit besessen hatte, in Ohnmacht zu fallen. Er trug sie in sein Schlafgemach, vorbei an einem glotzenden Dienstmädchen und zwei Dienern, legte sie auf sein Bett und riss ihr den hohen Stehkragen auf. An ihrer Schulter entdeckte er etliche tiefe Kratzer. Er fluchte leise, als er ihr das Kleid aufknöpfte und es ihr auszog. Er war so wütend, dass er sie am liebsten erwürgt hätte, nachdem er sah, wie schwer sie verletzt war. Mit zusammengekniffenen Brauen musterte er den hässlichen Bluterguss seitlich an ihren Rippen, die tiefen Schürfwunden und Schnitte an ihren Armen, Beinen und Schultern und atmete dann ein paarmal tief durch, um sich zu beruhigen. Verflucht, sie hätte bei dieser Flucht leicht ums Leben kommen können. Unglaublich, dass sie es geschafft hatte, diese senkrechte Felswand hinaufzuklettern, in absoluter Finsternis und wahrscheinlich von schierer Todesangst getrieben. O Gott, der Gedanke daran raubte ihm fast den Verstand. Mit einem energischen Ruck zog er ihr die Bettdecke bis unters Kinn hoch.

Als Evangeline blinzelnd die Augen aufschlug, blickte sie in die dunklen Augen des Herzogs. »Zum Teufel mit dir«, knurrte er.

»Ich glaube, ich bin ohnmächtig geworden«, stellte sie verwundert fest. »Das ist mir noch nie passiert. Ihr habt mich ausgezogen. Ich sehe furchtbar aus, aber mir ist nichts Ernsthaftes passiert. Meine Rippen sind wie durch ein Wunder heil geblieben, obwohl ich gestern Nacht geschworen hätte, dass sie gebrochen sind.«

Er schloss die Augen, um ihre Worte abzuwehren. Er war bei der Suche dabeigewesen. Er kannte die Gefahr der Klippen, wusste, dass sie gegen die eiskalte Flut hatte anschwimmen müssen, um an den Strand zu gelangen, der vor der Klippe lag. Als er die Augen wieder aufmachte und sie anstarrte, lag schiere Mordlust in seinem Blick. »Ich bin froh, dass du dir letzte Nacht nicht den Hals gebrochen hast. Dann kann ich das jetzt wenigstens erledigen.«

»Ich bekomme meine Strafe, keine Angst. Aber Ihr müsst mich gehen lassen. Ihr könnt nicht derjenige sein, der mir die Schlinge um den Hals legt.«

»Aha, du willst dich also genauso plötzlich aus dem Staub machen, wie du hier aufgetaucht bist? Nein, meine Liebe, von jetzt an werde ich dich keine Sekunde mehr aus den Augen lassen.« Er schlug die Decken zurück und sah auf sie herab. »Du bist wirklich ein tolles Weib, weißt du das? Mein Kompliment! Aber dass du mir deine Jungfräulichkeit geopfert hast, das wäre wirklich nicht nötig gewesen. Ich hatte erwartet, eine Frau mit Erfahrung im Bett zu finden, aber nein, du musstest deine Unschuld für mich aufsparen. O Gott, wenn ich daran denke, dass ich, der Herzog von Portsmouth, ein Mann, der Napoleon in die tiefste Gruft auf Gottes Erdboden wünscht, ein Mann, der jeden Menschen hasst, der ein schlechtes Wort gegen England sagt, dass dieser stolze Idiot sich von einer Frau hat täuschen lassen! Und es war nicht einmal allzu schwierig für dich. Na ja, die ganze Sache hat gewiss auch ein Gutes gehabt, doch bis ich das erkenne, wird noch viel Zeit ins Land ziehen.« Mit einem verächtlichen Schnauben zog er die Decken bis zu ihren Knöcheln herab. Evangeline machte keine Anstalten, sich zu bedecken; sie hatte keine Kraft mehr zu kämpfen. Er legte eine Hand auf ihren Bauch. »Das ist der einzige Teil deines Körpers, der nicht zerschunden ist.«

Sie versuchte sich umzudrehen, doch er hielt sie fest.

»Deckt mich wieder zu«, bat sie mit leiser Stimme. »Ich kann mich nicht gegen Euch wehren.«

»Es wäre auch sehr dumm von dir, das zu versuchen. Keine Angst, ich decke dich gleich wieder zu. Aber zuvor werde ich mich noch davon überzeugen, dass du dir keine bleibenden Verletzungen zugezogen hast.«

Der Mann, der ihr Liebhaber gewesen war, der ihr seinen Ärger ins Gesicht gespuckt hatte, verwandelte sich auf einmal in einen Mann, dem sie völlig gleichgültig war. Sie drehte den Kopf zur Seite und schloss die Augen. Seine Finger drückten vorsichtig an ihre Rippen.

»Du hast Recht. Die Rippen sind nicht gebrochen. Da kannst du dich mehr als glücklich schätzen, meine Liebe. Nein, beweg dich nicht. Du bist zwar überall zerkratzt und zerschunden, aber nicht wirklich ernsthaft verletzt. Bleib liegen. Ich werde etwas von Mrs. Needles Salbe auf die Wunden auftragen.«

Evangeline lag nackt auf seinem Bett und überlegte, was nun mit ihr geschehen würde, mit ihrem Vater, mit Edmund. Als der Herzog mit der Salbe zurückkehrte, war seine Miene ausdruckslos, seine Hände ganz ruhig. Er sagte nur: »Halt still.«

Sie spürte, wie er behutsam die Salbe auf die tiefsten Schürfwunden und Kratzer strich. Seine Hände begannen zu zittern. Sein Blick suchte ihr abgewendetes Gesicht.

Als hätte sie gespürt, dass er sie ansah, drehte sie langsam den Kopf und blickte ihm direkt in die Augen. Um seine Mundwinkel spielte ein verbittertes, hilfloses Lächeln.

»Ich habe dir nie Schaden zufügen wollen, Richard«, begann sie und vergaß auf einmal den Herzog und alle Förmlichkeiten. »Niemals. Aber jetzt ist es zu spät. Jetzt musst du dich selbst schützen. Und Edmund.«

»In fünf Minuten kannst du dich mir offenbaren. Bis dahin jedoch behalte deine Ausflüchte und Bittgesuche noch für dich«, erklärte er und drehte sie auf den Bauch. Auch ihr Rücken, die Hüften und die Rückseite der Schenkel waren mit blutigen Kratzern, häßlichen Schürfwunden und Blutergüssen übersät, stellte er fluchend fest. Sie rührte sich nicht, als er die Salbe auf die schmerzenden Wunden auftrug und dabei schwer atmete.

Während er ihre Wunden behandelte, stellte er sich vor, wie sie sich in stockfinsterer Nacht und um ihr Leben kämpfend nach Chesleigh durchgeschlagen hatte. Und konnte dabei nicht umhin, ihren Mut und ihre Willenskraft zu bewundern. Falls Drew irgendeinen Verdacht hinsichtlich Evangeline geschöpft haben sollte, so hatte ihre gekonnte Vorstellung diesen mit Sicherheit zerstreut. Drew sah in ihr jetzt gewiss nichts anderes mehr als eine törichte und vielleicht etwas zu frivole junge Lady.

»So«, meinte er schließlich, nachdem er sie wieder auf den Rücken gedreht und die Bettdecke hochgezogen hatte. »Das wäre geschafft.«

Er zog einen Stuhl neben das Bett, ließ sich darauf nieder, spreizte die Finger und tippte nachdenklich die Fingerspitzen aneinander.

Dann begann er mit beherrschter Stimme: »Gewisse Dinge sind mir inzwischen klar geworden, Mademoiselle. Deine unerwartete Ankunft auf Chesleigh, deine Mittellosigkeit und dein grundloses Beharren, Chesleigh nicht zu verlassen. Selbst deine angebliche Witwenschaft fügt sich logisch in dieses ganze Lügengebilde. Hättest du dich hier als junge, unverheiratete Lady eingeführt, hätten es die guten Sitten erfordert, dass ich eine Anstandsdame für dich organisiere – ansonsten wäre es nicht möglich gewesen, dass du alleine auf Chesleigh zurückbleibst.« Er unterbrach sich kurz, als er sich an Evangelines schmerzliche Trauer über den Tod der alten Mrs. Needle erinnerte. Unwillkürlich verfinsterte sich seine Miene. »Ich bin davon überzeugt, dass du an dem Mord an Mrs. Needle keinerlei Schuld trägst. Im Gegenteil, ihr Tod hat dich sichtlich sehr getroffen. Aber du weißt, wer sie umgebracht hat, nicht wahr, Evangeline? Und wenn ich die Angelegenheit nicht in die Hand genommen und keinen Ermittler mit Nachforschungen betraut hätte, dann würdest du immer noch Spione in unser Land einschleusen, habe ich Recht?«

»Ja«, sagte sie.

Plötzlich fiel ihm wieder ihr dringender Wunsch ein, Lord Pettigrew im Kriegsministerium zu besuchen. »Ah, da wäre noch eine Kleinigkeit. Dein Besuch im Ministerium. Das war doch nicht nur eine alberne Grille von dir, oder?«

»Nein, ich hatte den Auftrag, einen Umschlag in Lord Pettigrews Büro zu deponieren, in einem der Bücher im zweiten Regal des Bücherbords. Aber was sich in diesem Umschlag befand, das weiß ich nicht.«

»Ich glaube, es ist an der Zeit, dass du mir endlich die ganze Wahrheit erzählst, Evangeline.« Der verzweifelte Ausdruck in ihren Augen hätte ihn beinahe so weit gebracht, das Thema fallen zu lassen. Aber er musste sich Klarheit verschaffen. Er musste über alles Bescheid wissen, was sie getan hatte, und auch herausfinden, warum sie es getan hatte. Evangeline schwieg jedoch beharrlich. »Aha, ich verstehe«, fuhr er seufzend fort. »Du willst mich in dem Glauben lassen, dass du nichts weiter bist als eine gemeine Verräterin, die auf ganz berechnende Art und Weise mich und meine ganze Familie betrogen hat.«

»Nein«, wehrte sie sich mit kalter, dumpfer Stimme. »So war das nicht. Bitte, Euer Gnaden, ich hatte keine andere Wahl. Ich hätte nicht anders handeln können.«

»Raus mit der Sprache! Und keine Umschweife mehr. Vertrau mir, Evangeline. Erzähl mir ganz genau, warum du das getan hast. Und hör endlich mit diesem ›Euer Gnaden‹ auf.«

»Mein Vater ist nicht tot. Er befindet sich in Paris und wird von einem Mann namens Houchard gefangen gehalten.«

Stockend berichtete sie ihm von der Nacht, als die beiden Männer in ihr Haus eingedrungen waren, von ihrer Reise nach Paris und dem Treffen mit Houchard. »Er wusste alles über meine Familie und auch über die deine. Meine Aufgabe war es, dir quasi den Kopf zu verdrehen und alles daranzusetzen, dass du meine wahre Identität nicht errätst; sonst hätte er meinen Vater als Landesverräter umgebracht. Nur der *Luchs* kannte die Wahrheit.«

»Wer ist dieser *Luchs?*«

»John Edgerton.«

Der Herzog sprang aus seinem Stuhl hoch. »Teufel nochmal!«

»Ja, genau das ist er. Ein Teufel. Er selbst oder einer

seiner Männer hat die arme Mrs. Needle umgebracht. Schon bei unserem ersten Treffen wusste ich, dass ich meine Tarnung nicht aufrechterhalten konnte. Und ich war so dumm, ihm zu sagen, dass irgendjemand bereits Verdacht geschöpft hatte. Ja, ich erwähnte Mrs. Needles Namen. Mein Gott, dann hat er sie kaltblütig getötet. Im Nachhinein glaube ich, dass diese abscheuliche Tat in erster Linie als Warnung für mich gedacht war, Schweigen zu bewahren, und nicht eine Vorsichtsmaßnahme, damit Mrs. Needle nicht redete. Er wollte mir zeigen, dass ich mit tödlichen Konsequenzen zu rechnen hätte, falls ich dich ins Vertrauen zöge und um Hilfe bäte.« Sie holte tief Luft und seufzte gegen die aufsteigenden Erinnerungen an. »Ich hatte mich entschlossen, mich dir anzuvertrauen, aber Edgerton hat meinen Wankelmut offenbar bemerkt. Er erklärte mir unmissverständlich, dass er Edmund eigenhändig umbringen würde, falls ich dir gegenüber nur ein Sterbenswörtchen über die Sache verlauten ließe. Deshalb habe ich geschwiegen. Nach Edgertons Drohung wäre ich lieber gestorben, als ihn zu verraten, das kannst du mir glauben. Aber jetzt ist ohnehin alles vorbei.« Sie schwang die Beine aus dem Bett und griff nach der Bettdecke, um sich zu bedecken. »Bitte, Richard, du musst Edgerton dringfest machen, sonst ist Edmunds Leben in größter Gefahr.«

»Du hättest dich mir anvertraut, wenn du nicht um Edmunds Leben gefürchtet hättest?«

»Ja. Glaub mir, Edgerton ist nicht verrückt. Aber er ist von einer fixen Idee besessen und bereit, eine alte Frau und ein Kind umzubringen, um sein Ziel zu erreichen – Napoleon wieder zur Macht zu verhelfen.«

»Ich kenne John Edgerton schon seit meinem achtzehnten Lebensjahr. Damals war ich neu in London und er bereits ein eleganter Gentleman Anfang dreißig. Er wird überall hoch geschätzt. Er hat Einfluss auf sehr viele Entscheidungen und sehr viele Politiker. Ich kann kaum glauben, was du mir da erzählst. Du stehst doch nicht auf Seiten Napoleons, oder?«

»Wenn nur mein Leben auf dem Spiel gestanden hätte, dann hätte ich es ohne zu zögern hingegeben, ehe ich bereit gewesen wäre, mein Land oder dich zu verraten.«

Der Herzog dachte über die merkwürdigen Wege des Schicksals nach, das Evangeline zu ihm geführt hatte. »Du hättest mir wirklich alles erzählt, wenn nicht Edmunds Leben von Edgerton bedroht gewesen wäre?«

»Er hat mehr als nur gedroht. Er hat mir in den glühendsten Farben geschildert, was er Edmund antun würde. Er malte mit Worten ein grauenhaftes Bild, wie man ihn und meinen Vater gemeinsam zu Grabe tragen würde. Und spätestens da wusste ich, dass ich verloren hatte. Ich liebte Edmund wie meinen eigenen Sohn und hätte sein Leben um nichts in der Welt aufs Spiel gesetzt.«

Er senkte den Kopf und drückte die Stirn an ihre Hände, die er zwischen den seinen hielt. »Niemand wird Edmund auch nur ein Haar krümmen«, erklärte er schließlich. »Aber was wird aus deinem Vater? Was, glaubst du, wird mit ihm geschehen?«

Sie schluckte. »Ich weiß es nicht. Edgerton wird bald herausfinden, dass ich entlarvt worden bin. Er wird nach Paris zurückkehren, und dann wird mein Vater sterben. Vielleicht kommt er aber auch erst hierher, um Edmund umzubringen, und mich natürlich auch.«

»Ich werde sehen, wie ich deinem Vater helfen kann. Und ich werde dafür sorgen, dass Edmund und dir nichts zustößt.«

»Oh, eines habe ich vergessen zu erzählen. Drew hat von diesen Spionen gesprochen, die sich bereits hier im Land aufhalten. Ich besitze eine Liste mit ihren Namen und denen ihrer jeweiligen Kontaktleute in London. Ich habe sie in dem Sitzkissen des Alkovens versteckt. Erinnerst du dich an Conan DeWitt, der auf dem Ball bei den Sandersons war? Er ist einer von ihnen. Er hat mich in jener Nacht unter Druck gesetzt. Er ist ein sehr gefährlicher Mann, möglicherweise sogar gefährlicher als John Edgerton.«

»Heiliger Himmel«, stöhnte der Herzog, von der Tragweite ihrer Worte überwältigt.

»Einer der Männer, die letzte Nacht in der Bucht waren, Paul Treyson, befand sich auf dem Weg nach London, um dort eine Stelle als Sekretär bei Rothschild anzutreten.«

Plötzlich begann der Herzog aus vollem Halse zu lachen. »Und ich Dummkopf habe mir immer eingebildet, ein mondänes und aufregendes Leben zu führen. Ich wünschte, ich könnte meiner Mutter dies alles erzählen. Sie würde die Geschichte genauso unglaublich finden wie ich. Aber wir werden natürlich tunlichst darüber schweigen.« Dann wurde sein Gesichtsausdruck wieder ernst, als er sagte: »Da ist noch etwas, was mich interessieren würde. Warum hast du mit mir geschlafen?«

Zum ersten Mal lächelte Evangeline. »Ich konnte nicht anders«, antwortete sie, und er wusste, dass sie die Wahrheit sagte.

»Du hast dich mir hingegeben, weil du keine Zukunft für uns sahst?«

»Für uns gab es keine Zukunft. Mir blieb nur noch diese eine Nacht, und die wollte ich in deinen Armen verbringen. Ich hatte ja keine Ahnung, dass ein Mann es sofort merkt, ob eine Frau noch unberührt ist oder nicht.«

»Ich war überrascht«, murmelte er. »Ja, ich war sogar sehr überrascht, aber das ist jetzt nicht mehr wichtig.« Er küsste ihre Fingerspitzen voller Zärtlichkeit. »Wenn du jemals noch einmal versuchen solltest, das kleinste Geheimnis vor mir zu haben, schlage ich dich windelweich.«

»Es gibt immer noch keine Zukunft für uns«, erklärte sie und schloss die Augen. »Ich habe versagt, wenngleich am Ende doch noch gewonnen, aber Mrs. Needle ist tot, und jetzt wird mein Vater auch sterben müssen.«

Er legte sich neben sie aufs Bett und zog sie in seine Arme. Zärtlich streichelte er ihr über den Kopf, zupfte die Nadeln aus ihrer Frisur und flüsterte ihr ins Ohr, dass alles gut werden würde, er verspreche es, sie würde schon sehen. Evangeline begann leise zu schluchzen.

»Sei ruhig, hör auf zu weinen. Nachdem du mir endlich alles erzählt hast, werde ich mein Möglichstes tun, um zu verhindern, dass deinem Vater etwas geschieht. Und dir natürlich auch. Ich möchte dich nicht im Mittelpunkt eines vernichtenden Skandals sehen. Ich möchte, dass du meine Herzogin wirst. Jetzt geht es nicht mehr nur um dich. Jetzt geht es um uns beide. Und ich bin davon überzeugt, dass wir beide zusammen allen Spionen dieser Welt die Stirn bieten können.«

Jedes Wort, das gesprochen wurde, jede Kleinigkeit, an die sich Evangeline erinnerte, wurde genaustens diskutiert, während der Herzog mit Evangeline über der geheimen Liste brütete. Anschließend schickte er einen Diener mit der Nachricht zu Drew, unverzüglich nach Chesleigh zu kommen. Und er beauftragte den Polizeibeamten, einen unscheinbaren Mann, den Evangeline gelegentlich in der Küche gesehen hatte, keinen Millimeter von Lord Edmunds Seite zu weichen.

»John Edgerton wird in Kürze feststellen«, überlegte der Herzog laut, »dass Paul Treyson noch nicht in London eingetroffen ist. Wie viel Zeit uns bis dahin bleibt, kann ich nicht sagen, aber viel wird es nicht sein. Ein Tag vielleicht, allerhöchstens zwei. Verdammt, wo bleibt Drew bloß?«

Evangeline, die sich inzwischen gegen den Wunsch des Herzogs angekleidet hatte und nervös vor ihm hin und her ging, verkündete auf einmal mit einem verzweifelten Seufzer: »Ich muss zurück nach Paris, das ist die einzige Möglichkeit. Ich muss selbst mit Houchard sprechen und ihn um das Leben meines Vaters bitten. Jetzt, da Napoleon wieder in Paris weilt und alles im Umbruch begriffen ist, hat er doch keinen Grund mehr, meinen Vater zu töten. Mich kann er doch nicht dafür verantwortlich machen, dass alles auseinander bricht. Nein, in erster Linie trägt Edgerton die Schuld daran, weil er Mrs. Needle umbringen ließ. Houchard wird das einsehen. Ja, gewiss.«

»Dummes Geschwätz«, knurrte der Herzog.

Doch als er sah, dass sie sich zu einer Diskussion rüstete, zog er sie in die Arme, küsste sie aufs Ohr und sagte: »Liebes, hör mir zu. Ich glaube, ich habe eine Möglichkeit gefunden, wie wir nicht nur dich unbeschadet aus dem Schlamassel herausbringen, sondern auch deinen Vater retten können. Doch zuerst werde ich mich selbst auf die Suche nach Drew begeben. Die Zeit läuft uns davon. Wir müssen schnell handeln. Verdammter Drew, warum kommt er nicht, wenn ich ihn herbestelle?« Er berührte mit einer Fingerspitze sanft ihre Lippen. »Evangeline, erinnerst du dich an unsere erste gemeinsame Nacht? Das ist erst zwei Tage her – da hast du mir vertraut. Vertrau mir auch jetzt. Bleib in der Nähe. Und komm ja nicht auf die Idee, dich aus dem Staub zu machen. Bassick hat strikte Anweisungen, keinen Fremden ins Haus zu lassen. Ich bin bald wieder zurück.«

Er küsste sie, hart und nachdrücklich, und im nächsten Moment war er auch schon verschwunden.

38

Eine Stunde später kehrte der Herzog nach Chesleigh zurück und fand Evangeline in der Bibliothek, wo sie händeringend vor dem Kamin auf und ab lief. Er warf seinen schweren Mantel über eine Stuhllehne und sagte: »Ich hatte gehofft, du würdest dich ein wenig niederlegen und ausruhen, oder dich wenigstens von Edmund jagen lassen, aber nein, stattdessen läufst du mir hier Löcher in den Teppich.«

Sie rannte ihm entgegen, offenbar mit der Absicht, sich in seine Arme zu werfen, wie er erfreut feststellte, und er packte sie und drückte sie an sich. Evangeline beugte sich zurück, um ihm ins Gesicht zu sehen. »Du bist zurück – Gott sei Dank. Was ist geschehen? Hast du Drew gesprochen? Was wird er unternehmen?«

Statt einer Antwort zog er sie wieder an sich und küßte sie ausgiebig.

»Er glaubt, dass ich die Verräterin bin, stimmt's?«

Er sah die Panik in Evangelines Augen und beobachtete, wie binnen Bruchteilen von Sekunden jegliche Farbe aus ihrem Gesicht wich. »O nein«, sagte er und schüttelte nachdrücklich den Kopf, »keine Angst, davon war überhaupt nicht die Rede.«

Evangeline war so erleichtert, dass ihr ganz schwindlig wurde. »Du lächelst ja. Erzähl, was hast du unternommen?«

»Ich sagte dir doch, dass ich einen möglichen Ausweg gefunden habe. Er bedurfte nur Drews Zustimmung und musste noch etwas ausgearbeitet werden. Also, hör zu: Ich habe ihm klargelegt, dass du, meine Liebe, der unfreiwillige *Adler*, eine Menge wichtiger Informationen besitzt, die du an ihn weiterzugeben bereit bist, falls er die

Güte hat, deine Missetaten zu vergessen. Als ich ihm erklärte, dass sich hinter diesem wunderschönen und so allerliebst plaudernden Frauenzimmer, das uns in der Bibliothek Gesellschaft leistete, der gefährliche *Adler* verbirgt, hätte ihn beinahe der Schlag getroffen. Ja, er konnte es einfach nicht fassen, und ich brauchte einige Zeit, bis ich ihn davon überzeugen konne. Wenn ich mich recht erinnerte, rief er in einem Anflug von Verzweiflung: ›Verdammt, Richard, wenn es stimmt, dass eine Frau zu so etwas fähig ist, muss ich ernsthaft um die Zukunft der Männer fürchten.‹ Anschließend kippte er zwei Gläser Brandy auf einen Sitz hinunter. Und daran hat er gut getan. Denn meine zweite Eröffnung, dass John Edgerton, unser langjähriger enger Freund, der *Luchs* ist, ein Bonapartist und Landesverräter, versetzte ihm einen noch größeren Schock als die erste.

Nachdem ich ihm alle Fakten dargelegt hatte, wütete er eine Weile wie ein Besessener und rüstete sich dann zum Kampf. Um es kurz zu machen, meine Liebe, einer von Drews Männern wird in die Rolle von Paul Treyson, dem toten Spion, schlüpfen und Edgerton in London aufsuchen. Und sobald Edgerton gegenüber seinem vermeintlichen Konktaktmann erkennen lässt, dass er den Code kennt, hat er ausgespielt.«

Evangeline schüttelte abwehrend den Kopf. »Nein, nein, hör mir zu. Treyson hat keine Veranlassung, Edgerton aufzusuchen. Ich habe ihn durch meine Signatur ausklariert. Er hat den Auftrag, direkt zu Rothschild zu gehen.«

Der Herzog lächelte und nahm ihr Gesicht zärtlich in beide Hände. »Du erinnerst dich doch bestimmt an den Brief, den du Treyson mitgegeben hast, um ihn an den *Luchs* weiterzureichen, oder? Unser Mann wird zugegen sein, wenn Edgerton diesen Brief liest. Und sobald er zu erkennen gibt, dass es ihm keine Schwierigkeiten bereitet, den Code zu entziffern, den du in dem Brief benützt hast, haben wir ihn entlarvt. Ganz einfach.

Drew und ich und natürlich Lord Melberry, einer der ranghöchsten Mitglieder des Kriegsministeriums, werden uns in der Nähe aufhalten. Sobald unser Mann das verabredete Signal gibt, nehmen wir Edgerton fest. Dann ist alles vorbei. Warum ringst du denn so verzweifelt die Hände? Gefällt dir der Plan nicht?

»O doch, der Plan ist ausgezeichnet.« Sie machte sich von ihm los und begann wieder nervös vor ihm auf und ab zu laufen. »Ich würde mich nur nicht darauf verlassen, dass Edgerton genau das tut, was ihr von ihm erwartet. Er ist sehr schlau. Und er schien bisher immer mehr gewusst zu haben, als er sollte. Ich habe Angst, dass er euren Plan durchschaut.«

»Ich werde Drew gleich berichten, was du eben gesagt hast. Er wartet nämlich draußen in seiner Kutsche. Als ich ihn hereinbat, ließ er mich wissen, dass er noch nicht bereit sei, dir gegenüberzutreten. Er sagte, er müsse erst seine Einstellung zu jungen Ladies überdenken. Und dann sagte er noch, dass er plötzlich Zweifel hege, ob Felicia wirklich so harmlos wäre, wie er bisher angenommen hatte, worauf ich erwiderte, dass Felicia nicht dumm ist, dass sie ihn liebe und deshalb tunlichst ihre weiblichen Listen vor ihm verbergen werde. Er saß in der Kutsche und nagte an seinem Daumennagel, als ich ihn verließ.

Evangeline, du bleibst hier auf Chesleigh. Hier bist du sicher. Du wirst uns nicht nach London begleiten. Drew ist davon überzeugt, dass das Ministerium, sobald wir Edgerton entlarvt haben, die Zustimmung geben wird, ihn gegen deinen Vater und alle Informationen, die du ihnen geben wirst, auszutauschen.«

Evangeline war einige Momente lang sprachlos. »Das ist zu einfach«, gab sie schließlich zu bedenken. »Glaubst du wirklich, dass Napoleon sich darauf einlässt? Und glaubst du, Drew wird Edgerton einfach so gehen lassen? Was ist, wenn Napoleon diesem Handel nicht zustimmt? Oder wenn die Herren im Ministerium sich gegen einen Austausch entscheiden?«

»Du hast zu lange unter enormen Anspannungen gelebt. Hör mir zu. Du kannst mir vertrauen. Napoleon mag sein, was er ist, aber seinen Gefolgsleuten gegenüber hat er sich bisher immer loyal verhalten. Und was die Herren im Ministerium betrifft, da kannst du ganz beruhigt sein – ich bin ein einflussreicher Mann. Aber jetzt muss ich gehen. Wir müssen schnell handeln, bevor Edgerton merkt, dass etwas nicht stimmt. Morgen oder spätestens übermorgen werde ich zurück sein. Rühr dich nicht aus dem Schloss weg. Übrigens, hast du Mr. Bullock, den Beamten aus London, schon kennen gelernt?«

»Ja. Edmund glaubt, er ist hier, um als mein Hilfslehrer zu fungieren. Ich hörte zufällig, wie Bullock ihm von einem Wegelagerer erzählte, den man vor zehn Jahren in London gehängt hat. Edmund war begeistert.«

Der Herzog zog Evangeline an sich, küsste sie innig und flüsterte ihr dabei in den Mund: »Wenn das hier alles vorbei ist, werden wir heiraten. Und dann lasse ich dich bis zum nächsten Winter nicht mehr aus meinem Bett, wenn überhaupt.«

»Vielleicht«, gab sie lächelnd zurück, »schaffe ich es ja, dich sogar bis zum nächsten Frühling in unserem Bett festzuhalten.«

»Dem Himmel sei Dank«, grinste er. »Ich habe tatsächlich meine Gefährtin gefunden.« An der Tür drehte er sich noch einmal um. »Alles wird ein gutes Ende finden, Evangeline. Mach dir keine Sorgen.« Und mit klaren, strahlenden Augen fügte er hinzu: »Pass auf meinen Sohn auf.« Damit verließ er sie.

Evangeline trat an eines der hohen Bogenfenster und sah der Kutsche mit den vier Pferden hinterher, bis sie in der Ferne verschwand. Man konnte sich nie darauf verlassen, dachte sie, dass etwas gut ging. Nie.

Es geschah so schnell, dass sie nicht einmal Zeit hatte, Luft zu holen, geschweige denn zu schreien. Die Hand eines Mannes hielt ihr den Mund zu, sein schwerer Körper drückte sie hart auf die Matratze.

»Du bist wirklich ein Dummerchen«, flüsterte er an ihrer Wange. »Wie konntest du nur einen Augenblick glauben, dass ich mich von dir täuschen lasse?«

Sie starrte in John Edgertons Gesicht, das im fahlen Morgenlicht gespenstisch blass aussah. Schiere Todesangst erfasste sie. Richard und Drew waren zu spät gekommen. Irgendwie war es Edgerton gelungen, sich an den Wachen vorbei ins Schloss zu schleichen, den Weg zu ihrem Schlafgemach zu finden. Sie gab keinen Mucks von sich, starrte nur wie hypnotisiert in sein Gesicht, während ihr tausend Gedanken gleichzeitig durch den Kopf jagten.

»Wie nett, dich einmal sprachlos vorzufinden, meine Liebe. Bisher habe ich nur deine hilflose Wut erlebt, die mich immer wieder aufs Neue entzückt hat. Ich wusste genau, dass du mich am liebsten umgebracht hättest, um dich und deinen Vater zu retten, aber selbstverständlich war dir klar, dass dir das niemals geglückt wäre. Die Ohnmacht und Hilflosigkeit der Frauen ist eine wunderbare Sache. Zur Abwechslung schweigst du einmal wie ein Grab. Und du hast Angst, Todesangst, und das geschieht dir nur recht.«

Noch immer sagte sie kein Wort.

Er richtete sich ein wenig auf und drückte ihr wieder die Hand auf den Mund. »Für den Fall, dass du vorhast zu schreien. Ja, der leichte Druck meiner Hand sollte genügen, dir klar zu machen, dass du besser schweigst. Weißt du überhaupt, dass ich dich beim Schlafen beobachtet und mir dabei überlegt habe, was ich mit dir anstellen werde, nachdem ich Lord Edmund umgebracht habe?«

»Nein«, keuchte sie gegen seine Hand. »Nein.«

»O doch. Ich habe dir doch genau erklärt, was passiert, wenn du mich verrätst. Aber das hat dich anscheinend nicht gekümmert. Wie dumm von dir. Mehr als dumm. Ja, so viel Dummheit hatte ich dir ehrlich gesagt nicht zugetraut.«

Sie spürte seine trockene Hand an ihren Lippen, als sie wisperte: »Ich habe Euch nicht verraten, nicht wirklich.«

Seine Hand drückte schwerer auf ihren Mund. Er wollte nicht, dass sie weitersprach. Ihre Worte ignorierend, fuhr er fort: »Du bist wunderschön, weißt du das? Aber natürlich weißt du das. Du hast dir den Herzog als Liebhaber angelacht, nicht wahr? Wie lange geht das denn schon? Hat er dich dazu gebracht, vor Lust zu schreien? Man sagt ihm ja nach, dass ihn die Frauen auf Knien anflehen, es mit ihnen zu treiben. Glaubst du das? Hast du das etwa auch getan?«

Als seine Hand sich ein wenig von ihrem Mund löste, biss sie ihn mit aller Kraft in den Daumen. Doch ihr Biss war nicht fest genug gewesen, um ihn zu verletzen; er bewirkte nur, dass er weit ausholte und ihr eine schallende Ohrfeige versetzte. Dann presste sich seine Hand wieder auf ihren Mund. Er funkelte sie wütend an und knurrte: »Du kleines Biest, du. Du spielst das schwache Weibchen, aber kaum hebe ich meine Hand ein wenig, damit du besser schnaufen kannst, schon fängst du an zu beißen oder sogar zu schreien. Spürst du den Pistolenlauf an deiner Seite, Evangeline? Ja? Dann ist es gut. Versuch noch einmal, mich zu beißen, und ich drücke ab und lasse dich hier zwischen den hübschen blütenweißen Bettlaken verbluten. Aber das kann dir ja gleich sein. Du wärst ja schon tot. Lass dir gesagt sein, dass ich nicht sonderlich scharf darauf bin, dich zu töten, aber ich werde es tun. Viel lieber wäre es mir allerdings, wenn du mir dabei zusiehst, wie ich Lord Edmund ins Jenseits befördere.«

»Nein«, flehte sie. »Bitte nicht. Ich werde alles tun, was Ihr verlangt, aber bitte tut Edmund nichts.«

Er verzog die Lippen zu einem hässlichen Lachen. »Dann erzähl mir doch, wie der Herzog dich verwöhnt hat, bis du ihm alle deine Schandtaten gestanden hast.« Er nahm die Hand beiseite, damit sie sprechen konnte, und drückte ihr gleichzeitig den Lauf fester gegen die Rippen.

»Er hat selbst herausgefunden, dass ich eine Verräterin bin. Bis dahin hatte ich geschwiegen, aber dann blieb mir nichts anderes übrig, als ihm alles zu gestehen. Versteht Ihr denn nicht? Es machte doch keinen Unterschied mehr. Drew Halsey und seine Leute waren an dem Abend bereits oben auf den Klippen und erwarteten uns.«

»Ja, das weiß ich alles. Mir ist es selbstverständlich gelungen, mich noch rechtzeitig nach London abzusetzen. Was für ein kläglicher Plan, den sich die beiden da ausgedacht haben. Armer Drew, er hat sich wirklich redliche Mühe gegeben, aber er ist einfach nicht so schlau wie ich. Spätestens jetzt wird er das einsehen und daran zerbrechen. Und der Herzog wird dich und seinen geliebten Sohn für immer verlieren. Das ist Strafe genug für einen Mann, denke ich.«

Evangeline bäumte sich auf, riss ihre Arme los und versuchte, mit der Faust gegen seinen Kehlkopf zu schlagen.

»Tut mir Leid, aber du lässt mir keine andere Wahl«, knurrte er und versetzte ihr einen kräftigen Kinnhaken.

Als Evangeline blinzelnd die Augen aufschlug, wusste sie zunächst nicht, wo sie sich befand. Ein scharfer Schmerz zuckte durch ihren Kopf. Sie machte Anstalten, die Hand zu heben, um sich das schmerzende Kinn zu reiben, ehe sie feststellte, dass ihre Hände gefesselt waren – zum Glück vorne und nicht hinter dem Rücken. So konnte sie vorsichtig ihr Gesicht abtasten. Den Kiefer hatte er jedenfalls nicht gebrochen, dieser widerliche Kerl. Ihre Beine waren ebenfalls gefesselt. In ihrem Mund steckte ein Knebel, der mit einem Stoffstreifen hinter ihrem Kopf befestigt war.

»Was für ein bemerkenswertes Fräulein du doch bist«, hörte sie Edgertons höhnische Stimme. Sie schüttelte den Kopf und sah hoch. Er saß in einem Sessel und beobachtete sie. Sie lag in ihrem Bett, im Nachthemd, nur die Decken waren jetzt bis zu ihren Füßen herabgeschoben. »Ich habe dir nie gesagt, wie sehr ich dein wunderschönes Haar bewundere. Und jetzt ist mir sogar das Glück beschieden, zu sehen, wie es sich offen um dein Gesicht lockt und dir über den Rücken fällt. Findet der Herzog ebenfalls Gefallen an deiner Lockenpracht? Ah, im Augenblick bist du nicht sehr gesprächig, wie? Macht nichts. Ich war schon immer der Ansicht, dass schweigende Frauen ein wahrer Segen sind.« Er setzte ein gemeines Grinsen auf und erhob sich. »Bete zu Gott, dass wir keinen Dienstboten begegnen, sonst muss ich sie leider erschießen. Tja, so gern ich auch die nächsten Stunden allein mit dir verbringen möchte, um dich zu streicheln oder auch mit dir zu schlafen, dafür ist im Augenblick leider keine Zeit. Ich muss gleich wieder aufbrechen. Aber der Gedanke, bald wieder bei meinem geliebten Kaiser zu sein, sehr bald sogar, der tröstet mich über die entgangenen Liebesfreuden hinweg. Du hast mich betrogen. Das darf ich nicht vergessen, sonst würde ich vielleicht so etwas wie Bedauern oder Reue empfinden. Nein, du bist ein heimtückisches und treuloses Miststück, nicht mehr und nicht weniger. Und deshalb musst du jetzt sterben. Aber du sollst wissen, dass dir dein Vater, sobald ich wieder in Paris bin, in den Tod folgen wird. Glaub mir, wenn ich einmal ein Versprechen gegeben habe, dann halte ich es auch. Ich kann es mir nämlich nicht erlauben, mich von Wankelmut oder Mitleid leiten zu lassen wie du, meine liebe Evangeline. So, und jetzt gehen wir beide und statten Lord Edmund einen Besuch ab.« Obwohl Evangeline sich nach Leibeskräften wehrte, obwohl sie zappelte und mit Armen und Beinen strampelte, gelang es Edgerton, sie aus dem Bett zu zerren und sie sich wie einen Sack über die Schulter zu werfen. »Halt still«, knurrte er, vor Anstrengung schnaufend, »oder ich geb dir eins mit der Pistole über den Schädel. Wenn du nach so einem Schlag wieder zu Bewusstsein kommst, wirst du dir wünschen, lieber tot zu sein.«

Evangeline gab auf und hielt still. »Gut so«, brummte er.

Sie hing mit dem Kopf nach unten über seiner Schulter, das Blut pochte in ihren Schläfen, und ihr wurde zunehmend schwindliger. Nein, ermahnte sie sich, sie musste ihre sieben Sinne zusammenhalten. Ihre Angst durfte nicht die Oberhand gewinnen. Ihr Vater – und der kleine Edmund. Nein, sie durfte nicht zulassen, dass er sie umbrachte. Sie musste es unter allen Umständen verhindern.

In ihrem Kopf drehte sich alles, ihre Gedanken gingen wild durcheinander.

Zum Glück begegneten sie auf dem Weg zu Edmunds Kinderzimmer keinem Dienstboten, denn sie zweifelte nicht daran, dass Edgerton seine Drohung wahr gemacht und jeden von ihnen kaltblütig niedergeschossen hätte.

O Gott, aber Ellen würde im Kinderzimmer sein, fiel es Evangeline siedendheiß ein. Sie schloss die Augen und betete. Dann dachte sie an Mr. Bullock, den kleinen, krummbeinigen Mr. Bullock, aber seine Anwesenheit flößte ihr im Augenblick auch nicht viel Zuversicht ein. Gegen Edgerton hatte er nicht die geringste Chance. Es war töricht gewesen, anzunehmen, dass er Edmund ausreichenden Schutz bieten könnte.

Doch der Herzog setzte sein ganzes Vertrauen in diesen Mann, und sie musste einfach fest daran glauben, dass er wusste, was er tat. Gewiss schlief er im Kinderzimmer neben Edmunds Bett. Und wenn dem so war, würde Edgerton ihn und Edmund dort überraschen. Wer rechnete denn schon mit so etwas? Armer Mr. Bullock, alles sah danach aus, dass er ebenfalls Edgerton zum Opfer fallen würde.

Eine letzte Chance hatte sie noch. Sie bäumte sich auf, hob die zu Fäusten geballten Hände und ließ sie mit ganzer Kraft auf Edgertons Rücken niedersausen. Die Wucht des Schlages und ihr Gewicht brachten ihn beinahe zu Fall. Er stieß einen wilden Fluch aus, hielt aber das Gleichgewicht und drehte sich im nächsten Moment so schnell um, dass Evangelines Kopf gegen die Wand krachte. Ihr wurde augenblicklich schwarz vor Augen.

Als Edgerton die Tür zum Kinderzimmer aufstieß, kam sie langsam wieder zu sich. »Na, na, so schlimm war es auch wieder nicht, Evangeline. Ich hoffe, du bist wieder bei Sinnen und etwas achtsamer. So, und jetzt sag mir, wo es zu Edmunds Schlafzimmer geht. Oh, ich vergaß, dass du ja immer noch mit seliger Stummheit geschlagen bist. Vielleicht ist es die Tür dort?«

Vorsichtig schob er die Tür auf. In dem Raum dahinter war es ganz still. Er ging hinein. Zwischen dicken Kissenbergen sah er Edmund in seinem Bett liegen. »Edmund«, rief er, »Edmund, komm, Zeit für dich, aufzuwachen.«

Edmund rappelte sich auf, kratzte sich am Kopf und rieb sich verschlafen die Augen. »Wer bist du? Wo ist Ellen? He, was hast du mit Eve gemacht?«

»Komm, steh auf, mein kleiner Lord. Deine Cousine Eve hängt hier gut verschnürt über meiner Schulter, weil ich ihr nicht trauen kann, dass sie still hält und nicht schreit.«

»Eve? Bist du in Ordnung?«

Sie versuchte sich hochzustemmen, doch Edgerton machte wieder eine schnelle Drehung und hätte ihren Kopf diesmal beinahe gegen die Tür geschlagen.

»Steh auf, Edmund. Wir drei werden einen kleinen Ausflug unternehmen.«

Edmund schaute skeptisch zu Eve hoch, die hilflos und geknebelt über Sir Johns Schulter baumelte. Dann reckte er mutig das Kinn vor, ehe er erklärte: »Nein, Sir. Mit Euch gehe ich nirgendwohin. Ihr werdet Eve jetzt ganz vorsichtig runterlassen. Wenn nicht, wird Euch mein Papa einen Denkzettel verpassen.«

Edgerton lachte, als er zwei Schritte auf Edmund zumachte, der jetzt neben seinem Bett stand, in einem knöchellangen Nachthemd, die kleinen Hände an seinen Seiten zu Fäusten geballt.

Evangeline hatte nur noch den einen Wunsch, zu sterben. Erneut bäumte sie sich mit aller Kraft auf, wohl wissend, dass Edgerton sie gleich hier umbringen konnte.

Sie streckte Zeige- und Mittelfinger ihrer beiden Hände aus und bohrte sie Edgerton blitzschnell zwischen die Rippen. Er stieß einen Schrei aus …

Dann wurde Evangeline beinahe übel vor Erleichterung, als sie eine Stimme sagen hörte: »Ich glaub, das reicht jetzt, Sir.« Es war Mr. Bullock. »'tschuldigung, Missus, dass ich Euch nich' gleich geholfen hab, aber ich musste erst warten, bis der Kerl an mir vorbei war, aber nu 'isses so weit. Lasst sie runter, Sir, oder ich blas Euch 'ne Kugel in den Schädel.«

Als Edgerton anfing, eine Reihe übler Flüche auszustoßen, schüttelte Mr. Bullock nur verächtlich den Kopf und sagte: »Nay, Sir, so was sagt man doch nicht vor 'nem kleinen Lord. Sein Vater wäre nich' sonderlich erbaut darüber. So, und jetzt werft die Pistole auf den Boden.«

»Nein!«, schrie Edgerton. Er wirbelte herum, machte einen Satz auf Bullock zu, packte Evangeline dabei, zerrte sie von der Schulter und schleuderte sie ihm entgegen. Beide gingen zu Boden, und mit einem scheppernden Geräusch schlitterte Mr. Bullocks Pistole über die Holzdielen.

Fluchend rappelte sich Bullock unter Evangeline hoch, die halb auf ihm lag, packte seine Pistole und rannte wie ein Wiesel durch die offene Tür ins Kinderzimmer. »Köpfe runter!«, brüllte er Edmund und Evangeline zu. »Hände hoch, Schweinekerl! Sonst schieß ich Euch nieder, wo Ihr steht, genau vor dem schönen Globus, der dem kleinen Lord gehört!«

Edgerton blieb stehen. Dann ließ er den Kopf sinken und warf die Pistole weg. Langsam drehte er sich zu dem kleinen Mann um, den er normalerweise wie ein lästiges Insekt mit dem Stiefelabsatz zertreten hätte. Verflucht, diese jämmerliche Gestalt hatte es geschafft, ihm, Sir John Edgerton, das Handwerk zu legen. Nein, es war dieses hinterhältige, verlogene Weibsstück gewesen! Er sah Evangeline in der Schlafzimmertür stehen, den kleinen Edmund fest an sich gedrückt. Der Bursche hatte ihre Fesseln aufgeknotet, und sie war wieder frei.

»Einen Schritt zurück. Ja, so isses recht. Und jetzt hinsetzen.«

Edgerton ließ sich auf den Stuhl hinter ihm fallen.

Edmund zupfte aufgeregt an Evangelines Hand. »Eve? Bist du in Ordnung? Hat er dir wehgetan? Oh, schau nur, dein Kinn. Er hat dich geschlagen!« Plötzlich zog Edmund ein Gesicht, das dem seines Vaters zum Verwechseln ähnlich war. Dann rannte er zu Edgerton hin und hieb mit seinen kleinen Fäusten wie ein Wilder auf dessen Brust ein. Als Edgerton versuchte, ihn zu packen, rief Bullock: »Weg da, Lord Edmund! Auf der Stelle!«

Edmund machte gerade noch rechtzeitig einen Satz zurück, bevor Edgerton ihn zu fassen bekam.

»Edmund«, sagte Evangeline bewusst leise und ganz ruhig, »komm her zu mir und hilf mir. Mir ist ein bisschen schwindlig. Ich glaube, ich bin zu schnell aufgestanden. Bitte, sei so lieb und stütz mich. Ja, komm her, damit ich diesem bösen Mann aufrecht ins Gesicht sehen kann, der uns um ein Haar etwas Schreckliches angetan hätte.«

Als Edmund wieder sicher an ihrer Seite stand, fühlte sich Evangeline unsäglich erleichtert und gleichzeitig von einer grenzenlosen Wut gepackt. Am liebsten hätte sie sich jetzt selbst auf Edgerton gestürzt, ihm die Hände um den Hals gelegt und alles Leben aus ihm herausgepresst. Glücklicherweise spürte sie, wie Edmund ihre Hand nahm.

»Mr. Bullock«, sagte sie seufzend, »ich danke Euch, dass Ihr rechtzeitig zur Stelle wart. Was ist, sollen wir diesen Verbrecher fesseln? Oder besser noch, gebt mir doch Eure Pistole, damit ich ihn erschießen kann.«

»Ja, wir erschießen ihn, Mr. Bullock!«, rief Edmund begeistert. In seinem bodenlangen Nachthemd hüpfte er auf und ab, das schwarze, dichte Haar vom Schlaf zerzaust. »Er ist ein böser Mann. Er hat Eve wehgetan. Ich will ihn erschießen, so wie ich es immer mit den Straßenräubern mache. Ich hole nur schnell meine Pistole.« Edmund sauste in sein Schlafzimmer, holte die Pistole unter seinem Kopfkissen hervor und stand schon wieder in der Tür, die Pistole auf Edgerton gerichtet.

Evangeline musste lachen. Ja, sie lachte tatsächlich. »Seht Ihr die Pistole? Die habe ich Edmund als Gastgeschenk mitgebracht, als ich nach Chesleigh kam. Ihr erinnert Euch doch sicher, wer sie für ihn gekauft hat, nicht wahr?«

Edgerton starrte sie mit einem so hasserfüllten Blick an, dass sie vor Vergnügen beinahe gejuchzt hätte. »Aber das ist jetzt nicht mehr wichtig. Das Einzige, was zählt, ist, dass Ihr endlich ausgespielt habt. Ihr habt verloren, Sir. Ja, Ihr habt doch noch verloren!«

»Conan DeWitt hat Recht gehabt«, knurrte er.

»O ja, in der Tat«, gab Evangeline zurück. »Aber um bei der Wahrheit zu bleiben, Ihr habt es Euch allein zuzuschreiben, dass die Sache schief gelaufen ist.«

»Niemals«, stieß Sir John Edgerton hervor.

Evangeline entbot ihm ein mildes Lächeln. »O doch«, erwiderte sie nachdrücklich. »O doch.«

»So, Missus«, wandte sich Mr. Bullock schließlich an Evangeline. »Jetzt wird es langsam Zeit, dass ich diesen Kameraden hier gut verschnüre.«

»Tun Sie das, Mr. Bullock«, sagte Evangeline. »Edmund, sei so lieb und halt ihn mit deiner Pistole in Schach, damit ich ihn an seinem Stuhl festbinden kann.«

Als der Herzog vier Stunden später mit Drew und sechs Soldaten im Gefolge auf Chesleigh eintraf, war er so außer sich vor Angst und Sorge, dass er im Laufschritt in die Halle gestürmt kam. Dort wurde er von einer lächelnden Evangeline und seinem Sohn begrüßt, der neben ihr stand, die Pistole in der Hand, und übers ganze Gesicht strahlend. Der Herzog war so erleichtert, die beiden wohlauf zu finden, dass er sie an sich drückte und erst wieder losließ, als Edmund lachend stöhnte: »Papa, du brichst mir noch die Rippen. Weißt du überhaupt, was Evangeline und ich für Helden sind? Mr. Bullock haben wir auch ein bisschen mithelfen lassen.«

Der Herzog sah seinen Sohn erstaunt an. »Was ist passiert?«

»Komm mit, Papa. Eve und ich, wir haben eine Überraschung für dich. Ja, eine Überraschung, die fast so toll ist wie meine Pistole. Komm, Papa.«

Der Herzog und Drew Halsey folgten Evangeline und Edmund in die Bibliothek, wo Mr. Bullock neben dem auf einem Stuhl sitzenden John Edgerton stand und ihm die Pistole an den Kopf hielt. »Ich wollte kein Risiko eingehn«, erklärte Mr. Bullock. »Dieser Gentleman hier is' gerissen wie 'ne Ratte.« Breit grinsend machte er einen Schritt zurück. John Edgerton war an Händen und Füßen gefesselt und schneeweiß im Gesicht vor Wut. Zum Glück war er auch geknebelt.

»Es ist vorbei«, sagte Evangeline, ging zum Herzog und schlang die Arme um ihn. »Es ist vorbei. Wir haben gewonnen.«

»Erzähl mir alles der Reihe nach«, sagte der Herzog, und sie begann zu berichten, eifrig unterstützt von Mr. Bullock und Edmund, die keine Kleinigkeit ausließen, besonders Edmund nicht, ganz gleich, ob sie wichtig oder unwichtig war.

Anschließend berichteten Drew und der Herzog, dass sie, ihrem Plan zufolge, zu Edgertons Londoner Stadthaus gefahren waren, nur um festzustellen, dass der Vogel ausgeflogen war. »Ich kann mich nicht erinnern, jemals solche Angst gehabt zu haben«, gestand der Herzog. »Jemand muss ihn in letzter Sekunde gewarnt haben. Auf dem Weg von London hierher bin ich tausend Tode gestorben, das sage ich euch.« Er schüttelte den Kopf und drückte Edmund noch einmal so fest an sich, dass er vor Schmerz aufquiekte. »Gott sei Dank, wenigstens haben wir ihn geschnappt und dieser Geschichte ein Ende gesetzt.«

»Ja, ein unwiderrufliches Ende«, warf Drew ein. »Ich habe sogar den Umschlag gefunden, den Ihr in meinem Büro versteckt habt, Evangeline. Himmel nochmal, der hätte mich zum perfekten Verräter gestempelt, wäre er in falsche Hände gelangt. Wie gut, dass Ihr diese Liste aufbewahrt habt. Anhand der Namen können wir wenigstens den größten Schaden verhindern. Meine Männer sind gegenwärtig dabei, diese Banditen ausfindig zu machen. Und ich bin sicher, dass wir sie alle hinter Schloss und Riegel haben, noch ehe dieser Tag zu Ende geht.«

Evangeline war nicht wohl bei der folgenden Frage, aber sie musste sie stellen: »Und mein Vater? Gibt es eine Chance, dass er mit dem Leben davonkommt?«

»Wir werden unverzüglich eine Nachricht nach Paris schicken. Ich bin davon überzeugt, dass Napoleon Euren Vater gegen Edgerton austauschen wird. Wie der Herzog Euch bereits erklärte, verhält sich Napoleon gegenüber pflichtgetreuen Anhängern erstaunlich loyal. Und was Euch betrifft, verehrte Mademoiselle de la Valette, so hat mir der Herzog versichert, dass Ihr, sobald Ihr seine angetraute Gattin seid, keine Zeit mehr haben werdet, zu nächtlicher Stunde unten am Strand herumzugeistern.«

»Freut mich zu hören, mein lieber Drew, dass du inzwischen wieder mit ihr reden kannst, ohne dabei deine Zunge zu verschlucken«, grinste der Herzog und knuffte seinen Freund in die Schulter. »Sie beißt nämlich nicht, normalerweise.«

»Hat sie dich etwa gebissen, Papa?«, wollte Edmund wissen, der Evangeline jetzt mit unverhohlener Ehrfurcht musterte.

»Nur wenn sie so wütend auf mich war, dass ihr die Worte im Hals stecken geblieben sind, Edmund.«

Lord Pettigrew sah Evangeline an, die glücklich lächelnd an des Herzogs Seite lehnte, und schüttelte nur mit dem Kopf. »Das Leben«, erklärte er, nachdem er einen kräftigen Schluck Brandy genommen hatte, »geht bisweilen Wege, die sich ein Mann auch in seinen ärgsten Albträumen nicht ausmalen kann.«

»Ich bin nicht ganz sicher, wie ich diese Proklamation aufzufassen habe«, gab Evangeline lachend zurück, ehe der Herzog sie mit einem Kuss zum Schweigen brachte. »Vergiss Drew«, flüsterte er in ihren Mund. »Mich plagen nie Albträume.«

»Beißt sie dich jetzt, Papa, weil du sie geküsst hast?«

»Hoffen wir, dass sie sich das Beißen bis heute Abend verkneifen kann«, gab er Herzog grinsend zurück, worauf Drew dezent in seine Hand hüstelte.

Edgerton, dem Mr. Bullock immer noch mit eisiger Miene die Pistole an den Kopf drückte, saß regungslos und mit geschlossenen Augen auf seinem Stuhl.

Zwei Stunden später eskortierten der Herzog, Drew Halsey und die sechs Soldaten John Edgerton zurück nach London.

»Wann kommt Papa wieder, Eve?«

»Sehr bald, Edmund. Spätestens morgen Nachmittag

wird er wieder hier sein. Glaub mir, gern ist er nicht nach London geritten, doch anscheinend hat er dort noch einige wichtige Dinge zu erledigen.«

»Ich hab gesehen, wie er dich noch einmal geküsst hat, ohne dir etwas in den Mund zu flüstern«, erklärte Edmund mit interessiert gerunzelter Stirn. »Und er hat dir dabei über den Rücken gestrichen, aber nicht so, wie er es manchmal bei mir macht. Nein, er hat ihn richtig gestreichelt, rauf und runter und wieder rauf, und dabei schien er sich sehr zu konzentrierten.«

»Nun ja«, sagte Evangeline. »Ich glaube auch, dass er sehr genau darauf geachtet hat, was er tat. Weißt du, Edmund, ich habe dich sehr gern, und deinen Papa auch.«

»Ich hab gar nicht gewusst, dass du auch meinen Papa gebissen hast. Eigentlich habe ich mir noch nie Gedanken darüber gemacht, ob sich Erwachsene gegenseitig beißen. Irgendwie finde ich das komisch. Einmal hab ich gesehen, wie Papa dich ins Ohr gebissen hat, und du hast den Hals so zur Seite gereckt, dass er dich noch besser beißen konnte. Warum hat er das eigentlich getan?«

Evangeline kniete sich vor Edmund auf den Boden, sah ihm direkt in sein hübsches, treuherziges Gesicht und legte ihm leicht eine Hand auf die Schulter. »Möchtest du, dass ich hier bleibe, Edmund?«

»Ja«, antwortete er im Brustton der Überzeugung. »Ich verfolge dich nämlich so gern.«

Dein Vater auch, wollte sie einwerfen, hielt sich jedoch noch rechtzeitig zurück. »Mir macht es auch Spaß, wenn du mich jagst. Erschossen zu werden ist zwar manchmal etwas aufregend, aber ich glaube, ich werde es aushalten.«

»Wirst du wirklich bei uns bleiben? Und mir beibringen, schneller zu schwimmen als Papa?«

»Ja«, anwortete sie, »ich bleibe hier. Wenn dein Papa

aus London zurückkommt, werden wir drei uns ausführlich darüber unterhalten.«

»Gut. Ich gehe jetzt und schieße einen Pfau. Und wenn er tot auf dem Boden liegt, dann beiße ich ihn.«

»Dann wirst du den ganzen Mund voller Federn haben, Edmund. Das ist nicht besonders angenehm. Und Ellen muss dir dann den Mund auswaschen. Nein, ich glaube, das ist keine gute Idee.«

»Wie du meinst«, gab Edmund zurück und nickte nachdenklich. Dann drehte er sich um und rannte zur Treppe. »Dann beiße ich eben Ellen!«, rief er über die Schulter.

Die arme Ellen, dachte Evangeline und sah Edmund hinterher, wie er die Treppe hinaufsauste. Selbst als er oben um die Ecke gebogen war, blieb Evangeline noch in der riesigen Eingangshalle stehen, schüttelte den Kopf und lächelte dabei, so unendlich erleichtert und so glücklich, dass sie glaubte, ihr würde das Herz in der Brust zerspringen.

39

Es war am nächsten Morgen. Die Sonne schien freundlich, und vom Meer her wehte eine leichte, würzige Brise. Es würde ein milder Tag werden. Evangeline summte leise vor sich hin, als sie vom Frühstückszimmer Richtung Salon schlenderte.

»Madame«, sagte Bassick, »im Salon wartet ein Gentleman. Er sagt, der Herzog habe ihn zu Euch geschickt.«

Sie beschleunigte ihren Schritt, ein erwartungsfrohes Lächeln im Gesicht. »Vielen Dank, Bassick!«, rief sie ihm über die Schulter zu, ehe sie die Tür zum Salon aufstieß.

»Macht die Tür zu.«

Evangeline blieb wie angewurzelt stehen, als sie Conan DeWitt erkannte, der eine Pistole auf sie gerichtet hielt. »Tür zu, sonst erschieße ich den alten Mann da draußen. Schnell, macht schon.«

Evangeline zog die Tür hinter sich ins Schloss und drehte sich dann langsam um. »Was macht Ihr hier?«

»Ich würde Euch gern erzählen, dass ich als Edgertons Gesandter hier bin, um Euch zu informieren, dass der verfluchte Herzog tot ist. Leider entspricht das nicht der Wahrheit. Sie haben Edgerton geschnappt. Und ich glaube, wir haben es Euch zu verdanken, dem *Adler*, dass sie auch alle anderen Männer gefasst haben, die durch Euch nach England gekommen sind. Ich bin entkommen. Dieselben Männer, die Edgerton warnten, dass Lord Pettigrew und seine Leute hier auf Chesleigh sind, haben auch mich informiert. Hätte ich nur eine Stunde länger gewartet, wäre ich mit dem Rest aufgeflogen.«

»Warum seid Ihr hierhergekommen? Ihr wisst doch, dass sie nach Euch suchen.«

»Die können ganz Schottland durchkämmen, aber mich werden sie nicht finden. Ich habe John eingeschärft, Euch nicht zu trauen. Immer wieder habe ich ihn gewarnt, aber er wollte nicht hören. Weil er Euch begehrte. Mehr noch, er wollte Macht über Euch haben, damit Euer zukünfiges Schicksal in seiner Hand liegt. Außerdem hat er den Fehler begangen, zu glauben, dass er Euch mit seinen Drohungen so fest in der Hand hat, dass Ihr nicht aus der Reihe tanzt. Aber trotz aller Druckmittel, welche auch immer das gewesen sein mögen, war ich davon überzeugt, dass Ihr uns eines Tages verraten werdet.«

»Nein, Edgerton selbst war daran schuld, dass Eure Sache geplatzt ist. Indem er Mrs. Needle kaltblütig umbrachte, setzte er Dinge in Gang, die schließlich zu seiner Ergreifung führten – und die auch zu Eurer führen werden. Der Herzog hatte nämlich einen Geheimpolizisten aus London mit nach Chesleigh gebracht, der herausfinden sollte, wer Mrs. Needle umgebracht hat. In der Nacht, bevor der Herzog und ich nach London abreisten, habe ich unten am Strand einen Kurier getroffen. Der Ermittler hat alles beobachtet und sofort dem Herzog Bericht erstattet. Offenbar hat er nicht bemerkt, dass ich kein Mann bin, da ich einen langen schwarzen Umhang trug. Ich habe Euch nicht verraten. Edgerton allein trägt die Schuld daran, dass Eure Mission fehlgeschlagen ist.«

»Nein«, knurrte DeWitt. »Nein, Ihr verdreht die Wahrheit.« Er machte ein paar Schritte auf sie zu. Sie konnte sein wütendes Schnaufen hören. »O ja«, fuhr er fort, jetzt ganz dicht bei ihr, »ich werde nach Frankreich zurückkehren, aber nicht allein. Ich weiß, dass Ihr ihnen alles gesagt habt, was Ihr wisst. Deshalb werde ich Euch mit nach Frankreich nehmen und Houchard übergeben. Der wird Euch dann Eurer gerechten Strafe zuführen, und ich werde lächelnd dabeistehen und zusehen, wie er Euch umbringt. Ihr seid eine ausgezeichnete Geisel. Macht keine Dummheiten. Lebendig seid Ihr nämlich nicht sehr viel mehr wert als tot.«

Zum Glück war wenigstens Edmund sicher, überlegte Evangeline rasch. Edgerton schien seine Drohung, Edmund umzubringen, Gott sei Dank für sich behalten zu haben. Evangeline bezweifelte keine Sekunde, dass DeWitt versuchen würde, Edmund etwas anzutun, wenn er davon gewusst hätte. Sie hatte gewonnen und sie hatte verloren. Aber noch war es nicht vorbei. Solange sie noch am Leben war, gab es Hoffnung.

Der Herzog sprang mit einem Satz von seinem Zweispänner, warf Juniper die Zügel zu und stieg die breite Steintreppe empor. Er drückte die schwere Eingangstür auf und rief ihren Namen.

»Euer Gnaden, Ihr seid schon zurück? Das verstehe ich nicht. Eben traf der Gentleman ein, den Ihr geschickt habt, um Madame auszurichten, dass Ihr Euch verspätet, und …«

»Welcher Gentleman, Bassick?« Der Herzog packte den alten Butler beim Arm und schüttelte ihn. »Schnell, Bassick! Welcher Mann? Wieso verspäten? Was geht hier vor? Wo ist Madame?«

»Im Salon. Mit dem Herrn, den Ihr geschickt habt. Ich werde sie sofort über Eure Ankunft unterrichten.«

»Verdammt, ich habe niemanden geschickt!« Er wartete nicht auf Bassicks Antwort, sondern rannte durch die Eingangshalle und riss die Tür zum Salon auf. Das Einzige, was er sah, war ein schwerer Brokatvorhang vor einem offenen Fenster, der sich im Wind bauschte. Ansonsten war der Salon leer.

Fluchend rannte er zurück in den Korridor, den bitteren Geschmack der Angst auf der Zunge, wo er beinahe mit Bassick zusammengestoßen wäre.

»Wer war der Mann?«

Bassick wusste wie alle Bewohner von Chesleigh, dass man unten in der Bucht französische Spione bei ihren dunklen Machenschaften überrascht hatte. Und er wusste selbstverständlich auch, dass Madame irgendwie in die Sache verwickelt war, nur kannte er keine Einzelheiten. Doch jetzt war etwas Schreckliches passiert. »Er sagte, sein Name sei Ferguson, Euer Gnaden.«

Der Herzog stieß einen Fluch aus. »Wie sah er aus? Schnell, Bassick, könnt Ihr Euch an irgendetwas erinnern?«

»Er war nicht viel älter als Ihr, Euer Gnaden. Ein gut aussehender Gentleman, freundlich und recht groß. Ein Muttermal, ja, Euer Gnaden, an der Wange hatte er ein großes Muttermal. O Gott, Ferguson war nicht sein richtiger Name?«

»Nein«, gab der Herzog zurück. »Der Mann heißt Conan DeWitt und ist ein gefährlicher Verbrecher. Schnell, trommelt alle verfügbaren Männer zusammen. Er hat Madame entführt. Beeilt Euch, Bassick!«

Der Herzog war schon auf dem Weg in die Bibliothek, um seine Pistolen aus dem Waffenschrank zu holen, als er Bassick über die Schulter zurief: »Ist er in einer Kutsche gekommen oder zu Pferd? Antwortet, Bassick, schnell!«

»Er kam geritten, Euer Gnaden. Ja, richtig, eine Kutsche habe ich nicht gesehen.«

Sobald der Herzog seine beiden Pistolen geladen hatte, rannte er zu den Stallungen. DeWitt war entweder gekommen, um Evangeline umzubringen, oder um sie als Geisel nach Frankreich mitzunehmen. Freilich konnte er nicht damit rechnen, schnell voranzukommen, wenn er Evangeline vor sich auf dem Pferd festhalten musste. Demnach brauchte er ein zweites Pferd. Und er musste sie nach Eastborne bringen. Das war die nächstgelegene Stadt, von wo aus er ein Schiff Richtung Frankreich erreichen konnte.

Vor der Stalltür hockte Trevlin und flickte ein Zaumzeug.

»Trevlin, hast du Madame gesehen?«

»Ja, Euer Gnaden«, antwortete Trevlin und kratzte sich am Ohr. Als ihm jedoch die Dringlichkeit im Tonfall des Herzogs bewusst wurde, sprang er auf. »Ich hab mich schon gewundert ... Ja, komisch, dachte ich mir, was hat sie mit ihm vor? Sie ist mit einem Mann weggegangen. Sie liefen in Richtung Klippe, oberhalb der Bucht.«

Der Herzog sah ein halbes Dutzend Männer auf sich zustürmen und rief ihnen, während er losrannte, über die Schulter entgegen: »Er hat sie zu den Klippen gebracht!« Trevlin warf das Zaumzeug weg und schloss sich den Männern an. Der Herzog rannte hinten am Stall vorbei, wo er auf den schmalen Klippenpfad traf, gefolgt von den Männern, die laut schnaufend versuchten, mit ihm Schritt zu halten. DeWitt hatte offenbar ein Boot, das am Steg auf ihn wartete.

Der Herzog befand sich etwa dreißig Meter vom Kliff entfernt, als er Evangelines durchdringenden Schrei hörte, dem ein leises Wimmern folgte.

Der Herzog hetzte ohne stehen zu bleiben weiter. In seinen Schläfen hämmerte das Blut, und sein Atem hörte sich an wie das Tosen eines Gewitters. Er wollte nicht daran denken, was dieser Schrei bedeutete. Das felsige Terrain stieg an, und jetzt sah er DeWitt. Er hatte Evangeline mit beiden Armen umfasst und schleppte sie zum Klippenrand. Nirgends war ein Pferd zu sehen. Gütiger Himmel, wollte er sich und Evangeline umbringen?

»DeWitt, lass sie los!«

Der Mann drehte sich um, die Arme wie ein Schraubstock um Evangeline gepresst.

»Nimm es mit mir auf, du jämmerlicher Feigling. Aber lass sie gehen!« Geistesgegenwärtig nutzte Evangeline den Moment der Ablenkung, um DeWitt mit aller Kraft das Knie zwischen die Beine zu stoßen. Er brüllte auf wie ein Stier und lockerte kurz seinen Griff. Evangeline riss sich von ihm los, stolperte über einen Stein, verlor die Balance und ruderte wild mit den Armen. DeWitt schoss herum, sah sie schon über den Klippenrand fallen und stürzte ihr mit ausgestreckten Armen hinterher. In diesem Augenblick verlor Evangeline endgültig das Gleichgewicht. Sie fiel auf die Knie, stützte sich mit den Händen noch ab, aber als DeWitt sie packen wollte, ließ sie sich flach auf den Bauch fallen. Conan DeWitts Hände griffen ins Leere, und er stürzte mit einem gellenden Aufschrei über sie hinweg in die Tiefe.

Als der Herzog Evangeline eingeholt hatte, stand sie bereits wieder aufrecht am Klippenrand und spähte hinunter zum Strand. Er blieb hinter ihr stehen und reckte den Kopf über ihre Schulter, um etwas zu sehen. Nach und nach versammelten sich auch die anderen Männer am Klippenrand und starrten hinab in die Tiefe.

Conan DeWitt lag auf dem Rücken, sein schwarzer Umhang zu beiden Seiten seines Körpers ausgebreitet wie zwei riesige Flügel. Erst jetzt bemerkte der Herzog das Boot, das von zwei Männern mit kräftigen Ruderschlägen vom Steg weggerudert wurde.

Er hatte nicht vorgehabt, sie zu töten. Er wollte sie nach Frankreich bringen.

Erleichtert zog der Herzog Evangeline in die Arme. »Jetzt ist es endgültig vorbei«, flüsterte er in ihr Haar. »Es ist überstanden. DeWitt ist tot.« Seine Hände strichen ihr dabei unaufhörlich über die Schultern. Beide zitterten sie. Er war so überwältigt vor Erleichterung, dass er keine Worte mehr fand.

Mit einem Finger hob er ihr Gesicht an und sah, dass ihre Pupillen beinahe pechschwarz waren. »Du bist gekommen«, hauchte sie. »Du bist tatsächlich gekommen. Ich wusste, dass er mich töten würde. Ich sah das Boot unten am Steg und erkannte, dass darin nur noch Platz für einen war. Er wollte mich nicht als Geisel mitnehmen. Er wollte mich töten … er hat mich immer näher und näher an den Abgrund gedrängt …« Dann schlang sie die Arme um seinen Nacken und atmete keuchend aus, ihre Augen weiteten sich. »Ich wollte nicht sterben. Ich wollte dich nicht wieder verlassen.«

Er fand immer noch keine Worte, hielt sie nur stumm in den Armen und lauschte dem Schlag ihres Herzens, das an seiner Brust klopfte.

»Nachdem ich ihn getreten hatte, wollte ich weglaufen, aber ich bin gestolpert und hingefallen. Und er ist über mich drübergestürzt.«

»Ja, ich weiß. Wir haben es gesehen. Es ist vorbei. Alles ist vorbei. Er ist tot.«

Evangeline drehte sich um und sah ein gutes Dutzend Chesleigh-Bedienstete, Männer und Frauen, alle mit irgendeiner Waffe in der Hand – einem Ast, einer Mistgabel, einem Gewehr. Mrs. Raleigh hielt einen Regenschirm in der Hand, Bassick einen schweren Kerzenleuchter, Trevlin hatte eine Trense um seine Faust gewickelt.

»Vielen Dank euch allen, dass ihr mir zu Hilfe geeilt seid«, sagte Evangeline.

»Ich danke euch ebenfalls«, sagte der Herzog. »Evangeline de Beauchamps wird bald eure Herrin und meine Herzogin sein.«

Das freudige Jubeln der Dienerschaft folgte ihnen, als Evangeline und der Herzog sich umdrehten und Arm in Arm nach Chesleigh Castle zurückgingen. »Drew hat mich gefragt, ob wir heiraten werden, worauf ich erwiderte, dass ich es als meine Pflicht ansähe, weil du ohne meinen männlichen Schutz völlig hilflos bist. Worauf er doch tatsächlich die Frechheit besaß, aus vollem Halse zu lachen. Wenn ich mich recht erinnere, brüllte er: ›Hilflos, bei Gott, hilflos!‹, bis ich ihm meine Pranke auf die Schulter legte und er klugerweise die Luft anhielt. Ich räumte dann wohl ein, dass du nicht direkt hilflos bist, aber ohne mich anscheinend nicht in der Lage, auf den Pfaden der Tugend zu wandeln. Das konnte er akzeptieren, und schließlich meinte er zwischen gelegentlichen Lachanfällen, dass das Ministerium gewiss sehr erleichtert darauf reagieren würde, wenn sich diese Angelegenheit so elegant lösen ließe.«

Als sie endlich im Salon waren und die Tür hinter sich geschlossen hatten, zog der Herzog Evangeline an sich, barg das Gesicht in ihrem Haar und flüsterte: »Morgen früh werden wir nach London aufbrechen. Und sobald dein Vater von Paris angekommen ist, heiraten wir. Aber jetzt müssen wir Edmund in unser Vorhaben einweihen.«

»Ja«, erwiderte sie lachend. »Ich werde ihm versprechen, mich von ihm jagen zu lassen, wenn er uns seinen Segen gibt.«

»Ich bezweifle, dass er allzu überrascht sein wird«, warf der Herzog grinsend ein.

In diesem Moment kam Ellen händeringend den Korridor entanggelaufen. Hinter ihr hörten sie Edmund kommandieren: »Immer schön weitergehen, Schrecklicher Tom, sonst geht es dir an den Kragen. Wart mal einen Moment, ich muss nur schnell den Reisenden hier das Geld abnehmen.«

Der Herzog lachte und rief ihm zu: »Edmund, sag, bist du ein Geheimpolizist oder ein Straßenräuber?«

»Bei meiner Geschicklichkeit«, gab der Kleine grinsend zurück, »kann ich mühelos beides sein.«

»Mein Vater wird sich mit Edmund gut verstehen«, sagte Evangeline.

»Im Augenblick bete ich nur, dass er uns seinen Segen gibt.«

»Warum sollte er nicht? Ach, wegen dieser alten Familienfehde? Möchtest du mir nicht erzählen, was es damit eigentlich genau auf sich hat?«

»Im Nachhinein scheint das alles so lächerlich. Es hatte mit Marissas Mitgift zu tun, die größtenteils aus Schmuck bestand. Doch die Juwelen stellten sich als

Fälschungen heraus. Dein Onkel wollte davon nichts wissen und beschuldigte meinen Vater, die Juwelen gestohlen zu haben, um noch mehr Geld aus ihm herauszupressen. Mein Vater war so entrüstet und bestürzt über diese Anschuldigung, dass ihn beinahe der Schlag getroffen hätte. Am nächsten Tag durchschnitt er jegliche Familienbande zwischen den Clarendons und den Beauchamps. Dein Vater hat sich naturgemäß auf die Seite seines Bruders gestellt, weshalb ich sechs lange Jahre lang nichts von seiner tugendhaften Tochter, diesem französichen Mischlingskind, sah oder hörte.«

»Na, dafür siehst und hörst du sie jetzt dein ganzes Leben lang«, beruhigte ihn Evangeline und schüttelte den Kopf. »Ich glaube, um meinen Vater brauchen wir uns keine Sorgen zu machen. Er ist bestimmt so glücklich darüber, dass wir beide mit dem Leben davongekommen sind, dass er dir vor Freude um den Hals fallen wird. Vielleicht ist er sogar imstande, großzügig darüber hinwegzusehen, dass er einen langweiligen Engländer als Schwiegersohn bekommt.«

»Ein langweiliger Engländer ist diesem selig dahingeschiedenen Holzkopf von André mit Sicherheit vorzuziehen.«

»Hört, hört«, lachte Evangeline, bückte sich und nahm Edmund auf den Arm.

»Pass auf, Eve. Papa sieht so aus, als würde er dir gleich wieder ins Ohr beißen.«

Ach, dachte Evangeline glücklich, wie schön ist es doch, aus vollem Herzen lachen zu können.